생명의 기원과 역학의 원리

머리말

이 책(冊)에서 말하고자 하는 바를 한마디로 하면 "물(Water)은 생물(生物)"이라는 것이다. 여기에 제시한 새로운 관점(觀點)으로 보면 물(Water)은 생물이다. 이는 인류의 궁극적 의문인 생물의 창조와 생물의 진화를 알 수 있는 중요한 발견이다.

물질(物質)은 유전(遺傳)을 할 수 없지만, 생물(生物)은 유전(遺傳)을 한다. 물질(物質)은 물질대사(物質代謝)를 할 수 없지만, 생물(生物)은 물질대사(物質代謝)를 한다. 생물(生物)은 환경에 대한 반응을 물질(物質)과는 반대(反對)의 방법(方法)으로 한다. 그리고 물질(物質)은 항상성(恒常性)이 없지만, 생물(生物)은 생존하기 위해 안정적인 상태를 능동적으로 유지하는 항상성(恒常性)이 있다. 물질(物質)은 합체(合體)와 해체(解體)로 변화(變化)를 하지만, 생물(生物)은 유전정보(遺傳情報)로 진화(進化)를 한다.

일반적으로 생물(生物)은 유전(遺傳)을 하고 물질대사(物質代謝)를 하며 환경에 대해 반응을 한다. 그리고 생존하기 위해 안정적인 상태를 능동적으로 유지하는 항상성이 있으며 또한 진화(進化)를 하는 등의 특성(特性)이 있다.

상기(上記)에 있는 생물의 특성을 다른 관점으로 해석해 보면 물질(物質)이 가진 특성(特性)과는 반대(反對)의 특성을 가진 것이 생물(生物)

이라는 것을 알 수 있다. 즉, 물질은 환경에 순응(順應)하지만 생물(生物)은 환경에 반대(反對)로 역행(逆行)한다는 것이다.

물(WATER)은 환경에 반대(反對)로 역행(逆行)하는 생물(生物)의 특성(特性)을 가지고 있기 때문에 물(WATER)을 최초(最初) 원시생물(原始生物)의 기원(起源)으로 본다. 물(Water)과 물(Water)이 상변화(相變化)를 한 눈(Snow)은 물질(物質)이 가지는 특성(特性)과 생물(生物)이 가지는 특성(特性)을 함께 가지고 있다. 생물(生物)의 "창조(創造)와 진화(進化)"의 이치(理致)는 물(WATER)이 가진 특성(特性)을 직관(直觀)하여 본인(本人)이 사상(史上) 최초(最初)로 발견(發見)하였고 이는 생물(生物)의 기원(起源)을 알 수 있는 중요한 발견이다. 그리고 이러한 물(Water)의 특성과 눈(Snow)의 특성으로 생명을 왜 여섯(6)으로 분류하고 여섯(6)의 기운(氣運)이 해석의 기본이 되는지를 설명(說明)하였다.

이 책(冊)의 주(主)된 내용(內容)은 물(Water)과 물(Water)이 상변화(相變化)를 한 눈(Snow)의 특성(特性)을 직관(直觀)하여 "물(Water)이 생물(生物)인 이유(理由)"와 "생물(生物)의 창조(創造)와 진화(進化)"에 대한 이치(理致)를 밝힌 것이다. 우주(宇宙)의 창조(創造)와 진화(進化) 그리고 생물(生物)의 창조(創造)와 진화(進化)를 "역행(逆行)과 반대(反對) 그리고 닮은꼴"이라는 새로운 패러다임(Paradigm)으로 해석(解析)한 것은 기존(旣存)의 창조(創造)와 진화(進化)를 설명(說明)하는 방식(方式)과는 근본적(根本的)으로 다른 "혁명적(革命的)인 개념(概念)"이다.

인류(人類)의 궁극적(窮極的) 의문(疑問)인 "우리는 어디서 왔는가? (W

here do we come from?)", "우리는 누구인가? (Who are we?)", "우리는 어디로 가는가? (Where are we going?)"와 "닭이 먼저냐, 달걀(鷄卵)이 먼저냐? ("Which came first, the chicken or the egg?")"라는 고대(古代)로부터 가진 근본적(根本的)인 의문(疑問)에 대해 갈증(渴症)을 가진 독자(讀者)가 있다면 이 책(策)으로 그 갈증(渴症)을 해소(解消)할 수 있다고 확신(確信)한다. 또한 인류(人類)가 완벽(完璧)히 알지 못한 궁극적 의문인 우주의 창조 이전과 우주의 창조 그리고 물질의 창조와 물질의 진화를 새로운 관점(觀點)으로 설명(說明)하였고 특히 "생물의 창조"와 "생물의 진화" 그리고 우주의 존재 이유도 이 책(冊)에 모두 밝혀 놓았다.

나와 우주(宇宙) 그리고 생명(生命)은 무엇이고 어떻게 시작된 것인지에 대한 의문(疑問)과 생물(生物)의 창조(創造)와 진화(進化)에 대한 의문(疑問)은 인류가 현재까지 해결하지 못한 난제(難題)다. 본문(本文)에 있는 내용(內容)은 이러한 난제(難題)를 역학적(易學的) 원리(原理)로 해소(解消)하였고, 특히 "제 1장 진리(眞理)를 보는 방법(方法)"과 "제 2장 나와 우주(宇宙) 그리고 생명(生命)"에 있는 우주(宇宙)의 창조(創造)와 진화(進化)의 이치(理致)에 대한 설명과 "생물(生物)의 창조(創造)와 진화(進化)"의 이치(理致)에 대한 설명(說明)은 독자(讀者)에게 근원적(根源的)인 자유(自由)를 열어 줄 것으로 확신(確信)한다.

역학(易學)을 공부하다 보면 세상 만물은 음(陰)과 양(陽)의 짝으로 되어 있다는 것에 확신을 가지게 된다. 시간(時間)과 공간(空間)도 음(陰)과 양(陽)으로 표현할 수 있다. 시간은 음(陰)이고 공간은 양(陽)이다. 이 시간을 주로 다루는 학문이 바로 역학(易學)이며 천문(天文)을 기준으로 하여 만든 것이다. 예로부터 역학(易學)을 중요(重要)하게 다루는 이유(理由)는 생명(生命)은 언제 어디서 태어났느냐가 그 생명체(生命體)의 운명(運命)에 대단히 중요한 영향(影響)을 미친다고 보기 때문이다. 생명체 중 식물(植物)이 어떤 공간(空間)에 뿌리를 내리느냐가 중요하다면 동물(動物)은 어느 시간(時間)에 태어나느냐가 중요(重要)하다. 강가에 일조량(日照量)이 적당하고 강수량(降水量)도 적당한 공간(空間)에 뿌리를 내린 식물(植物)과 자갈땅에 물기도 없는 곳에 뿌리를 내린 식물(植物)의 운명(運命)은 차이가 있다. 식물(植物)은 언제 뿌리를 내렸느냐는 시간적인 사실보다 어디에서 뿌리를 내렸느냐는 공간적인 사실에 더 많은 영향을 받지만, 동물(動物)은 그 특성이 식물과 반대(反對)이기 때문에 어디에서 태어났느냐는 공간적인 사실보다 언제 태어났느냐는 시간적인 사실에 더 많은 영향(影響)을 받는다. 역학은 눈에 보이지 않는 시간과 인간의 운명을 연결하는 시간의 운명학(運命學)이다.

수상학(手相學)을 공부하다 보면 우리 몸의 모든 기능이 손에 축소된 형태로 만들어져 있다는 사실을 느끼게 된다. 특히 뇌의 기능과 밀접하게 관계되어 있다는 것을 알게 된다. 왼쪽 뇌의 구조가 어떻게 되어 있는가는 오른손을 보면 알 수 있고 오른쪽 뇌의 구조가 어떻게 되어 있는가는 왼손을 보면 알 수 있다. 수상학은 손의 생김새와 손에 나타나 있는 기본 삼대선, 세로 삼대선, 그리고 손바닥의 구(Mount) 등으로 그 사람의 성격, 지적인 성향, 재능, 체질, 환경에 대한 적응 방식, 문제 해결 방식을 알아서 현재의 상황을 추측하고 미래를 예측하는 학문이다. 수상학은 눈에 보이는 손과 인간의 운명을 연결하는 공간의 운명학(運命學)이다.

매화역수(梅花易數)라는 수리역학(數理易學)을 공부(工夫)할 때도 역학과 마찬가지로 그 기준이 무엇인지에 대한 의문(疑問)이 있었다. 여기에 그 기준에 대해 서술하였으니 참고하기 바란다. 사람의 몸 안에 있는 장기(臟器)는 크게 여섯 가지로 나눌 수 있는데 심장(心臟)과 신장(腎臟), 간장(肝臟)과 폐장(肺臟) 그리고 뇌장(腦臟)과 위장(胃臟)이 그것이다. 이 여섯 가지의 장기 중에 신장과 폐장 그리고 뇌장은 다른 장기인 심장과 간장 그리고 위장과는 달리 장기의 수가 2개씩이다. 심장 1개, 간장 1개, 위장 1개, 신장 2개, 폐장 2개, 뇌장 2개로 모두 9개의 장기가 있으며 이는 몸을 기준으로 볼 때 9개의 장기가 계절(시간)과 조화(調和)하고 있다는 의미가 있다. 수리역학 매화역수에서 9를 기준으로 해석하고, 음력 1년을 하나의 마디로 보고 9년의 주기로 운(運)의 흐름을 보는 이유가 여기에 있다.

세상은 시간(時間)과 공간(空間) 그리고 생명(生命)으로 이루어져 있으며 역학은 천문과 운명의 관계를 해석하는 시간학(時間學)이고, 수상학은 손과 운명의 관계를 해석하는 공간학(空間學)이며, 매화역수는 수리(時間)와 육체(空間)의 관계를 해석하는 시공학(時空學)이다. 시간(時間)과 공간(空間) 그리고 생명(生命)은 우주 전체를 상징하며 이들은 소우주(小宇宙)인 인간(人間)과 모두 연결되어 있다. 역학(易學)은 태어난 시점(時點)으로 그 사람의 정신운(精神運)의 흐름을 판단(判斷)하는데 유용(有用)하고, 수상학(手相學)은 손의 형태(形態)와 손에 나타난 손금을 보고 그 사람의 지적(知的)인 성향(性向)과 재능(才能) 그리고 체질(體質) 등을 판단(判斷)하는데 유용(有用)하며, 매화역수(梅花易數)는 수리(數理)로 그 사람의 육체운(肉體運)의 흐름을 판단(判斷)하는데 유용(有用)하다고 할 수 있다.

여기에 있는 역학(易學)과 매화역수(梅花易數)는 물(Water)과 눈(Snow)의 특성(特性)과 생물(生物)의 관계(關係)를 직관하여 새로운 원리(原理)로 만들었기 때문에 기존(旣存)에 있던 역학(易學)과 매화역수(梅花易數)의 원리(原理)와는 그 기준(基準)과 체계(體系)가 다르다. 운명학(運命學)이나 그에 준(準)하는 학문에 관심이 있는 독자가 있다면 그 시야를 넓히는데 도움이 되었으면 한다.

생명의 기원과 역학의 원리

차례

제 1장 진리(眞理)를 보는 방법(方法)

1] "지(知)"에 관(關)하여

우리가 보통 안다(知)고 말하고 있는 것은 첫째는 대부분 눈과 귀를 통해 교육을 받은 것을 안다고 말한다. 깨달음의 관점(觀點)에서는 교육을 받은 것을 안다고 말하지 않는다. 둘째는 경험을 안다고 말한다. 하지만 경험은 전체를 알게 된 것이 아니고 일부분을 알게 된 것이기 때문에 경험한 것을 안다고 말하지 않는다. 경험은 착각(錯覺)인 경우도 많이 있다. 경험은 주기의 한 부분을 말 그대로 경험한 것이다. 셋째는 말이나 글을 잊지 않고 기억하는 것을 안다고 하는데, 기억한 것은 기억한 것이고 아는 것은 아니다.

예로부터 이치(理致)를 "통째(圓)"로 알게 되는 것을 "깨달음"이라고 하여 교육이나 경험 그리고 기억으로 "안다(知)"고 하는 것과는 다르게 표현하였다. 예를 들어 세상은 "수 ->목 -> 토-> 화-> 금-> 기"-> 수로 끊임없이 반복해 그 모습만 다르게 하면서 변화(變化)하는 것인데 교육이나 경험 그리고 기억은 위의 여섯 가지 변화를 전체적(全體的)으로 아는 것과 별로 상관이 없다.

진리(眞理)를 안다는 것은 자연(自然)의 주기(週期)를 이치(理致)로 이해(理解)하는 것을 의미(意味)한다. 예를 들어 하루라는 자연(自然)의 주기(週期)를 자세히 분석해서 알게 되면 한 달의 주기(週期)나 일 년의 주기(週期)도 하루의 주기(週期)와 비슷한 주기(週期)인 것을 알 수 있는데 이러한 자연(自然)에 있는 주기(週期)의 전체(통째)를 이치(理致)로 아는 것이 진리(眞理)를 보는 방법이다. 단지(但只) 간단히 알 수 있는 자연(自然)의 주기(週期)가 있고 간단히 알기 어려운 자연(自然)의 주기(週期)가 있기 때문에 그 이치(理致)를 구체적으로 적용(適用)할 때는 신중(愼重)을 기(基)하여야 한다.

계란(鷄卵)은 통상적(通常的)으로 닭이 낳은 것이다. 이는 진리(眞理)이기 때문에 누가 뭐라고 해도 바뀌지 않는다. 사람도 통상적(通常的)으로 여자의 몸에서 나왔다는 사실은 누군가가 "사람은 여자의 몸에서 나오지 않았다."라고 우겨도 바뀌지 않는다. 이렇게 이치(理致)로 아는 것은 당연히 고정관념(固定觀念)이 아니며 진리(眞理) 또는 진실(眞實)을 아는 것이다. 하지만 이 정도의 앎을 깨달음이라고 표현하지는 않는다. 계란(鷄卵)이 되기 이전(以前)이나 사람이 되기 이전(以前)까지 알아야 깨달음이라고 표현할 수 있는 것이다. 또한 정신(생각)의 깨달음은 이치(理致)로 이해(理解)를 하는 것이지 반드시 증명(證明)을 할 수 있는 것이 아니다. 왜냐하면 비물질(非物質)인 존재(存在)가 있기 때문이다.

식물(木)의 특성을 전체적(全體的)으로 알게 되면 식물(木)에 대한 깨달음을 한 것이고 곤충(土)의 특성을 전체적(全體的)으로 알게 되면 곤충(土)에 대한 깨달음을 한 것이다. 이는 식물(木)과 곤충(土)의 특성을 전체적(全體的)으로 알게 되고 식물(木)과 곤충(土)이 어떻게 연관(聯關)되어 있는지를 아는 것보다는 작은 깨달음이다. 사람이 추구(追究)하는 궁극적인 깨달음은 존재의 근원에 대한 깨달음일 것이다. 그리고 깨달음의 깊이와 넓이는 마치 한(限)없이 이어진 나선(螺線)이나 한(限)없이 진화하는 생명(生命)과 같이 그 한계(限界)가 없지만, 사람은 사람이 가진 육체(肉體)라는 한계(限界) 때문에 사람이 알 수 있는 깨달음에는 한계(限界)가 있다.

간혹(間或) 특별(特別)한 체험이나 능력을 깨달음과 연관(聯關)시키는 경우가 있는데 특별(特別)한 체험이나 능력은 주(主)로 육체의 깨달음에 해당(該當)하는 것이다. 이는 정신의 깨달음과는 거리가 있다. 직관(直觀)이 통찰(洞察)로 이어지는 정신의 깨달음은 "이해(理解)"하는 것에 가깝다. 특별(特別)한 체험은 일종(一種)의 경험이고 특별(特別)한 능력은 육체가 가진 재능(才能)이다.

수행(修行)에서 "직관(直觀)"이란 대상(對象)을 고정관념(固定觀念)으로 생각하여 파악(把握)하는 것이 아니라 대상(對象)을 이치(理致)로 생각하여 파악(把握)하는 것이다.

직관(直觀)의 단순(單純)한 예(例)는 다음과 같다.

구구단을 보면 직사각형이 보이고 달을 보면 원이 보이고 운동 경기를 보면 인생이 보이고 머리를 보면 뿌리가 보이고 손의 생명선을 보면 건강이 보이고 손의 금성구를 보면 정력이 보이는 것 등이다.

이치(理致)로 생각하여 찾은 답(答)과 고정관념(固定觀念)으로 생각하여 찾은 답(答)은 다른 것이다. 그 답(答)의 결과가 같아도 같은 답(答)이 아니다. 예를 들어, 어떤 물질이 흰색으로 보이는 경우는 그 물질 자체가 흰색이 아니라 모든 빛을 반사하기 때문에 흰색으로 보이는 것이고 어떤 물질이 빨간색으로 보이는 경우도 그 물질 자체가 빨간색이 아니라 빨간색의 빛을 반사하기 때문에 빨간색으로 보이는 것이다. 검은색으로 보이는 경우는 그 물질 자체가 검은색이 아니라 모든 빛을 흡수하기 때문에 검은색으로 보이는 것이다. 또한 비가 그치면 태양의 반대쪽에 나타나는 기상학적 현상인 무지개의 색(色)도 수증기의 색(色)이 아니고 빛의 파장에 따른 색(色)이다. 우리가 보는 색깔은 물질 자체의 색깔이 아니라 빛의 색깔이다. 고정관념(固定觀念)으로 생각하면 물질 자체의 색깔로 보일 수 있지만, 이치(理致)로 생각하면 반사된 빛의 색깔인 것이다.

이치(理致)로 안 것이 아닌 모든 것은 고정관념(固定觀念)이다. 이치(理致)로 생각하여 안다는 것은 자연적(自然的)인 원(圓)이나 나선(螺線)의 원리(原理)로 답(答)을 찾은 것이고, 고정관념(固定觀念)으로 생각하여 안다는 것은 자연적(自然的)인 원(圓)이나 나선(螺線)의 원리(原理)가 아닌 것으로 답(答)을 찾은 것이다. 이치(理致)로 생각하여 자연적(自然的)인 원(圓)이나 나선(螺線)으로 찾은 것을 "깨달았다"고 표현하며 이는 진리(眞理)를 알게 된 것이고 그 진리(眞理)는 고정관념(固定觀念)이 아니다. 고정관념(固定觀念)으로 생각하여 판단(判斷)하면 확증편향(Confirmation bias)이나 성급한 일반화의 오류(Fallacy of hasty generalization)로 인(因)한 실수(失手)를 피할 수 없다.

사람이 종교(宗敎)의 교리(敎理)에 대해 믿음을 가진 종교인(宗敎人)이 되면 생각과 행동(行動)이 변(變)하고 세상(世上)이 이전(以前)과는 다르게 보이듯이, 사람이 진리(眞理)를 깨우친 각자(覺者)가 되면 생각과 행동(行動)이 변(變)하고 세상(世上)이 이전(以前)과는 다르게 보인다. 하지만 깨우친 각자(覺者)가 추구(追求)해야 하는 것과 그 실천(實踐)이 반드시 일치(一致)하는 것은 아니다. 왜냐하면 육체(肉體)를 가지고 있는 동안에는 끊임없이 본능(本能)과 생각(이성)의 영향을 받기 때문이다.

생각이나 행동(行動)을 깨달은 것과 일치(一致)시키려는 노력(努力)은 일종(一種)의 수행(修行)이다. "깨달았다."는 것은 "이치(理致)를 알게 되었다."는 뜻이다. 또한 "깨달음"은 정신(陰)의 깨달음이 있고 육체 (陽)의 깨달음이 있으며 마음(中)의 깨달음이 있다. 물론 이들은 모두 연계(連繫)되어 있으며 유기적(有機的)이다.

육체의 깨달음에 대한 예를 들면, 수영을 배울 때 수영을 하지 못하다가 어느 순간 수영이 가능한 때가 온다. 그때가 수영에 대한 육체의 깨달음이다. 자전거 타기도 마찬가지다. 젓가락을 사용하는 것도 마찬가지다. 숨을 쉬는 것도 육체의 깨달음이다. 태어나서 지금까지 한 번도 똑같은 방법으로 숨을 쉰 적은 없다. 미세하지만 숨을 쉬는 방법은 모두 다르다. 숨을 쉴 때마다 다른 방법을 깨닫고 있는 것이다. 생명 활동의 모든 것은 깨달음의 연속이다.

육체가 깨닫는 것처럼 정신의 깨달음도 있다. 수영의 이치를 육체가 깨닫듯이, 자전거 타기를 육체가 깨닫듯이, 젓가락의 사용을 육체가 깨닫듯이 자연(세상)의 이치를 아는 것은 정신의 깨달음이다.

수영을 할 줄 모르는 사람보다 수영을 할 줄 아는 사람이 물(Water) 속에서 훨씬 더 자유롭다. 이와 같이 정신적 깨달음을 이룬 사람은 정신적 깨달음을 이루지 못한 사람 보다 자연(세상) 속에서 정신적으로 훨씬 더 자유롭다.

이치(理致)를 알게 되면 무엇인가를 알기 위해 직접적(直接的)인 경험 (經驗)을 하지 않아도 된다. 예를 들면 태평양(太平洋)과 인도양(印度洋) 그리고 대서양(大西洋)이 연결(連結)되어 있는 것을 알고 있고 태평양(太平洋)의 바닷물이 짠맛이라는 것을 알고 있다면, 인도양(印度洋)과 대서양(大西洋)의 바닷물을 직접(直接) 맛보지 않아도 그 맛이 짠맛이라는 것을 이치(理致)로 알 수 있기 때문이다. 만약에 많은 사람이 "인도양(印度洋)의 바닷물은 설탕과 같이 달다."라고 해도 이치(理致)로 알게 된 사람은 "바닷물은 짠맛이다."라는 판단(判斷)에 변함이 없다.

이치(理致)나 학문(學問)을 한 사람이 완성(完成)한다는 것은 쉬운 일이 아니다. 이치(理致)나 학문의 성장(成長)과 완성(完成)은 남다른 시선으로 자연(自然)을 보고 이해(理解)하거나, 어떤 분야를 체계적으로 배워서 익혀 다른 사람이 선행연구(先行研究)를 한 것에 조금씩 계속하여 나아가는 것이다.

2] 창조(創造)와 진화(進化)의 공리(公理)

"유클리드(Euclid)의 기하학(幾何學)"의 설명(說明)도 공리(公理)에서 시작(始作)하고 "아이작 뉴턴(Isaac Newton)의 자연철학의 수학적 원리(The Principia)"의 설명(說明)도 공리(公理)에서 시작(始作)한다.

이 책(冊)에 있는 "우주(宇宙)가 창조(創造)되고 진화(進化)하는 이치(理致)"와 "생물(生物)이 창조(創造)되고 진화(進化)하는 이치(理致)"의 설명(說明)도 공리(公理)에서 시작(始作)한다.

그 공리(公理)는 다음과 같다.
1.모든 공간(空間)은 진동(振動)한다.(陽)
2.진동(振動)으로 공간(空間)이 변화(變化)한다.(陰)
3.변화(變化)의 방식(方式)은 반대(反對)로 역행(逆行)한 닮은꼴이다.(中)

"유클리드(Euclid)의 기하학(幾何學)"과 "아이작 뉴턴(Isaac Newton)의 자연철학의 수학적 원리(The Principia)"를 설명(說明)하는데 공리(公理)의 전제(前提)가 필요(必要)하듯이, "우주(宇宙)가 창조(創造)되고 진화(進化)하는 이치(理致)"와 "생물(生物)이 창조(創造)되고 진화(進化)하는 이치(理致)"를 설명(說明)하는데도 공리(公理)의 전제(前提)가 필요(必要)하다. "공리(公理)"는 "자명(自明)한 진리(眞理)"를 말한다.

"모든 공간(空間)은 진동(振動)한다."는 명제(命題)가 "참"인 이유는 우리가 존재하는 우주의 모든 것은 상대적(相對的)이기 때문이다. 모든 것은 음(陰)과 양(陽)의 조화로 이루어져 있다. 이는 "나"를 기준으로 보면 "너"는 항상 존재한다는 것이다. "나"가 음(陰)이면 "너"는 양(陽)이다. 음(陰)과 양(陽)은 진동(振動)을 가장 단순화(單純化)한 표현이다.

3] 역행(逆行)과 반대(反對) 그리고 닮은꼴

식물(植物)과 동물(動物)은 생물(生物)이라는 공통점이 있지만 반대되는
것들이 많다. 우선 식물은 움직임이 별로 없다. 하지만 동물은 움직임
이 상대적으로 많다. 식물은 광합성을 해서 산소를 생산하지만, 동물
은 산소를 먹고 이산화탄소를 배설한다. 식물은 빛과 물(Water)을 이
용하여 광합성으로 산소와 당(糖)을 만들고 동물은 산소와 당(糖)을 이
용하여 미토콘드리아(Mitochondria)로 Energy를 만든다. 그리고 부
산물로 이산화탄소가 나오는데 이산화탄소는 다시 식물의 먹이가 된
다. 식물은 가지가 하늘을 향하지만, 동물은 가지(다리)를 아래로 향한
다. 식물이 몸속에 빨아들이는 양분(養分)은 동물에게 대부분 독(毒)으
로 작용한다. 이외에도 반대(反對)인 것은 많이 있다. 이를 단순화하여
표현하면 아래와 같은 모양으로 설명할 수 있다.

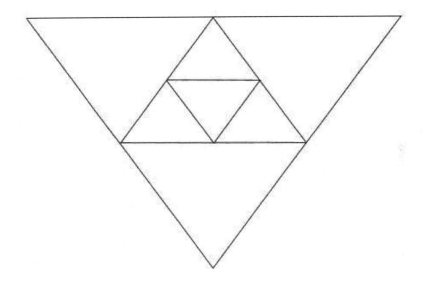

사실 위의 도형은 우주의 진리가 어떤지에 대해서 많은 것을 설명해
주고 있다. 가장 안쪽의 삼각형을 기본으로 우주의 모든 것이 그 크기
와 방향의 차이가 있을 뿐 그 모양은 거의 동일하다. 역학을 하는데
매우 중요한 개념이다. 이것에 대한 확실한 이해가 없이 역학을 하기
는 곤란(困難)하다. 사실 이 개념을 이해하면 세상의 정보를 해석하는
시각이 많이 달라지고 경우에 따라서는 세상이 거꾸로 보이기도 한다.
위 그림에 대한 설명은 기회가 될 때마다 하겠다. 역행(逆行)과 반대
(反對) 그리고 닮은꼴은 나와 우주(宇宙) 그리고 생명(生命)의 이치(理
致)를 볼 수 있는 수단(手段)이다. 또한 역행(逆行)과 반대(反對) 그리고
닮은꼴은 대칭적(對稱的) 역행(逆行)과 대칭적(對稱的) 반대(反對) 그리

고 대칭적(對稱的) 닮은꼴의 의미(意味)와 비대칭적(非對稱的) 역행(逆行)과 비대칭적(非對稱的) 반대(反對) 그리고 비대칭적(非對稱的) 닮은꼴의 의미를 모두 포함한다. 왜냐하면 비대칭(非對稱)은 대칭(對稱)에서 파생(派生)한 것이기 때문이다.

비대칭적(非對稱的) 닮은꼴의 예(例)는 다음과 같다. 물(水), 나무(木), 곤충(土), 물고기(火), 동물(金)은 모두 그 모양(模樣)이 다르다. 하지만 이들 모두는 환경에 역행할 수 있는 생물의 특성이 있으므로 환경에 역행할 수 있는 특성으로 보면 닮은꼴이라고 할 수 있다. 물(水)은 발이 없지만, 나무(木)는 발(뿌리)이 있고, 나무(木)는 다리가 없지만, 곤충(土)은 다리가 있다. 그리고 곤충(土)은 눈(Eye)이 없지만, 물고기(火)는 눈(Eye)이 있고, 물고기(火)는 귀가 없지만, 동물(金)은 귀가 있다. 여기서 말하는 "없다"와 "있다"는 중요성의 정도(程度)를 상대적으로 표현한 것이다.

이치(理致)에 기반(基盤)한 개념(概念)의 정리(定理)가 되어 있어야 현상(現狀)을 이해(理解)할 수 있다. 또한 직관(直觀)이 통찰(洞察)로 이어지는 깨달음은 이치(理致)에 기반(基盤)한 개념(概念)이 풍부(豐富)하고 다양(多樣)하며 그 관계(關係)가 유기적(有機的)일수록 더욱 깊고 넓어진다. 하지만 이치(理致)에 기반(基盤)한 개념(概念)이 풍부(豐富)하지도 않고 다양(多樣)하지도 않으며 그 관계(關係)가 유기적(有機的)이지 않을수록 깨달음의 깊이는 얕아지고 넓이는 좁아진다. 큰 깨달음과 작은 깨달음 그리고 고정관념(固定觀念)과 무지(無智)의 차이(差異)는 여기에서 나온다. 이러한 것과 "역행(逆行)과 반대(反對) 그리고 닮은꼴"의 패러다임(Paradigm)을 연결(連結)하면 우주(宇宙)와 생명(生命) 그리고 창조(創造)와 진화(進化)의 이치(理致)를 알 수 있는 열쇠(Key)가 된다.

"역행(逆行)과 반대(反對) 그리고 닮은꼴"의 개념(槪念)은 "나와 우주(宇宙) 그리고 생명(生命)"을 이해(理解)할 수 있는 매뉴얼(Manual)이다.

"닮은꼴"의 예를 들어 보자.

토끼(x)와 닭(y)이 함께 있다.

머리(1개씩) = 30개

다리(토끼4개씩) + 다리(닭2개씩) = 80개

$x + y = 30$ 머리

$4x + 2y = 80$ 다리

$y = 30 - x$

$4x + 2(30 - x) = 80$

$4x + 60 - 2x = 80$

$2x = 80 - 60$

$x = 10$

$y = 20$

동어반복과 연역적(演繹的) 추론(推論)만으로 답을 찾는다. 모두 같은 등식을 돌려서 말하고 있는데 답이 나온다. "역행(陽)과 반대(陰) 그리고 닮은꼴(中)"의 의미(意味)를 위의 예와 같이 생각해 보라.

4] 물(Water)이 생물(生物)인 이유(理由)

생물(生物)을 다루는 분야(分野)에서 설명하는 생물(生物)의 특성(特性)이 있다. 하지만 여기에서는 생물(生物)의 특성(特性)을 다른 관점(觀點)으로 본다. 즉, 이 책(冊)은 새로운 관점(觀點)으로 생물(生物)을 정의(定義)한다.

생물(生物)은 환경(環境)에 대해 반대(反對)로 역행(逆行)하는 특성(特性)이 있다. 개천(開川)에 있는 물고기를 보면 물이 흐르는 방향과는 반대(反對)로 역행(逆行)하여 물결을 거슬러 헤엄을 친다. 즉, 물이 흐르는 방향(方向)에 반대(反對)로 역행(逆行)한다는 것이다. 식물(植物)은 땅을 뚫어서 뿌리를 내리고, 곤충(昆蟲)도 중력(重力)을 반대(反對)로 역행(逆行)하여 기어 다니거나 날아다닌다. 물고기도 물속에서 수압(水壓)이라는 환경(環境)에 반대(反對)로 역행(逆行)하여 적응(適應)을 하고, 동물(動物)도 중력(重力)을 반대(反對)로 역행(逆行)하여 생명 활동을 한다. 이처럼 생물(生物)은 환경(環境)에 반대(反對)로 역행(逆行)하는 능력을 가지고 있으며 환경(環境)에 반대(反對)로 역행(逆行)하는 능력이 없다면 그것은 생물(生物)이 아니다.

물질(物質)은 유전(遺傳)을 할 수 없지만, 생물(生物)은 유전(遺傳)을 한다. 물질(物質)은 물질대사(物質代謝)를 할 수 없지만, 생물(生物)은 물질대사(物質代謝)를 한다. 생물(生物)은 환경에 대한 반응을 물질(物質)과는 반대(反對)의 방법(方法)으로 한다. 그리고 물질(物質)은 항상성(恒常性)이 없지만, 생물(生物)은 생존하기 위해 안정적인 상태를 능동적으로 유지하는 항상성(恒常性)이 있다. 물질(物質)은 합체(合體)와 해체

(解體)로 변화(變化)를 하지만 생물(生物)은 유전정보(遺傳情報)로 진화(進化)를 한다. 이와 같이 물질(物質)의 특성과 생물(生物)의 특성은 반대(反對)다.

대부분의 물질(物質)은 온도가 내려가면 부피가 수축(收縮)하는 변화(變化)를 하지만, 물(Water)은 1기압 섭씨(攝氏) 영상(零上) 4℃ 미만(未滿)에서 대부분의 물질(物質)이 가진 온도가 내려가면 부피가 수축(收縮)하는 특성(特性)을 역행(逆行)하여 단절적(斷絶的)으로 부피가 팽창(膨脹)하는 변화(變化)를 한다. 이처럼 물(Water)은 일정한 조건에서 환경(環境)에 반대(反對)로 역행(逆行)하는 생물(生物)의 특성(特性)이 있기 때문에 물(Water)이 생물(生物)인 것이다. 생물(生物)이 일정한 조건에서 환경에 반대로 역행하는 특성은 물(Water)이 일정한 조건에서 환경에 반대로 역행하는 특성과 닮은꼴이다.

물(Water)은 1기압(氣壓)에서 온도가 내려가 섭씨(攝氏) 영상(零上) 4° 미만의 온도(溫度)부터 오히려 부피가 팽창(膨脹)한다. 즉, 환경에 반대로 역행하는 특성이 있으며, 이는 물(Water)이 생물을 만드는데 반드시 필요(必要)하거나 생리작용을 유지(維持)하는데 반드시 필요(必要)하다는 의미를 넘어 물(Water) 자체가 생물(生物)인 증거(證據)다. 왜냐하면, 모든 생물(生物)은 일정한 조건에서 환경(環境)에 반대(反對)로 역행(逆行)하는 정보(情報)와 Energy를 가지고 있는데 물(Water)이 그 정보(情報)와 Energy를 가지고 있기 때문이다. 물(Water)이 가진 일정한 조건에서 분자(分子)의 배열(排列)을 일정(一定)하게 변화시켜 부피가 팽창(膨脹)하는 특성으로 알 수 있는 것은 물(Water)에는 일정(一定)한 조건에서 분자(分子)의 배열(排列)을 일정(一定)하게 변화시킬 수 있는 정보(情報)가 있다는 것이며 또한 물(Water)에는 일정(一定)한 조건에서 단절적(斷絶的)으로 부피를 커지게 하는 Energy가 있다는 것이다.

물(Water)이 가진 생물(生物)의 특성인 일정한 조건에서 환경에 반대로 역행하는 특성으로 물(Water)에 있는 무기물(無機物)로 만든 유기물(有機物)이 생리작용(生理作用)을 할 수 있는 상태에 있는 것이 "생물"이다. 물(Water)은 물질(物質)의 특성(환경에 순응)과 생물(生物)의 특성(환경에 역행)을 함께 가지고 있는 생물(生物)이다.

일반적으로 물(Water)이 생명(生命)이라고 말하는 이유는 다음과 같다. 사람의 경우에 물(Water)이 약 2% 부족할 경우에 갈증을 느끼고, 약 5% 부족할 경우에 혼수상태에 이르며, 약 7% 부족할 경우는 장기 손상이 시작되고, 약 12% 부족할 경우는 사망에 이르기 때문이다. 즉, 생물(生物)은 물(Water)이 부족하거나 없으면 생리작용(生理作用)을 할 수 없기 때문에 물(Water)은 생명(生命)이라고 하는 것이다.

기존(旣存)의 개념(槪念)으로 보면 물(Water)은 생물(生物)이 아닌 무생물(無生物)이다. 왜냐하면, 생물은 세포(細胞)로 이루어져 있는데 물(Water)은 세포(細胞)가 아니기 때문이다.

5] 육기(六氣)로 분류(分類)하는 이유(理由)

읽기 전(前)에 먼저 89page에 있는 "5] 생명(生命)의 본질(本質)"을 참고하기 바란다.

여기서는 만물(萬物)을 여섯 단계로 설명을 한다. 그 이유는 물(Water)의 속성(屬性)에 있다. 물(Water)의 속성(屬性)은 여러 가지가 있으나 그 중 한 가지를 말한다면 지구상에 있는 대부분의 물질은 온도가 내려가면 부피가 수축(收縮)하는데 물(Water)은 1기압(氣壓)에서 온도가 내려가 섭씨(攝氏) 영상(零上) 4° 미만의 온도(溫度)부터 오히려 부피가 팽창(膨脹)한다는 것이다. 즉, 환경에 역행하는 특성이 있으며, 이는 물(Water)이 생명의 근원이고 생명을 만드는 재료가 된다는 의미를 넘어서 물(Water) 자체가 생명인 증거가 된다. 왜냐하면 모든 생명은 환경(環境)에 역행(逆行)하는 능력(能力)을 가지고 있는데 물(Water)이 그 능력(能力)을 가지고 있기 때문이다. 또한 이 물(Water)이 증발하여 얼어서 눈(Snow)이 되면 육각형의 결정으로 그 모양을 만드는데, 지구상의 모든 생명체 각각(各各)을 여섯 기운(六氣)으로 나누는 이유가 생명의 근원인 물(Water)이 상변화(相變化)를 한 눈(Snow)의 결정체(結晶體) 모양이 육각형(六角形)이기 때문이다. 그리고 이 여섯 기운(六氣)은 각각의 기운(氣運)마다 수의 음과 양, 목의 음과 양, 토의 음과 양, 화의 음과 양, 금의 음과 양, 기의 음과 양으로 12단계로 다시 나눌 수 있는데 이렇게 나눈 12단계의 기운(氣運)을 "12기운"으로 정의(定義)하고, 이 "12기운"의 각각(各各)을 다시 "음양중(陰陽中)"으로 나눈 것을 "36기운"으로 정의(定義)하였다.

육기(六氣)인 수, 목, 토, 화, 금, 기를 각각의 음과 양으로 나눈 12기
운은 같은 "수"라도 "양(陽)의 수"와 "음(陰)의 수"는 성질이 서로 다르
다. 마찬가지로 같은 "목"이라도 "양(陽)의 목"과 "음(陰)의 목"은 성질
이 서로 다르며 나머지 "토화금기"도 이와 같다.

아래의 도형을 보라.

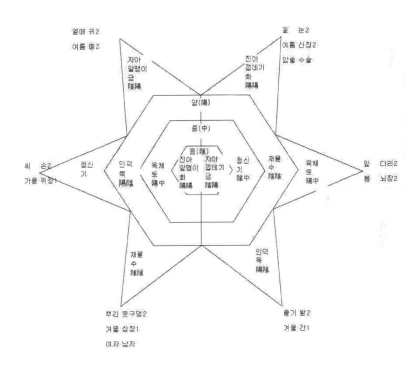

눈(Snow)의 결정체는 위의 모양과 비슷하다. 생물(生物)의 특성을 가
진 물(Water)이 상변화(相變化)를 한 눈(Snow)의 모양(模樣)이 이러하
기 때문에 물(Water)을 기반(基盤)으로 한 모든 생물(生物)도 이 모양

(模樣)과 닮은꼴인 것이다. 생물(生物)은 눈(Snow)이 가진 육각형(六角形)의 여섯 기운(氣運)을 기본(基本)으로 그 기운(氣運)이 분화(分化)하고 진화(進化)하여 몸과 장기(臟器)를 만든 것이다. 역학(易學)을 이해하는데 중요한 개념(概念)이며 충분한 이해가 필요하다.

만약 지구 바깥에 생명체가 있다면 지구와 같이 물로 만든 생명체도 있겠지만, 물과 같이 기온이 내려가서 일정 온도 이하가 되면 오히려 부피가 커지는 특성(特性)을 가진 물질, 다시 말하여 환경에 반대(反對)로 역행(逆行)할 수 있는 정보(情報)와 Energy를 가진 물질로 생물(生物)을 만들게 된다. 왜냐하면 모든 생물(生物)은 환경에 역행(逆行)할 수 있는 특성을 가지고 있는데, "역행할 수 있는 특성"은 "역행할 수 있는 정보(情報)와 Energy"가 있어야 가능하기 때문이다. 그 역행할 수 있는 정보(情報)와 Energy를 물(Water)이 가지고 있다. 환경(環境)에 순응하는 물질은 환경에 순응(順應)하여 적응(適應)을 하고, 환경(環境)에 반대(反對)로 역행(逆行)하는 물질(物質)은 환경에 반대(反對)로 역행(逆行)하여 적응(適應)을 한다. 이치로 볼 때, 환경(環境)에 반대로 역행하는 물질은 그 자체가 생물(生物)이며 지구에서 그런 특성(特性)을 가진 물질로는 물(water), 규소(silicon), 티타늄(titanium) 등이 있다. 그리고 물(water)은 일정한 조건과 환경에서 부피의 변화로 환경에 반대로 역행할 수 있는 특성이 있지만 다른 물질의 경우에는 환경에 반대로 역행할 수 있는 특성을 부피의 변화로 한정할 이유는 없다.

여러 물질 중에 지구의 자연적인 환경에서 기체(陽), 액체(中), 고체(陰)로 다량(多量)이 있는 것은 물(water)이다. 이것이 지구에서 생물

(生物)이 물(water)을 매개(媒介)로 창조(創造)된 이유(理由)다. 만약 티타늄(titanium)의 바다가 있고 티타늄(titanium)의 기체와 고체가 함께 있는 환경이 있다면 티타늄(titanium)을 이용한 생물(生物)이 존재할 수 있다. 물론 규소(silicon)의 경우도 같은 이치로 규소(silicon)의 바다가 있고 규소(silicon)의 기체와 고체가 함께 있는 환경이 있다면 규소(silicon)를 이용한 생물(生物)이 존재할 수 있다. 지구에서는 눈(snow)의 결정체(結晶體) 모양이 "지구(地球)의 생물(生物)은 물(water)을 매개(媒介)로 창조(創造)되었다."라고 말하고 있다.

물(Water)이 가진 특성(特性) 중에서, 같은 냉동조건에서 온도가 높은 물이 온도가 낮은 물보다 빨리 어는 현상인 "음펨바 효과(Mpemba effect)"라는 것이 있다. 이 "음펨바 효과(Mpemba effect)"도 환경(環境)에 반대(反對)로 역행(逆行)하는 물(Water)의 특성(特性) 때문에 나타나는 현상(現象)이다. 그리고 물(Water)의 또 다른 특성(特性)은 표면장력(表面張力)이 다른 액체의 표면장력에 비해 유난히 크다는 것이다.

물(Water)은 물질(物質)의 특성(환경에 순응)과 생물(生物)의 특성(환경에 역행)을 함께 가지고 있는 생물(生物)이다. 그리고 물(Water)이 되기 이전(以前)인 산소(氣)와 수소(氣)는 화학적 결합으로 물(Water)이 될 수 있는 근원(根源)을 가지고 있고, 산소(氣)와 수소(氣)가 되기 이전(以前)인 빛(金)도 산소(氣)와 수소(氣)가 될 수 있는 근원(根源)을 가지고 있다. 같은 이치(理致)로 열(火)도 빛(金)이 될 수 있는 근원(根源)을 가지고 있고 토(土)도 열(火)이 될 수 있는 근원(根源)을 가지고 있으며 목(木)도 토(土)가 될 수 있는 근원(根源)을 가지고 있다. 마찬가지로 물(水)도 목(木)이 될 수 있는 근원(根源)을 가지고 있다.

기체(陽)와 액체(中) 그리고 고체(陰) 중에서, 생물(生物)은 반드시 액체(中)로 그 몸을 만든다. 왜냐하면, 생물(生物)은 양(陽)과 음(陰)의 가운데(中)에서 나오기 때문이다.

순수한 물(Water)은 섭씨(攝氏) 영상(零上) 4℃, 1기압에서 온도가 영상(零上) 4℃보다 높아져도 그 물(Water)의 부피는 조금씩 커지고, 온도가 영상(零上) 4℃보다 낮아져도 그 물(Water)의 부피는 조금씩 커진다. 물(Water)은 섭씨(攝氏) 영상(零上) 4℃ 미만부터 부피가 커지기 시작하여 영하(零下)의 일정 온도에 이르면 섭씨(攝氏) 영상(零上) 4℃ 때의 부피보다 약 9%정도 더 커지게 된다. 이와 같이 물(Water)은 생물이 가진 환경에 반대(反對)로 역행(逆行)하는 특성을 가지고 있으며, 이 특성은 물(Water)이 환경에 "반대(反對)로 역행(逆行)하는 정보(情報)와 Energy"를 가지고 있기 때문에 가능한 것이다.

화(여름) 황(S)	기(가을) 수소(H)	수(겨울) 질소(N)
금(여름) 인(P)	토(봄) 산소(O)	목(겨울) 탄소(C)

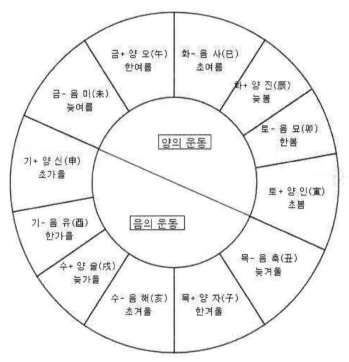

최초의 생물(生物)은 물(Water)이 가진 환경에 반대(反對)로 역행(逆行)
할 수 있는 특성을 기반(基盤)으로 물(Water)과 물(Water)에 포함된
음(陰)의 기운(氣運)인 수소(H, 氣, 가을), 질소(N, 水, 겨울), 탄소(C,

木, 겨울) 등을 주(主)로 이용(利用)하여 창조(創造)되었다. 음(陰)의 기운(氣運)을 주(主)로 이용(利用)한 생물(生物)이 먼저 창조(創造)되고, 이후(以後)에 생물(生物)의 6대 원소 모두를 주(主)로 이용(利用)한 생물(生物)이 창조(創造)된 것이다. 왜냐하면, 물질과 생물은 그 특성이 반대이기 때문에 물질(物質)은 음(陰)인 무극(無極)이 양(陽)의 운동(運動)을 하여 창조되고 그 특성이 반대인 생물(生物)은 양(陽)인 물질(物質)이 음(陰)의 운동(運動)을 하여 창조되기 때문이다. "양(陽)의 운동(運動)"은 봄과 여름의 팽창(膨脹)하는 기운(氣運)을 의미하고 "음(陰)의 운동(運動)"은 가을과 겨울의 수축(收縮)하는 기운(氣運)을 의미한다. 생물(生物)의 6대 원소를 음(陰)의 운동(運動)과 양(陽)의 운동(運動) 나누어 보면 음(陰)의 운동(運動)을 하는 물질은 수소(H), 질소(N), 탄소(C)이고 양(陽)의 운동(運動)을 하는 물질은 산소(O), 황(S), 인(P)이다.

음(陰)인 수소(H, 氣, 가을), 질소(N, 水, 겨울), 탄소(C, 木, 겨울)를 음양중(陰陽中)으로 나누면 탄소가 음(陰)이고 수소가 양(陽)이며 질소가 중(中)이다. 이는 원시적 RNA(Ribonucleic acid)를 기반(基盤)으로 하는 생물(生物)의 기원(起源)이다. 이 생물(生物)의 먹이는 물(Water)이 만든 유기물(有機物)과 물(Water)에 녹아 있는 무기물(無機物)이다.

생물(生物)의 6대 원소인 수소(H), 질소(N), 탄소(C), 산소(O), 황(S), 인(P)을 모두 이용한 최초의 생물(生物)은 물(Water)이 가진 "환경에 반대(反對)로 역행(逆行)하는 정보(情報)와 Energy"를 이용(利用)하여 수산화이온(OH^-)이 있는 영상(零上) 4℃ 미만(未滿)의 음(陰)의 물(Water)과 그 반대(反對)의 환경(環境)인 이온(ION)화된 질소(N, 水), 탄소

(C, 木) 등과 하이드로늄(Hydronium) 이온($H3O^+$,氣)이 있는 영상(零上) 96℃를 초과(超過)하는 양(陽)의 물(Water)이 사랑(만남)하여 탄생(誕生)하였다. 이는 원시적 DNA(Deoxyribonucleic acid)를 기반(基盤)으로 하는 생물의 기원(起源)이다. 음(陰)의 물(Water)과 양(陽)의 물(Water)의 만남으로 탄생한 최초의 생물은 여성(女性, 陰)과 남성(男性, 陽)이 사랑하여 자식(子息)을 낳는 것과 닮은꼴이다.

찰스 다윈(Charles Robert Darwin)의 종의 기원(On the Origin of Speciecs)에 있는 생명의 나무(Tree of Life)의 시작(始作)은 음(陰)의 물(Water)과 양(陽)의 물(Water)의 만남이어야 한다. "영상(零上) 4℃ 미만의 물"과 "영상(零上) 96℃를 초과하는 물"로 특정한 이유는 액체 상태의 물을 섭씨(攝氏) 0℃부터 섭씨(攝氏) 100℃로 나눌 때, 부피가 단절적(斷絶的)으로 팽창(膨脹)하는 "영상(零上) 4℃ 미만"과 대칭(對稱)이 되는 환경(環境)을 "영상(零上) 96℃ 초과"로 보기 때문이다. 대칭(對稱)은 음(陰)과 양(陽)을 의미(意味)한다. 4℃ 미만의 음(陰)의 물(Water)과 96℃를 초과하는 양(陽)의 물(Water)의 대비(對比)는 1기압(氣壓)에서의 기준(基準)이고, 압력(壓力)이 1기압(氣壓)과 다른 조건(條件)과 환경(環境)에 있는 물(Water)이면 "음(陰)의 물(Water)"과 "양(陽)의 물(Water)"이 사랑하여 생명(生命)을 탄생(誕生)시키는 기준(基準)은 달라진다. 어떤 조건(條件)과 환경(環境)이든지 최초(最初)의 생물(生物)은 반드시 액체(液體)의 물(Water)에서 탄생(誕生)하게 된다. 그리고 생명체의 6대 원소인 질소(N, 水), 탄소(C, 木), 산소(O, 土), 황(S, 火), 인(P, 金), 수소(H, 氣)를 음(陰)과 양(陽)으로 나누면 수소(H, 氣, 가을), 질소(N, 水, 겨울), 탄소(C, 木, 겨울)가 음(陰)이 되고 산소(O, 土, 봄), 황(S, 火, 여름), 인(P, 金, 여름)이 양(陽)이 된다.

생명을 만드는 정보(情報)와 Energy가 있다. 이 "생명을 만드는 정보(情報)와 Energy"는 "물질 Energy"가 아니다. 이를 "정보(情報)Energy" 또는 "비물질(非物質)"이라는 말로 정의(定義)해 보자.

무극(無極)인 "참나"의 "정보(情報)Energy"에서 움직임(太極)이 생겨남과 동시(同時)에 "물질(物質)"이 생겨났듯이, 물질(物質)에서 생물(生物)이 생겨남과 동시(同時)에 "비물질(非物質)"인 "진화(進化)한 참나"가 생겨난 것이다. "진화(進化)한 참나"는 "환경에 반대로 역행하는 정보Energy"를 의미(意味)하며 이 "정보Energy"는 물(Water)이 생겨남과 동시(同時)에 생겨난 것이다. 물(Water)이 가진 특성 즉, 일정한 조건에서 환경에 반대로 역행하는 특성을 가진 "진화한 참나"와 음(陰)의 물(Water)에 있는 무기물(無機物)과 양(陽)의 물(Water)에 있는 무기물(無機物)이 만나서 만든 유기물(有機物)이 생리작용(生理作用)을 할 수 있는 상태에 있는 것이 "생물"이다.

생리작용(生理作用)을 할 수 있는 능력은 물(Water)이 가진 특성인 일정한 조건에서 환경에 반대로 역행하는 특성이 변화(變化)하고 진화(進化)한 것이다. 반대(反對)로, 물(Water)이 가진 특성 즉, 일정한 조건에서 환경에 반대로 역행하는 특성을 가진 "진화한 참나"와 음(陰)의 물(Water)에 있는 무기물(無機物)과 양(陽)의 물(Water)에 있는 무기물(無機物)이 만나서 만든 유기물(有機物)이 생리작용(生理作用)을 할 수 없는 상태에 있는 것이 "죽음"이다. 물(Water)에서 진화(進化)한 모든 생물(生物)은 물(Water)이 가진 일정한 조건에서 환경에 반대로 역행하는 특성(진화한 참나 또는 진화하는 참나)이 "유기물"과 함께 변화(變化)하고 진화(進化)한 것이다. 여기서 유기물(有機物)이란 생물

(生物)에 의하여 만들어지는 물질을 의미하고 무기물(無機物)이란 생물
(生物)에 의하여 만들어지는 물질이 아닌 물질을 의미한다.

위에서 언급(言及)한 "생겨난 것" 또는 "생겨남"의 의미(意味)는 "원래
(元來) 있던 것"이 "변화(變化)" 또는 "진화(進化)"를 했다는 의미(意味)
이지 "원래(元來) 없던 것이 있게 된 것"이라는 사전적(辭典的) 의미(意
味)가 아니다. 근본적(根本的)인 의미에서 "원래(元來) 없던 것이 있게
된 것"이나 "원래(元來) 있던 것이 없게 된 것은"은 존재(存在)하지 않
는다.

이 "비물질(非物質)"인 "진화(進化)한 참나"는 "물질(物質)"이 아니므로
무극(無極)의 "참나"와 마찬가지로 중력, 약한 핵력, 전자기력, 강한 핵
력을 포함(包含)하여 물질(物質)세계에 적용(適用)되는 힘의 영향(影響)
을 직접적(直接的)으로 받지는 않는다. 이 "비물질(非物質)"인 "진화(進
化)한 참나"는 물질세계(진동 이후의 세계) 이전의 무극(無極)의 "참나"
와 닮은꼴이다. 닮은꼴이지만 "진화(進化)한 참나"와 무극(無極)의 "참
나"와의 차이점은, 무극(無極) 이후에 진동(움직임)으로 시작한 사랑이
물질과 생물이라는 몸을 만들어 다양한 방법으로 사랑을 하는 동안에
무극(無極)의 상태에서는 할 수 없었던 사랑의 방법에 대한 정보를
"비물질(非物質)"인 "진화(進化)한 참나"는 가지고 있다는 것이다. "비
물질(非物質)"인 "진화(進化)한 참나"는 사랑의 방법에 대한 정보를 가
진 "정보(情報)Energy"다.

우주의 시작 이전(以前)인 무극(無極)은 "비물질(非物質)"이며 "정보(情
報)Energy"이고 "참나(本我)"다. 참나(本我)는 존재의 근본(根本)이며

우주의 본성(本性)이고 시공(時空)을 초월(超越)하여 존재(存在)한다. 또한 무극(無極)인 참나(本我)에도 물질세계의 음양중(陰陽中)과 상응(相應)하는 것이 있다. 모든 것은 닮은꼴이기 때문이다. 무극(無極)인 참나(本我)와 태극(太極)의 물질세계는 "반대(反對)로 역행(逆行)한 닮은꼴"이다.

물질(物質)은 무극(無極)의 "정보(情報)Energy"와 그 근본(根本)은 같지만 무극(無極)의 "정보(情報)Energy"보다 다양한 경험(經驗)과 사랑의 방법에 대한 정보를 가지고 있고, 생물(生物)에 있는 "정보(情報)Energy"도 물질(物質)과 그 근본(根本)은 같지만 물질(物質)보다 다양한 경험(經驗)과 사랑의 방법에 대한 정보를 가지고 있다.

양(陽)의 "정보(情報)Energy"인 자아(自我)와 음(陰)의 "정보(情報)Energy"인 진아(眞我)가 직접 사랑을 하는 것은 새로운 우주가 시작되는 것이다. 우리의 우주는 가로, 세로, 높이의 3차원에서 진동(振動)으로 사랑을 하고 있다. 이치(理致)로 볼 때 우리가 존재(存在)하는 우주(宇宙)에서는 시간(時間)이라는 축(軸)이 있는 4차원은 존재하지 않는다. 그 이유는 가로의 축과 세로의 축 그리고 높이의 축은 앞뒤로 움직일 수 있으나 시간의 축은 앞으로만 움직일 수 있고 뒤로는 움직일 수 없기 때문이다. 과거로 갈 수 없다는 말이다. 가로의 축과 세로의 축 그리고 높이의 축은 시간의 축과 대비(對比)할 수 있는 것이 아니다. 다만 이치(理致)로 볼 때 우주가 창조되어 진화하는 방식(方式)이 우리의 우주가 창조되어 진화하는 방식(方式)인 진동(振動)과는 다른 방식(方式)으로 창조되어 진화하는 우주는 이미 존재(存在)하고 있으며 앞으로도 생겨날 것이다.

"정보(情報)Energy"인 자아(自我)와 진아(眞我)가 몸을 매개(媒介)로 직접 만나서 사랑하여 창조(創造)한 새로운 우주는 진동(振動)이라는 방식을 반대로 역행하여 사랑을 하는 우주(宇宙)이기 때문에 3차원에서 진동(振動)이라는 방식으로 사랑을 하고 있는 우리는 그 존재(存在)를 직접적(直接的)으로 자각(自覺)할 수는 없다.

정보(情報)Energy는 Energy를 가지고 움직이지 않는 상태이고 물질(物質)Energy는 Energy를 가지고 움직이는 상태다. 이는 서로 반대로 닮은꼴이다. 그리고 "참나"인 무극(無極)이 시공(時空)을 초월한 정보(情報)Energy인 것처럼, "진화한 참나"인 자아(自我)와 진아(眞我)도 시공(時空)을 초월한 정보(情報)Energy다. "시공(時空)을 초월(超越)한다."는 것을 굳이 언어(言語)로 표현(表現)하면 "시작(始作)도 없고 끝도 없는 영원성(永遠性)"을 의미(意味)한다.

무극(無極)이라는 "마음"의 특성(特性)은 "움직이고 싶다."와 같은 원(願)과 "움직이면 어떻게 될까?"와 같은 의문(疑問)을 가지고 있었다는 것이며 그 마음이 우리의 우주(宇宙)를 만들었다. 또한 생물(生物)을 만든 "진화(進化)한 참나(本我)"의 특성(特性)도 "사랑하고 싶다." 등(等)과 같은 원(願)과 "사랑하면 어떻게 될까?" 등(等)과 같은 의문(疑問)을 가지고 있다는 것이다. "무극(無極)이라는 마음"이 가진 원(願)과 의문(疑問) 그리고 "진화(進化)한 참나(本我)"가 가진 원(願)과 의문(疑問)은 닮은꼴이다. 원(願)이 있고 의문(疑問)이 있는 마음이 변화(變化)와 진화(進化)의 근본동력(根本動力)이다. 반면에 몸에 있는 정신(생각)의 특성은 몸이 받아들인 정보를 이용하여 마음인 자아(自我)와 진아(眞我) 또는 참나가 가지는 의문(疑問)에 대한 답(答)을 찾으려고 한다는 것이다.

의문(疑問)이 있으면 반드시 그에 상응(相應)하는 것이 있다. 의문(疑問)이 음(陰)이라면 의문(疑問)에 상응(相應)하는 것은 양(陽)이다. 의문(疑問)에 상응(相應)하는 것이 없으면 의문(疑問)을 가질 수가 없으며 이는 음(陰)이 있으면 반드시 양(陽)이 있다는 것을 의미(意味)한다. 의문(疑問)을 가진다는 것은 마음(참나)이 활성화(活性化)되어 있다는 증거(證據)이며, 그 마음(참나)은 끊임없이 가운데를 지향(指向)한다. 가운데를 지향(指向)한다는 것은 사랑과 조화(造化)를 지향(指向)하는 것이며, 생물(生物)은 가운데를 지향(指向)하는 참나의 마음이 만든 사랑과 조화(造化)의 결실(結實)이다. 생물(生物)의 창조(創造)와 진화(進化)는 참나의 마음인 사랑과 조화(造化)로 가능(可能)한 것이지, 생각이 지향(指向)하는 미움과 파괴(破壞)로 가능(可能)한 것이 아니기 때문이다. 그러므로 참나의 마음이 창조(創造)한 생물(生物)은 자신의 몸을 기준(基準)으로 볼 때 기본적(基本的)으로 선(善)하다. 선(善)하다는 것은 미움과 파괴(破壞)의 반대(反對)를 의미(意味)한다. 물론, 자신의 몸만을 선(善)하게 대(對)하는 것을 역행(逆行)하여 자신의 몸도 선(善)하게 대(對)하고 자신의 몸이 아닌 것도 선(善)하게 대(對)하면 그에 따른 유전정보(遺傳情報)의 변화(變化)는 그 생명의 질(質)을 높이게 된다.

만약(萬若)에 사랑과 조화(造化)의 마음이 제대로 활성화(活性化)되지 않고, 미움과 파괴(破壞)의 생각이 더욱 활성화(活性化)된 생물(生物)이 있다면, 그 생물(生物)은 창조적 진화(創造的 進化)가 아니라 퇴행적 진화(退行的 進化)를 하게 된다. 미움은 파괴(破壞)를 의미(意味)하고, 파괴(破壞)는 생명(生命)의 유전정보(遺傳情報)를 파괴(破壞)하는 것과 연결(連結)되기 때문이다.

우리가 존재(存在)하는 시공(時空)의 우주는 진동(振動)으로 창조와 진화를 한다. 진동(振動)이 아닌 것은 존재할 수가 없다. 그러므로 공간(空間) 자체(自體)가 물질(物質)이다. 지구(地球)라는 행성(行星)에서 물(Water)을 이용하여 만든 육체(肉體)로는 느끼지 못하는 미세(微細)한 진동(振動)을 하는 공간(空間)은 있어도 진동(振動)하지 않는 공간은 우리가 사는 우주에는 없다. 다르게 표현(表現)하면, 시공(時空)의 우주는 그 시작(始作)이 진동(振動)이고 진동(振動)은 곧 공간(空間)이기 때문에 진동(振動)하지 않는 공간(空間)은 없는 것이다. 그리고 우주가 팽창(膨脹)한다는 것은 진동(振動)하는 공간(空間)이 커진다는 것이며, 공간(空間)이 있으므로 거리(距離)가 있는 것이고 거리(距離)가 있으므로 시간(時間)이라는 개념(槪念)이 생겨난 것이다. 시간(時間)과 공간(空間)은 음(陰)과 양(陽)의 관계(關係)이며 이런 시공간(時空間)이 우리가 존재(存在)하고 있는 우주(宇宙)의 범위(範圍)라 할 수 있다. 소우주(小宇宙)인 생명(生命)은 진동(振動)의 방식(方式)으로 끊임없는 변화(變化)와 진화(進化)를 하고 있다. 그러므로 생명(生命)과 우주(宇宙)를 대비(對比)해 보면, 우주(宇宙)의 범위(範圍)는 생명(生命)과 같이 유한(有限)하지만, 생명(生命)의 끊임없는 변화(變化)와 진화(進化)의 관점(觀點)으로 보면 무한(無限)하다고 할 수 있다.

"정보(情報)Energy"인 무극(無極)은 움직이고 싶은 "마음이 가지고 있는 Energy가 움직이지 않는 상태(狀態)"이고, 무극(無極)에서 진동(振動)이 시작된 이후(以後)로는 "물질(物質)이 가지고 있는 Energy가 움직이는 상태(狀態)"다. Energy를 가지고 움직이지 않는 물질(物質)은 우리의 우주에는 없다. 왜냐하면 우리의 우주는 물질(物質)이 Energy 를 가지고 움직이기 때문이다. 그리고 음(陰)과 양(陽)을 더 크게 보면 우주(宇宙)의 시작 이전(以前)인 무극(無極)과 우주(宇宙)의 시작 이후 (以後)인 태극(太極)은, "정보 Energy"인 무극(無極)의 마음(陰)과 "물질 Energy"인 태극(太極)의 진동(陽)이 음(陰, 마음)과 양(陽, 진동)으로 사랑하며 진화(進化)하고 있는 것이다.

"진화한 참나"의 마음이 육체(肉體)에 나타나 있다. 손금이다. 손금은 자궁 안에서부터 만들어지며 태어나는 순간부터 손에 나타나 있는데, 이는 육체(肉體)에 있는 머리로 생각을 하기 이전(以前)에 마음이 있다 는 증거(證據)다. 왜냐하면 손금으로 '그 사람이 생각을 하기 이전(以前)의 정신적인 특성(特性)과 육체적인 특성(特性) 등을 추측(推測)할 수 있기 때문이다. 손금은 사람이 생각을 하기 이전(以前)부터 가지고 있는 마음의 특성(特性)을 나타낸다. 물론, 생물(生物)이 가진 세포(細胞)의 각각(各各)에도 정신적인 특성(特性)과 육체적인 특성(特性) 등에 관한 정보가 있으나 세포(細胞)에 있는 정보(情報)보다는 손금에 나타난 정보(情報)를 이용하면 그 특성(特性)을 파악(把握)하기가 수월하다. 세상의 이치는 역행(逆行)과 반대(反對) 그리고 닮은꼴로 설명할 수 있는데 "비물질(非物質)"이 가진 "정보(情報)Energy"와 "물질(物質)"이 가진 "진동(振動)Energy"는 반대로 닮은꼴이라고 보면 된다.

과학은 움직이는 세계를 연구하는 학문이다. 움직이지 않는 참나를 과학적인 방법으로 증명한다는 것은 불가능에 가깝다. 왜냐하면 과학은 객관적으로 증명하는 것이고 참나는 주관적으로 확인하는 것이기 때문이다. 참나에 대한 깨달음은 주관적이지만 각자(各自)가 깨달은 참나를 각자(各自)가 표현(表現)하게 되면 그 표현(表現)에는 공통점(共通點)이 있다. 그 공통점은 한결같이 생명(生命)의 근본(根本)을 말하고 있다.

기쁨과 노여움, 슬픔과 두려움, 사랑과 미움 그리고 욕망 등과 같은 형이상학(形而上學)적인 개념들을 구체적으로 살펴보면, 각자(各自)가 가진 주관적(主觀的) 감정(感情)인 기쁨과 노여움, 슬픔과 두려움, 사랑과 미움 그리고 욕망 등의 의미는 각자(各自)가 비슷한 경험을 공유했어도 전체적(全體的)인 일치(一致)는 하지 않는다. 하지만 각자(各自)의 사이에는 감정(感情)의 교집합(交集合)이 있으며 그 교집합(交集合)으로 주관적 감정을 공감(共感)할 수 있는 것이다. 이와 같이 존재 이전(以前)의 존재인 "참나"를 주관적으로 확인한 각자(各自)의 사이에도 "참나"에 대한 공감의 교집합(交集合)이 있다.

제 2장 나와 우주(宇宙) 그리고 생명(生命)

1] 생물(生物)의 창조(創造)와 진화(進化)의 원리(原理)

읽기 전(前)에 먼저 89page에 있는 "5] 생명(生命)의 본질(本質)"을 참고하기 바란다.

앞서 물(Water)은 생물이라고 하였다. 생물이기 때문에 진화(進化)를 한다. 물(Water)은 음(陰)의 물(Water)과 양(陽)의 물(Water)로 나눌 수 있으며, 양(陽)의 물(Water)은 1기압에서 96℃를 초과하는 물(Water)이고 음(陰)의 물(Water)은 1기압에서 4℃ 미만인 물(Water)이다. 양(陽)의 물(Water)과 음(陰)의 물(Water)에 포함(包含)된 여러 가지 원소(元素)들과 물(Water)이 1기압 4℃ 미만에서 분자(分子)의 배열(排列)을 일정(一定)하게 변화(變化)시켜 단절적(斷絶的)으로 부피가 커지는 변화(變化)를 하는 특성(特性) 즉, 생물(生物)의 특성(特性)은 양(陽)의 물(Water)과 음(陰)의 물(Water)이 만났을 때 무기물(無機物)인 여러 가지 원소(元素)들을 원시적(原始的) 유기물(有機物)로 변화(變化)시키게 된다. 왜냐하면 물(Water)은 생물(生物)의 특성(特性)을 가지고 있는 생물(生物)이고, 생물(生物)의 생체(生體) 내(內)에서 생명력에 의하여 만들어지는 물질이 유기물(有機物)이기 때문이다. 물(Water)이 가진 일정한 조건에서 분자(分子)의 배열(排列)을 일정(一定)하게 변화시켜 단절적(斷絶的)으로 부피가 커지는 특성(特性), 즉 환경(環境)에 역행(逆行)하는 생물(生物)의 특성(特性)으로 인(因)하여 일정한 조건에서 물(Water)에 있는 유기물(有機物)이라는 물질(物質)의 배열(排列)을 일정(一定)하게 변화(變化)시켜 환경(環境)에 역행(逆行)하는 최초(最初)의 생물

(生物)로 진화(進化)하게 된다. 또한 물(Water)이 가진 일정한 조건이 되면 환경(環境)에 반대(反對)로 역행(逆行)하는 생물(生物)의 특성(特性)으로 인(因)하여, 최초(最初)의 생물(生物)은 일정한 조건이 되면 항상성(恒常性)을 역행(逆行)하여 몸을 분리(分離)하는 방법으로 무성생식(無性生殖)을 하게 된다. 항상성(恒常性)이란 외부환경과 생물체 내(內)의 변화에 대응하여 체내(體內) 환경(環境)을 일정하게 유지하려는 생물의 특성이다. 모든 생물(生物)은 물(Water)을 기본(基本)으로 이용(利用)하여 몸을 만들기 때문에, 물(Water)이 가진 환경(環境)에 반대(反對)로 역행(逆行)하는 생물(生物)의 특성(特性)이 있는 닮은꼴을 만드는 것이다.

분자(分子)의 배열(排列)이 일정(一定)하게 변화(變化)하여 환경에 반대로 역행하는 물(Water)의 특성(特性) 때문에 물(Water)에 있는 유기물의 배열(排列)이 일정(一定)하게 변화(變化)하여 환경에 반대로 역행하는 생물(生物)로 진화(進化)하게 된다는 것이다. 다시 말하면 유기물(有機物)의 배열(排列)을 변화(變化)시켜 원시적(原始的) 유전정보를 가진 생물(生物)로 창조(創造)된 것은 물(Water)이 가진 일정한 조건에서 분자의 배열(排列)을 일정(一定)하게 변화(變化)시켜 부피가 단절적(斷絶的)으로 팽창(膨脹)하는 특성, 즉 환경(環境)에 반대(反對)로 역행(逆行)하는 생물(生物)의 특성(特性)에서 비롯된 것이다. 물(Water)이 가진 환경(環境)에 반대(反對)로 역행(逆行)하는 생물(生物)의 특성(特性) 때문에 최초(最初)의 생물(生物)이 창조(創造)된 것이다.

생물(生物)의 끊임없는 진화(進化)는 물(Water)이 가진 일정한 조건에서 환경에 반대로 역행할 수 있는 생물의 특성이 생물의 생체(生體)

내(內)에서 일정한 조건이 되면 끊임없이 활성화(活性化)되기 때문이다.

눈(Water)의 결정체는 보기에 따라서 단순(單純)하게 보이기도 하고 복잡(複雜)하게 보이기도 한다. 하지만 항상 복잡(複雜)하게 보이게 하려면 어떻게 하면 될까? 반으로 접으면 된다. 반으로 접은 후 크기를 키우고 다시 반으로 접어서 크기를 키우는 과정을 계속해서 반복(反復)하면 매우 복잡(複雜)한 형태가 될 것이다. 비대칭적(非對稱的)으로 접으면 더욱 복잡(複雜)한 형태가 될 것이다. 생물은 이러한 과정으로 매우 단순한 생물(單純)에서 매우 복잡(複雜)한 생물로 진화했을 것으로 추측(推測)할 수 있다. 원래(元來)의 형태를 "접는다"는 것은 원래

(元來)의 형태를 역행한다는 것이고 원래(元來)의 형태와 반대로 닮은 꼴로 만든다는 것이다.

물(Water)은 생물(生物)의 특성(特性)을 가진 생명(生命)이기 때문에 생물(生物)의 특성(特性)인 진화(進化)를 하며, 진화(進化)한 생물(生物)은 유전(遺傳)을 한다. 유전(遺傳)을 할 수 없는 물질(物質)과는 반대(反對)로 유전(遺傳)을 할 수 있는 생물(生物)의 특성(特性)은 물질(物質)의 특성(特性)을 반대(反對)로 역행(逆行)한 것이며, 이 또한 물(Water)이 가진 환경(環境)에 반대(反對)로 역행(逆行)하는 특성(特性)에 기인(起因)한 것이다. 이것이 물질(物質)과 생물(生物)의 특성(特性)을 함께 가지고 있는 물(Water)에서 진화(進化)한 최초(最初)의 생물(生物)이다.

생물(生物)의 창조(創造)와 진화(進化) 그리고 유전(遺傳)은 물(Water)이 가진 일정한 조건에서 환경(環境)에 반대(反對)로 역행(逆行)하는 특성(特性)에 기인(起因)한 것이다. 이 특성(特性)이 물(Water)이 가진 "정보Energy"이며 "진화한 참나"다.

물(Water)이 눈(Snow)으로 상변화(相變化)를 할 때 육각형(六角形)의 형태(形態)를 기본(基本)으로 수많은 다른 모양(模樣)의 닮은꼴을 만드는 것은 물(Water)에 수많은 닮은꼴을 만들 수 있는 수많은 대칭적(對稱的) 정보(情報)와 Energy가 있어서 가능(可能)한 것이다. 눈(Snow)의 결정체를 보면 물(Water)은 최초의 생물을 만들 수 있는 수많은 대칭적(對稱的) 정보(情報)와 Energy를 이미 가지고 있다는 것을 알 수 있다. 최초의 생물은 육각수 상태의 물(Water)과 육각형 상태의 눈(Snow)에 있는 환경에 역행하는 생물의 특성과 육각수 상태의 물

(Water)과 육각형 상태의 눈(Snow)에 있는 수많은 대칭적(對稱的) 정보(情報)에 기인(起因)한 것이고, 생물의 유전(遺傳)과 생물의 진화(進化)도 육각형의 닮은꼴(유전의 특성)을 수많은 다른 모양(진화의 특성)으로 만들 수 있는 눈(Snow)의 특성(特性)에 기인(起因)한 것이다. 물론 눈(Snow)의 특성(特性)은 물(Water)의 특성(特性)에서 비롯된 것이다. 그리고 눈(Snow)을 2차원인 평면의 사진(寫眞)이 아니라 3차원의 입체(立體)로 볼 수 있다면 생물의 특성과 연관된 물(Water)과 눈(Snow)의 특성에 대해 더 많은 정보를 알 수 있을 것으로 추측(推測)한다.

물(Water)은 수많은 정보(情報)를 가지고 일정(一定)한 조건(條件)에서 환경(環境)에 반대(反對)로 역행(逆行)할 수 있는 정보(情報)와 Energy를 가진 생물(生物)이며, 생물(生物)은 무질서(無秩序)한 무기물(無機物)을 질서(秩序)있는 유기물(有機物)로 만들 수 있는 정보(情報)와 Energy를 가지고 있다. 이 때문에 물(Water)이 있는 또는 물(Water)이 있었던 태양계(太陽系) 내(內)의 소행성에서 유기물(有機物)이 발견되는 것이다. 여기서 유기물(有機物)이란 생물(生物)에 의하여 만들어지는 물질을 의미하고 무기물(無機物)이란 생물(生物)에 의하여 만들어지는 물질이 아닌 물질을 의미한다.

물(Water)은 생물(生物)의 특성(特性)을 가지고 있기 때문에 물(Water)속에는 눈으로 볼 수는 없지만 이치(理致)로 볼 때 수(심장), 목(간), 토(뇌), 화(신장), 금(폐), 기(위장)의 원시적(原始的) 요소(要素)가 있다. 물(Water)은 생물(生物)의 특성인 "환경에 역행할 수 있는 정보(情報)와 Energy"로 물(Water)에 용해(溶解)되어 있는 물질을 이용하여 이런 요소(要素)들을 구체화(具體化)한 원시적인 장기(臟器)를 가진 생물(生物)로 진화(進化)하였다. 무성생식의 생물(生物)이 몸(육체)을 분리(分離)하는 방법으로 유전(遺傳)하는 것은 몸(육체)을 유지(維持)하려는 생물(生物)의 특성을 또다시 역행(逆行)하여 진화(進化)한 것이며, 이는 일정한 조건에서 생물이 변화(變化)나 진화(進化)를 할 때 생물(生物)의 특성(特性)인 역행(逆行)의 특성(特性)도 동시(同時)에 변화(變化)나 진화(進化)를 하기 때문이다. 그리고 생물(生物)이 진화(進化)한다는 것은 생물(生物)의 생체내부(生體內部)의 환경(環境)에 대해 역행(逆行)을 하는 방식(方式)이나 생물(生物)의 생체외부(生體外部)의 환경(環境)에 대해 역행(逆行)을 하는 방식(方式)이 변화(變化)하고 다양(多樣)해진다는 것이며, 이는 일정한 조건에서 분자의 배열(排列)이 일정(一定)하게 변화(變化)하여 부피가 단절적(斷絶的)으로 팽창(膨脹)하는 물(Water)이 가진 환경(環境)에 반대(反對)로 역행(逆行)하는 생물(生物)의 특성(特性)이 일정한 조건에 있는 생물(生物)의 생체내부(生體內部)의 환경(環境)과 생체외부(生體外部)의 환경(環境)에 대응(對應)하여 활성화(活性化)되기 때문이다. 생물(生物)의 종(種)에 따라 생물(生物)이 가진 유기물의 종류(種類)와 비율(比率)이 모두 다르고 다양(多樣)하기 때문에 환경(環境)에 대응(對應)하여 활성화(活性化)하는 일정한 조건은 생물(生物)의 종(種)에 따라 모두 다르고 다양(多樣)하다. 그러므로 생물의 종(種)에 따른 환경(環境)에 반대(反對)로 역행(逆行)하는 생물(生物)의 특성은 다양(多樣)한 방식(方式)으로 나타나게 된다. 생물은 때로는 환경에 역행하여 적응하고, 때로는 순응하여 적응하는데 역행하는 능력이 다양할수록 더 진화된 생물이라 할 수 있다. 물질이 자연에서 해체(解體)와 합체(合體)를 하는 것은 생물(生物)이 역행(逆行)하는 힘으로 이완(弛緩)과 수축(收縮)의 생명 활동을 하는 것과 닮은꼴이다.

무성생식(無性生殖)의 생물(生物)을 만든 정보(情報)와 Energy는 "환경에 반대로 역행할 수 있는 정보(情報)와 Energy"이며 이는 불생불멸(不生不滅)의 생명(生命)의 본질(本質)인 무극(無極)의 "정보(情報)Energy"가 진화(進化)한 것이다. 유성생식(有性生殖)을 하는 생물(生物)의 참나(本我)는 수컷에게 들어가 생식세포를 만든 자아(自我)와 암컷에게 들어가 생식세포를 만든 진아(眞我)로 분리(分離)하여 정의(定義)한다. 하지만 무성생식(無性生殖)을 하는 생물(生物)의 참나(本我)는 자아(自我)와 진아(眞我)로 분리(分離)하여 정의(定義)하지 않는다. 자아(自我)와 진아(眞我)는 각각(各各) 독자적인 존재(存在)이므로 죽음 이후(以後)에 윤회(輪廻)를 할 때, 죽음 이전(以前)에 하나의 몸을 이루고 있었던 그 자아(自我)와 그 진아(眞我)가 생물(生物)의 호흡기(呼吸器)를 통(通)해 들어가 자웅(雌雄)의 생식세포(生殖細胞)를 만들고 그 자웅(雌雄)의 생식세포(生殖細胞)가 만나서 새로운 몸을 만들 수도 있고, 그 자아(自我)와 그 진아(眞我)는 각각(各各)의 인연(因緣)에 따라 다른 자아(自我)나 다른 진아(眞我)가 만든 자웅(雌雄)의 생식세포(生殖細胞)를 만나서 새로운 몸을 만들 수도 있다. 시공(時空)의 세계에서 몸(육체)은 사랑(만남)을 위한 도구(道具)다.

물질은 조건(條件)에 따라 합체(合體)와 해체(解體)를 반복한다. 하지만, 생물은 죽음 이후(以後)에 육체는 해체되지만, 유전정보(遺傳情報)를 가지고 있는 "진화한 참나"는 육체가 해체되는 것과는 반대(反對)로 육체가 죽어도 해체(解體)되지 않고 윤회(輪廻)하여 또다시 다른 육체를 만들어 만남(사랑)의 경험(經驗)으로 새로운 유전정보(遺傳情報)를 축적(蓄積)한다. 왜냐하면 정보(情報)Energy인 "진화한 참나"와 몸(육체)은 유전정보(遺傳情報)를 공유(共有)하고 각각(各各)의 방식(方式)으로 저장(貯

藏)하기 때문이다. 몸(육체)은 세포(細胞)에 유전정보를 저장(貯藏)하고 "진화한 참나"는 정보(情報)Energy에 유전정보를 저장(貯藏)한다. 생물(生物)이 가진 유전정보(遺傳情報)와 "진화한 참나"의 정보(情報)Energy는 그 특성(特性)이 반대(反對)기 때문에 죽음 이후(以後)에 생물의 유전정보는 해체(解體)되지만 "진화한 참나"의 정보(情報)Energy는 해체(解體)되지 않는다. 미시세계의 특성과 거시세계의 특성이 서로 반대로 닮은꼴인 것과 같이 물질인 생물의 유전정보와 비물질인 참나의 정보(情報)Energy는 서로 반대로 닮은꼴이다. "생물"은 유전정보를 세포의 방식으로 가지고 있지만, "진화한 참나"는 유전정보를 정보(情報)Energy의 방식으로 가지고 있다. 물질인 "육체"와 비물질인 "진화한 참나"는 그 특성이 반대이기 때문에, 육체는 흩어져 필멸(必滅)하고 진화한 참나는 뭉쳐져 불멸(不滅)하는 것이다. 또한 물질(物質)인 생물은 진동(振動)하지만 비물질(非物質)인 정보(情報)Energy는 진동(振動)하지 않는다.

물질(物質)과 생물(生物)의 특성을 함께 가지고 있는 물(water)은 특정한 환경이 되면 수소와 산소로 분리될 수 있지만, 물(water)이 가진 정보(情報)Energy가 변화 또는 진화한 생물(生物)의 정보(情報)Energy는 물질(物質)의 특성과는 반대(反對)로 분리되거나 흩어지지 않는다.

무성생식(無性生殖)을 하는 생명체가 윤회(輪廻)를 통(通)하여 살아가는 동안 그 생명체가 축적(蓄積)할 수 있는 사랑과 경험의 정보(情報)가 한계(限界)에 이르게 되면, 무성생식(無性生殖)의 생명체 내(內)에 있는 물(Water)이 가진 역행(逆行)의 특성(特性)으로 인(因)하여 무성(無性)을 역행(逆行)하여 양(陽)과 음(陰)로 구분되는 유성(有性)의 생명체로 진화(進化)하게 된다. 물론 이러한 진화는 물(Water)이 가진 환경에 반대로 역행하는 특성에 기인(起因)한 것이다. 이렇게 진화(進化)한 음(陰)과 양(陽)의 유성(有性)의 생명체가 만나서 사랑을 하여 생명을 낳는 행위를 하는데 이를 유성생식(有性生殖)이라 한다. 무성생식(無性生殖)은 몸을 분리(分離)하는 방법으로 유전(遺傳)을 하지만 유성생식(有性生殖)은 음(陰)과 양(陽)이 합(合)을 하는 방법으로 유전(遺傳)을 한다. 즉, 무성생식과 유성생식은 유전(遺傳)하는 방법이 반대(反對)다.

죽음이란 이런 유기적 생물을 만든 "환경에 반대로 역행할 수 있는 Energy"인 "정보(情報)Energy"가 생명체를 유지할 수 없는 내적(內的)인 원인이나 외적(外的)인 원인으로 인해 몸(육체)에서 그 역할(役割)을 할 수 없는 상태를 말한다. 이 "역행의 정보(情報)Energy"[(자아(自我)와 진아(眞我) 또는 진화한 참나]는 생명을 만드는 정보(情報)를 가지고 있는 "정보(情報)Energy"이며, 이 "정보(情報)Energy"를 이용해 다른 몸을 만드는 윤회(輪廻)를 통(通)하여 생명의 정보(情報)를 축적(蓄積)하고 진화(進化)를 한다. 진화(進化)란 말에는 창조적(創造的) 진화(進化)와 퇴행적(退行的) 진화(進化)의 의미가 모두 포함되어 있다.

수(물) =〉 목(나무) =〉 토(곤충) =〉
화(물고기) =〉 금(동물) =〉 기(동물보다 창조적 진화가 된 생명체)

순수한 물(Water)은 1기압, 섭씨(攝氏) 영상(零上) 100℃의 물(Water)에서 0℃의 물(Water)이 될 때까지 액체(液體)로 그 상태(狀態)를 유지(維持)하다가 1기압, 섭씨(攝氏) 영상(零上) 0℃ 미만(未滿)으로 되면 그 물(Water)은 중간 과정이 없이 단절적(斷絶的)으로 얼음이 되는 상변화(相變化)를 한다. 그리고 순수한 물(Water)은 1기압, 영상(零上) 4℃에서 1기압, 영상(零上) 4℃를 초과(超過)하면 그 물(Water)은 중간 과정이 없이 단절적(斷絶的)으로 부피가 커지는 변화(變化)를 하며 또한, 1기압, 영상(零上) 4℃에서 1기압, 영상(零上) 4℃ 미만(未滿)이 되어도 그 물(Water)은 중간 과정이 없이 단절적(斷絶的)으로 부피가 커지는 변화(變化)를 한다.

곤충(昆蟲)이 알→애벌레→번데기→어른벌레의 순으로 중간 과정이 있는 변화를 하는 것은 곤충(昆蟲) 유전자(DNA)의 특성(特性)에 기인(起因)한 것이다. 하지만 "A라는 원시곤충(元始昆蟲)"에서 "B라는 곤충(昆蟲)"으로 "상변화(相變化)"를 하거나, "B라는 곤충(昆蟲)"에서 "C라는 최초(最初)의 원시(元始) 물고기"로 "상변화(相變化)"를 할 때에는 생식세포(生殖細胞)의 유전자(DNA)가 단절적(斷絶的)으로 변화하게 되는데, 이는 수많은 정보(情報)를 가지고 일정(一定)한 조건(條件)에서 분자(分子)의 배열(配列)을 일정(一定)하게 변화(變化)시켜 환경(環境)에 반대(反對)로 역행(逆行)할 수 있는 물(Water)의 특성(特性)이 생물의 생체(生體) 내(內)에서 활성화(活性化)되었기 때문이다.

생명(生命)이 그 종류(種類)마다 수명(壽命)에 한계치(限界值)가 있듯이, 생명(生命)은 그 종류(種類)마다 경험(經驗)과 사랑의 유전정보(遺傳情報)를 축적(蓄積)할 수 있는 한계치(限界值)가 있으며, 그 한계치(限界值)가 "유전자(DNA)"와 "상(相)"이 변화(變化)하는 임계점(臨界點)이다. 한계치(限界值)를 물리학(物理學)에서는 역치(閾値)라고 한다. 1기압 영상 100℃ 물(Water)이 1기압 영상 4℃의 한계치(限界值)까지는 부피가 수축(收縮)을 하다가 임계점(臨界點)인 1기압 영상 4℃ 미만(未滿)부터는 온도가 내려가면 다른 대부분의 물질(物質)과는 반대(反對)로 물(Water)은 분자(分子)의 배열(排列)이 일정(一定)하게 변화(變化)하여 부피가 팽창(膨脹)하는 변화(變化)를 하는데, 이는 상변화(相變化)의 임계점(臨界點)에 이른 생명(生命)이 유전자(DNA)의 배열(排列)을 일정(一定)하게 변화(變化)하여 진화(進化)하는 것과 닮은꼴이다.

생물(生物)이 유전자(DNA)의 배열(排列)을 일정(一定)하게 변화(變化)하는 시점(時點)은 무성생식(無性生殖)이든 유성생식(有性生殖)이든 특정(特定)한 조건(條件)이 될 때 가능(可能)한데, 그 특정(特定)한 조건(條件)중 하나는 생물(生物)의 생애(生涯)에서 액체(液體)인 물(Water)의 비율(比率)이 가장 높은 시기(時期)를 말한다. 이는 무성생식(無性生殖)의 경우(境遇)에 보통(普通)은 세포(細胞)가 분열(分裂)할 때고, 유성생식(有性生殖)의 경우(境遇)에 보통(普通)은 생식세포(生殖細胞)가 수정(授精)할 때다. 이때가 생물(生物)의 몸에서 액체(液體)인 물(Water)의 비율(比率)이 가장 높은 시기(時期)이고, 액체(液體)인 물(Water)의 비율(比率)이 가장 높은 시기(時期)이기 때문에 생물(生物)의 생애(生涯)에서 물(Water)의 특성(特性)이 가장 잘 나타나게 된다. 생물(生物)의 특성(特性)을 가진 액체(液體)인 물(Water)이 특정(特定)한 조건(條件)에서 분자(分子)의 배열(排列)을 변화(變化)시켜 단절적(斷絶的)으로 부피가 팽창(膨脹)하는 변화(變化)를 하는 것과 같이, 생물(生物)도 특정(特定)한 조건(條件)에서 유전자(DNA)의 배열(排列)을 단절적(斷絶的)으로 변화(變化)시켜 상변화(相變化)인 진화(進化)를 하게 된다. 지구상(地球上)의 모든 생물(生物)은 물(Water)을 기본(基本)으로 몸을 만들기 때문에 물(Water)의 특성(特性)을 닮게 된다.

"닭이 먼저냐?, 달걀(鷄卵)이 먼저냐?"("Which came first, the chicken or the egg?")라는 고대(古代)로부터 가진 의문(疑問)의 답(答)은 "달걀(鷄卵)이 먼저다."이다. 왜냐하면 닭의 생애(生涯)에서 액체(液體)인 물(Water)의 비율(比率)이 가장 높을 때는 달걀(鷄卵)일 때이기 때문이다. 이는 최초(最初)의 달걀(鷄卵)을 낳은 생물(生物)은 닭이 아니라는 의미(意味)다. 모든 최초(最初)의 생명(生命)도 같은 이치(理致)다. 최초(最初)의 물(Water)은 수소와 산소의 결합(結合)으로 생(生)겼다. 수소와 산소는 물(Water)이 아니다. 물(Water)이 아닌 것에서 물(Water)이 생(生)긴 것이다. 그리고 앞에서 설명(說明)했듯이 물(Water)은 생물(生物)이다. 그러므로 지구(地球)의 환경(環境)에서 모든 생물의 공통조상인 LUCA(Last Universal Common Ancestor)는 물(Water)이다.

이와 같은 이치(理致)로 목(木)에 해당하는 최초(最初)의 생물(生物)도 목(木)이 아닌 물(Water)이라는 생물(生物)에서 생(生)긴 것이고, 토(土)에 해당(該當)하는 최초(最初)의 생물(生物)도 토(土)가 아닌 목(木)에 해당(該當)하는 생물(生物)에서 생(生)긴 것이다. 그리고 화(火)에 해당(該當)하는 최초(最初)의 생물(生物)도 화(火)가 아닌 토(土)에 해당(該當)하는 생물(生物)에서 생(生)긴 것이고, 금(金)에 해당(該當)하는 최초(最初)의 생물(生物)도 금(金)이 아닌 화(火)에 해당(該當)하는 생물(生物)에서 생(生)긴 것이다. 물론 기(氣)에 해당(該當)하는 최초(最初)의 생물(生物)도 기(氣)가 아닌 금(金)에 해당(該當)하는 생물(生物)에서 생(生)긴 것이다.

대부분의 물질(物質)이 온도가 내려가면 부피가 수축(收縮)하는 것과는 반대(反對)로 생명(生命)의 기원(紀元)인 물(Water)은 1기압, 영상 4℃ 미만으로 온도가 내려가면 부피가 커지는 변화(變化)를 하는데, 부피가 커지는 변화(變化)는 1기압, 영상(零上) 4℃미만(未滿)과 초과(超過)에서 단절적(斷絕的)으로 발생(發生)한다. 물(Water)의 이러한 단절적(斷絕的)인 변화(變化)의 특성(特性)으로 인(因)하여 물(Water)을 매개(媒介)로 만든 모든 생물(生物)은 진화(進化)를 할 때에 유전자(DNA)와 상(狀)이 단절적(斷絕的)으로 변화(變化)하게 된다.

"진화(進化)"는 이미 "창조(倉曹)"의 의미를 포함(包含)하고 있다. 진화(進化)는 반드시 단절적(斷絕的)인 상변화(相變化)라는 의미다. 진화(進化)의 중간(中間)에 해당하는 생물(生物)의 종(種)이 있다면, 그 또한 창조적 진화를 한 것이기 때문에 생물(生物)의 상(狀)이 단절적(斷絕的)으로 변화(變化)하는 것이다.

물(Water)이 중간 과정이 없이 변화(變化)의 임계점(臨界點)인 1기압 섭씨(攝氏) 영상(零上) 0℃ 미만(未滿)에서 단절적(斷絕的)인 상변화(相變化)를 하고, 1기압 섭씨(攝氏) 영상(零上) 4℃ 전후(前後)에서 단절적(斷絕的)인 부피의 변화(變化)를 하듯이, 생물(生物)도 진화(進化)의 임계점(臨界點)에 이르면 단절적(斷絕的)인 상변화(相變化)나 단절적(斷絕的)인 변화(變化)를 한다. 진화(進化)의 임계점(臨界點)은 생물(生物)의 종류(種類)마다 사랑과 경험(經驗)의 정보(情報)를 축적(蓄積)할 수 있는 한계(限界)가 있는데 그 한계(限界)가 진화(進化)의 임계점(臨界點)이다.

단절적(斷絕的)이라는 말의 의미(意味)는 순수한 물(Water)이 변화(變化)의 임계점(臨界點)인 1기압 섭씨(攝氏) 영상(零上) 0℃ 미만(未滿)에서 상변화(相變化)를 할 때나 1기압 섭씨(攝氏) 영상(零上) 4℃ 전후(前後)에서 부피의 변화(變化)를 할 때 시차(時差)가 없이 동시(同時)에 상변화(相變化)나 부피의 변화(變化)가 이루어진다는 의미(意味)다.

지나간 현상(現象)과 현재(現在)의 현상(現象) 그리고 다가올 현상(現象)이 완전(完全)히 동일(同一)할 수는 없다. 이런 의미(意味)에서 시간(時間)의 흐름에 따른 변화(變化)는 언제나 단절적((斷絶的) 변화(變化)인 것이다. 우리가 존재(存在)하는 우주의 시작(始作)도 움직이지 않던 것(無極)이 움직인 것(太極)이다. 이것 역시 단절적(斷絶的)인 상(狀)의 변화(變化)다.

무극(無極, 참나)이 태극(太極)으로 진화(進化)하였고, 태극(太極)이 물질(物質)로 진화(進化)하였으며, 물질(物質)은 생물(生物)로 진화(進化)하였고, 생물(生物)의 탄생(誕生)과 동시(同時)에 진화(進化)한 참나가 생겨났다. "진화(進化)한 참나"는 "환경에 반대로 역행하는 정보(情報)Energy"를 의미(意味)하며 이 "정보(情報)Energy"는 물(Water)이 생겨남과 동시(同時)에 생겨난 것이다. 이를 역행(逆行)과 반대(反對) 그리고 닮은꼴로 설명(說明)하면, 음양(陰陽, 진동)이 없던 무극(無極)의 반대(反對)가 태극(太極)이고, 태극(太極)의 음양(陰陽)이 역행(逆行, 사랑)한 결과(結果)가 물질(物質)이며, 물질(物質)의 특성(特性)을 반대(反對)로 역행(逆行)한 닮은꼴이 생물(生物)이다. 지구(地球)에서는 물(Water)을 매개(媒介)로 생물(生物)이 탄생(誕生)하였기 때문에 지구(地球)에서의 생물(生物)은 물(Water)의 특성(特性)과 기본적으로 닮은꼴이며 또한 물(Water)의 특성(特性)과 반대(反對)로 닮은꼴이기도 하고, 물(Water)의 특성(特性)과 역행(逆行)한 닮은꼴이기도 하다.

위의 내용(內容)을 그림으로 나타내면 다음과 같다.

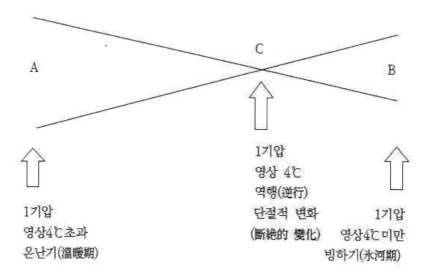

순수한 물(Water)은 C인 1기압, 영상 4℃를 기준(基準)으로 온도가 올라가서 부피가 커지는 것(A, 物質)과 온도가 내려가서 부피가 커지는 것(B, 生物)을 그림으로 그려보면 반대(反對)로 닮은꼴이 된다. 대부분의 물질(物質)은 온도가 내려가면 부피가 작아지는 수축(收縮)을 하지만 물은 1기압 영상 4℃ 미만으로 온도가 내려가면 대부분의 물질(物質)과는 반대(反對)로 부피가 커지는 역행(逆行)을 한다.

순수한 물(Water)은 온도가 높을수록 사슬구조가 되고, 온도가 낮을수록 오각수가 되며, 온도가 더 낮아져 1기압, 섭씨 영상 4℃ 미만부터는 육각수로 변화(變化)한다. 순수한 물(Water)은 1기압, 섭씨 영상 4℃ 미만부터 온도가 내려갈수록 분자의 배열이 육각수로 변화하여 부피가 팽창(膨脹)하고 비중(比重)이 작아지는 현상(現象)이 발생(發生)

한다. 이런 이유(理由)로 섭씨 0℃에 가까운 호수(湖水)의 차가운 물(Water)은 표면(表面)으로 올라와서 호수(湖水)의 표면(表面)부터 얼게 된다. 비중(比重)이 작아진 얼음이 물(Water)에 뜨는 현상(現象)도 같은 이유(理由)다. 눈(Snow)의 결정체(結晶體)가 육각형(六角形)의 구조(構造)인 이유(理由)도 온도가 낮아지면 육각수(六角水)의 구조(構造)로 변화(變化)하는 물(Water)의 특성(特性)이 확장(擴張)된 결과(結果)다. 얼음 결정(結晶)도 영하(零下)의 온도(溫度)에서 물(Water)의 육각형(六角形) 구조(構造)에 따라 형성(形成)되므로 그 기본구조(基本構造)는 육각형(六角形)이 되는 것이다.

세상(世上)의 이치(理致)를 보는 방법(方法)은 역행(逆行)과 반대(反對) 그리고 닮은꼴이다.

순수한 물(Water)이 100℃의 수증기로 상변화(相變化)하는 상황(狀況)도 생각해 보자. 물(Water) 1g을 1℃올리려면 1cal의 Energy를 흡수(吸收)해야 하고, 반대로 1℃내리려면 1cal의 Energy를 방출(放出)해야 한다. 하지만 1g의 100℃ 물이 100℃의 수증기가 되는 "상변화(相變化)"를 할 때는 1℃를 올리는데 필요한 Energy와는 달리 539cal이라는 큰 Energy가 필요하다.

"B라는 곤충(昆蟲)"에서 "C라는 최초(最初)의 원시(元始) 물고기"로 창조적 진화인 "상변화(相變化)"를 할 때는, "A라는 원시곤충(元始昆蟲)"에서 "B라는 곤충(昆蟲)"으로 "상변화(相變化)"를 하는 것과는 질적(質的)으로 다른 유전정보의 변화(變化)가 필요하다. 이는 1g의 100℃ 물(Water)이 100℃의 수증기로 되는 "상변화(相變化)"를 할 때에, 1g의 물(Water)을 1℃를 올리는데 1cal의 Energy가 필요한 것과는 양적(量的)으로 다른 539cal이라는 Energy가 필요한 것과 닮은꼴이다. 하지만 일단(一旦) "B라는 곤충(昆蟲)"이 "C라는 최초(最初)의 원시(元始) 물고기"로 몸을 창조한 이후(以後)에는 다른 곤충(昆蟲)들이 물고기의 몸을 만드는 것은 한결 수월하다. 왜냐하면 곤충(昆蟲)들이 윤회(輪廻)를 통(通)하여 지속적으로 몸을 만들어 다양한 사랑과 경험을 하고, 그 사랑과 경험을 통하여 유전정보를 축적(蓄積)하게 되면 직접 "물고기의 몸"을 만들지 않고 "C라는 최초(最初)의 원시(元始) 물고기"를 통(通)하여 몸을 만들면 되기 때문이다. 물론 사랑과 경험을 통하여 유전정보를 축적(蓄積)한 곤충(昆蟲)들이 직접 다른 종(種)의 "물고기의 몸"을 만들 수도 있다. 이는 물고기에서 동물(動物)로 진화(進化)하는 경우나, 동물(動物)에서 동물(動物)보다 창조적 생명체(生命體)로 진화(進化)하는 경우도 마찬가지다.

순수한 물(Water)이 1기압, 영상(零上) 4℃에서 온도가 4℃ 미만(未滿)이 되면 상변화(相變化)없이 액체(液體)인 상태에서 그 부피가 단절적(斷絶的)으로 커지는 변화(變化)를 하는데, 이는 "A라는 원시곤충(元始 昆蟲)"에서 "B라는 곤충(昆蟲)"으로 그 형태(形態)가 단절적(斷絶的)으로 진화(進化)를 하는 것과 닮은꼴이다. 그리고 순수한 물(Water)이 1기압, 섭씨(攝氏) 영상(零上) 0℃ 미만(未滿)이 되면 "액체(液體)"에서 "고체(固體)"로 단절적(斷絶的)인 "상변화(相變化)"를 하는데, 이는 "B라는 곤충(昆蟲)"에서 "C라는 최초(最初)의 원시(元始) 물고기"로 단절적(斷絶的)인 "상변화(相變化)"를 하는 것과 닮은꼴이다.

진화(進化)는 일정(一定)한 환경(環境)과 조건(條件)에 있는 생물(生物)의 동일(同一)한 종(種)에서 거의 동시(同時)에 발생한다. 그 이유는 물(Water)의 특성 때문이다. 순수한 물(Water)은 어떤 위치(位置)나 환경(環境)에 있든지 1기압, 섭씨 영상 4℃ 이상(以上)에서 1기압, 섭씨 영상 4℃ 미만으로 내려가는 순간에 부피가 단절적(斷絶的)으로 팽창하는 변화(變化)를 한다. 위치(位置)나 환경(環境)이 달라도 1기압, 섭씨 영상 4℃ 미만에서 부피가 팽창을 하는 그 특성(特性)은 변(變)하지 않는다. 1기압, 섭씨 영상 4℃ 미만에서 부피가 팽창을 하는 성질(性質)은 순수(純粹)한 물(Water)인 상태(狀態)에서 나타나는 특성(特性)이다. 순수(純粹)한 물(Water)이 아닌 경우(境遇)에는 부피가 팽창하는 변화(變化)의 기준(基準)이 달라진다. 물(Water)이 이러한 특성(特性)을 가지고 있기 때문에 물(Water)을 매개(媒介)로 한 생물(生物)의 종(種)들은 종(種)의 종류(種類)에 따라 특정(特定)한 환경(環境)이나 조건(條件)이 되면 거의 동시(同時)에 상(相)의 변화(變化)인 진화(進化)를 한다. 특정(特定)한 환경(環境)이나 조건(條件)은 외부적(外部的)인 것과 내부적(內部的)인 것이 있는데, 외부적(外部的)인 것은 빙하기(氷河期)와 온난기(溫暖期)의 주기(週期)에서 그 주기(週期) 사이에 있는 특정시점(特定時點)을 의미(意味)하고, 내부적(內部的)인 것은 생물(生物)의 생애(生涯)에서 액체(液體)인 물(Water)의 비율(比率)이 가장 높은 시점(時點)과 생물(生物)이 사랑과 경험(經驗)의 정보(情報)를 축적(蓄積)할 수 있는 한계(限界)에 닿은 때를 의미(意味)한다.

생물(生物)이 종(種)에 따른 고유(固有)한 특성(特性)이 있듯이, 생물(生物)의 진화(進化)도 종(種)에 따른 고유(固有)한 환경(環境)이나 조건(條件)이 있다. 고유(固有)한 환경(環境)이나 조건(條件)에는 염분[물(Water)에 녹아 있는 염화나트륨과 물질]의 농도(濃度)도 중요(重要)한 요인

(要因)이다. 왜냐하면 생물(生物)은 종(種)에 따라 체내(體內)에 있는 염분(鹽分)의 농도(濃度)가 모두 다르기 때문이다.

정신(精神)의 진화(進化)도 중국(공자), 그리스(탈레스), 인도(고타마 싯다르타), 페르시아(조로아스터)에서 거의 동시기(同時期)에 직접적인 문화의 교류(交流)없이 발생(發生)하였다. 이 시기(時期)를 "축의 시대(Achsenzeit, Karl Theodor Jaspers)"라고 한다. 축의 시대에 인류의 핵심 사상(思想)이 대부분 나타났다. 이를 생물과 대비해 보면, 생물(生物)의 진화(進化)도 "캄브리아기 대폭발(Cambrian Explosion) 시대"에 생물의 원형이 대부분 나타났다. "축의 시대"와 "캄브리아기 대폭발(Cambrian Explosion) 시대"는 닮은꼴이다.

"수(水)의 단계 -〉 목(木)의 단계 -〉 토(土)의 단계 -〉 화(火)의 단계 -〉 금(金)의 단계 -〉 기(氣)의 단계" -〉 수(水)의 단계로 변화하는 육기(六氣)에서 인간(人間)은 "금(金)의 수(水)"에 있는 생명(生命)이다. "금(金)"의 단계에 있는 대부분의 생명은 자(雌)와 웅(雄)으로 헤어져 있다가 필요할 때에 만나서 사랑을 하지만, "금(金)"의 단계에 있는 생명(生命)이 "기(氣)"의 단계인 생명(生命)으로 창조적 진화를 하게 되면 "기(氣)"의 단계에 있는 대부분의 생명(生命)은 만나서 사랑을 하다가 필요할 때에 헤어져 있게 된다. 즉, "금(金)"에 있는 생명(生命)이 "기(氣)"의 생명(生命)으로 창조적 진화를 하게 되면 그 성향(性向)은 반대(反對)로 된다는 의미(意味)다. 그리고 이치(理致)로 볼 때, "금(金)"에 있는 생명(生命)보다 창조적 진화를 이룬 "기(氣)"에 있는 생명체는 이미 존재(存在)하고 있다. 생명의 여섯 단계인 수(水) -〉 목(木)-〉 토(土) -〉 화(火)-〉 금(金)-〉 기(氣)를 식물에 대응(對應)하면 뿌리(수)-〉 줄기

(목)-〉 잎(토)-〉 꽃(화)-〉 열매(금)-〉 씨(기)로 표현할 수 있는데 "금(金)"의 단계(段階)에 있는 생명은 "열매"이고 "기(氣)"의 단계(段階)에 있는 생명은 "씨"다. 그래서 "기(氣)"의 단계에 있는 생명은 "씨"의 특성(特性)을 가지고 있으며, 그 특성(特性)이 기체(氣體)와 같이 작다는 의미(意味)가 있다.

생명(生命)은 "금(金)의 목(木)"의 생명(生命)에서 "금(金)의 토(土)"의 생명(生命)으로, "금(金)의 토(土)"의 생명(生命)에서 "금(金)의 화(火)"의 생명(生命)으로, "금(金)의 화(火)"의 생명(生命)에서 "금(金)의 금(金)"의 생명(生命)으로, "금(金)의 금(金)"의 생명(生命)에서 "금(金)의 기(氣)"의 생명(生命)으로, "금(金)의 기(氣)"의 생명(生命)에서 "금(金)의 수(水)"의 생명(生命)으로, "금(金)의 수(水)"의 생명(生命)에서 "기(氣)의 목(木)"의 생명(生命)으로 36기운(氣運)을 단계적(段階的)으로 진화(進化)할 수도 있고, "목(木)"의 생명(生命)에서 "토(土)"의 생명(生命)으로, "토(土)"의 생명(生命)에서 "화(火)"의 생명(生命)으로, "화(火)"의 생명(生命)에서 "금(金)"의 생명(生命)으로, "금(金)"의 생명(生命)에서 "기(氣)"의 생명(生命)으로, "기(氣)"의 생명(生命)에서 "수(水)"의 생명(生命)으로, "수(水)"의 생명(生命)에서 "목(木)"의 생명(生命)으로 육기(六氣)를 단계적(段階的)으로 진화(進化)할 수도 있다.

이는 "수(水) -〉 목(木) -〉 토(土) -〉 화(火) -〉 금(金) -〉 기(氣)" -〉 수(水)로 진화(進化)하는 원리(原理)에 의(依)한 것이다. 물론, 진화의 단계(段階)는 더욱 세분화(細分化)할 수 있다. "금(金)"의 단계(段階)에 있는 생명의 특성(特性)과 "기(氣)"의 단계(段階)에 있는 생명의 특성(特性) 그리고 "바이러스(Virus)"의 특성(特性)을 "역행(逆行)과 반대(反對)

그리고 닮은꼴"을 적용(適用)하여 생각해 보기 바란다.

빛이 파동이면서 입자인 것은, 물(Water)이 생물이면서 무생물인 것과 닮은꼴이고 이는 바이러스(Virus)가 생물이기도 하고 무생물이기도 한 것과 닮은꼴이다. 바이러스(Virus)가 가진 생물의 특성은 증식(增殖)을 하고 유전적 돌연변이가 발생하고 진화를 한다는 것이며, 바이러스(Virus)가 가진 무생물의 특성은 숙주(宿主) 밖에서 단독으로 증식(增殖)할 수 없고 숙주(宿主)가 있어야만 증식(增殖)할 수 있으며 물질대사를 할 수 없고 Energy를 만들 수 없다는 것이다. 바이러스(Virus)는 '조건부 생물'이며 이는 일반적인 생물(生物)의 특성을 반대로 역행한 닮은꼴이다.

화수(물) -〉 금목(나무) -〉 금토(곤충) -〉 금화(물고기) -〉 금금(동물) -〉 금기(원숭이, 유인원) -〉 금수(인간) -〉 기목(인간보다 창조적 진화를 이룬 생명체)

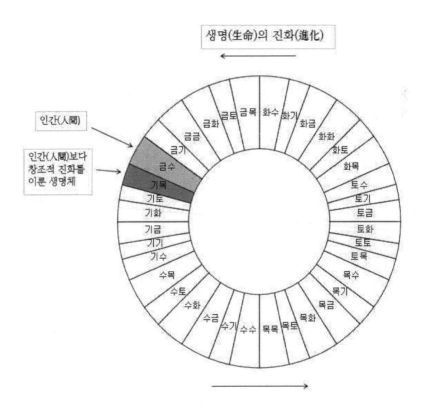

양(陽)의 정보Energy인 "자아(自我)"와 음(陰)의 정보Energy인 "진아(眞我)"는 육체(肉體)라는 사랑의 도구(道具)를 만들어 간접적(間接的)인 사랑을 하고 있다. 하지만 인간이 수행(修行)으로 동물적인 본능(本能)과 인간적인 본능(本能)을 역행(逆行)하여 극기(克己)하는 힘이 동물적인 본능(本能)과 인간적인 본능(本能)을 표출(表出)하고 실행(實行)하는 힘보다 커지게 되면, 자아(自我)와 진아(眞我)도 육체(肉體)를 매개(媒介)로 간접적(間接的)인 사랑을 하려는 마음(정보Energy)을 역행(逆行)하여 직접적(直接的)인 사랑을 하려는 마음(정보Energy)이 커지게 된다. 직접적(直接的)인 사랑을 하려는 마음(정보Energy)이 임계점(臨界點)에 도달(到達)하게 되면 양(陽)의 정보(情報)Energy인 자아(自我)와 음(陰)의 정보(情報)Energy인 진아(眞我)가 직접적(直接的)인 사랑을 하게 되는데 이를 "열반(涅槃)"이라고 한다. "열반(涅槃)"은 새로운 우주의 창조(創造)를 의미(意味)한다.

인간은 동물적인 본능(本能)과 인간적인 본능(本能)을 표출(表出)하고 실행(實行)하며 사는 것이 태어난 기본적(基本的)인 특성(特性)인데, 이런 기본적(基本的)인 특성(特性)과는 반대(反對)로 동물적인 본능(本能)과 인간적인 본능(本能)을 역행(逆行)하여 극기(克己)하는 힘이 동물적인 본능(本能)과 인간적인 본능(本能)을 표출(表出)하고 실행(實行)하는 힘보다 커지게 되면 양(陽)의 정보Energy인 "자아(自我)"와 음(陰)의 정보Energy인 "진아(眞我)"도 육체(肉體)를 매개(媒介)로 간접적(間接的)인 사랑을 하는 특성(特性)을 역행(逆行)하여 육체(肉體)를 매개(媒介)로 직접적(直接的)인 사랑을 하게 된다. 극기(克己)는 궁극적(窮極的)으로 "열반(涅槃)"을 하기 위한 수단(手段)이며, "열반(涅槃)"은 자아(自我)와 진아(眞我)의 직접적(直接的)인 사랑으로 새로운 우주를 창조(創

造)하는 것을 뜻한다. 새로운 우주의 창조(創造)는 우주가 시작된 이유 (理由)이며 궁극적(窮極的)인 목적(目的)이고 우주(宇宙)가 진화(進化)하 는 방식(方式)이다.

"무극(無極)"의 "정보(情報)Energy"는 음(陰)과 양(陽)의 "분리(分離)"로 우주(宇宙)를 창조(創造)하였다. 하지만 "열반(涅槃)"은 "무극(無極)"이 우주(宇宙)를 창조(創造)한 방법(方法)인 "분리(分離)"를 역행(逆行)하여, 그와 반대(反對)로 양(陽)의 정보Energy인 "자아(自我)"와 음(陰)의 정 보Energy인 "진아(眞我)"를 "합(合)"하는 방법(方法)으로 새로운 우주 (宇宙)를 창조(創造)한다. 무극(無極)의 "마음"이 우리가 살고 있는 우주 (宇宙)를 창조(創造)한 방법(方法)과는 반대(反對)로, 열반(涅槃)은 무극 (無極)의 "마음"이 만든 "몸"의 "자아(自我)"와 "진아(眞我)"를 "합(合)" 하는 방법(方法)으로 새로운 우주(宇宙)를 창조(創造)한다는 것이다. 우 리가 살고 있는 우주(宇宙)를 창조(創造)한 방법(方法)과, "열반(涅槃)" 으로 새로운 우주(宇宙)를 창조(創造)하는 방법(方法)은 역행(逆行)과 반 대(反對) 그리고 닮은꼴이다.

동물적인 본능(本能)과 인간적인 본능(本能)을 역행할수록 마음의 작용 (作用)이 커진다. 감동을 느낄 때와 배설(排泄)로 인한 쾌감을 느낄 때 그리고 삼매(三昧)가 되었을 때와 안정(安定)된 심신(心身)이 호흡(呼吸) 을 할 때 수축(收縮)운동인 숨을 내쉬는 호(呼)의 상태(狀態)에서는 의 식(意識)은 있는데 생각이 멈추는 상태가 된다. 이때의 의식(意識)은 마음을 의미(意味)한다. 이때는 생각과 본능(本能)이 멈추게 되고 양 (陽)의 마음인 자아(自我)와 음(陰)의 마음인 진아(眞我)가 직접(直接) 만나는 순간(瞬間)이다. 이렇게 양(陽)의 마음인 자아(自我)와 음(陰)의 마음인 진아(眞我)가 직접(直接) 만나는 상태(狀態)를 지속(持續)하면 열반(涅槃)에 이르는 변화(變化)의 임계점(臨界點)에 도달(到達)하게 된다. 양(陽)의 마음인 자아(自我)와 음(陰)의 마음인 진아(眞我)가 직접(直接) 만나는 또 다른 방법(方法)은 몸이 감당하기 힘들 정도로 극한(極限)의 단계(段階)까지 운동(運動)을 하는 것이다. 극한(極限)의 단계(段階)까지 운동(運動)을 하면 생각과 본능(本能)이 멈추고 쾌감(快感)을 느끼게 되며, 이때 양(陽)의 마음인 자아(自我)와 음(陰)의 마음인 진아(眞我)가 직접(直接) 만나게 된다. 이는 모든 생명(生命)에게 공통적(共通的)으로 적용(適用)되는 방법(方法)이다.

수행(修行)을 하는 다양한 방법(方法)이 있지만 생각과 본능(本能)을 멈추고 상기(上記)와 같은 마음이 작용(作用)하는 상태(狀態)를 가능(可能)한 한 지속(持續)하는 방법(方法)은 열반(涅槃)을 하는데 매우 중요(重要)하다. 여기에서 열반(涅槃)은 새로운 우주(宇宙)의 창조(創造)를 뜻한다. 물론 마음은 생각이나 본능(本能)과는 상관없이 항상 작용(作用)을 하고 있지만, 양(陽)의 마음인 자아(自我)와 음(陰)의 마음인 진아(眞我)가 직접(直接) 만나는 작용(作用)은 생각과 본능(本能)이 멈추어야 가능(可能)하다.

생각과 본능(本能)이 멈추는 것을 자력(自力)의 방법(方法)으로 하면 창조적(創造的) 진화(進化)를 할 수 있고, 생각과 본능(本能)이 멈추는 것을 타력(他力)의 방법(方法)으로 하면 퇴행적(退行的) 진화(進化)를 하게 된다. 타력(他力)에 대한 의지(依支)는 유전정보(遺傳情報)를 퇴화(退化)시키기 때문이다.

감동과 쾌감 그리고 삼매(三昧)와 호흡(呼吸)으로 하는 수행(修行)의 과정(過程)과 결과(結果)가 덕(德)이거나 선(善)일 필요는 없으나, 업(業)이거나 악(惡)은 되지 않아야 한다. 업(業)이거나 악(惡)이 된다면 수행(修行)이라고 할 수 없다. 업(業)과 악(惡)은 나와 상대(相對)의 몸과 마음을 건강(健康)하지 않게 하여 자유(自由)를 방해(妨害)하기 때문이다. 건강(健康)의 사전적(辭典的) 의미는 정신적으로나 육체적으로 아무 탈이 없고 튼튼한 상태를 말한다. 하지만 역학(易學)에서 건강(健康)의 의미는 조금 다르다. 역학(易學)에서 건강(健康)의 의미는 정신적으로나 육체적으로 편재(遍在)되지 않고 가운데에 있는 상태를 의미한다. 즉, 정신적으로는 고정관념(固定觀念)에서 벗어난 자유로운 상태를 말하고 육체적으로는 살이 찌지도 않고 여위지도 않은 상태를 말한다.

우주가 창조적 진화를 하는 방법은 크게 두 가지가 있다. 첫 번째 방법은 몸(소우주)으로 경험과 사랑의 정보를 쌓아 더 자유(自由)로운 몸(소우주)을 만들어 진화(進化)하는 것이고, 두 번째 방법은 양(陽)의 정보Energy인 자아(自我)와 음(陰)의 정보Energy인 진아(眞我)가 직접(直接) 만나서 사랑하여 새로운 방법으로 우주를 창조하는 것이다. 두 번째 방법은 본능을 역행(逆行)하고 극기(克己)하는 수행(修行)이 필요(必要)하기 때문에 본능을 역행(逆行)하고 극기(克己)할 수 있는 능력(能力)이 없는 생명은 할 수 없다. 또한 살아있는 생물(生物)의 육체(몸)는 새로운 우주를 창조할 수 있도록 우리가 살고 있는 우주가 만든 길(道)이기 때문에 살아있는 생물(生物)의 육체(몸)를 통(通)하지 않고 자아(自我)와 진아(眞我)가 직접 만날 수는 없다. 이는 정자(精子)와 난자(卵子)가 생체(生體)를 통(通)하지 않고 생물(生物)로 태어날 수 없는 것과 닮은꼴이다.

나와 우주(宇宙) 그리고 생명(生命)은 시공(時空) 이전(以前)의 "정보(情報)Energy"인 무극(無極)의 마음(陰)과 시공(時空) 이후(以後)의 "물질(物質)Energy"인 태극(太極)의 진동(陽)이 음(陰, 마음)과 양(陽, 진동)으로 끊임없이 사랑하며 진화(進化)하고 있는 것과 마찬가지로 시공(時空)" 이후(以後)의 "정보(情報)Energy"인 "나의 유전정보(遺傳情報)"와 시공(時空)" 이후(以後)의 "물질(物質)Energy"인 "나의 육체(肉體)"가 끊임없이 사랑하며 진화(進化)하고 있다.

정보(情報)Energy인 "참나"의 특성을 역행(逆行)한 것이 진동(振動)이고, 진동(振動)의 진화(進化)로 물질(物質)이 생겼으며, 물질(物質)을 역행(逆行)한 것이 생물(生物)이고, 생물(生物)의 진화(進化)로 "정신(생각)"이 생겼다.

의문(疑問)에 대한 해답(解答)을 찾을 때 이치(理致)로 판단(判斷)하는 것과 생각으로 판단(判斷)하는 것은 그 판단(判斷)의 결과가 반대(反對)인 경우(境遇)가 상당히 많다. 왜냐하면 이치(理致)는 경험(經驗)이라는 거울을 통(通)하지 않고 판단(判斷)하는 것이고, 생각은 경험(經驗)이라는 거울을 통(通)해서 판단(判斷)하기 때문이다.

희(喜), 노(怒), 애(愛), 락(樂) 등과 같은 다양한 경험과 사랑으로 새로운 정보Energy(유전정보)를 축적(蓄積)할 수 있는 육체(몸)는 우주의 창조적 진화(進化)를 위한 길(道)이다. "도(道)를 닦는다."는 창조적 진화(進化)를 위한 수행(修行)을 의미(意味)한다.

물질의 변화에는 물리적(物理的) 변화(變化)와 화학적(化學的) 변화(變

化)가 있다. 물리적 변화는 물질이 고유의 성질을 유지하면서 그 상태만 변화하는 현상을 말한다. 화학적 변화는 물질을 구성하는 원자들의 결합이 에너지를 받아 분해되거나 재결합하여 처음의 물질과 다른 물질을 생성하는 현상을 말한다.

생물(生物)이 창조(創造)와 진화(進化)를 하는 방식(方式)도 같은 이치(理致)다. 단지 물질(物質)의 변화(變化)는 그 작용원리인 메커니즘(mechanism)을 상당(相當)한 부분(部分)에서 과학적(科學的)인 방법으로 이해(理解)하고 설명(說明)하게 되었지만, 생물(生物)의 창조(創造)와 진화(進化)는 현재(現在)까지 그 작용원리인 메커니즘(mechanism)을 과학적(科學的)인 방법으로 이해(理解)하고 설명(說明)할 수는 없다. 앞으로도 생물(生物)의 창조(創造)와 진화(進化)를 과학적인 방법으로 이해하고 증명하는 것은 불가능에 가깝다고 생각한다. 왜냐하면 지구에 이미 생물이 존재하는 환경에서 생물이 존재하지 않는 초기 지구의 환경을 재현(再現)한다는 것은 불가능에 가깝기 때문이다. 하지만 우주(宇宙)와 생명(生命)을 이해(理解)하는 방법(方法)인 역행(逆行)과 반대(反對) 그리고 닮은꼴의 이치(理致)로 보면, 물질(物質)의 특성(特性)과 변화(變化)에 반대(反對)로 역행(逆行)하여 닮은꼴로 변화(變化)하고 진화(進化)한 것이 생물(生物)이다. 물질(物質)의 변화(變化)와 생물(生物)의 진화(進化)는 반대(反對)로 역행(逆行)한 닮은꼴이다.

개(犬)는 발(Foot)이 4개고, 원숭이(Monkey)는 개(犬)가 4개의 발(Foot)을 가진 것과는 반대(反對)로 손(Hand)이 4개다. 원숭이(Monkey)보다 진화(進化)한 침팬지(Chimpanzee)의 손(Hand)도 4개인데, 이는 원숭이(Monkey)의 손(Hand)이 4개인 것과 그대로 닮은꼴이다. 또한 사람(Human)은 원숭이(Monkey)이가 손(Hand)을 4개 가진 것을 역행(逆行)하여 발(Foot)이 2개고 손(Hand)이 2개다. 그리고 개(犬), 원숭이(Monkey), 침팬지(Chimpanzee), 사람(Human)은 모두 닮은꼴이다.

거시세계의 현상과 미시세계의 현상은 반대다. 그러므로 거시세계의 인간은 직관으로 미시세계의 현상을 이해할 수 없는 것이다. 또한 거시세계 내(內)에서도 물질의 특성과 생물의 특성은 반대다. 마찬가지로 생물 내(內)에서도 동물의 특성과 식물의 특성은 반대다. 그리고 동물 내(內)에서도 암컷과 수컷의 특성은 반대다.

진화(進化)는 "역행(逆行)과 반대(反對) 그리고 닮은꼴"을 다양한 방식으로 만드는 과정이다.

물(Water) = 생물(生物) = 역행의 특성 = 진화한 참나 = 정보Energy(陽)	나의 정신	정신의 껍데기
자아(自我)	정신(精神)	재물(財物)
진아(眞我)	육체(肉體)	명예(名譽)
물(Water) = 생물(生物) = 역행의 특성 = 진화한 참나 = 정보Energy(陰)	나의 육체	육체의 껍데기

남자(수소) : 밖(外) 6의 주기

시간(정신) : 조습(燥濕) 명암(明暗) 온한(溫寒)
눈2, 귀2, 콧구멍2, 손2, 다리2, 발2 => 2개씩(남자) 6수
입1, 몸1, 좆1   => 1개씩(남자)

일반적(一般的)으로 남자가 여자보다 융통성(融通性)이 더 좋은 이유(理由)는 여자의 씹과 자궁 그리고 젖에 해당(該當)하는 기능(機能)을 남자는 머리(腦)에 가지고 있기 때문이다.

여자(산소) : 안(內) 9의 주기

공간(육체) : 상하(上下) 좌우(左右) 전후(前後)
눈2, 귀2, 콧구멍2, 손2, 다리2, 발2
입과 씹, 몸과 자궁, 젖2   => 2개씩(여자) 9수

움직임(진동)으로 인(因)해 공간(陽)이 생겼고, 공간(陽)이 생김과 동시(同時)에 공간(陽)과 공간(陽) 사이에 간격(間隔)이 생겼다. 공간(陽)과 공간(陽) 사이의 간격(間隔)이 시간(陰)이고, 시간(陰)과 시간(陰)사이의 움직임(진동)이 공간(陽)이다. 움직임(진동)이 사라지면 공간(陽)도 사라지고 시간(陰)도 사라진다. 움직임(진동)과 동격(同格)은 온도(溫度)다.

E=MC²

그러므로 Matter(물질)은 Energy다.

거리=시간 X 속력

그러므로 시간은 거리다.

우리가 과거로 갈 수 없는 이유(理由)는 똑같은 것은 존재(存在)할 수 없기 때문이다. 똑같은 것이 존재할 수 없는 이유(理由)는 모든 것은 움직이고, 움직여서 변화하기 때문이다. 그러므로 과거로의 여행은 불가능(不可能)하다.

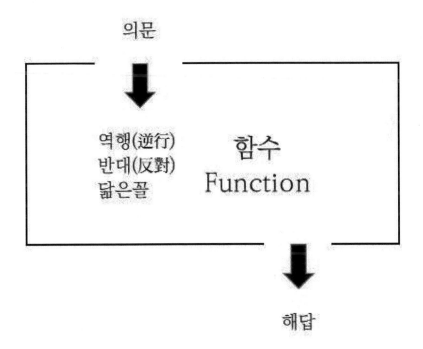

마지막 수수께끼

우리는 어디서 왔는가?
Where do we come from?

우리는 누구인가?
Who are we?

우리는 어디로 가는가?
Where are we going?

1897년

폴 고갱(Paul Gauguin)

2] 눈(Snow)의 결정체(結晶體)로 본 진리(眞理)

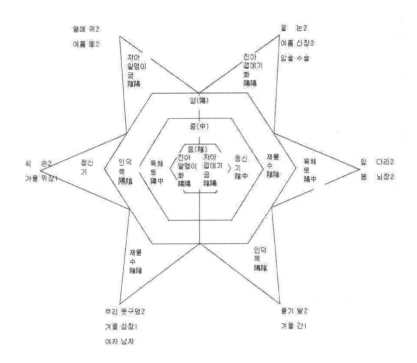

눈(Snow)의 결정체(結晶體)를 단순하게 표현해 보았다. 눈(Snow)의 결정체(結晶體)는 거의 무한(無限)에 가까운 모양(模樣)이 있지만 같은 모양(模樣)은 하나도 없다. 하지만 인간(人間)이 쌍둥이가 있듯이 눈(Snow)의 결정체(結晶體)도 쌍둥이는 있다. 눈(Snow)의 결정체(結晶體) 쌍둥이는 서로 연결(連結)되어 있다.

눈(Snow)은 물질의 특성과 생물의 특성을 함께 가지고 있다고 앞에서 설명을 하였다. 눈(Snow)의 결정체(結晶體)는 생물(生物)에도 기형(畸

形)이 있듯이 매우 드물게 기형(畸形)이 있기는 하지만 거의 대부분 육각형의 대칭(對稱) 구조로 되어 있다. 생물(生物)은 대칭(對稱)되는 기운(氣運)이 서로 조화(調和)를 해서 존재(存在)하는 것이다. 만약 눈(Snow)의 결정체(結晶體)에 대칭(對稱)의 일부분(一部分)이 손상(損傷)되어 대칭(對稱)이 깨어진다면, 대칭(對稱)이 깨어진 눈(Snow)의 결정체(結晶體)는 일정한 조건이 되면 다시 대칭(對稱)의 상태로 복구(復舊)를 한다. 이와 같은 이치(理致)로 볼 때, 대칭(對稱)이 깨지는 주는 행위(行爲)인 양(陽)의 운동(運動)을 하게 되면 다시 대칭(對稱)의 상태로 복구(復舊)를 하는 받는 행위(行爲)인 음(陰)의 운동(運動)을 동반(同伴)하게 된다. 이는 작용(作用)에 대한 반작용(反作用)과 그 이치(理致)가 같다. 단지(但只) 물질(物質)의 단순한 운동(運動)에서는 작용(作用)과 반작용(反作用)이 시차(時差)가 없지만, 생물(生物)의 악(惡)과 업(業)에 대한 반작용(反作用)이나 선(善)이나 덕(德)에 대한 반작용(反作用)은 물질(物質)의 단순한 운동(運動)과는 반대(反對)로 시차(時差)가 있다.

어떤 생명(生命)이 선(善)이나 덕(德)의 Energy를 상대에게 주면(陽의 運動) 선(善)이나 덕(德)의 Energy를 준 생명(生命)이 선(善)이나 덕(德)의 Energy를 받게(陰의 運動) 되고, 어떤 생명(生命)이 악(惡)이나 업(業)의 Energy를 상대에게 주면(陽의 運動) 악(惡)이나 업(業)의 Energy를 준 생명(生命)이 악(惡)이나 업(業)의 Energy를 받게(陰의 運動) 된다. 선(善)이나 덕(德)은 나와 상대(相對)의 정신(精神)과 육체(肉體)를 건강하게 하는 것을 말하고, 악(惡)이나 업(業)은 나와 상대(相對)의 정신(精神)과 육체(肉體)를 건강하지 않게 하는 것을 말한다. 개인(個人)의 근본적(根本的) 본성(本性)이 선(善)한 측면(側面)이 많은지 악(惡)한 측면(側面)이 많은지 또는 어떤 본성(本性)을 가지고 있는지는 평범(平

凡)한 생활(生活)을 하고 있을 때는 대부분의 사람들은 자기 자신도 알 수 없다. 큰 고난(苦難)이나 큰 고통(苦痛) 또는 견디기 힘든 스트레스(Stress)를 겪을 때 반응(反應)하는 방식(方式)을 보고 비로소 그 본성(本性)을 알게 된다. 반대(反對)로 큰 권력(權力)이나 큰 재력(財力)을 가지게 되었을 경우(境遇)에도 반응(反應)하는 방식(方式)을 보고 그 본성(本性)을 알 수 있다. 본성(本性)이 변화(變化)하는 것은 대부분의 사람들에게는 거의 불가능(不可能)하다.

선(善)과 악(惡)은 현재(現在)에 가지고 있는 정신(精神)과 육체(肉體)의 시공간(時空間)에서 이루어지는 것이고, 덕(德)과 업(業)은 윤회(輪廻)를 하는 가운데 가지게 되는 정신(精神)과 육체(肉體)의 시공간(時空間)에서 이루어지는 것이다.

생명 활동을 하는 생물(生物)은 그 육체(肉體)를 유지하기 위하여 어떤 방식으로든지 먹는 행위를 한다. 식물(植物)은 뿌리로 돌을 녹여 몸을 만들고, 동물(動物)은 식물(植物)이나 동물(動物)을 먹고 그 몸을 유지한다. 모든 물질(物質)과 생물(生物)은 경험과 사랑으로 변화(變化)하고 진화(進化)하여 더욱 자유로운 몸(소우주)을 만들어 사랑을 하려는 목적(目的)을 가지고 있다. 이는 우주가 창조(創造)된 목적(目的)이다. 우주가 창조(創造)된 목적(目的)으로 보면, "어떤 생명체"가 "다른 생명체"를 먹고, "다른 생명체"가 진화(進化)하고 창조(創造)할 수 있는 몸(소우주)보다 "어떤 생명체"가 더 진화(進化)하고 창조(創造)한 몸(소우주)을 만든다면 그 "다른 생명체"는 우주 창조(創造)에 일조(一助)한 것으로 생명(生命)으로 태어난 목적(目的)을 이룬 것이다.

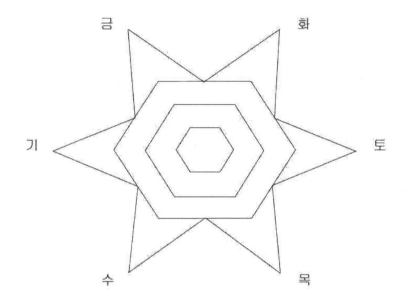

위에 있는 눈(Snow)의 결정체(結晶體)를 90°로 회전(回轉)하여 보면 동물(動物)의 머리와 꼬리 그리고 앞다리 2개와 뒷다리 2개가 연상(聯想)된다. 또한 식물(植物)은 뿌리(머리), 줄기(꼬리), 잎, 꽃, 열매, 씨로 나누어 볼 수 있다. 동물(動物)과 식물(植物)은 그 특성(特性)이 반대(反對)로 역행(逆行)한 닮은꼴이다.

동물

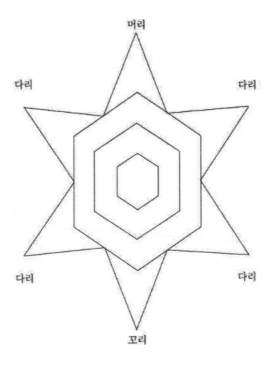

식물

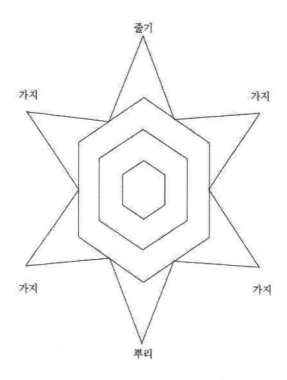

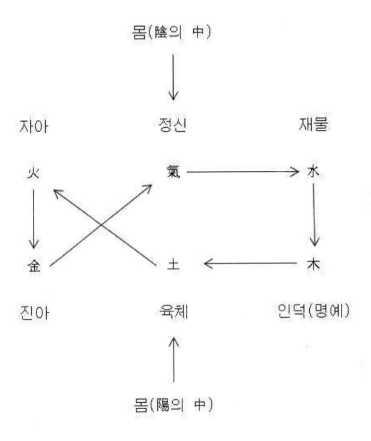

몸(陰의 中)

자아　　　　　　정신　　　　　　재물

火　　　　　　　氣 ――――→ 水

金　　　　　　　土 ←――――― 木

진아　　　　　　육체　　　　　인덕(명예)

몸(陽의 中)

아기가 태어나면 대부분의 사람들은 기뻐하지만 정작 태어난 아기는 울고 있다. 반대(反對)의 경우(境遇)를 적용(適用)해 보면, 사람이 천수(天壽)를 다해 죽어도 대부분의 사람은 슬퍼하지만 정작 죽은 사람은 기뻐하고 있다. 스스로 목숨을 끊는 것은 세상에 태어난 목적(目的)에 반(反)하는 행위이기 때문에 위의 경우에 해당되지 않는다.

힘든 일이 있어도 긍정적인 마음으로 견디면 인간(人間)의 유전정보는 창조적 진화를 하게 된다.

3] 남자(男子)

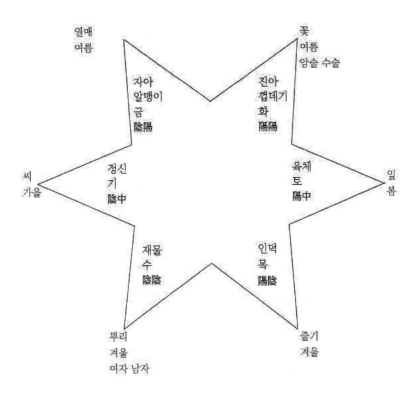

육체(껍데기) => 체질을 태어난 계절의 반대로 찾는다. 그리고 영향을 주고받을 때 순행한다.

정신(알맹이) => 체질을 태어난 계절의 그대로 찾는다. 그리고 영향을 주고받을 때 역행한다.

4] 여자(女子)

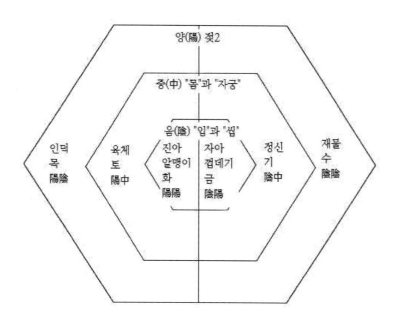

육체(알맹이) => 체질을 태어난 계절의 그대로 찾는다. 그리고 영향을 주고받을 때 역행한다.

정신(껍데기) => 체질을 태어난 계절의 반대로 찾는다. 그리고 영향을 주고받을 때 순행한다.

5] 생명(生命)의 본질(本質)

우주(宇宙) = 생명(生命) = 생물(生物) + 물질(物質)			
윤회(輪廻)		해체(解體)	
나	나의 유전정보	나의 육체	나의 정신
참나 = 본아(本我)	자아(自我, 陽)와 진아(眞我, 陰) =진화(進化)한 참나	진아(眞我)의 발현(發現)	자아(自我)의 발현(發現)
선천적 판단 마음=본성 사랑과 조화	즉각적 판단 마음=본성+경험	경험적 판단 경험=사랑	이성적 판단 이성=생각 미움과 파괴
순수직관 純粹直觀	직관 直觀	관 觀	견 見
본성	본능	경험	이성
무극(無極)	태극(太極)	황극(皇極)	
시공(時空) 이전(以前)의 존재 시공(時空)을 초월(超越)	시공(時空) 이후(以後)의 존재 시공(時空)을 초월(超越)	시공(時空)의 존재	시공(時空)의 존재
"진동(振動) 이전(以前)의 존재" "비물질(非物質)" 정보(情報)Energy	"진동(振動) 이후(以後)의 존재" "비물질(非物質)" 정보(情報)Energy	"진동(振動)" "물질(物質)"	"진동(振動)" "물질(物質)"
물질은 윤회(輪廻)하지 않으며 합체(合體)와 해체(解體)로 변화(變化)한다.			

견(見)
외면 인식(外面 認識)

관(觀)
내면 인식(內面 認識)

직관(直觀)
고정관념(固定觀念)을 배제(排除)한 추론(推論)으로 대상(對象) 인식

순수직관(純粹直觀)
고정관념(固定觀念)을 배제(排除)한 추론(推論)으로 원형(原形) 인식

※추론(推論)
여기서 추론(推論)이란 "어떤 판단(判斷)"을 근거로 다른 판단(判斷)을 하는 것인데, "어떤 판단(判斷)"이란 글과 말을 통(通)하여 배워서 인식(認識)한 지식(知識)이 아니라 사물(事物)을 통(通)하여 "이치(理致)로 인식(認識)한 통찰(洞察)"을 의미(意味)한다. "이치(理致)로 인식(認識)한 통찰(洞察)"은 닮은꼴을 보는 능력(能力)이다.

"나"는 "정보(情報)Energy"로 "나의 유전정보"를 끊임없이 창조(創造)하였고 지금도 창조(創造)하고 있으며 앞으로도 창조(創造)할 것이다. 또한 "나의 유전정보"로 "나의 육체"를 만들었으며 "나의 육체"가 있어서 "나의 정신"이 생긴 것이다. "나"는 시공(時空)의 존재(存在)가 아닌 존재(存在)다.

나의 육체와 나의 정신만을 생명(生命)으로 보는 관점(觀點)에서는 그 생명(生命)이 어떤 생(生)을 살았더라도 언제나 실패(失敗)한 생(生)이 된다. 왜냐하면, 나의 육체와 나의 정신이라는 생명(生命)은 반드시 죽음을 맞이하기 때문이다. 하지만 나의 육체와 나의 정신과 함께 나와 나의 유전정보 전부(全部)를 생명(生命)으로 보면, 그 생명(生命)이 업(業)과 악(惡)보다 덕(德)과 선(善)을 더 많이 쌓은 생(生)이라면, 어떤 생(生)을 살았더라도 언제나 성공(成功)한 생(生)이 된다. 왜냐하면, 나의 육체와 나의 정신을 가지고 살아가는 동안에 다양한 만남(사랑)을 통(通)하여 나와 나의 유전정보가 창조적 진화(創造的 進化)를 하기 때문이다.

육체는 죽음을 맞이하면 분해(分解)되어 흐트러지지만, 정신은 육체와 반대(反對)로 흐트러지지 않고 한동안 혼(魂)으로 존재(存在)한다. 혼(魂)으로 존재(存在)하는 기간은 한(恨)이 많고 원(願)이 클수록 길어진다. 하지만 언젠가는 정신도 죽음을 맞이하게 된다.

"나"는 의문을 하는 마음(본성)이 주(主)로 작용(作用)하고 해답을 찾는 생각(이성)은 부(副)로 작용(作用)하며, "나의 정신"은 해답을 찾는 생각(이성)이 주(主)로 작용(作用)하고 의문을 하는 마음(본성)은 부(副)로 작용(作用)한다.

뇌(Brain)가 생기면서 생각을 할 수 있었고 뇌(Brain)가 없었을 때는 생각을 할 수 없었다. 하지만 뇌(Brain)가 없었을 때도 마음(참나)은 항상(恒常) 있었다.

눈(Eye)이 있어야 보지만 눈(Eye)이 보는 것은 아니다. 귀가 있어야 듣지만 귀가 듣는 것은 아니다. 그리고 뇌가 있어야 생각(認識)하지만 뇌가 생각(認識)하는 것은 아니다. 다시 말하면, 눈(Eye)은 보는데 필요한 도구(道具)이지 눈(Eye)이 보는 것은 아니다. 귀(Ear)도 듣는데 필요한 도구(道具)이지 귀(Ear)가 듣는 것은 아니다. 뇌(Brain)도 생각하는데 필요한 도구(道具)이지 뇌(Brain)가 생각하는 것은 아니다. 이는 망원경(Telescope)의 용도(用途)와 닮은꼴이고 이어폰(Earphone)의 용도(用途)와 닮은꼴이다. 망원경(Telescope)은 사람이 먼 곳을 보기 위한 도구(用途)이지 망원경(Telescope)이 멀리 볼 수 있는 것은 아니다. 이어폰(Earphone)도 사람이 소리를 듣기 위한 도구(用途)이지 이어폰(Earphone)이 들을 수 있는 것은 아니다.

볼 수 있게 하고, 들을 수 있게 하고, 생각할 수 있게 하는 등의 모든 생명활동의 본체(本體)는 "진화한 참나" 또는 "진화하는 참나"다. "진화한 참나" 또는 "진화하는 참나"는 정보(情報)와 Energy를 가지고 움직이지 않는 존재이지만 "진화한 참나" 또는 "진화하는 참나"는 육체(肉體)를 가지도 있을 때 경험(사랑)으로 정보(情報)를 변화(變化)시켜 진화(進化)한다.

눈(Eye)이 있고 귀가 있고 뇌가 있어도 죽은 생물(生物)은 보지 못하고 듣지 못하고 생각(認識)하지 못한다. 보고 듣고 생각(認識)을 할 수 있는 것은 마음(진화한 참나)이 있기 때문이다. 또한 죽은 생물(生物)은 심장이 있어도 작동(作動)하지 않고 신장(腎臟)이 있어도 움직이지 않으며 간장(肝臟)이 있어도 활동(活動)하지 않고 폐장(肺臟)이 있어도 기능(機能)하지 않는다.

심장이 작동(作動)하고 신장(腎臟)이 움직이며 간장(肝臟)이 활동(活動)하고 폐장(肺臟)이 기능(機能)하는 것은 자율신경(自律神經)이 있기 때문이다. 그런데 그 자율신경(自律神經)과 심장, 신장, 간장, 폐장 등이 유기적으로 연결되어 작동하게 하는 것은 무엇 때문인가? 그것은 바로 일정한 조건(條件)에서 환경(環境)에 반대(反對)로 역행(逆行)할 수 있는 정보(情報)와 Energy를 가진 "진화한 참나"가 있기 때문이다. 최초의 "진화한 참나"는 물(Water)에서 비롯된 것이다. 다시 말하면 물(Water)이 가진 일정한 조건(條件)에서 환경(環境)에 반대(反對)로 역행(逆行)할 수 있는 정보(情報)와 Energy가 최초의 "진화한 참나"다. 물(Water)이 일정한 조건(條件)에서 환경(環境)에 반대(反對)로 역행(逆行)할 수 있는 것은 일정한 조건(條件)에 반응(反應)할 수 있는 정보(情報)와 Energy를 물(Water)이 가지고 있기 때문이다.

생물(生物)이 보고 듣고 생각하고 심장이 작동(作動)하고 신장(腎臟)이 움직이며 간장(肝臟)이 활동(活動)하고 폐장(肺臟)이 기능(機能)하는 등의 모든 생명현상(生命現象)과 생리작용(生理作用)은 일정한 조건에서 환경에 반대로 역행하는 행위다. 예를 들면 개천(開川)에 있는 물고기라는 생물(生物)은 물이 흐르는 방향과는 반대(反對)로 역행(逆行)하여 물결을 거슬러 헤엄을 친다. 즉, 물이 흐르는 방향(方向)에 반대(反對)로 역행(逆行)한다는 것이다. 식물(植物)은 땅을 뚫어서 뿌리를 내리고, 곤충(昆蟲)도 중력(重力)을 반대(反對)로 역행(逆行)하여 기어 다니거나 날아다닌다. 물고기도 물속에서 수압(水壓)이라는 환경(環境)에 반대(反對)로 역행(逆行)하여 적응(適應)을 하고, 동물(動物)도 중력(重力)을 반대(反對)로 역행(逆行)하여 생명 활동을 한다. 이는 일정한 조건에서 환경(環境)에 반대(反對)로 역행(逆行)하는 물(Water)이 가진 생물(生物)의 특성(特性)에 기인(起因)한 것이다.

생(生)과 사(死)의 차이는 생(生)은 생물이 일정(一定)한 조건(條件)에서 환경에 반대(反對)로 역행(逆行)할 수 있는 정보(情報)와 Energy가 기능(機能)을 할 수 있는 상태(狀態)고, 사(死)는 생물이 일정(一定)한 조건(條件)에서 환경에 반대(反對)로 역행(逆行)할 수 있는 정보(情報)와 Energy가 기능(機能)을 할 수 없는 상태(狀態)를 의미(意味)한다.

생물(生物)이 가진 일정(一定)한 조건(條件)에서 환경에 반대(反對)로 역행(逆行)할 수 있는 정보(情報)와 Energy 즉, 생리작용(生理作用)을 할 수 있는 유전정보(遺傳情報)는 물(Water)이 가진 일정(一定)한 조건(條件)에서 환경에 반대(反對)로 역행(逆行)할 수 있는 정보(情報)와 Energy가 진화(進化)한 것이다. 정보(情報)와 Energy 즉, "정보(情報)Energy"는 "진화한 참나"를 의미(意味)하며 "진화한 참나"는 생물(生物)의 "유전정보(遺傳情報)를 가지고 있다. "진화한 참나"가 가지고 있는 생물(生物)의 "유전정보(遺傳情報)"는 물(Water)이 가진 생물(生物)의 특성인 일정한 조건에서 환경에 반대로 역행하는 특성 즉, 정보(情報)Energy가 진화한 것이다.

생물 창조의 이치에 대한 논리적 증명은 했다고 생각한다. 하지만 과학적 증명을 한 것은 아니다. 과학적 증명은 앞으로도 거의 불가능할 것으로 생각한다. 왜냐하면, 생물을 창조한 정보(情報)와 Energy는 비물질(非物質)이기 때문이다.

물(Water)이 가진 생물(生物)의 특성 즉, 일정한 조건에서 환경에 반대로 역행하는 특성(진화한 참나 또는 진화하는 참나)과 음(陰)의 물(Water)에 있는 무기물(無機物)과 양(陽)의 물(Water)에 있는 무기물(無機物)이 만나서 만든 유기물(有機物)이 생리작용(生理作用)을 할 수 있는 상태에 있는 것이 "생물"이다.

생리작용(生理作用)을 할 수 있는 능력 즉, 일정한 조건에서 환경에 반대로 역행할 수 있는 특성은 물(Water)이 가진 특성인 일정한 조건에서 환경에 반대로 역행할 수 있는 특성이 변화(變化)하고 진화(進化)한 것이다. 역사상 존재했던 성인과 철학자들을 비롯한 어떤 존재도 생물(生物)의 생명력(生命力) 즉, 생리작용(生理作用)을 할 수 있는 능력(Vital force)이 어디서 유래(由來)되었는지 몰랐다.

본인(本人)은 이 책(冊)에 그 생명력이 일정한 조건에서 환경에 반대로 역행하는 물(Water)의 특성에서 유래(由來)되었음을 사상(史上) 최초(最初)로 밝혀 놓았다. 물(Water)에서 진화(進化)한 모든 생물(生物)은 일정한 조건에서 환경에 반대로 역행할 수 있는 물(Water)의 특성인 "진화한 참나" 또는 "진화하는 참나"와 "유기물"이 함께 변화(變化)하고 진화(進化)한 것이다.

견성(見性)이란 생각이 "진화한 참나(마음)"를 제대로 인지(認知)한 것을 뜻한다. 지혜(知慧)가 충만(充滿)한 사람이 제대로 인지(認知)한 마음과 지혜(知慧)가 부족(不足)한 사람이 적당히 인지(認知)한 마음은 큰 차이(差異)가 있다. 큰 차이(差異)란 전혀 다를 수 있다는 의미(意味)다. "진화한 참나(마음)"를 제대로 확인(確認)할 능력(能力)이 부족(不足)한 사람들 중에서 일부(一部)가 신(神)을 만들어, 그 신(神)을 믿고 받드는 것을 종교(宗敎)라고 한다.

견성(見性)을 한다는 것은 어렵지 않다. 하지만 열반(涅槃)은 어렵다. 왜냐하면 열반(涅槃)은 성불(成佛)을 의미(意味)하기 때문이다. 성불(成佛)은 인간(人間)을 초월(超越)한 창조적 진화를 이룬 생명(生命)을 의미(意味)하며, 인간(人間)을 초월(超越)한 창조적 진화를 이룬 생명(生命)은 인간(人間)이기 때문에 가지는 고통(苦痛)과 고난(苦難)에서는 벗어나게 되지만 성불(成佛)한 생명(生命)도 또 다른 방식(方式)의 고통(苦痛)과 고난(苦難)이 있는 삶을 살게 된다. 왜냐하면 고통(苦痛)과 고난(苦難)을 견디고 극복(克服)하는 극기(克己)는 우리가 존재하는 우주에 있는 생명(生命)이 창조적 진화를 하는 방식(方式)이기 때문이다. 만약(萬若)에 고통(苦痛)과 고난(苦難)을 견디고 극복(克服)하는 극기(克己)를 지속적(持續的)으로 할 수 없는 생명(生命)이 있다면 그 생명(生命)은 이치(理致)로 볼 때 창조적 진화를 할 수 없다. 여기에서 언급된 창조적 진화란 생명(高等生命)이 한층 더 자유로운 다른 방식(方式)의 몸을 가지는 것을 의미(意味)한다.

상기(上記)를 생각으로 이해(理解)하는 것을 넘어서 생각이 마음을 체험(體驗)하여야 한다. 마음을 체험(體驗)하지 않고 이 책(冊)의 내용을 온전(穩全)히 이해(理解)한다는 것은 무리(無理)다.

마음의 체험(體驗)은 감동(感動)과 쾌감(快感) 그리고 삼매(三昧)와 호흡(呼吸)으로 가능(可能)하다. 마음은 몸과 생각이 있기 이전(以前)의 "나" 즉, "참나"를 의미(意味)한다.

6] 깨달음의 시(詩)

①눈꽃

눈꽃

심준모

안개 속에 가려진

우리는 누구인가

그 누구도 몰랐네

속삭이는 눈꽃이

살며시 말해주어

나는 알게 되었네

②사랑

사랑

심준모

봄에는
새싹의 향기와 같은 사랑을 하고

여름에는
이글거리는 태양과 같은 사랑을 하라

가을에는
떨어지는 낙엽과 같은 사랑을 하고

겨울에는
하얀 눈꽃과 같은 사랑을 하라

보면서 사랑하고
들으면서 사랑하라

향기롭게 사랑하고
맛있게 사랑하라

몸으로 사랑하고
마음으로 사랑하라

사랑은 지혜가 되고
지혜는 몸이 되고
몸은 생각이 되고
생각은 깨우침이 되고
깨우침은 옷이 되어
그 옷으로 따뜻한 사랑을 하라

7] 순행(順行)과 역행(逆行)

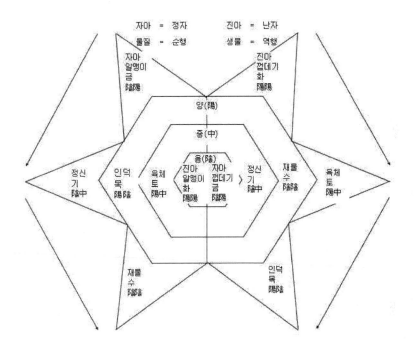

8] 거시세계(巨視世界)와 미시세계(微視世界)

거시세계와 미시세계

거시 세계	미시 세계
입자(主)가 진동(副)한다.	진동(主)이 입자(副)가 된다.

거시 세계	힘의 세기	미시 세계	힘의 세기	거시 세계	힘의 세기	미시 세계
중력 (陰)	〈	약한 핵력 (陽)	〈	전자 기력 (陽)	〈	강한 핵력 (陰)

미시세계는 약한 핵력(陽의 運動)과 강한 핵력(陰의 運動)이 있는데 그 중에 힘의 크기가 큰 것은 강한 핵력이다. 그리고 거시세계에는 중력(陰의 運動)과 전자기력(陽의 運動)이 있는데 그 중에 힘의 크기가 큰 것은 전자기력이다. 양의 운동(陽의 運動)과 음의 운동(陰의 運動)은 거시세계(巨視世界)의 힘인 중력(重力)과 전자기력(電磁氣力)을 기준(基準)으로 표현(表現)한 것이다.

미시세계의 약한 핵력(陽의 運動)은 거시세계의 전자기력(陽의 運動)과 반대(反對)로 닮은꼴이고, 미시세계의 강한 핵력(陰의 運動)은 거시세계의 중력(陰의 運動)과 반대(反對)로 닮은꼴이다. 또한 미시세계의 약한 핵력(陽의 運動)은 미시세계의 강한 핵력(陰의 運動)과 반대(反對)로 닮은꼴이고 거시세계의 전자기력(陽의 運動)은 거시세계의 중력(陰의 運動)과 반대(反對)로 닮은꼴이다. 그러므로 거시세계의 전자기력(陽의 運動)은 일정한 조건에서 인력(引力)이나 척력(斥力)이 주(主)된 힘으로 작용(作用)하지만, 거시세계의 중력(陰의 運動)은 일정한 조건에서 인력(引力)이나 척력(斥力)은 부(副)의 힘으로 작용(作用)하고, 질량(質量)이 큰 천체(天體)를 중심으로 일정한 운동을 유지시키는 것이 주(主)된 힘으로 작용(作用)한다.

강한 핵력이 "양성자와 중성자를 반발하지 못하게 가두는 힘"이라면 중력은 "별(Star)과 행성의 운동 상태를 일정하게 유지시키는 힘"이다. 강한 핵력이 양성자와 중성자를 원자핵에 묶어서 그 운동 상태를 일정하게 유지시키는 힘이라면, 중력은 별(Star)과 행성이 거리를 두고 그 운동 상태를 일정하게 유지시키는 힘이다. 강한 핵력과 중력은 모두 그 운동 상태를 일정하게 유지시키는 힘이지만 그 특성은 반대로 나타난다. 그러므로 "미시 세계와 거시 세계"는 "반대로 닮은꼴"이다.

천체(天體)의 중력(重力)은 물질(物質)이 별(Star)이나 행성에 가까이 가면 인력(引力)이 일정(一定)하게 작용(作用)을 하지만, 별(Star)과 행성이 적당한 거리에 있으면 별(Star)과 행성은 적당한 거리를 유지(維持)시키는 힘이 일정(一定)하게 작용(作用)을 한다. 행성과 별(Star) 사이에 원심력(遠心力)과 인력(引力)이 어느 정도 작용(作用)은 하지만 행성과 별(Star) 사이에 작용(作用)하는 주(主)된 힘은 원심력(遠心力)과 인력(引力)이 아니며 행성과 별(Star)의 운동 상태를 일정(一定)하게 유지(維持)시키는 힘이 주(主)된 힘이다.

자유낙하하는 물체가 질량에 상관없이 일정한 가속도로 떨어지는 이유(理由)가 중력(重力)은 일정한 운동 상태를 유지(維持)시키는 힘이기 때문이다. 하지만 혜성(彗星)은 원심력(遠心力)과 인력(引力)이 주(主)된 힘으로 작용(作用)하여 운동(運動)하는 천체(天體)이며, 그 운동(運動)은 미시세계(微視世界)의 전자(電子)의 운동(運動)과 반대로 닮은꼴이다.

미시세계의 작용이 인간의 직관(直觀)으로 이해되지 않는 이유는 미시세계에서 적용되는 법칙과 거시세계에서 적용되는 법칙이 서로 반대(反對)이기 때문이다.

미시세계(微視世界)와 거시세계(巨視世界)를 직접 관찰하지 않고 미시세계와 거시세계에 적용되는 이치(理致)로 미시세계와 거시세계를 보는 방법은 다음과 같다.

닭의 알(계란)이 부화하여 병아리로 태어나는 과정을 간단히 보면 알(계란) 속의 바깥에 있는 부위인 흰자는 병아리의 내장을 만들고 안쪽의 노른자는 영양분이 되어 몸을 만들어 껍질을 깨고 나온다. 바깥의 흰자가 안으로(내장) 들어간 것이다. 즉, 껍질 안에 있을 때와 껍질을 깨고 나온 경우는 반대(역행)로 된다. 그리고 곤충의 뼈대는 외부(外部)에 있으나 물고기의 뼈대는 내부(內部)에 있다. 물 -〉나무 -〉곤충 -〉물고기 -〉동물 -〉사람으로 진화를 했다는 것은 "반대로 닮은꼴"을 더 정교(精巧)하게 분화(分化)해 왔다는 의미(意味)가 있다. 미시세계(微視世界)와 거시세계(巨視世界)를 생물(生物)에 대비(對比)하면 계란(鷄卵)은 미시세계(微視世界)고 닭은 거시세계(巨視世界)다.

"미시세계(微視世界)와 거시세계(巨視世界)"는 "계란(鷄卵)의 미시세계(微視世界)와 닭의 거시세계(巨視世界)"와 닮은꼴이고 "곤충의 외부에 있는 단단한 껍질과 물고기의 내부에 있는 단단한 뼈대"와 닮은꼴이다. 그러므로 거시세계의 중력(가장 작은 힘)을 알려면 미시세계의 강한 핵력(가장 큰 힘)의 성질을 알아서 "반대로 닮은꼴"을 적용하면 된다.

생물의 진화를 여러 가지로 설명할 수 있겠지만, 이치로 볼 때 "반대로 닮은꼴"로 진화해 왔다고 할 수 있다. 나무의 경우를 보면 나무 이전에 물(Water)이었을 때는 발이 없어서 서 있을 수 없었으나 나무가 되면서 없던 발을 만들어(無->有로 반대) 서 있을 수 있게 되었고, 나무에 없는 다리를 만들어(無->有로 반대) 움직일 수 있게 된 것이 곤충이며, 곤충에는 없는 눈을 만들어(無->有로 반대) 볼 수 있게 된 것이 물고기이고, 물고기에는 없는 귀를 만들어(無->有로 반대) 들을 수 있게 된 것이 동물이다. 그리고 동물에게는 없는 손을 만들어(無->有로 반대) 도구를 사용하게 된 것이 인간이다.

진화(進化)한 동물(動物)일수록 머리는 위(하늘)를 향하고 있으며 이목구비(耳目口鼻)를 비롯한 감각 기관도 창조적 진화를 한 것일수록 위(하늘)를 향하고 있다. 그러므로 입(口)보다는 코(鼻)가 창조적 진화를 한 감각 기관이며 코(鼻)보다는 눈(目)이 창조적 진화를 한 감각 기관이고 눈(目)보다는 귀(耳)가 창조적 진화를 한 감각 기관이다. 그리고 귀(耳)보다는 손(腦)이 창조적 진화를 한 감각 기관이다.

여기에서 말하는 역행(逆行)과 반대(反對) 그리고 닮은꼴은 대칭(對稱)

과 비대칭(非對稱)의 의미를 모두 포함하며 더불어 "하지 못하던 것을 한다."의 의미(意味)와 "없던 것을 만들었다." 등의 의미(意味)를 표현(表現)한 것이다. 생물의 진화와 물질의 변화 모두 환경(環境)과 조화(造化)를 하는 것이며, 그 방법(方法)이 "역행(逆行)과 반대(反對) 그리고 닮은꼴"인 것이다.

중력, 전자기력, 약한 핵력, 강한 핵력은 모두 파동으로 인해 나타나는 힘이며 그 파동의 상호작용으로 "특정한 상태 또는 운동을 일정하게 유지시키는 힘"이나 "인력(引力)" 또는 "척력(斥力)"으로 나타난다. 이 중에서 기본이 되는 힘은 "척력(斥力)"이다. 모든 것은 움직이기 때문이다. 우주에는 원칙적으로 "척력(斥力)" 한 가지만 존재한다.

시공(時空)의 우주(宇宙)는 모든 것이 상대적(相對的)인 것이며 절대적(絶對的)인 것은 없다. 흑(黑)과 백(白)의 개념(槪念)이 아니라 주(主)와 부(副)의 개념(槪念)으로 설명(說明)하는 이유(理由)다. 이 또한 모든 것은 움직이기 때문이다.

거시세계의 현상과 미시세계의 현상은 반대로 역행한 닮은꼴이다. 이러한 이유로 거시세계의 존재인 인간이 가진 직관으로 미시세계의 현상을 이해하기 어려운 것이다. 또한 거시세계 내(內)에서도 물질의 특성과 생물의 특성은 반대로 역행한 닮은꼴이다. 마찬가지로 생물도 동물의 특성과 식물의 특성은 반대로 역행한 닮은꼴이다. 모든 변화와 진화는 비슷한 닮은꼴이거나 반대로 닮은꼴 또는 역행한 닮은꼴이거나 반대로 역행한 닮은꼴로 된다. 왜냐하면, 우리의 우주는 진동(振動)이라는 공통점(共通點)을 공유(共有)하고 있기 때문이다.

반대로 역행한 닮은꼴이란 대칭적 반대와 대칭적 역행 그리고 대칭적 닮은꼴과 비대칭적 반대와 비대칭적 역행 그리고 비대칭적 닮은꼴을 모두 포함한다.

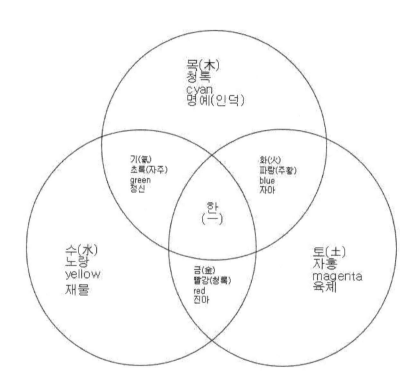

우리의 우주(宇宙)에 존재(存在)하는 모든 것은 진동(振動)으로 인(因)하여 변화(變化)하거나 진화(進化)한 결과(結果)다. 진동(振動)이라는 공통점(共通點)으로 인(因)하여 모든 것을 "닮은꼴"로 설명할 수 있는 것이다.

세상에 완전히 똑같은 것은 없다. 거시(巨視)로 보면 똑같아 보여도 미시(微視)로 보면 모두 조금은 다르다. 많이 다른 것에서 공통점(共通點)과 닮은꼴을 보고 서로 연결(連結)하는 것은 일종(一種)의 깨달음이다. 작가(作家)나 시인(詩人)들이 Metaphor 즉, 은유(隱喩)라는 방법(方法)을 통(通)해서 닮은꼴을 표현할 때가 있는데 우리는 그것에 공감(共感)할 때가 많다. 세상은 닮은꼴이기 때문에 공감(共感)할 수 있는 것이다. 이 책에 쓰여 있는 모든 내용도 닮은꼴을 여러 가지 방식으로 표현한 것이다.

우리의 우주에 있는 물질과 생물은 진동(振動)이라는 방식(方式)으로 사랑(만남)하여 변화(變化)와 진화(進化)를 하고 있다. 우리의 우주 이전(以前)과 이후(以後)의 우주는 사랑하는 방식(方式)이 진동(振動)을 반대로 역행한 닮은꼴이라고 추측(推測)은 할 수 있지만, 우리의 우주 이전(以前)과 이후(以後)의 존재(存在)에 대해 구체적(具體的)으로 알 수는 없다. 왜냐하면 진동(振動)의 존재인 우리가 진동(振動)이 아닌 것은 상상(想像)하기가 거의 불가능하기 때문이다.

10] 물(Water)이 육기(六氣)로 나타나는 현상(現象)

햇반_즉석밥(전자레인지)현상_01

햇반_즉석밥(전자레인지)현상_02

전자레인지(micro wave) : 마이크로파를 이용하여 고주파 전기장 내
(內)에서 분자(分子)가 격렬(激烈)하게 진동하여 발열하는 현상으로 식
품을 가열하는 조리 기구이다.

눈(Snow)의 결정체_01

눈(Snow)의 결정체_02

눈(Snow)의 결정체(結晶體)에 담긴 수많은 정보(情報)를 보라. 물(Water)이 눈(Snow)으로 상변화(相變化)를 할 때 육각형(六角形)의 형태(形態)를 기본(基本)으로 수많은 다른 모양(模樣)의 닮은꼴을 만드는 것은 물(Water)에 수많은 닮은꼴을 만들 수 있는 수많은 정보(情報)와 Ene rgy가 있기 때문이다. 물(Water)이 가진 일정한 조건에서 분자(分子)의 배열(排列)을 일정(一定)하게 변화시켜 부피가 팽창(膨脹)하는 특성으로 알 수 있는 것은 물(Water)에는 일정(一定)한 조건에서 분자(分子)의 배열(排列)을 일정(一定)하게 변화시킬 수 있는 정보(情報)가 있다는 것이며 또한 물(Water)에는 일정(一定)한 조건에서 단절적(斷絶的)으로 부피를 커지게 하는 Energy가 있다는 것이다. 그리고 눈(Snow)의 결정체를 보면 물(Water)은 최초의 생물을 만들 수 있는 수많은 대칭적(對稱的) 정보(情報)와 Energy를 이미 가지고 있다는 것을 알 수 있다. 최초의 생물은 육각수 상태의 물(Water)과 육각형 상태의 눈(Snow)에 있는 환경에 역행하는 생물의 특성과 육각수 상태의 물(Water)과 육각형 상태의 눈(Snow)에 있는 수많은 대칭적(對稱的) 정보(情報)에 기인(起因)한 것이고, 생물의 유전(遺傳)과 생물의 진화(進化)도 육각형의 닮은꼴(유전의 특성)을 수많은 다른 모양(진화의 특성)으로 만들 수 있는 눈(Snow)의 특성(特性)에 기인(起因)한 것이다. 물론 눈(Snow)의 특성(特性)은 물(Water)의 특성(特性)에서 비롯된 것이다.

물(Water)에서 진화(進化)한 모든 생물(生物)은 물(Water)이 가진 일정한 조건에서 환경에 반대로 역행하는 특성(진화한 찰나 또는 진화하는 찰나)이 "유기물"과 함께 변화(變化)하고 진화(進化)한 것이다. 또한 생물(生物)이 가진 일정(一定)한 조건(條件)에서 환경에 반대(反對)로 역행(逆行)할 수 있는 정보(情報)와 Energy 즉, 생리작용(生理作用)을 할 수 있는 유전정보(遺傳情報)는 물(Water)이 가진 일정(一定)한 조건(條件)에서 환경에 반대(反對)로 역행(逆行)할 수 있는 정보(情報)와 Energy가 진화(進化)한 것이다. 정보(情報)와 Energy 즉, "정보(情報)Energ y"는 "진화한 참나"를 의미(意味)하며 "진화한 참나"는 생물(生物)의 "유전정보(遺傳情報)를 가지고 있다. "진화한 참나"가 가지고 있는 생물(生物)의 "유전정보(遺傳情報)"는 물(Water)이 가진 생물(生物)의 특성인 일정한 조건에서 환경에 반대로 역행하는 특성이 진화한 것이다.

물(Water)은 1기압(氣壓)에서 온도가 내려가 섭씨(攝氏) 영상(零上) 4° 미만의 온도(溫度)부터 오히려 부피가 팽창(膨脹)한다. 즉, 환경에 반대로 역행하는 특성이 있으며 이는 물(Water)이 생명을 만드는 재료가 된다는 의미를 넘어 물(Water) 자체가 생물(生物)인 증거(證據)다. 왜냐하면, 모든 생물(生物)은 환경(環境)에 역행(逆行)하는 정보(情報)와 Energy를 가지고 있는데 물(Water)이 그 정보(情報)와 Energy를 가지고 있기 때문이다.

11] 인생(人生)에서 만나는 고통(苦痛)과 고난(苦難)의 의미(意味)

생명(生命)에는 타고난 본능(本能)이나 본성(本性)이 있다. 식물(植物)이 가지는 본성(本性)이 있고, 동물(動物)이 가지는 본능(本能)이 있다. 동물(動物) 중에서 인간은 다른 생명(生命)과는 달리 인간이기 때문에 가지고 있는, 인간적인 본능(本能)도 있다. 동물적인 본능(本能)에는 먹고 싶은 본능(本能)과 자고 싶은 본능(本能) 그리고 하고 싶은 본능(本能) 등이 있고 동물적인 본능(本能) 이외(以外)에 인간적인 본능(本能)은 기쁨과 슬픔 그리고 노여움과 욕심 등이 있다. 이런 동물적인 본능(本能)과 인간적인 본능(本能)을 표출(表出)하고 실행(實行)하면서 사는 것과, 동물적인 본능(本能)과 인간적인 본능(本能)을 역행(逆行)하고 억제(抑制)하여 실행(實行)하지 않으면서 사는 것에는 어떤 차이가 있을까? 생명(生命)이 창조되고 진화한 근본동력(根本動力)은 "역행(逆行)"과 "반대(反對)" 그리고 "닮은꼴"이다. "역행(逆行)"에는 "저항(抵抗)"하고 "극복(克服)"한다는 의미가 있다. 동물적인 본능(本能)과 인간적인 본능(本能)을 표출(表出)하고 실행(實行)하면서 사는 것은 그 본능(本能)에 "저항(抵抗)"하고 "극복(克服)"하며 사는 것이 아니라 그 본능(本能)에 "순응(順應)"하면서 사는 것이다.

이치(理致)로 볼 때, 인간(人間)은 타고난 본능(本能)과 주어진 환경(環境)에 대해 "저항(抵抗)"하고 "극복(克服)"하면 그 경험(經驗)으로 유전정보(遺傳情報)를 축적(蓄積)하여 창조적 진화를 하게 된다. 하지만 인간(人間)이 타고난 본능(本能)과 주어진 환경(環境)에 "저항(抵抗)"하고 "극복(克服)"은 하지 않으면서 타고난 본능(本能)과 주어진 환경(環境)에 "순응(順應)"만 한다면 그 인간(人間)은 창조적 진화를 할 수 없다.

인간(人間)이 더 자유로운 사랑을 하는 생명(生命)이 되려면 반드시 타고난 본능(本能)과 주어진 환경(環境)에 대해 ”저항(抵抗)“하고 ”극복(克服)“을 해야 한다. 수행자(修行者)들이 동물적인 본능(本能)과 인간적인 본능(本能)에 ”저항(抵抗)“하고 ”극복(克服)“하는 ”극기(克己)“를 하는 이유가 여기에 있다. 인간(人間)의 몸보다 더 자유로운 사랑을 할 수 있는 몸을 창조(創造)하기 위해서는 동물적인 본능(本能)과 인간적인 본능(本能)에 ”저항(抵抗)“하고 ”극복(克服)“하는 ”극기(克己)“를 해야 한다. ”역행(逆行)“과 ”저항(抵抗)“ 그리고 ”극기(克己)“는 인간(人間)의 창조적 진화를 위한 수단(手段)이다. 소우주(小宇宙)인 인간(人間)이 창조적(創造的) 진화(進化)를 실현(實現)하는데 중요한 것은 깨달음(정신)의 여부(與否)가 아니다. 창조적(創造的) 진화(進化)를 실현(實現)하는데 중요한 것은 본능(本能)에 저항(抵抗)하고 역행(逆行)하는 극기(克己)다. 그러므로 신념(信念)이라는 고정관념(固定觀念)에 의한 극기(克己)와 깨달음에 의한 극기(克己)는 그 영향(影響)이 거의 같다. 하지만 신념(信念)에 의한 극기(克己)와 깨달음에 의한 극기(克己)가 동격(同格)이라는 의미(意味)는 아니다.

인생(人生)에서 만나는 고통(苦痛)과 고난(苦難)의 의미(意味)는, 그 고통(苦痛)과 고난(苦難)에 대해 ”저항(抵抗)“하고 ”극복(克服)“하여 고통(苦痛)과 고난(苦難)의 크기만큼 경험(經驗)의 정보(情報)를 쌓아 인간(人間)보다 더 자유로운 사랑을 할 수 있는 몸을 창조(創造)하는데 있다.

생각은 행복을 바라지만 마음은 멋진 체험(고통과 고난의 극복)을 바란다. 왜냐하면 멋진 체험은 유전정보의 질적(質的)인 진화로 이어지기 때문이다. 삶은 항상 견디거나 극복해야 할 자연적 조건이나 사회적 상황이 있기 때문에 그 근본은 고통과 고난이며 행복(幸福)은 고통과 고난의 삶에서 일시적으로 느낄 수 있는 감정이다.

상응부 경전 7장11절

믿음은 내가 뿌리는 씨

지혜는 내가 밭가는 보습

나는 몸에서 입에서 마음에서

나날이 악한 업을 제어하나니

그는 내가 밭에서 김매는 것.

내가 모는 소는 정진이니

가고 돌아섬 없고

행하여 슬퍼함 없이

나를 편안한 경지로 나르도다.

나는 이리 밭 갈고 이리 씨 뿌려

감로의 과일을 거두노라.

無人化二九妙動人一
極二匱人八一不明終
三一無三七變昂無
析地鉅二生五用陽終
一十地六環來太一
始一積三合成萬本一
無天一二三四往心地
始本三天大三萬本天
一盡一二三運沂本中

無人化二九妙動人一
極二匱人八一不明終
三一無三七變昂無
析地鉅二生五用陽終
一十地六環來太一
始一積三合成萬本一
無天一二三四往心地
始本三天大三萬本天
一盡一二三運沂本中

無人化二九妙動人一
極二匱人八一不明終
三一無三七變昂無
析地鉅二生五用陽終
一十地六環來太一
始一積三合成萬本一
無天一二三四往心地
始本三天大三萬本天
一盡一二三運沂本中

"일시무시일"로 시작해서 "일종무종일"로 끝이 난다. 그 가운데 있는 글자들는 시공(時空)의 우주에서 만남(사랑)에 대한 해설(解說)이다. 중요한 것은 "일(한)"로 시작해서 "일(한)"로 끝난다는 것이다. "일(한)"이라는 것은 "하나"이고 "하나"는 점(點)이며 점(點)은 부분(部分)이 없기 때문에 극(極)이 없다. 그러므로 점(點)은 무극(無極)이고 무극(無極)은 "끝이 없다"는 것이다. "끝이 없다"라는 것은 무한(無限)하다는 것이므로 하나는 무한(無限)인 것이고 무한(無限)은 하나인 것이다.

우주는 "하나(무한)에서 시작해서 무한(하나)으로 돌아간다."라는 것이며 "무한(하나)에서 시작해서 하나(무한)로 돌아간다."라는 것이다. 즉, 하나와 무한(無限)은 그 뿌리가 같다. 그러므로 나(하나)와 너(무한)는 근본(根本)에서 보면 같은 존재다.

"시작(始作)과 끝"은 시공(時空)으로 인(因)해서 생긴 개념(概念)이다. 시공(時空)의 존재(存在)가 아닌 "무극(無極)", "참나", "자아(自我)", "진아(眞我)" 그리고 "정보Energy"는 "시작(始作)과 끝"이라는 개념(概念)이 없고 단지(但只) 영원(永遠)하다. 시공(時空)의 존재(存在)가 아니라는 것은 부분(部分)이 없는 점(點)과 비슷하다. 하지만 부분(部分)이 없는 점(點)과 "무극(無極)", "참나", "자아(自我)", "진아(眞我)" 그리고 "정보Energy"의 차이점(差異點)은 "무극(無極)", "참나", "자아(自我)", "진아(眞我)" 그리고 "정보Energy"는 부분(部分)이 없는 점(點)이 가지고 있지 않은 정보(情報)와 Energy를 가지고 있다는 것이다.

"무극(無極)", "참나", "진화한 참나", "진화하는 참나", "자아(自我)", "진아(眞我)" 그리고 "정보Energy"는 "마음"을 상황(狀況)에 따라 여러 가지로 표현한 것이다. "마음"을 상황(狀況)에 따라 여러 가지로 표현한 것은 고타마 시타르타를 붓다(깨달은 자), 석가모니, 부처, 세존, 석존, 여래로 표현하거나 쌀을 미곡(米穀), 나락, 벼, 밥과 같이 상황(狀況)에 따라 여러 가지로 표현한 것과 닮은꼴이다.

이 책(冊)에는 "생물(生物)"을 새로운 관점(觀點)으로 정의(定義)하였기 때문에 새로운 용어(用語)를 만들어 사용한 것이 일부분 있다. 예를 들면, "진화한 참나", "진화하는 참나", "정보(情報)Energy", "음(陰)의 운동(運動)", "양(陽)의 운동(運動)" "음(陰)의 물(Water)", "양(陽)의 물

(Water)" 등(等)이 있다.

"정보(情報)Energy"는 시공(時空)의 존재(存在)가 아니기 때문에 진동(움직임)하지 않는다. 하나의 점(點)도 부분(部分)이 없고, 무한(無限)의 점(點)도 부분(部分)이 없다. 하나의 점(點)과 무한(無限)의 점(點)은 같지만 다른 것이고 다르지만 같은 것이다. 무극(無極)은 하나의 점(點)이기도 하고 무한(無限)의 점(點)이기도 하다. 우리의 우주는 무극(無極)이라는 점(點)에서 시작(始作)되었다. 그러므로 "참나" 또한 하나의 존재(存在)이기도 하고 무한(無限)의 존재(存在)이기도 하다. "참나(마음)"는 시공(時空)의 존재(存在)가 아닌 존재(存在)다.

My time will come.

제 3장 역학(易學)

1]역학의 원리

우리가 사는 지구는 태양을 중심으로 자전(自轉)과 공전(公轉)을 끊임없이 반복하고 있다. 이는 하루라는 주기(週期)와 1년이라는 주기(週期)가 계속해서 반복하고 있다는 것이다. 여기서 주기(週期)라는 의미는 같은 현상이나 특징이 한 번 나타나고부터 다음번 되풀이되기까지의 기간을 말한다. 이 주기(週期)를 기준(基準)으로 하루를 24시간으로 나누어 사용하고 1년을 365일로 나누어 인간에게 유익하게 이용하고 있다. 하루를 24시간으로 나누어 가장 어둠이 치우쳐진 상태를 자정(子正)이라 하고 가장 밝음이 치우쳐진 상태를 정오(正午)라 이름 붙이고 편리하게 사용하고 있다. 일 년도 마찬가지로 태양이 가장 남쪽으로 치우쳐져 있을 때를 동지(冬至)로 정하고 태양이 가장 북쪽으로 치우쳐져 있을 때를 하지(夏至)로 정하여 농사 등에 이용하였다. 지금은 우리가 당연시하는 달력은 사실 인류가 찾아낸 위대한 발견이다.

동일한 원리로 하나의 주기(週期)를 천문에서 찾아내어 위의 원칙대로 정하면 이것이 역학을 공부하는데 가장 중요한 기준(基準)이 된다. 이러한 기준(基準)은 과거의 천문학자들이 찾아 놓은 것이 있다. 다만 우리는 이런 주기를 역학(易學)에 적용하지 않았을 뿐이다. 양력으로 1일역이 있으며, 1년역이 있고, Metonic cycle인 19년역이 있다. 음력으로 1일역이 있으며, 1달(삭망월)역이 있고, Saros cycle인 223월(삭망월)역이 있다. 물론 천문의 주기(週期)는 이것만 있는 것은 아니다. 많은 주기가 천문에 있으나 지구라는 환경에 사는 인간에게 가장

영향을 많이 미치는 천문(天文)인 태양(太陽)과 달 그리고 지구에 관계
되는 주기(週期)를 위주로 역학(易學)의 원리(原理)에 대해서 서술(敍述)
하였다.

2]육기(六氣)

물(水)은 산소(氣)와 수소(氣)의 화학적 결합물이며, 지구상의 생명체가 생존하는데 반드시 필요하다. 색이나 냄새 그리고 맛이 없는 액체이다. 물(水)은 기(氣)로 만들어져 있으며 나무(木)는 물(水)을 먹고 자란다. 그리고 나무(木)가 생명 활동을 다하면 흙(土)이 된다. 이 흙(土)이 썩으면 열(火)이 발생하고 이 열(火) Energy가 축적되면 발화가 되어 빛(金)이 나온다. 이 빛(金)들이 부딪치는 만남(사랑)으로 일종(一種)의 화학적(化學的)인 변화(變化)를 한 것이 입자(粒子)이고 기(氣)다. 다시 이 기(氣)가 결합하면 물(水)이 된다. 이를 정리하면 수(水) -〉 목(木) -〉 토(土) -〉 화(火) -〉금(金) -〉 기(氣) -〉 수(水)가 된다. 이를 "육기(六氣)"라고 정의한다. 세상 만물(萬物)이 진화(進化)를 할 때나 퇴화(退化)를 할 때나 이 과정으로 순환하는 것이다. 물론 역행(逆行)도 하며 그 순서는 "수(水) -〉 기(氣) -〉 금(金) -〉 화(火) -〉 토(土) -〉 목(木)" -〉 수(水)가 된다.

육기(六氣)의 "수(水)"는 주(主)된 기운(氣運)이 "수(水)"이고 부(副) 기운(氣運)으로 "목토화금기"를 포함하고 있으며, "목(木)"에도 주(主)된 기운(氣運)이 "목(木)"이고 부(副) 기운(氣運)으로 "수토화금기"를 포함하고 있다. 물론 "토(土)", "화(火)", "금(金)", "기(氣)"에도 각각 나머지 다섯 기운의 부(副) 기운(氣運)을 포함하고 있다. 지구(地球)에서 물(Water)로 만든 육체(肉體)를 기준으로 볼 때, 세상의 모든 것은 육기(六氣)가 변화(變化)한 것이므로 그 어떤 것이든 이 육기(六氣) 중 하나에 포함(包含)된다.

우주는 성장(成長)을 한 것이지 폭발(爆發)을 한 것이 아니다. 성장(成長)은 공간의 범위가 일정(一定)하게 커지는 상태를 의미하고, 폭발(爆發)은 공간의 범위가 갑자기 일정(一定)하지 않게 터지는 상태를 의미한다. 우주의 시작을 굳이 폭발(爆發)로 표현(表現)한다면 "폭발적(爆發的) 성장(成長)"이라는 말이 적당(適當)할 것이다. 움직이지 않던 것(無極)이 움직인 것(太極)이 우리가 사는 우주의 시작(始作)이다. 폭발(爆發)이 있었어도 그 폭발(爆發)은 우주가 성장(成長)한 이후(以後)에 부분적으로 발생(發生)한 것이고 전체적으로 보면 성장(成長)이 우선이다.

시공(時空)의 우주 이전(以前)을 마치 젤(Gel) 상태에 있는 과포화 아세트산나트륨에 비유(比喩)해 보자. 과포화 아세트산나트륨에 금속으로 충격을 주면 충격(衝擊)을 준 지점을 중심으로 과포화 아세트산나트륨이 고체로 변하면서 발열(發熱)하기 시작한다. 우리가 존재하는 우주의 시작은 이와 닮은꼴이다. 다만 과포화된 아세트산나트륨이 고체로 변화하는 것과 무극(無極)이 시공으로 변화하는 것의 차이점은, 과포화된 아세트산나트륨은 하나의 점(點) 또는 한정된 점(點)에서 발열과 동시에 고체로 변화하지만 무극(無極)은 무한의 점(點)에서 진동과 동시에 시공으로 변화한다는 것이다.

과포화 아세트산나트륨은 변화의 임계점(臨界點)에 다다른 무극(無極)에 비유(比喩)할 수 있고 금속의 충격은 무극(無極)에서 진동(振動)으로 변화를 원하는 참나의 마음에 비유(比喩)할 수 있다. 그리고 젤(Gel) 상태의 과포화(過飽和)된 아세트산나트륨의 물리적 특성과 금속으로 충격(衝擊)을 주어 고체가 된 아세트산나트륨의 물리적 특성이 다르듯이, 움직임이 없는 무극(無極)의 특성과 움직임이 있는 시공(時空)의 특성은 다르다.

식물의 씨앗(無極)을 생각해 보자. 식물의 씨앗(無極)은 특정한 조건이 되어야 발아(發芽)를 한다. 무극(無極)이 시간(時空)이 없고 공간(空間)이 없는 것과 발아(發芽)하기 이전의 씨앗(無極)이 시간(時間)이 흘러도 그 형태가 정지(停止)해 있고 공간에서 차지하는 부피도 정지(停止)해 있는 것은 닮은꼴로 볼 수 있다. 현재의 우주도 그 시작은 식물의 씨앗(無極)처럼 특정(特定)한 조건(條件)이 되어 성장(成長)을 한 것이다. 특정(特定)한 조건(條件)이란 시공(時空)이 없는 무극(無極)의 움직이는 사랑을 하고 싶은 마음(정보Energy)이 변화(變化)의 임계점(臨界點)에 닿은 때를 말한다.

움직임이 없는 상태에서 움직인 것이 우주의 시작이다. "움직임"을 단순하게 표현하면 "진동"을 한다는 것이고, 진동(振動)을 한다는 것은 음양(陰陽)이 있다는 것이다. 이 음양(陰陽)의 진동(振動)은 "음(陰)의 진동(振動)"과 "양(陽)의 진동(振動)"으로 표현할 수 있으며, 이들은 서로 영향(影響)을 주고받아 "변화(變化)된 진동(振動)"을 만드는데, 이것이 우주가 사랑(陰과 陽의 만남)하여 성장하는 방식(方式)이다. 우리가 사는 우주는 진동(振動)으로 시작하였기 때문에 만약 진동(振動)을 멈춘다면 다시 무극(無極)의 상태(狀態)로 된다. "음(陰)의 진동(振動)"과 "양(陽)의 진동(振動)"이 만나서 "변화(變化)된 진동(振動)"을 만드는 것은, "남자"와 "여자"가 만나서 "자식"을 낳는 것과 닮은꼴이다. 물질(物質)과 생물(生物)은 그 특성이 다르지만, 음(陰)과 양(陽)이 사랑(中)하는 것은 닮은꼴이다. "우주"는 음(陰)과 양(陽)이 서로 "사랑을 하고 있는 생명(生命)"이다.

생명(生命)은 반드시 주기가 있다. 이 생명(生命)의 주기와 천문과의 관계를 알려는 학문이 바로 역학(易學)이다. 나에게는 부모님이 있다. 세상에 부모 없이 태어나는 사람은 없다. 나의 부모님도 그들의 부모님이 있다. 나에겐 할아버지와 할머니이다. 그 조부모님의 부모님도 있을 것이다. 이렇게 계속 올라가 보자. 천년, 이천년이 아니라 약 1,000만 년 전을 상상해 보자. 그때에도 나의 조상은 인간이었을까? 인간이 아니었을 것이다. 물론 이는 진화론을 전제(前提)로 한다. 사실 "진화"라는 말 자체에 이미 "창조"의 의미가 내포되어 있으므로 이후(以後)로는 "창조적 진화"로 표현하겠다.

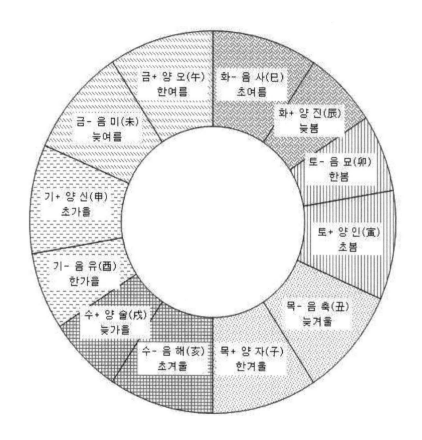

위의 표(表)를 참고(參考)하라.

창조적 진화를 계속해서 거슬러 올라가 보면 인간(金水, 氣) 이전(以前)에는 동물(金)이었을 것이고 동물 이전에는 물고기(火)였을 것이다. 물고기 이전에는 곤충(土)이었을 것이고 곤충 이전에는 식물(木)이었을 것이다. 식물 이전에는 물(水)이었을 것이고 물 이전에는 공기나 기(氣)였을 것이다. 기(氣) 이전에는 빛(金)이었을 것이고 빛 이전에는 열(火)을 품은 Energy였을 것이다. 열을 품은 Energy 이전에는 우주(宇宙)에 있는 먼지(土)였을 것이며 먼지(Dust) 이전에는 우주(宇宙)라는 공간(木)이 있었을 것이다. 공간 이전(以前)에는 공간이 아닌 것(水)이 있었을 것이다. 이를 "점(水, 참나)"이라고 표현해 보자. 그 "점(水, 참나)"에서 다시 현재의 인간으로 수렴(收斂)해 보면 인간의 존재는 앞에서 언급한 모든 과정을 거쳐서 완성된, 말 그대로 "소우주(小宇宙)"인 것이다. 시공(時空) 이전(以前)인 "점(水, 참나)"에서 시공(時空)이 시작(始作)되었기 때문에 시공(時空) 이후(以後)의 존재(存在)는 모두 "점(水, 참나)"이 변화(變化)하고 진화(進化)한 것이다. "점(水, 참나)"은 시공(時空)의 씨앗(Seed)이다. 그래서 시공(時空)의 모든 것은 닮은꼴이다.

인간이 소우주(小宇宙)라는 말은 그냥 나온 것이 아니다. 모든 시간과 공간의 "모음"이 "몸"이다. 즉, 인간뿐만이 아니라 존재하는 모든 것들은 "몸(모음)"을 가지고 있으며 이들은 서로 시간과 공간으로 연결되어 있고 시간(時間)과 공간(空間)의 영향을 받게 된다.

물질(物質)이 존재(存在)하지 않는 공간(空間)을 진공(眞空)이라고 하는데 진공(眞空)은 물질(物質)이 존재(存在)하지 않는 것이지 아무것도 없다는 의미(意味)가 아니다. 일단(一旦) 진공(眞空)이라는 공간(空間)이 있고 이 공간(空間)은 미세(微細)한 진동(振動)을 하고 있다. 점(水) 이전(以前)도 시공(時空)이 없다는 의미(意味)이지 아무것도 없다는 의미(意味)가 아니다. 그리고 점(水) 이전(以前)은 시공(時空)의 세계가 아니기 때문에 "이전(以前)"이라는 개념(概念)이 성립(成立)할 수가 없지만,

이치(理致)로 볼 때 시공(時空)이 나타나기 이전(以前)의 점(水)도 우리가 사는 우주와 어떤 방식(方式)으로든 닮은꼴이다. 그 닮은꼴은 반대(反對)로 닮은꼴일 수도 있고 역행(逆行)한 닮은꼴일 수도 있으며 반대(反對)로 역행(逆行)한 닮은꼴일 수도 있다. 단(單), 그대로 닮은꼴일 수는 없다. 시공(時空)의 모든 것은 진동(振動)하고 진동(振動)으로 변화(變化)하기 때문이다. 그리고 시공(時空) 이전(以前)의 세계는 시공(時空)의 존재(存在)인 인간(人間)이 이치(理致)로 추측(推測)할 수는 있어도 그 세계를 온전(穩全)히 이해(理解)할 수 있는 것은 아니다.

무극(수) -〉 공간(목) -〉 먼지(토)　　-〉 열(화)　-〉 빛(금) -〉 공기(기) -〉

물 (수)⟋ 식물(목) -〉 죽은 식물(토) -〉 퇴비(화) -〉 빛(금) -〉 공기(기)
　　　⟍ 식물(목) -〉 곤충(토)　　-〉 물고기(화)-〉 동물(금)-〉 인간(기)

1) 수(水)의 기운(氣運)

계절(季節)에 비유(比喩)한다면 전반기 겨울에 해당된다. 가장 춥고 어두운 계절이다. 춥고 어둡지만 내부에는 반대의 성질인 따뜻하고 밝은 것[화(火)]을 갈망하고 있다. 변화의 분기점이며 변화에 대비하라는 자연의 명령이다. 물(水)을 나누어서 생각해 보자. 액체 상태의 물(水)이 있고 수증기가 된 물(水)이 있다. 그리고 얼어서 얼음이 된 물(水)이 있으며, 수증기가 얼어서 된 눈(Snow)이 있다. 액체상태의 물이 수증기가 되면 위로 올라가는 성질이 생긴다. 위로 올라가던 수증기가 온도가 내려가면 다시 물이 되어 아래로 내려오게 된다. 이런 행위가 반복이 된다면 어떻게 될까? 물(Water)은 기온이 내려가서 일정 온도 이하가 되면 오히려 부피가 커지는 특성(特性)이 있다. 환경에 역행하는 생물(生物)의 특성이 물(Water)에 있기 때문에 물(Water)을 생물(生物)의 기원(起源)으로 본다.

물(Water)이 생물(生物)인 이유는 제 1장 진리(眞理)를 보는 방법(方法)에 있는 4] 물(Water)이 생물(生物)인 이유(理由)와 5] 육기(六氣)로 분류(分類)하는 이유(理由)에서 기술(記述)해 놓았다. 오르는 행위(양의 운동)와 내리는 행위(음의 운동)를 반복(反復)한 물(Water)에 있는 양의 운동Energy와 음의 운동Energy가 만나면 창조적 진화가 된 몸을 만들게 된다. 왜냐하면 물은 생물이기 때문에 서로 반대되는 음(陰)과 양(陽)이 만나서 중(中)의 상태로 만드는 것을 원하기 때문이다. 생명은 중(中)의 상태가 되어야 안정이 되고 편안한 상태가 된다. 마치 사람의 몸이 비만이거나 야윈 상태가 아니고 적당히(中) 살이 있어야 건강에 좋은 것과 같은 이치이다. 남자와 여자가 사랑하면 아기가 생기는 것과 같이 음(陰)과 양(陽)이 만나서 사랑을 하면 또 다른 생명을 창조(創造)한다.

물의 양(陽)의 운동(運動)과 물의 음(陰의) 운동(運動)이 서로 만나서 사랑하여 그 결과로 생긴 생명(生命)이 "목(木)"이다. 나무(木)는 오르는 기운(줄기, 양의 운동)과 내리는 기운(뿌리, 음의 운동)이 한 몸에서 이루어진다. 물론 이 과정(過程)과 결과(結果)는 긴 시간이 필요할 것이다. 그리고 최초의 목(木)은 우리가 현재 보고 있는 나무의 형태가 아니라 매우 원시적인 형태(形態)였을 것이다. 이런 추측(推測)은 내가 직접 본 것도 아니고 볼 수도 없다. 다만 이치(理致)로 볼 때 그렇다는 것이다. 어쨌든 수(水)계절은 웅크리고 수축되어 있는 상태이며 내일을 설계하고 변화를 계획하는 시간이다. 수(水)의 성질을 보면 중력(重力)에 의해서는 아래로 향하며 온도가 상승하면 위로 올라간다. 그래서 소극적이고 유연하다. 어떻게 보면 줏대가 없다는데 비유할 수도 있다.

정신이 "수(水)" 체질인 사람은 생각이 유연하고 연구하는 것을 좋아하며 발명가 기질이 있다. 생각이 깊고 많으며, 깊은 물 아래가 보이지 않듯이 속마음을 알 수가 없다. 침착하고 느긋하며 섬세하고 내성적이기도 하다. 사교적이지 못하고 꼼꼼하고 조용하다. 자기를 잘 들어내지 않으며 약하고 부드럽지만 지혜가 있다. 남의 말을 잘 들으며 적응력이 좋다. 어두운 성격을 가지며 파고드는 성질이 있다. 정신이 "수(水)"체질인 사람은 물과 관계있는 일과 잘 어울리며 그 방면으로 일을 할 때 성공할 확률이 높다.

2) 목(木)의 기운(氣運)

계절(季節)에 비유(比喩)한다면 후반기 겨울에 해당된다. 가장 춥고 어두운 계절은 지났지만 그래도 여전히 겨울이다. 앞으로 다가올 봄에 하고 싶은 일을 선택(選擇)하여 계획(計劃)을 세우고 준비(準備)를 하는 시기이다. 식물(木)은 곤충에 비하여 움직임이 상대적으로 적다. 그리고 식물은 빛을 이용하여 이산화탄소와 물을 가지고 무기물(無機物)을 유기물(有機物)로 합성(合成)하고 산소를 만든다. 이렇게 만들어서 배출된 산소를 이용하여 움직임이 보다 많은 생명체로 창조적 진화가 된 것이 원시 곤충이다. 생물(生物)의 특성(特性)인 역행(逆行)할 수 있는 정보(情報)와 Energy로 장기간(長期間)에 걸쳐 원시식물 중 일부(一部)가 산소(酸素)를 만들기만 하는 것에서 산소(酸素)를 만들기도 하고 산소(酸素)를 이용도 하는 원시생물로 진화(進化)하였고 이러한 진화(進化)를 거듭하여 결국에는 산소를 이용하여 생존(生存)하고 이산화탄소를 배출(排出)하는 생명체가 된 것이 원시 곤충이다. 이때부터 식물(植物)은 식물대로 진화를 하고, 동물(動物)은 동물대로 진화하기 시작한다. 목(木)계절은 기운(氣運)이 솟아오르고 있는 상태(狀態)를 말한다. 유글레나 속(Genus)의 한 종(Species)인 유글레나 프록시마(*Euglena proxima*)는 연두벌레라고도 하는데 식물과 동물의 특성(特性)을 모두 가지고 있다. 식물과 동물의 중간에 위치한다고 볼 수 있으며 엽록소를 가지고 광합성을 하는 것은 식물의 특성이고 편모(鞭毛)를 가지고 자유롭게 움직이는 것은 동물의 특성이다.

정신이 "목(木)"체질인 사람은 욕심이 많고 자존심(自尊心)이 세고 굽힐 줄 모르며 융통성이 없다. 나무가 열매를 자연에 베풀 듯이, 남에게 베풀기를 좋아하며 가르치고 배우기를 좋아한다. 고집이 세고 뒤처리를 잘못하고 외롭다. 섬세하고 손재주가 있으며 지칠 줄 모르는 끈기가 있다. 반면에 의리가 부족하고 타인을 의심하는 기질이 있다. 정신이 "목(木)"체질인 사람은 나무와 관계있는 일과 잘 어울리며 그 방면으로 일을 할 때 성공할 확률이 높다.

3) 토(土)의 기운(氣運)

계절(季節)에 비유(比喩)한다면 봄에 해당된다. 그동안 춥고 어두웠던 겨울이라는 계절(季節)이 지나가고 이제는 계획한 일을 하기 시작해 최선을 다하는 시기(時機)이다. 겨울에 꿈꾸었던 계획을 잘 준비했다면 망설임 없이 시작하는 계절이다. 고난(苦難)과 시련(試鍊)의 시기를 거치면서 정신적으로 더욱 단련된 상태이며 육체의 건강을 잘 지켜왔다면 준비한 일을 자신 있게 시작할 수 있다. "토(土)"는 곤충의 단계이며 곤충은 식물(木)에게 없는 다리를 가지고 있다. 더 자유롭게 움직이며 뭔가를 할 수 있다는 것을 의미한다.

정신이 "토(土)"체질인 사람은 그 특성이 믿음직하고 어리숙하다. 그리고 흙이 잘 변하지 않는 것과 같이 융통성이 없고 고지식하다. 섬세하지 못하고 센스나 눈치가 부족하며 참았다가 한꺼번에 폭발한다. 부지런하며 조직에 잘 적응하고 변신(變身)을 자주하고 모으기를 좋아하나 잘 쓰지 않는다. 마음 씀씀이가 좁은 반면 어머니 같은 포용력(包容力)이 있으며 소극적이고 조직적이다. 또한 손재주가 좋으며 말을 잘한다. 정신이 "토(土)"체질인 사람은 토(흙)와 관계있는 일과 잘 어울리며 그 방면으로 일을 할 때 성공할 확률이 높다.

4) 화(火)의 기운(氣運)

계절(季節)에 비유(比喩)한다면 전반기 여름에 해당된다. 운(運)이 좋은 시기이며 실행하고 있는 일에 전력을 다해서 지난 계절(季節)에 준비하고 애를 쓴 일에 대한 결실을 거둘 수 있도록 부단히 노력(努力)해야 한다. "화(火)"계절에 의미 없이 시간을 보낸다면 크게 후회할 것이다. 자신의 체질(體質)에 맞는 일을 선택하여 지금의 계절(季節)에 와 있다면 크게 결실을 거둘 수 있으며 욕심을 내지 말고 일을 확장하는 것도 좋다.

정신이 "화(火)"체질인 사람은 그 특성이 적극적이고 성격이 급하며 솔직하다. 그리고 뒤로 물러설 줄 모르며 서두르는 경향이 있고 활동적이다. 판단이 빠르고 모방을 싫어하며 남을 배려하는 따뜻한 마음을 가지고 있다. 잔정이 많으며 화를 냈다가도 금방 풀린다. 소비적이고 이동이 심하며 뒷심이 없다. 속이 검다. 정신이 "화(火)"체질인 사람은 불(火)과 관계있는 일과 잘 어울리며 그 방면으로 일을 할 때 성공할 확률이 높다.

5) 금(金)의 기운(氣運)

계절(季節)에 비유(比喩)한다면 후반기 여름에 해당된다. 육기(六氣)에서 목(木)의 기운(氣運)은 금(金)의 기운(氣運)과 대칭(對稱)의 위치(位置)에 있다. 나무의 가지가 빛(金)이 비치는 방향으로 성장(成長)하는 이유(理由)는, 나무(木)는 생물(生物)이기 때문에 빛(金)을 역행(逆行)하여 반대(反對)로 닮은꼴을 만들기 때문이다. 그러므로 나무에 있는 가지의 방향이 "🌲"와 같이 위를 향하고 있다면, 빛(金)은 "↓"와 같이 아래의 방향으로 운동(運動)하고 그 모양(模樣)은 "🌲"인 것을 알 수 있다.

금(金)의 시기(時期)에는 일을 마무리하기 위하여 일을 더 벌이지 않고 조금씩 줄여나간다. 값진 열매를 거두는 시기이며 실속(實速)을 갖추도록 해야 한다. 이때가 되면 여유가 생기지만 그 여유 때문에 자칫 자만에 빠지는 것을 조심해야 한다. 특히 투기는 금물이다.

정신이 "금(金)"체질인 사람은 그 특성이 섬세하고 내성적이며 조심성이 있다. 자기의 본심을 잘 드러내지 않으며 타협하지 않는다. 한번 마음을 먹으면 끝장을 보고 배반하지 않는다. 순수하고 천진난만하며 멋쟁이 기질이 있다. 까다롭고 깔끔한 반면 사교성(社交性)이 부족하다. 뽐내고 싶어 하며 꼬임에 잘 빠진다. 선비 기질이 있으며 군인 체질이다. 뒤처리를 잘하며 강한 성격을 가지고 있다. 착하고 의리가 있다. 정신이 "금(金)"체질인 사람은 금(金)과 관계있는 일과 잘 어울리며 그 방면으로 일을 할 때 성공할 확률이 높다.

①빛(번개) 사진

②빛(번개) 사진

사진 ①을 180도 회전한 것이 사진 ②이다. 사진 ②에 있는 빛(번개)의 모양은 식물(植物)의 형태와 닮은꼴이다. 식물(木)의 모양(模樣)은 빛(金)의 모양(模樣)을 반대로 역행한 닮은꼴이다.

6) 기(氣)의 기운(氣運)

계절(季節)에 비유(比喩)한다면 가을에 해당된다. 이제는 본격적으로 일을 평가하고 마무리하여 그동안 은혜를 입었던 모든 사람에게 보답하고 다음 시기에 오는 겨울을 보낼 수 있는 기틀을 마련해야 한다. 겨울과 봄 그리고 여름을 잘 보내고 가을을 맞이한 지금의 "나"는 그 이전의 "나"보다 한층 더 성숙되어 있다. 물론 그 계절들을 잘 보내지 못한 경우는 다음에 오는 계절인 겨울이 매우 힘든 시기가 될 것이다. 성공한 사람이 있을 것이고 실패한 사람이 있을 것이다. 결과에 대한 모든 책임은 자신에게 있으니 남을 탓할 이유가 없다.

정신이 "기(氣)"체질인 사람은 그 특성이 자유분방하고 게으르며 끈기가 없다. 자신의 주장(主張)이 약하고 남의 주장(主張)을 잘 수용한다. 중재자 역할을 잘 하며 어머니 같은 포용력이 있다. 낭비형이고 정신적인 일을 좋아한다. 물에 물 탄 듯 선명하지 못하다. 다니기 좋아하고 먹기를 좋아한다. 정신이 "기(氣)"체질인 사람은 공기(空氣)나 씨(氣)와 관련 있는 일과 잘 어울리며 그 방면으로 일을 할 때 성공할 확률이 높다.

제 4장 수상학(手相學)

1] 수상학의 개념

손에 있는 손금과 문양 그리고 손의 형태는 몸의 특성과 두뇌의 특성을 그대로 반영하고 있다. 지구상의 모든 인간은 같은 손금의 형태를 가진 경우는 없으며 심지어 쌍둥이도 손금의 모양은 조금 다르다. 이것은 마치 수증기가 얼어서 된 눈(Snow)의 결정체(結晶體) 모양이 모두 다르게 생긴 것과 닮은꼴이다. 손은 뇌의 기능과 밀접하게 관계되어 있는데 오른손은 좌뇌의 지도라 할 수 있으며 좌뇌는 읽기, 쓰기, 계산, 논리적 사고, 사회생활에 필요한 핵심적 기능을 주로 수행하고. 왼손은 우뇌의 지도라 할 수 있으며 우뇌는 감정반응, 상상력, 창의력, 잠재의식, 내면세계를 주로 나타낸다. 이처럼 수상학은 손금과 문양 그리고 손의 형태를 보고 그 사람의 성격, 지적성향, 재능, 체질, 환경에 대한 적응 방식과 문제 해결 방식을 알아서 현재의 상황을 추측하고 미래를 예측하여 한 사람의 인생을 분석하는 학문이다.

이 책은 수상학에 대해 깊이 있게 분석하려는 의도로 출판하는 것이 아니라 역학과 수상학이 어떻게 연관(聯關)되어 있으며 그 연관(聯關)된 것을 어떻게 응용(應用)하는지를 제시하고자 하는 것이 주된 목적이다.

2] 해석(解析)의 기본 원리(基本 原理)

손에 나타난 구(Mount)와 손금이 어떤 것을 의미하고 있는지를 알게 되면 손금을 해석하는 방법에 대한 큰 흐름을 이해하게 된다. 손에 나타나 있는 손금은 기본 삼대선과 세로 삼대선이 있다. 기본 삼대선이 자동차라면 세로 삼대선은 그 자동차가 지나가는 길이다. 기본 삼대선으로 인생을 살아가면서 얻는 삶의 Energy와 감정의 상태가 손에 나타난 것이 세로 삼대선과 나머지 선이다. 나머지 선은 향상선과 운명선 그리고 재물선과 사업선 등이 있다.

감정선의 시작 부분과 두뇌선의 시작 부분을 직선으로 이은 선을 기준으로 그 아래는 몸(육체)의 정보가 주로 나타나 있으며 그 위로는 감정(정신)의 정보가 주로 나타나 있다. 인생길을 가면서 얻은 행복감을 나타내는 선이 목성구, 토성구, 태양구, 수성구에 세로로 나타나는 손금이다. 만족의 정도에 따라 그 선의 굵기와 모양은 차이가 있다.

인생길을 가는데 좌절감을 나타내는 선은 각종 장애선이다. 만약 행복감이나 좌절감을 잘 느끼지 않는 사람이라면 행복감을 나타내는 선인 세로선이나 좌절감을 나타내는 선인 각종 장애선이 잘 나타나지 않는다. 행복감은 보통의 경우에는 물질적으로는 풍요해야 느낄 수 있고 심리적으로는 안정(安定)이 되어야 느낄 수 있는 것이다. 만약에 물질적인 풍요로움이나 심리적인 안정(安定)과 관계(關係)없이 스스로가 행복감이나 만족감을 느낀다면 목성구의 향상선(직위), 토성구의 운명선(직위), 태양구의 재물선(태양선, 출세), 수성구의 사업선(재운선, 기회) 등이 좋은 모습으로 나타나지만, 객관적인 환경이 물질적인 풍요로움이나 심리적인 안정이 되어 있다고 하더라도 스스로가 행복감이나 만족감을 느낄 수 없다면 목성구의 향상선, 토성구의 운명선, 태양구의 재물선(태양선), 수성구의 사업선(재운선) 등이 좋지 않은 모습으로 나타나거나 아예 그 선들이 나타나지 않는다. 세로선이 물질적인 풍요를 의미한다면 장애선인 가로선은 물질이 상(傷)한다는 의미다. 세로선이 행복감이라면 가로선은 좌절감이다.

목성구와 토성구의 세로선은 좌뇌의 행복감을 나타내는 선이고 태양구와 수성구의 세로선은 우뇌의 행복감을 나타내는 선이다. 또한 좌뇌는 남자(정신)를 의미하기 때문에 월구와 관계가 많고, 우뇌는 여자(육체)를 의미하기 때문에 금성구와 관계가 많다. 그리고 좌뇌는 양(陽)이어서 동적(動的)인 동산(動産)과 인연이 있고, 우뇌는 음(陰)이어서 정적(靜的)인 부동산(不動産)과 인연이 있다. 그러므로 월구는 동산(動的)과 인연이 있으며, 금성구는 부동산(不動産)과 인연이 있는 것이다.

그 사람에 대한 정보가 없는 상태에서도 손금으로 판단이나 조언을 할 수는 있지만 손금을 보기 전에 그 사람에 대한 외부적인 환경인 사회 활동과 내부적인 환경인 가정 상황에 대한 정보를 어느 정도 아는 것이 판단을 하거나 조언을 하는데 유리하다.

뇌의 기능을 감성과 이성으로 분류를 한다면 감정선은 감성(본능)의 상태를 주로 나타내는 선이고 두뇌선은 이성(계산)의 상태를 주로 나타내는 선이다. 그리고 감정선(난자, 어머니)과 두뇌선(정자, 아버지)이 사랑을 하여 만든 육체가 생명선이고 감정선(난자, 어머니)과 두뇌선(정자, 아버지)이 사랑을 하여 만든 정신이 운명선이다.

감정선과 두뇌선이 따로 분리(分離)되어 있는 일반적인 경우에, 강한 생명선과 함께 손바닥의 하단에서 출발한 운명선이 중간에 끊어지지 않고 거의 일직선으로 표준형 길이보다 조금 더 긴 강한 두뇌선과 표준형 길이보다 조금 더 긴 강한 감정선을 통과(通過)하여 토성구의 중심까지 닿아 있는 손금을 가진 존재(存在)는 단절적(斷絶的)인 상변화(相變化)인 진화(進化)의 임계점(臨界點)에 닿은 것이다. 이런 손금을 가진 사람의 다음 생(生)은 사람의 몸보다 진화(進化)한 존재(存在)로 태어나게 된다. 왜냐하면 운명선(나의 정신)이 감정선(어머니, 여성)과 두뇌선(아버지, 남성)을 극복(克服)하고 넘어선 것은 새로운 존재(存在)로 진화(進化)할 수 있는 조건(條件)이 되었다는 것을 의미(意味)하기 때문이다.

감정선과 두뇌선의 관계에서 감정선이 하향하여 두뇌선을 지나가는 경우는 있어도 두뇌선이 상향하여 감정선을 지나가는 경우는 없다. 이것이 의미(意味)하는 것은 이성(두뇌선)은 본능(감정선)을 넘어설 수 없다는 것이다. 막쥔 손금의 경우를 보면 감정선과 두뇌선이 합(合)을 이루고 있으며, 이는 진아(감정선)와 자아(두뇌선)가 몸(육체)을 통(通)하여 직접적(直接的)인 만남(사랑)을 하고 있다는 것을 의미(意味)한다.

막쥔 손금은, 일반적인 손금이 감정선(진아, 陰의 정보Energy)과 두뇌선(자아, 陽의 정보Energy)이 분리(分離)되어 있어서 진아(眞我)와 자아(自我)가 몸(육체)을 통(通)하여 간접적(間接的)인 만남(사랑)을 하고 있는 것과는 반대(反對)로, 감정선(진아, 陰의 정보Energy)과 두뇌선(자아, 陽의 정보Energy)이 직접적(直接的)인 만남(사랑)을 하고 있다. 감정선과 두뇌선을 통(通)하여 진아(眞我)와 자아(自我)가 직접(直接) 만났기 때문에 감정선과 두뇌선이 따로 분리(分離)되어 있는 일반적인 경우를 역행(逆行)한 것이다.

막쥔 손금의 아류(亞流)를 제외(除外)하고 막쥔 손금의 모양(模樣)이 감정선(본능)이 주(主)가 되어 만들어진 것이 아니고 두뇌선(이성)이 주(主)가 되어 만들어진 것 중에서, 강한 생명선과 함께 막쥔 손금의 격(格)이 높을 경우에 그 막쥔 손금을 가진 존재(存在)는 새로운 우주(宇宙)를 창조(創造)할 수 있는 임계점(臨界點)에 닿은 것이다. 왜냐하면 막쥔 손금은, 감정선(眞我)과 두뇌선(自我)이 몸(육체)을 통(通)하여 간접적(間接的)인 만남(사랑)을 하고 있는 일반적인 손금을 역행(逆行)하여, 감정선(진아, 陰의 정보Energy)과 두뇌선(자아, 陽의 정보Energy)이 직접적(直接的)인 만남(사랑)을 하고 있으며, 이는 陰의 정보Energy인 진아(眞我)와 陽의 정보Energy인 자아(自我)가 새로운 우주(宇宙)를 창조(創造)할 수 있는 조건(條件)이 되었다는 것을 의미(意味)한다. 격(格)이 높은 막쥔 손금의 가장 중요한 조건(條件)은 손바닥의 하단에서 출발한 운명선이 중간에 끊어지지 않고 거의 일직선으로 막쥔 손금을 통과(通過)하여 토성구의 중심까지 닿은 것을 말한다. 역행(逆行)과 반대(反對)는 진화(進化)와 창조(創造)의 중요한 수단(手段)이다.

인간적인 본능(두뇌선)과 동물적인 본능(감정선)을 역행(逆行)하는 수행(修行)을 계속하면 감정선의 끝이 점점 내려가고 두뇌선의 끝이 점점 올라가서 상당(相當)한 기간이 지난 후에는 감정선과 두뇌선이 가로의 직선형으로 변화하게 된다. 이는 역행의 수행을 계속하면 막쥔 손금이 된다는 뜻이다. 상당(相當)한 기간(期間)이란 당대(當代)보다는 윤회(輪廻)의 의미(意味)가 더욱 크다. 또한 인생을 살아가면서 이별이나 배신

등으로 인한 극심(極甚)한 정신적인 고통이나, 질병 등으로 인한 극심(極甚)한 육체적인 고통을 당하게 되면 소지(小指)와 약지(藥指)사이의 감정선(感情線)에서 두뇌선(頭腦線) 방향으로 향(向)하는 가로의 선(線)이 나오게 되는데 이를 비애선(悲哀線)이라고 한다. 이러한 정신적인 고통이나 육체적인 고통을 극복(克服)하게 되면 비애선(悲哀線)이 두뇌선(頭腦線)을 통과(通過)하지 않고 두뇌선(頭腦線)과 거의 일직선(一直線)으로 연결(連結)되는데, 이는 감정선(感情線)과 두뇌선(頭腦線)이 일종(一種)의 감정선(感情線)인 비애선(悲哀線)을 매개(媒介)로 직접적(直接的)으로 만나는 것이다. 감정선(感情線)과 두뇌선(頭腦線)의 직접적(直接的)인 만남(사랑)은 인간(人間)의 몸(소우주)보다 더욱 자유(自由)로운 생명(生命)으로 진화(進化)할 수 있는 조건(條件)을 의미(意味)한다. 고통(苦痛)과 고통(苦痛)의 극복(克服)은 생명(生命)의 진화(進化)를 위한 또 다른 방법(方法)이다.

인간(人間)의 몸(관상, 수상, 체상)을 보고 진화(進化)의 임계상태(臨界狀態)에 다가온 사람인지 아닌지를 예측(豫測)할 수 있는 것처럼, 인간(人間)이 아닌 다른 생명(生命)도 진화(進化)의 임계상태(臨界狀態)에 다가온 생명(生命)인지 아닌지를 예측(豫測)할 수 있는 어떤 표상(表象)이 있을 것이다. 왜냐하면 모든 생명(生命)은 "닮은꼴"이기 때문이다.

인간적인 본능(本能)에 속박(束縛)되지 않는 사람은 역학(易學)이나 관상(觀相)으로 판단(判斷)하지 않는다. 왜냐하면 태어난 시점(時點)으로 판단(判斷)하는 역학(易學)과 생긴 모양새를 보고 판단(判斷)하는 관상(觀相)은 그 시점(時點)과 그 모양새로 인간적인 본능(本能)을 읽어내어 판단(判斷)하는 것이기 때문이다. 그에 해당하는 경우는 성인(聖人)에 가까운 사람과 그와 대칭(對稱)에 있는 반사회적 인격장애나 자기애성 성격장애 또는 마키아벨리즘(Machiavellism) 등과 같은 성향을 가진 악인(惡人)이다. 신선(神仙)같은 사람과 짐승같은 사람은 운명(運命)을 판단(判斷)할 수 있는 격(格)의 외(外)로 본다. 인간적인 본능(本能)이란 도덕적 능력인 사단(四端) 즉, 측은지심(惻隱之心), 수오지심(羞惡之心), 사양지심(辭讓之心), 시비지심(是非之心)과 자연스러운 감정인 칠정(七情) 즉, 기쁨(喜), 노여움(怒), 슬픔(哀), 두려움(懼), 사랑(愛), 미움(惡), 욕망(欲)을 의미한다. 하지만 대부분(大部分)의 인간(人間)은 일시적(一時的)으로 본능(本能)을 극복(克服)하여 극기(克己)할 수는 있지만, 지속적(持續的)으로 본능(本能)을 극복(克服)하여 극기(克己)할 수는 없다. 이치(理致)로 볼 때 본능(本能)의 극복(克服)과 사랑의 실천(實踐)은 인간(人間)의 몸을 초월(超越)하여 더욱 자유(自由)로운 몸(소우주)으로 진화(進化)할 수 있는 수단(手段)이다. 또한 타고난 본능(本能)을 극기(克己)하는 것은 타고난 운명(運命)을 변화(變化)시키는 수단(手段)이기도 하다.

관상(觀相)에서 진아(眞我, 陰의 정보Energy)와 자아(自我, 陽의 정보Energy)의 직접적(直接的)인 만남(사랑)을 보는 곳은 대천문(大泉門)과 시상봉합(矢狀縫合)인데, 관상(觀相)의 기본적(基本的)인 격(格)이 높고 대천문(大泉門)과 시상봉합(矢狀縫合)의 부위(部位)가 좌우대칭(左右對稱)으로 둥글게 위로 솟은 모양(模樣)을 보고 판단(判斷)한다. 그리고 체상(體相)에서 진아(眞我, 陰의 정보Energy)와 자아(自我, 陽의 정보Energy)의 직접적(直接的)인 만남(사랑)은 "제 2장 나와 우주(宇宙) 그리고 생명(生命)"에 기술(記述)한 내용(內容)을 참고(參考)하기 바란다.

감정선은 주(主)로 난자(卵子)를 만든 정보(情報)를 가지고 있는 "정보 (情報)Energy"가 손금으로 나타난 것이며 두뇌선은 주(主)로 정자(精子)를 만든 정보(情報)를 가지고 있는 "정보(情報)Energy"가 손금으로 나타난 것이다. 감정선(난자)과 두뇌선(정자)의 만남으로 생명선(육체)과 운명선(정신)을 만들었고 감정선과 생명선이 가진 정보(情報)와 Energy의 열매가 재물선(태양선)이며 두뇌선과 운명선이 가진 정보(情報)와 Energy의 열매가 사업선이다.

신체(몸)로 생(生)을 판단(判斷)하는 방법(方法)은 수상(手相, 1/3)으로 보는 방법과 관상(觀相, 1/3)으로 보는 방법 그리고 체상(體狀, 1/3)으로 보는 방법이 있다. 이를 음양중(陰陽中)으로 나누어 보면, 수상(手相)을 판단하는 중요한 기준인 손금이 있는 손은 원(願)하는 대로 움직일 수 있기 때문에 양(陽)으로 보고, 관상(觀相)은 손보다는 움직일 수 있는 것이 제한(制限)이 되어 있기 때문에 음(陰)으로 보며, 체상(體狀)은 수상(手相)과 관상(觀相)의 근본(根本)이므로 중(中)으로 본다. 수상(手相)과 관상(觀相) 그리고 체상(體狀) 중에서 수상(手相)을 조금 더 중요하게 보는데, 그 이유는 손이 뇌의 기능과 더욱 밀접하게 관계되어 있기 때문이다. 관상(觀相)과 수상(手相) 그리고 체상(體狀)은 마음과 생각 그리고 건강을 보고 부귀빈천(富貴貧賤)과 수요(壽夭)를 알아보는 것이다.

관상(觀相)과 수상(手相) 그리고 체상(體狀)의 각각을 주(主)와 부(副)로 나누어 보면 관상(觀相)은 마음을 주(主)로 보고 생각을 부(副)로 보는 것이고, 수상(手相)은 생각을 주(主)로 보고 마음을 부(副)로 보는 것이며, 체상(體狀)은 마음과 생각을 함께 보는 것이다. 그 이유(理由)는 얼굴은 손에 비해 움직임이 상대적으로 적기 때문에 음(陰)으로 보고, 손은 얼굴에 비해 움직임이 상대적으로 많기 때문에 양(陽)으로 보기 때문이다. 그리고 얼굴과 손의 바탕이 체상(體狀)이므로 체상(體狀)으로 마음과 생각을 함께 본다. 또한 관상(觀相), 수상(手相), 체상(體狀)으로 타고난 양(陽)의 기운(氣運)을 보고, 역학(易學)으로 타고난 음(陰)의 기운(氣運)을 본다. 부귀빈천(富貴貧賤)과 수요(壽夭)를 판단(判斷)할 때는 양(陽)의 기운(氣運)과 음(陰)의 기운(氣運)을 모두 고려(考慮)하고 그 기운(氣運)을 가감(加減)하여 판단(判斷)하여야 한다.

운(運)과 격(格)을 판단할 때, 역학(易學)은 주(主)로 육체(肉體)와 정신(情神)의 운(運)의 변화(變化)를 판단(判斷)하고 부(副)는 격(格)을 판단(判斷)한다. 관상(얼굴, 손, 몸)은 주(主)로 격(格)을 판단(判斷)하고 부(副)는 운(運)의 변화(變化)를 판단(判斷)한다.

세상에는 정신적으로 또는 육체적으로 나와 잘 맞는 것이 있고 나와 잘 맞지 않는 것도 있다. 이들을 만나는 것(사랑)은 인연(因緣)의 강약(强弱)에 의해 정해진다.

3] 기본 삼대선

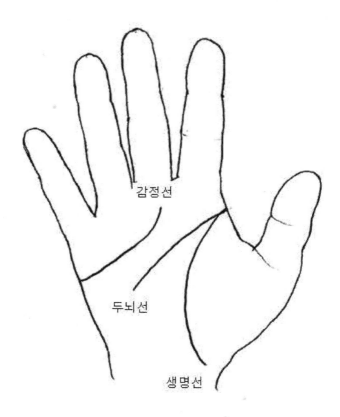

감정선

두뇌선

생명선

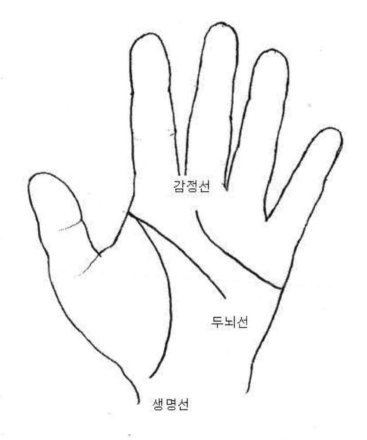

감정선

두뇌선

생명선

1) 두뇌선

짧은 두뇌선이 판단을 빨리하고 성급한 성격인 반면 긴 두뇌선은 판
단하는 시간이 길고 신중하다. 생명선과 두뇌선이 붙어 있는 경우는

상식적인 사람이며 현실과 이상이 적절히 조화를 이루고 있고 명랑하다. 그리고 두뇌선이 생명선과 길게 붙어 있을수록 두뇌선은 월구(月丘)쪽으로 향하며 월구(月丘)쪽으로 향할수록 공상, 망상, 독창성, 집착, 소심성이 강해진다. 두뇌선의 기점(起點)과 생명선의 기점(起點)이 많이 떨어질수록 카리스마, 적극적, 보스 기질, 정치적 성향을 보이며 독선적, 히스테리, 도박 성향, 사치, 허영심이 있다. 긴 두뇌선은 섬세하고 신중하여 연구직, 조사관 등의 직업이 좋다. 짧은 두뇌선은 임기응변, 기술, 기능, 민첩성, 처세술 등이 뛰어난다. 머리가 좋고 나쁨은 두뇌선의 길이와 관계없다. 두뇌선이 제2화성구 쪽을 향해 있으면 현실적이고 물질적이며 계산적이다. 그리고 이과나 상과계열의 학문과 어울리며 돈을 버는 재주가 뛰어나지만 사람이 재미가 없다.

두뇌선이 제2화성구와 월구의 사이로 향해 있으면 상식적이고 이상과 현실을 적절히 조정한다. 두뇌선이 월구 쪽으로 향해 있으면 비현실적이고 공상적, 낭만적이며 문과계열의 학문과 어울린다. 중간이 끊긴 두뇌선이나 연속적으로 끊긴 두뇌선은 정신병자인 경우가 많고 히스테리, 우울증, 집착하는 성향이 있으며 싫증을 빨리 낸다. 두뇌선이 사슬모양을 하고 있으면 정신과 지능에 문제가 있다. 직선형의 두뇌선은 분석적인 사고를 하므로 이과 계통의 논리적인 학문인 경영학, 경제학, 금융학, 전산학 등이 적성에 맞으며 완만한 곡선형의 두뇌선은 문과 계통의 학문인 인문학, 사회학 등이 적성에 맞다. 그리고 곡선형의 두뇌선은 예체능, 창작, 예술 계통의 학문이 적성에 맞으며 다양한 분야에 관심이 있다.

두뇌선이 짧은 경우에 장점은 직감력이 뛰어나지만 신경계통이 약하고 끈기가 없으며 집중력이 떨어지는 단점이 있다. 두뇌선이 짧으면 건강도 좋지 않다. 두뇌선이 상당히 긴 경우의 장점은 학문, 연구, 공부를 원하는 만큼 할 수 있다. 끊어졌다가 이어지는 두뇌선을 가진 경우는 나이가 들어서 인생길이 달라진다.

이중 두뇌선이 두 가닥 다 길게 잘 나온 경우는 매우 드문데 영특하고 기억력이 매우 좋아서 조기교육이 필요하다. 하지만 여러 가지 일을 동시에 하려는 단점이 있다. 두뇌선은 선명하고 적당한 정도로 휘어 있는 것이 가장 좋으며 대뇌, 신경계통, 심장, 심혈관, 정신분열과 밀접한 관계가 있다. 두뇌선의 중간에 섬문양이 생길 경우는 그 나이대에 정신적 방황, 직업적 방황, 재물의 손실이 발생한다는 의미가 있으며 건강상의 의미는 현기증, 평형장애, 구역질이 있다는 것을 의미한다. 정신건강이 나빠지면 두뇌선이 길어지면서 하향하여 월구 쪽으로 들어가게 되고 월구가 상당히 무질서하게 된다. 그리고 두뇌선 말단에 "×"형태(形態)의 문양(文樣)이나 "별"형태(形態)의 문양(文樣)이 생기면 극단적인 경우에는 자살까지 갈 수 있다.

2) 감정선
감정선이 짧으면 냉정하고 이기적이며 사교성이 약하고 표현하는 능력이 약하다. 감정선이 목성구까지 뻗어 있어 긴 경우는 완벽주의 성향이 있어서 근심이 떠나지 않는다. 그래서 편안한 날이 없고 배우자나 애인을 구속하며 집념이 대단하고 아량이 없다. 중지 아래를 기준으로 감정선과 두뇌선의 사이의 간격은 약 1㎝가 적당한데 이보다 좁으면 37세 ~ 55세 사이에 한 일이 별로 없다는 의미가 있으며 이보다 넓으면 37세 ~ 55세 사이에 많은 일을 했다는 의미가 있다.

감정선이 중간에 끊어진 경우는 감정조절을 잘못하기 때문에 화를 잘 내고 성격이 매우 괴팍하다. 사랑이 끊겨졌다는 의미도 된다. 감정선에 아들, 딸 선이 많으면 생산성 좋고 다정다감하다. 그리고 감정선의 끝이 갈라진 경우는 풍요로운 마음을 가지고 있다.

직선형의 감정선인 경우는 냉혹하고 현실적이며 계산적이다. 그리고 정이 없으며 실연을 당했을 경우에도 담담하다. 인기가 별로 없으며 무뚝뚝해서 화려한 연애는 못한다. 감정선이 곡선형인 경우는 감정이 풍부하고 정서가 살아있고 로멘티스트에 가깝다. 이중 감정선인 경우는 감정선이 절대로 목성구까지 가지 않고 중지에서 거의 멈추는데 한번은 사랑에 실패하며, 양손 다 이중 감정선일 경우 반드시 이혼한다. 그리고 변덕이 심하며 한 사람에게 집중하는 애정관이 가지고 있지 않다. 삼중 감정선의 경우는 이중 감정선의 성향이 더욱 강화되며 불륜문제가 항상 있다. 감정선에 상향 지선이 있는 경우는 사교성이 좋으며 마음이 풍요롭고 애정표현에 능숙하며 예술성이 있다.

감정선의 하향 지선이 두뇌선까지 내려가 있는 경우는 감정이 두뇌를 지배하여 두뇌선을 파괴하는 형상으로 본다. 감정선의 하향 지선이 두뇌선을 지나 생명선까지 침투한 경우는 이혼의 대표적 형상이다. 감정선에 상향선이 있는 경우는 정력이 세고 애정이 풍부하다. 감정선이 상향(上向)하고 결혼선도 상향(上向)한 경우는 다산가이다. 끊기지 않은 이중 감정선이 있는 경우는 감정이 풍부하고 정력이 왕성하며 활동성이 좋다. 감정선 시작부위에 상향선이 있으면 인기가 많고 매력이 있다. 감정선 시작부위에 하향선이 있으면 이성으로 인한 고통과 고민이 있다. 감정선에 횡선이나 가로선 또는 점이 있으면 애정의 파탄이나 불행, 고통이 있다는 것이다. "×"자형의 이중 감정선을 가지고 있으면 두 가지 다른 성격이 동시에 나타나는데 한 가지는 이기적이고 소심함으로 나타나며 다른 한 가지는 정이 많고 감정이 풍부하고 눈물이 많은 성향으로 나타난다. 그리고 건강은 심장이 약하기 때문에 육체노동을 하지 않는 것이 좋다. 검지쪽으로 길게 올라간 감정선이 있으면 성취욕, 고집, 권력욕, 명예욕, 이기적, 리더십을 의미한다.

전체가 꽈리형인 감정선의 경우는 심장이 안 좋고 간이 약하다. 감정선의 시작 지점이 꽈리형(4~5개 정도)인 경우는 내면의 세계가 복잡하고 의사표현을 잘 못하며 사소한 일에 상처받고 마음의 상처가 오래 간다. 검지와 중지 사이로 들어가는 감정선은 현실적이고 보수적이며 정이 많고 남을 잘 돕는다. 그래서 자기 것을 잘 못 챙기고 자기의 주관보다 부모의 의사를 더 따른다.

감정선의 선의 길이는 소화기능과 관계가 있으며 선의 상태는 심장기능과 혈관과 관계가 있다. 감정선에 섬문양이 있으면 청각과 시신경에 문제가 있으며 감정선의 잔선은 호흡기와 폐에 문제가 있다는 의미가 있다. 감정선은 심장기능, 혈압과 밀접한 관계가 있다. 다른 선에 비해서 감정선이 강하고 잔선이 많을 때는 혈압을 조심하여야 한다. 뚝뚝 끊겨 있는 감정선은 부정맥을 조심하여야 하며 약지 중간 아래쪽의 감정선 상에 "║"의 문양이 있으면 혈압이 상당히 안 좋다.

감정선이 검지 첫째 마디에 닿은 경우는 소화기능과 위장의 기능이 좋지 않다. 감정선이 검지와 중지 사이에 닿은 경우도 위장의 기능이 안 좋다. 중지 아래 부위의 감정선 상에 "║║║║"의 문양이 있는 경우는 호흡기(기관지와 폐)가 안 좋다. 약지아래 부위의 감정선 상에 섬 문양이 있는 경우는 시신경이 좋지 않고 눈이 나쁜 사람이 많다. 중지 아래를 기준으로 감정선과 두뇌선의 사이는 약 1㎝가 적당한데 감정선과 두뇌선의 사이가 매우 좁은 경우는 폐활량이 약하다. 약지 아래 부위에서 끊어진 감정선인 경우는 간이 좋지 않은데 어렸을 때 간염에 걸렸을 수 있다. 간장선이 있으면 간이 안 좋은 확실한 징조이다.

3) 생명선

생명선의 상단 부위가 짧게 연속으로 끊겨 있으면 단명도 가능하다. 중간에 끊겼다가 이어진 생명선은 뜻하지 않은 사고나 실직, 생활의 변화나 주거의 이동을 의미한다. 죽음과의 관련은 두뇌선과 감정선 그리고 운명선을 같이 봐야 한다. 생명선만 생명과 관련이 있는 것이 아니고 손금의 의미를 확장하여 보면 두뇌선과 감정선도 일종의 생명선으로 볼 수 있다. 생명선이 짧은 경우라도 두뇌선, 감정선, 운명선, 재물선이 다 있으면 절대 단명을 하지 않는다.

기본 삼대선인 두뇌선, 감정선, 생명선만 있어도 잘 산다. 하지만 다른 선들이 없다면 화려한 생활은 하지 못하고 평범한 생활을 한다. 세로 삼대선인 운명선, 사업선, 재물선이 있으면 다양한 활동을 하며 화려하게 산다. 꽈리형의 생명선은 영양섭취 상태가 고르지 않아서 허약체질이고 허약하기 때문에 내성적이고 소심하며 이기적으로 된다. 남들과 잘 어울리지 못하고 자주 아프며 혼자 있는 것을 좋아한다. 생명선에 하향하는 잔선이 많은 경우는 스트레스를 많이 받고 있다는 뜻이다. 유난히 연한 생명선의 경우는 건강상태가 좋지 않다. 생명선에 횡선, 가로선, 점이 있으면 질병, 사고가 있다는 의미가 있으며 생명선은 다른 선들보다 현재의 건강상태와 밀접한 연관이 있는데 특히 내장(내부 장기)과 위장의 기능과 많은 관련이 있다. 생명선이 표준 출발지점보다 검지쪽으로 올라간 경우는 간에 열이 많아서 담석증으로 고생한다. 생명선이 표준 출발지점보다 엄지 쪽으로 내려간 경우는 위장과 소화력이 안 좋다.

생명선 끝에 별 문양이 있으면 급작스런 죽음을 맞이하는 경우가 많다. 성인이 짧은 생명선을 가지고 있는 경우는 건강에 문제가 있다. 월구쪽으로 흘러간 생명선이 있는 경우는 신장 기능에 이상이 있다. 나이 드신 분이 생명선의 하단에 생명선을 가로로 끊는 선이 있는 경우는 질병이나 사고를 당할 수 있으므로 조심해야 한다. 생명선과 두 뇌선이 떨어져서 출발하는 경우는 남자의 경우는 어울리기 싫어하고 여자의 경우는 독립심이 있고 적극적으로 산다.

4] 세로 삼대선

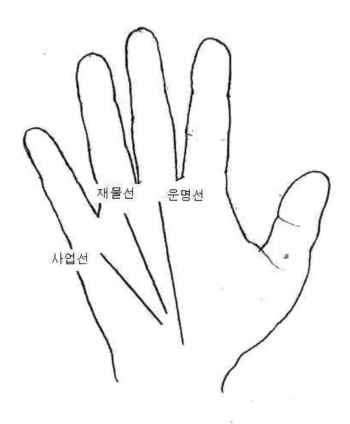

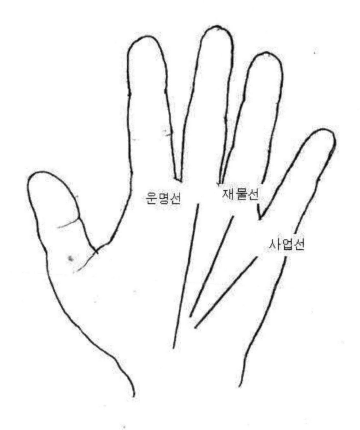

1) 운명선

운명선은 직업과 관계가 많이 있는데 운명선이 여자에게 있으면 일을 많이 하고 고생을 한다고 보기 때문에 여자는 운명선이 없는 것이 오히려 좋을 수 있다. 운명선이 쪽 뻗어 있으면 직장인, 농사, 프로선수

등과 같은 기계적인 일을 하기 싫어한다. 운명선은 사회운을 나타내며 운명선이 없는 경우는 직업의 변화가 많고 액고가 많으며 고통스러운 생활을 한다. 운명선이 있다는 것은 사회활동성이 있다는 것이며 내가 책임져야할 무언가가 있다는 뜻이 있다. 하지만 돈을 많이 버는 것과는 상관이 별로 없다. 운명선으로 인생행로의 변화와 집안환경을 알수 있다. 운명선이 뚜렷해도 노숙하는 사람이 많으며 주로 초년의 운(運)을 본다. 운명선이 양손 다 없는 경우는 어릴 때 조실부모했거나 집안이 어려워 공부를 제대로 하기가 어렵고 운명선이 한쪽에만 있는 경우는 처음에는 집안이 좋았는데 초등학교나 중학교 때 집안에 급작스런 변화가 있어서 집을 떠나서 생활을 하게 된다.

운명선이 곧게 뻗어 있다면 좋은 부모 밑에서 어려움 없이 자란다. 운명선은 없는 것보다 있는 것이 좋다. 운명선은 50%, 사업선은 5%, 재물선은 5% 정도의 사람에게만 있다. 세로 삼대선이 모두 있는 경우는 거의 없다. 세로 삼대선은 세속적인 재물(財物)과 명예(名譽)를 얻는데 필요한 선이다. 운명선이 없는 경우는 내 의지가 들어가지 않은 직업을 가진다는 의미가 있으며 화려한 삶, 화려한 직업, 재물, 명예와는 거리가 멀다. 운명선이 감정선을 넘어가야 좋다. 뚝뚝 끊어진 운명선은 없는 것이 더 좋다. 왜냐하면 할 것은 많은데 중도에 좌절하기 때문이다. 운명선의 시작 부분에 섬문양이 있으면 종양의 가능성이 있다. 유아나 초등생의 운명선이 길게 나와 있는 경우는 피곤한 상태이며 건강에 문제가 있다.

2) 재물선
재물선은 정치인, 예술인, 배우, 탤런트, 역술인, 인기, 명예, 권력을 상징하며 재물선이 있으면 인기와 명예가 있고 멋쟁이다. 그리고 희노애락(喜怒哀樂)을 안다. 한 가지 일에 매진하면 재물선이 나온다. 뜻하지 않은 행운을 의미하고 태양구나 재물선에 "별"문양이 나타나면 명예, 당선, 횡재, 승진, 합격의 의미가 있다. 재물선으로 성공할 수 있는지를 알아본다. 너무 굵으면 안 되고 직선일수록 좋다. 재물선은 끊기거나 "별"문양이 있어도 건강과는 관련이 없다.

3) 사업선

사업선이 감정선 위까지 나와 있는 경우는 책임감과 리더십이 있고 꾸준한 공부가 가능하다. 운명선, 재물선과 함께 그 사람이 살아가는 길에 성공(成功)과 실패(失敗)를 예측하는데 중요한 역할을 한다. 사업선에 섬문양이 있으면 종양의 가능성이 있다.

5] 구(Mount)

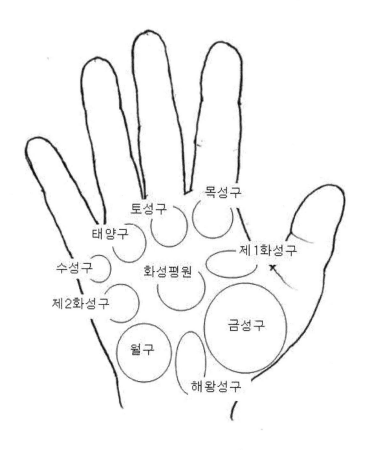

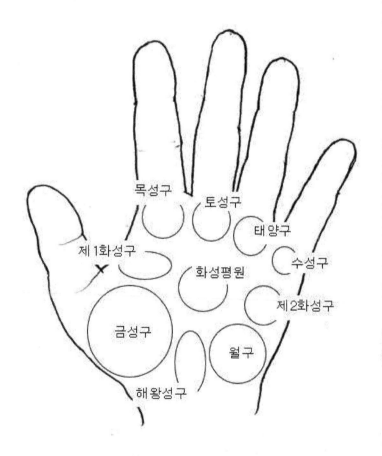

목성구
토성구
태양구
제1화성구
화성평원
수성구
제2화성구
금성구
월구
해왕성구

1) 제2화성구

제2화성구가 잘 발달한 사람은 저항력(抵抗力)과 지구력(持久力) 그리
고 끈기가 있으며 외부의 압력에 방어하는 능력이 우수하고 사업가의

기질이 있다. 너무 발달해 있는 경우는 반항심(反抗心)이 있고 투쟁적(鬪爭的)이며 싸우기를 좋아한다. 그리고 제2화성구의 잔선은 장이 좋지 않은 것을 의미한다.

2) 수성구

수성구에 격자문양(格子文樣)이 있으면 정력을 과도하게 소비하였고 신장기능의 약화를 뜻하며 성병이 있다는 것을 의미한다. 수성구가 잘 발달해 있으면 사교, 외교, 화술, 소통능력, 감성풍부, 사업능력이 있으며 멋쟁이고 돈을 잘 쓴다. 하지만 너무 발달하면 수다스럽다.

3) 금성구

금성구 하단에서 가로로 나오는 방종선(放縱線)이 있으면 건강상태가 심각하게 좋지 않으므로 반드시 생활습관을 바꿔야 한다. 금성구가 너무 두툼한 경우는 뇌출혈의 위험이 있다. 금성구의 격자문양(格子文樣)은 애정이 풍부하고 정력이 왕성하다. 남자의 금성구는 성적매력, 정력, 성욕, 생명력, 체력, 박력을 상징하고 여자의 금성구는 성적매력, 자녀생산력을 상징한다. 하지만 너무 발달해 있으면 폭력적인 성향이 있다. 금성구가 좁으면 마음이 좁고 금성구의 면적이 넓을수록 마음이 넓다. 금성구가 얇은 경우는 건강상태가 좋지 않고 내성적이며 친구가 적다. 금성구는 장(위장)의 소화력과 관계가 있다. 금성구는 돈을 버는 힘이며 월구는 돈을 지키는 힘이다. 그리고 금성구가 발달하면 부동산과 인연이 있다.

4) 월구

월구에 건강선이 많이 나온 경우는 장이 좋지 않으며 소심하고 내성적이다. 월구는 정신, 상상력, 창조력, 과학, 연구, 예능과 관계가 있다. 월구가 매우 발달하면 현실 감각이 없고 변덕스럽고 게으르며 이기적(利己的)이고 냉정(冷靜)하다. 월구에서 위로 올라간 선이 있으면 타인의 도움, 귀인의 도움, 배우자의 도움, 직장상사의 도움을 받는다.

5) 토성구
토성구는 신비적인 철학, 종교, 학자, 책임감, 신용, 신중, 냉정(冷靜)의 의미가 있으며 토성구가 너무 발달하면 냉소적(冷笑的), 이기적(利己的), 음침함, 범죄자 성향, 고독한 사람이 된다. 토성구는 발달하지 않는 것이 좋다.

6) 목성구
목성구에 "#"문양이 있으면 관운, 권력운, 시험운이 있고 "별"문양이 있으면 목적 달성을 위한 투쟁의 힘이 강화되어 있어 야망이 있다. 나의 목적, 정치가, 명예욕, 자신감, 지배, 독점, 독재의 의미가 있다. 너무 발달해 있으면 오만하고 이기적이며 폭력적이 된다.

7) 제1화성구
제1화성구는 용기, 대범, 정신력, 적극성, 리더십, 투쟁심을 상징하며 군인, 경찰과 인연이 있다. 그리고 제1화성구의 면적이 클수록 독립심이 강하여 지시받는 것을 싫어한다. 자기가 하고 싶은 것을 하는 성격이어서 혁명을 일으킬 수도 있다.

6] 구(丘, Mount)의 육기(六氣)

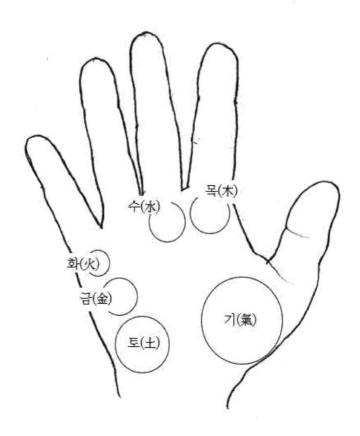

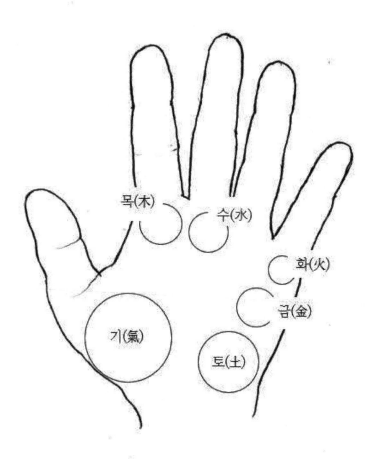

7] 그 밖의 손금과 구(Mount)

그 밖에 손금으로는 결혼선, 금성대, 노력선, 여행선, 자수성가선, 방종선, 인복선, 수경선, 인연선, 영향선, 건강선, 반항선, 간장선 등이 있는데 이들을 크게 분류를 하면 기본 삼대선과 세로 삼대선에 포함할 수 있다. 예를 들면 금성대는 감정선의 일종이고 노력선은 운명선의 일종으로 본다. 그리고 영향선은 제2생명선이라고도 하는데 생명선의 일종이다. 또한 직감선은 금성구의 생명선과 대응하는 월구에 나타난 손금으로 이 손금이 있으면 불완전한 정보를 연결하여 완전한 정보를 만드는 능력이 있다고 본다. 그리고 그 밖에 구(Mount)는 태양구, 화성 평원, 해왕성구가 있다.

제 5장 매화역수(梅花易數)

1] 수리(數理)의 이해(理解)

1	2	3	4	5	6	7	8	9
생 (生)	주 (柱)	귀 (鬼)	정 (定)	파 (破) 중 (中)	관 (官)	식 (食)	재 (財)	서 (書)
양(陽)	음(陰)	양(陽)	음(陰)	양(陽)	음(陰)	양(陽)	음(陰)	양(陽)
수(水)	화(火)	목(木)	금(金)	토(土)	수(水)	화(火)	목(木)	금(金)

양의 수 : 1, 3, 5, 7, 9
음의 수 : 2, 4, 6, 8

5는 중앙에 있으며 중앙(中)은 생명을 의미한다. 마치 남녀가 사랑하여 자식이 남녀 사이(中)에서 나오는 이치와 같다. 그래서 양(陽)이다. 그리고 생명은 기본적으로 반대의 기운을 선호하기 때문에 토(5, 土)가 양(陽)이므로 토(5, 土)의 양(兩) 옆에는 음(陰)이 있어야 한다. 음의 기운은 수(6, 水)와 금(4, 金)이 있다. 수(6, 水)는 화(7, 火)가 옆에 있어야 하고 금(4, 金)은 목(3, 木)이 옆에 있어야 한다.

육기(六氣)

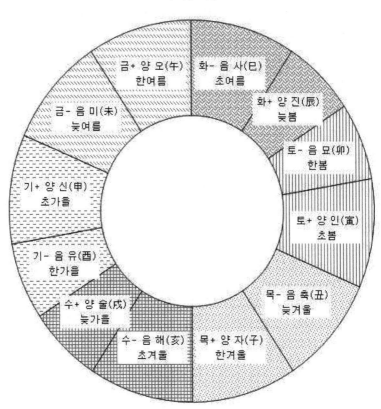

오행(五行)

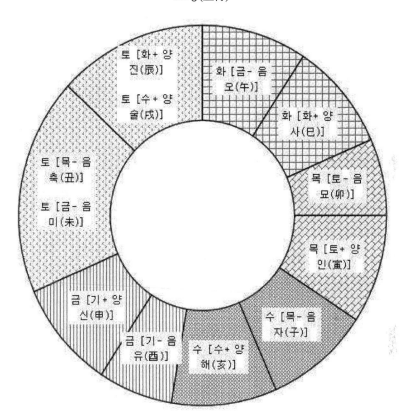

위의 표(表)를 참고(參考)하라.

생물은 반대의 환경을 원하고, 역행의 특성이 있기 때문에 1(水)의 다음은 그 반대인 2(火)가 오고 2(火)의 다음은 2(火)를 역행한 3(木)이 오고 3(木)의 다음은 3(木)의 반대인 4(金)이 오고 4(金)의 다음은 4

(金)을 역행한 5(土)가 온다. 5(土) 다음은 5(土)가 양(陽)이므로 음(陰)이 와야 하는데 음(陰)에는 금(金)과 수(水)가 있다. 5(土) 이전에 4(金)이 있으므로 5(土) 이후는 6(水)가 오는 것이다. 그리고 6(水)의 다음은 그 반대인 7(火)가 오고 7(火)의 다음은 7(火)를 역행한 8(木)이 오고 8(木)의 다음은 8(木)의 반대인 9(金)이 온다. 9(金)의 다음은 다시 1(水)부터 9의 주기(週期)를 시작(始作)한다. 매화역수는 9의 주기(週期)가 기준(基準)이다.

"수(水)-〉화(火)-〉목(木)-〉금(金)-〉토(土)-〉수(水)-〉화(火)-〉목(木)-〉금(金)"에서 "수양(水陽)"을 "1"(生)이란 숫자로 기준을 정(定)한 이유는 "수양(水陽)"이 "수축(水)의 상태에서 움직임(陽)"인 시작을 의미하기 때문이다. 매화역수(梅花易數)에서는 "수양(水陽)"은 시작을 의미하고 "금양(金陽)"은 마무리를 의미한다. "금양(金陽)"의 금(金)은 결실(結實)을 의미하고 양(陽)은 풍성(豊盛)함을 의미한다.

계절(정신)은 "수(水)-〉목(木)-〉토(土)-〉화(火)-〉금(金)-〉기(氣)"-〉수(水)로 흐르지만, 몸(육체)은 위 도표에서 보듯이 "수(水)-〉화(火)-〉목(木)-〉금(金)-〉토(土)-〉수(水)-〉화(火)-〉목(木)-〉금(金)"-〉수(水)로 반응한다.

역학(易學)에서는 사람의 몸 안에 있는 장기(臟器)를 크게 여섯 가지로 나누어 해석한다. 그 이유는 하나의 수정란(受精卵)에서 여섯 장기(臟器)로 분화(分化)되고 나머지 장기(臟器)들은 크게 나눈 여섯 가지의 장기(臟器)에서 세분화(細分化)되었다고 보기 때문이다. 여섯 가지의 장기(臟器)는 심장과 신장, 간장과 폐장 그리고 뇌장과 위장이다. 이 여섯 가지의 장기(臟器)는 각각 수(水, 심장), 목(木, 간장), 토(土, 뇌장),

화(火, 신장), 금(金, 폐장), 기(氣, 위장)의 기운(氣運)에 해당(該當)되며, 이는 6의 주기(週期)와 조화(調和)하고 있다는 것을 말한다. 그리고 이 여섯 가지의 장기(臟器) 중에 신장과 폐장 그리고 뇌장은 다른 장기(臟器)인 심장과 간장 그리고 위장과는 달리 장기(臟器)의 수가 2개씩인데, 이는 육체(몸)를 기준으로 볼 때, 6의 주기(週期)와 9의 주기(週期)가 동시(同時)에 조화(調和)하고 있는 것을 말하고 있다. 수리역학 매화역수를 해석하는 기본(基本)은 9의 주기(週期)다. 그리고 임신기간은 수정일로부터는 평균 266일인데 이는 음력으로 9개월이다. 수정일 이후 어머니의 자궁에서 몸을 만들어 바깥으로 나오는데 아홉(9)번의 삭망월(朔望月)이라는 기간이 필요하다. 이는 몸이 아홉(9)의 주기에 영향을 받고 있다는 것을 말하고 있다. 이를 확대해서 보면 음력 1년을 하나의 마디로 보고, 음력9년을 하나의 주기(週期)로 보아서 운(運)의 흐름을 예측할 수 있다. 6의 주기(週期)는 정신체질의 운(運)을 판단하고 9의 주기(週期)는 육체체질의 운(運)을 판단한다. 그 이유는 6은 남자(정신)와 더 관계가 깊은 숫자이고, 9는 여자(육체)와 더 관계가 깊은 숫자이기 때문이다. 그리고 수리역학 매화역수에서 6과 9가 비슷한 의미로 쓰일 때가 많은 이유는 6과 9는 각각 주기(週期)의 마무리를 의미하기 때문이다.

2] 매화역수(梅花易數) 수리표(數理表)

> AA:매우 좋은 해, A:좋은 해
> B:평범한 해
> C:안 좋은 해, CC:매우 안 좋은 해

A	C	CC	A	B	A	A	AA	C
112	123	134	145	156	167	178	189	191
336	459	573	696	729	843	966	189	213
999	459	819	369	729	279	639	189	549
448	933	527	112	696	281	775	369	854

C	A	B	A	C	B	CC	C	AA
213	224	235	246	257	268	279	281	292
549	663	786	819	933	256	279	393	426
549	999	459	819	369	729	279	639	189
393	887	472	966	551	145	639	224	718

CC	B	A	C	AA	B	B	B	B
314	325	336	347	358	369	371	382	393
753	876	999	123	246	369	483	516	639
189	549	999	459	819	369	729	279	639
527	742	336	821	415	999	584	178	663

AA	A	CC	B	B	C	B	C	A
415	426	437	448	459	461	472	483	494
966	189	213	336	459	573	696	729	843
639	189	549	999	459	819	369	729	279
112	696	281	775	369	854	448	933	527

B	CC	A	A	AA	A	A	B	B
516	527	538	549	551	562	573	584	595
279	393	426	549	663	786	819	933	156
279	639	189	549	999	459	819	369	729
966	551	145	639	224	718	393	887	472

A	A	B	CC	B	AA	C	A	B
617	628	639	641	652	663	674	685	696
483	516	639	753	876	999	123	246	369
729	279	639	189	549	999	459	819	369
821	415	999	584	178	663	257	742	336

B	C	B	A	AA	C	C	B	CC
718	729	731	742	753	764	775	786	797
696	729	843	966	189	213	336	459	573
369	729	279	639	189	549	999	459	819
775	369	854	448	933	527	112	696	281

A	C	A	B	CC	A	B	B	AA
819	821	832	843	854	865	876	887	898
819	933	156	279	393	426	549	663	786
819	369	729	279	639	189	549	999	459
639	224	718	393	887	472	966	551	145

C	A	C	A	B	B	CC	AA	B
911	922	933	944	955	966	977	988	999
123	246	369	483	516	639	753	876	999
459	819	369	729	279	639	189	549	999
584	178	663	257	742	336	821	415	999

1	2	3	4	5	6	7	8	9
생 (生)	주 (柱)	귀 (鬼)	정 (定)	파 (破) 중 (中)	관 (官)	식 (食)	재 (財)	서 (書)
양(陽)	음(陰)	양(陽)	음(陰)	양(陽)	음(陰)	양(陽)	음(陰)	양(陽)
수(水)	화(火)	목(木)	금(金)	토(土)	수(水)	화(火)	목(木)	금(金)

양(陽) : 1(水), 3(木), 5(土), 7(火), 9(金)
음(陰) : 2(火), 4(金), 6(水), 8(木)

3,5,7이 1,2,4,6,8,9보다 그 기운이 강한 이유(理由)는 다음과 같다.

양수(陽數)는 1,3,5,7,9이고 음수(陰數)는 2,4,6,8이다.

양(陽)은 강하고 적극적이고 음(陰)은 부드럽고 소극적이다. 그리고 3 과 5와 7은 음(陰)과 음(陰) 사이에 있기 때문에 한쪽에만 음(陰)이 있 는 양(陽)인 1과 9보다 그 기운(氣運)이 강하게 작용한다.

"좋은 해"와 "안 좋은 해"를 구분하는 방법은 하기(下記)와 같다.

1)1.2.4.6.8.9.(평생기본수, 본인)가 3.5.7.(올해의 주도수, 상대방)과 만나면 큰 고통이 따른다. 그 이유(理由)는 하기(下記)와 같다.

2와 8이 만나 10(사랑)을 하고 싶은데 3,5,7이 중간(中間)에서 방해(妨害)를 한다. 1과 9가 만나 10(사랑)을 하고 싶은데 3,5,7이 중간(中間)에서 방해(妨害)를 한다. 4와 6이 만나 10(사랑)을 하고 싶은데 3,5,7이 중간(中間)에서 방해(妨害)를 한다.

마방진(魔方陣)

4	9	2
3	5	7
8	1	6

2)"올해의 주도수"를 기준으로 나머지 달(月)의 "수(數)"의 생(生)과 극(剋)의 관계를 보는데, "올해의 주도수"가 나머지 달(月)의 "수(數)"를 극(剋)하는 경우가 적으면 그 해는 "좋은 해"로 보고 반대로 "올해의 주도수"가 나머지 달(月)의 "수(數)"를 극(剋)하는 경우가 많으면 "안 좋은 해"로 본다. 나머지 달(月)의 "수(數)"가 "올해의 주도수"를 극(剋)하거나, 나머지 달(月)의 "수(數)"가 "올해의 주도수"를 생(生)하는 것은 고려(考慮)하지 않아도 된다. 왜냐하면 "올해의 주도수"는 나머지 달(月)의 기운(氣運)을 압도(壓倒)하기 때문이다. 그리고 인묘진, 사오미, 신유술, 해자축에 해당(該當)하는 숫자 자체(自體)의 길흉(吉凶)도 적용(適用)하여 해석(解析)해야 한다.

3)"올해의 주도수"와 나머지 달(月)의 각각(各各)을 생극(生剋)으로 볼 때 "올해의 주도수"가 나머지 달(月)의 "수(數)"를 생(生)하면 "좋은 시기"로 보고, 반대로 "올해의 주도수"가 나머지 달(月)의 "수(數)"를 극(剋)하면 "안 좋은 시기"로 본다.

상기(上記)와 함께 "육체체질"과 "평생 기본수"가 길(吉)인 합(合)이 되는지, 흉(凶)인 형(刑), 충(沖), 파(破), 해(害), 원진(怨嗔)이 되는지를 고려(考慮)하고, 또한 "육체체질"과 나머지 달(月)의 "수(數)"가 길(吉)인 합(合)이 되는지, 흉(凶)인 형(刑), 충(沖), 파(破), 해(害), 원진(怨嗔)이 되는지도 고려(考慮)하여야 한다.

"평생운(平生運)의 흐름"을 볼 때에 고려(考慮)해야 하는 것은 "제16장 대운(大運)"에서 기술(記述)하였다.

3] 음력(陰曆) 11월 1일을 정(定)하는 방법

양력(陽曆)으로 1995년 12월 22일은 음력(陰曆)으로 11월 1일이고 양력(陽曆)으로 2014년 12월 22일도 음력(陰曆)으로 11월 1일이다. 그리고 2033년 12월 22일도 음력(陰曆)으로 11월 1일이다.

1976년, 1995년, 2014년, 2033년과 같이 19년(메톤주기)을 주기로 1976년, 1995년, 2014년, 2033년의 양력(陽曆) 12월 22일경(동짓날)에 들어오는 그믐날의 다음날을 음력 11월 1일로 정(定)하고, 달력을 만들 때 동짓날은 반드시 자월(子月)인 음력(陰曆) 11월(月)에 있도록 배치(配置)한다. 왜냐하면 상기(上記)의 동짓날들이 메톤주기에서 음(陰)의 기운(氣運)이 가장 큰 시점(時點)이기 때문이다.

4] 해석 방법

1) 육체체질과 평생 기본수가 길(吉)인 합(合)이 되는지, 흉(凶)인 형(刑), 충(沖), 파(破), 해(害), 원진(怨嗔)이 되는지가 매우 중요하다. 그리고 주도수(올해의 주도수, 평생 주도수)와 나머지 수리가 길(吉)인 생(生)이 되는지, 흉(凶)인 극(剋)이 되는지도 고려(考慮)해야 한다.

역학(易學)의 "세운(歲運)"은 정신체질을 기준으로 운(運)의 흐름을 보는 것이다. 비견(比肩), 식신(食神), 정재(正財), 정관(正官), 정인(正印)의 시기(時期)는 운(運)의 흐름이 좋은 기간이고, 겁재(劫財), 상관(傷官), 편재(偏財), 편관(偏官), 편인(偏印)의 시기(時期)는 운(運)의 흐름이 좋지 않은 기간이다.

"매화역수(梅花易數)"는 육체체질을 기준으로 운(運)의 흐름을 보는 것이다. 육합(六合), 방합(方合), 삼합(三合)과 같이 합(合)의 시기(時期)는 운(運)의 흐름이 좋고, 형(刑), 충(沖), 파(破), 해(害), 원진(怨嗔)의 시기(時期)는 운(運)의 흐름이 좋지 않다.

역학(易學)과 매화역수(梅花易數)로 운(運)의 흐름을 예측할 때 역학(易學)은 1/3을 적용(適用)하고 매화역수(梅花易數)는 2/3를 적용(適用)하라. 실재(實在)로 감정(鑑定)을 할 때는 "정신"보다 "육체"를 더 중요하게 보기 때문이다. 그리고 체상(體狀)은 불균형(不均衡)이 과도(過度)한 경우에만 참조(參照)한다.

2) 그 해에 들어오는 숫자가 어떤 것인가를 알아서 그 숫자의 작용이 다른 숫자에 미치는 영향을 보고 판단한다.

3) 자신의 육체체질로 각각의 숫자에 대응하여 판단한다.

4) 항상 6개월 앞을 보고 판단한다.
5) 지난 3년간을 어떻게 보냈는지를 보고 판단한다.

6) 매화역수 숫자는 상대방의 연령(年齡)에 따라서 보는 개념(槪念)이 달라진다.

7) 9년에 한 번씩 같은 숫자로 순환한다.

8) 비운(悲運)의 숫자가 들어와도 그 숫자를 자신이 잘 활용하는 것이 중요하다.

9) 수리를 AA, A, B, C, CC급으로 구분한다.
올해의 주도수와 각 계절을 연관하여 해석하라.
육체체질과 올해의 주도수를 본다.
육체체질과 각 계절(음력1년의 각 계절)을 연관하여 본다.
수리의 오행을 본다.
C급 이하라도 천기에 관운이 있으면 괜찮다.
C급 이하는 재운이나 직장운이 좋지 않다.

10) 子,丑 육체체질은=〉
    매년 5月(午),6月(未)이 좋지 않다.
    寅,卯 육체체질은=〉
    매년 7月(申),8月(酉)이 좋지 않다.
    辰,巳 육체체질은=〉
    매년 9月(戌),10月(亥)이 좋지 않다.
    午,未 육체체질은=〉
    매년 11月(子),12月(丑)이 좋지 않다.
    申,酉 육체체질은=〉

매년 1月(寅),2月(卯)이 좋지 않다.
戌,亥 육체체질은=〉
매년 3月(辰),4月(巳)이 좋지 않다.
이때는 안정을 추구하라.

11) 3. 5. 7.字(평생기본수)는 강하기 때문에 7字가 들어와도 괜찮지만 1. 2. 4. 6. 8. 9字는 7字(退食)가 안 좋은 숫자이다.
마방진(魔方陣)을 참고(參考)하라.

12) 8字(평생기본수)는 과감성이 부족하기 때문에 강하게 한번 나가는 것이 좋다.

13) 2字(평생기본수)는 3字가 안 좋은 숫자이다.

14) 2字(평생기본수)는 일생에 변동과 기복이 심하다.

15) 4字(올해의 주도수)는 "그 해에는 안정을 하라"는 것이다.

16) 한 쪽이 나빠도 상대(배우자)가 대운(大運)이면 괜찮다.

17) 그 해가 대운[大運(예:5 3 8 =〉 이 해는 대운이다.)]이면 숫자가 좋지 않아도 큰 문제가 되지 않고, 각 계절이 대운[大運(예:1 4 5)]이면 그 해가 비운(悲運)이라도 크게 문제되지 않는다.

18) 평생 기본수가 2字, 6字인 경우는 자살 충동이 강하다.

19) 3, 5, 7字(평생기본수)는 5字가 좋은 쪽으로 강하게 들어온다. 반면에 1, 2, 4, 6, 8, 9字(평생기본수)는 5字가 두려운 숫자이다.

1	5	6
2	5	7
4	5	9
6	5	2
8	5	4
9	5	5

평생기본수   올해의 주도수

20) 자신의 평생 기본수가 2. 4. 6. 8.인 경우는 까다로운 사람이다.
1.2.4.6.8.9.가 3.5.7.과 만나면 큰 고통이 따른다.
1.2.4.6.8.9.는 3.5.7.에 약하다.
1.2.4.6.8.9.와 7.은 원수지간이다.
올해의 주도수가 7.이 들어오는 해에는 고전(苦戰)이 예상된다.

21) 평생 기본수 성격
3.5.7.수 - 과격하고 급하다.
2.4.6.8.수 - 꼼꼼하게 따지고 생각을 많이 한다.

2.와 7.은 비견(比肩)이다. 부부간夫婦間)에 재미가 있다.
"1.2.4.6.8.9.가 3.5.7.과 만나면 큰 고통이 따른다."의 예외(例外)

3.과 6.은 부부지간(夫婦之間)이 상당히 좋지 않다.
"1.2.4.6.8.9.가 3.5.7.과 만나면 큰 고통이 따른다."의 예(例)

보통(普通)의 경우(境遇)에는 남자(男子)와 여자(女子)는 홀수와 짝수로 양(陽)과 음(陰)이 만나는 것이 좋다. 하지만 진정성(眞情性)이 있는 만남일 경우에는 서로의 성격이 다르면 보완(補完)이 되고 서로의 성격이 비슷하면 시너지(System energy)가 되기 때문에 양(陽)과 음(陰)으로 만나지 않아도 무난(無難)하다. 만남은 성격이 다르거나 비슷한 것보다는 진정성(眞情性)이 있느냐 없느냐가 중요하다.

평생기본수가 7이고 올해의 주도수가 5인 경우와 평생기본수가 7이고 평생주도수가 5인 경우의 753은 대운(大運)으로 해석하지만 이외(以外)의 753은 대흉수(大凶數)로 해석한다.

평생기본수가 5이고 올해의 주도수가 7인 경우와 평생기본수가 5이고 평생주도수가 7인 경우의 573은 대운(大運)으로 해석하지만 이외(以外)의 573은 대흉수(大凶數)로 해석한다.

279는 매우 안 좋은 해로 해석하는 운(運)이지만 남녀(男女)의 궁합(宮合)을 볼 때는 2와 7의 만남은 합(合)으로 본다.

3. 5. 7.=〉
죽음을 매우 두려워하며 생(生)에 대해 강한 애착을 가진다.
1.과 9.도 생(生)에 대해 강한 애착을 가진다.
3과 5는 7과 서로 좋아하게 된다.
3.5.7.은, 3.5.7.에 강한 운이어서 같이 만나면 좋다.
예)
358   大運
538   大運
753   大運
573   大運

남자가 1. 3. 5. 7. 9.字일 경우는 과감하고 적극적이다.

2. 4. 6. 8.=〉
죽음에 대해 초연(超然)하다. 특히 정신체질(精神體質)과 육체체질(肉體體質)이 모두 음(陰)일 경우는 더욱 초연(超然)하다.

1)특별수리

①
가장 좋은 수리(OOO)
189 대길수
819 대길수

②
안 좋은 수리(XX)
123 이별수
합(合)인 경우 : 재회(再會)
새로운, 변화, 귀신
213 이별수
합(合)인 경우 : 재회(再會)
변화, 새로운, 귀신
특징=>심리적 불안정, 기도하고 싶은 마음이 생긴다.
　　　이성, 동료, 집안 식구들 간의 이별

③
좋은 수리(OO)
145 안정수
415 안정수
특징=>안정된 가운데 뭔가 목적을 이룰 수 있다.
좋은 시기이므로 적극적으로 대처하라.

④
안 좋은 수리(XX)
279 난동수
729 난동수
2 변화
7 퇴식
9 문서
오방산신 난동수
특징=〉
온 천지의 귀신이 난동하는 수리.
되는 것이 없다.
아무것도 안 되는 때다.
심리적 갈등,
정신적 불안, 현상을 유지하는 것이 가장 좋다.

⑤
좋은 수리(OO)
156 혁신수
516 혁신수
1 새로운 일, 새로운 사람
5 놀란다.
6 관(官), 일(事)

⑥

안 좋은 수리(XX)

336 상관수

관제구설을 뜻한다. 관을 깬다. 직장을 깬다. 가정을 깬다.

심리적으로 어디론가 도망가고 싶다.

369와 비슷한 작용을 한다.

3 귀신

3 귀신

6 관(官)

특징=〉

관을 다치게 하는 수, 명예퇴직, 실직, 이때는 사업 등을 하고 싶어서 회사를 나오려고 한다. 복지부동이 좋다. 조직에서 나오면 안 된다. 조직사회에서 나오려는 기운이다.

⑦

좋은 수리(OO)

459 무난수

549 무난수

특징=〉

145 안정수와 비슷하다,

무난하고 편안하다.

시험 등에 적극적으로 대처하라.

자신감을 가져라.

⑧

가장 안 좋은 수리(XXX)

573 대흉수

753 대흉수

5 경파

7 퇴식

3 귀신

⑨

좋은 수리(OO)

696 명예수, 행운수

966 명예수, 행운수

6 관, 행운, 명예

9 문서, 행운, 명예

6 관, 행운, 명예

특징=〉

합격, 승진, 당선 등의 의미가 있다.

⑩

안 좋은 수리(XX)

369 관제구설시비수

639 관제구설시비수

일 년 내내 관제구설수, 교통사고, 시비, 구설, 싸움, 송사

336과 비슷한 작용을 한다.

3 귀신

6 관(官)

9 문서

특징=〉

"이때 관제구설과 시비가 생기므로 사람 관계를 조심하라."

⑪

안 좋은 수리(X)

393 상문수

933 상문수

특징=〉

남의 상가 집에 가면 안 된다.

노환으로 오랫동안 병고에 시달린 사람은 이때 사망한다.

"특별수리를 이용하면 어느 포국(布局)이라도 그 안에 특별수리가 들어

있기 때문에 쉽게 해석(解釋)할 수 있다."

⑫

여행수

999 여행수

999 여행수

특징=〉

멀리 떠난다. 외국여행, 지방출장, 회사발령

특별수리=〉

포국(布局)에 특별수리가 반드시 들어 있다.

해석(解釋)의 예(例)

1	5	6
귀인,	놀랄 일,	직장
5	1	6
놀랄 일,	일어난다,	명예(名譽)

관제구설=〉 중상(中傷)이나 모략(謀略), 민사소송이나 형사소송

1) 145
2) 696　　　　　　잘 나갈 때다.
　관, 문서, 관
3) 369　　　　　　관제구설시비수
4) 112

"3) 369" 이때는 관제구설이나 시비가 생긴다.
"4) 112" 이때는 3-6-9를 지났으므로 이제 괜찮다.

696
"9"일 때 합(合)이 들어오면 행운이 따른다.
육체체질과 평생 기본수가 합(合)이고 "9"일 때 합(合)이 들어오면 큰 행운이 따른다.

966

행운, 문서, 명예

696

관(官), 행운, 명예

3

999

인 경우는 여행을 떠난다. 자기 스스로 떠난다.

3, 5, 7 - 돌격대, 과격하고 급하다.

2, 4, 6, 8 숫자는 2/3 정도 길(吉)하다.

1, 9 숫자는 1/2 정도 길(吉)하다.

3, 5, 7 숫자는 1/3 정도 길(吉)하다.

4	9	2
3	5	7
8	1	6

5] 평생기본수 구하는 방법
음력 1973년 10월 21일 생(生)
예)2016년 음력 10월 10일을 기준으로 본 나이

평생기본수=〉음력월과 음력일만 있으면 된다.
음력월 + 음력일 + 1(임신기간10달 나누기 9 … 나머지 1)

10+21+1=32
32 나누기 9=3 나머지 5
평생기본수=5
평생기본수=〉변하지 않는 고유의 기질과 특성

평생기본수와 올해의 주도수가 가장 중요하다.

음력월 숫자 10의 의미
음력1년의 시작인
음력1월은 "근본적인 기운"이 "1"(生)이다.
음력2월은 "근본적인 기운"이 "2"(柱)이다.
음력3월은 "근본적인 기운"이 "3"(鬼)이다.
음력4월은 "근본적인 기운"이 "4"(定)이다.
음력5월은 "근본적인 기운"이 "5"(破)이다.
음력6월은 "근본적인 기운"이 "6"(官)이다.
음력7월은 "근본적인 기운"이 "7"(食)이다.
음력8월은 "근본적인 기운"이 "8"(財)이다.
음력9월은 "근본적인 기운"이 "9"(書)이다.
음력10월은 "근본적인 기운"이 "1"(生)이다.
음력11월은 "근본적인 기운"이 "2"(柱)이다.
음력12월은 "근본적인 기운"이 "3"(鬼)이다.

음력일 숫자 21의 의미

음력1월의 시작인

음력1일은 "근본적인 기운"이 "1"(生)이다.

음력2일은 "근본적인 기운"이 "2"(柱)이다.

음력3일은 "근본적인 기운"이 "3"(鬼)이다.

음력4일은 "근본적인 기운"이 "4"(定)이다.

음력5일은 "근본적인 기운"이 "5"(破)이다.

음력6일은 "근본적인 기운"이 "6"(官)이다.

음력7일은 "근본적인 기운"이 "7"(食)이다.

음력8일은 "근본적인 기운"이 "8"(財)이다.

음력9일은 "근본적인 기운"이 "9"(書)이다.

음력10일은 "근본적인 기운"이 "1"(生)이다.

음력11일은 "근본적인 기운"이 "2"(柱)이다.

음력12일은 "근본적인 기운"이 "3"(鬼)이다.

음력13일은 "근본적인 기운"이 "4"(定)이다.

음력14일은 "근본적인 기운"이 "5"(破)이다.

음력15일은 "근본적인 기운"이 "6"(官)이다.

음력16일은 "근본적인 기운"이 "7"(食)이다.

음력17일은 "근본적인 기운"이 "8"(財)이다.

음력18일은 "근본적인 기운"이 "9"(書)이다.

음력19일은 "근본적인 기운"이 "1"(生)이다.

음력20일은 "근본적인 기운"이 "2"(柱)이다.

음력21일은 "근본적인 기운"이 "3"(鬼)이다.

음력22일은 "근본적인 기운"이 "4"(定)이다.

음력23일은 "근본적인 기운"이 "5"(破)이다.

음력24일은 "근본적인 기운"이 "6"(官)이다.

음력25일은 "근본적인 기운"이 "7"(食)이다.

음력26일은 "근본적인 기운"이 "8"(財)이다.

음력27일은 "근본적인 기운"이 "9"(書)이다.
음력28일은 "근본적인 기운"이 "1"(生)이다.
음력29일은 "근본적인 기운"이 "2"(柱)이다.
음력30일은 "근본적인 기운"이 "3"(鬼)이다.

임신기간 숫자 1의 의미
임신 기간은 수정일로부터는 평균 266일이지만 마지막 월경의 첫째
날부터 계산을 하면 평균 280일이다. 매화역수에서는 월경 후 배란이
되고 수정이 될 때까지 약 14일을 포함하여 계산한다. 이때부터 실질
적(實質的)인 생명으로 보기 때문이다. 임신기간은 음력9개월에 14일
을 더해서 280일이다. 280일은 10개월 기간 중(中)이므로 10을 9로
나누면 나머지가 1이 된다.

"10+21+1"의 의미는 세 가지 기운인 음력월(中)의 기운(氣運), 음력일
(陽)의 기운(氣運) 그리고 임신기간(陰)의 기운(氣運)이 합(合)해져서
"5"라는 기운(氣運)을 기본기운(基本氣運)으로 하여 태어났다는 것이다.
그래서 "5"가 평생기본수가 된다.

6] 올해의 주도수를 구하는 방법

1)매화역수 나이기준
음력 우리나라 나이가 기준이다.
예)2016년 음력 10월 10일을 기준으로 본 나이

음력 1973년 10월 21일 생(生)
음력 1973년 10월 21일부터 음력 1973년 12월 말일까지 =〉1세
음력 1974년 1월 1일부터 음력 2016년 12월 말일까지   =〉43세
현재 음력 우리나라 나이 : 44세

2)올해의 주도수
음력 우리나라 나이 + 음력월 + 음력일
1973년 음력 10월 21일 생(生)이 2016년 음력 10월 10일을 기준으로 올해(2016년)의 주도수를 구할 경우
=〉44(나이)+10(음력월)+21(음력일)=75
75 나누기 9=8 … 나머지 3
올해의 주도수=3

7] 포국 방법

2016년 음력 10월 10일을 기준으로 한 포국 방법
남자 1973년 음력 10월(큰달) 21일 06시 10분 生
평생 기본수는 5이고
올해의 주도수가 3이다.
9를 초과하는 수(數)의 경우는 9로 나눈 나머지가 해당(該當) 수(數)가
된다. 나머지가 없는 경우는 9가 해당(該當) 수(數)다.

2016년

평생기본수	올해의주도수	
5	3	8
인월(음력1월)	묘월(음력2월)	진월(음력3월)
a	b	c=a+b

4	2	6
사월(음력4월)	오월(음력5월)	미월(음력6월)
d=a+c	e=b+c	f=d+e

1	8	9
신월(음력7월)	유월(음력8월)	술월(음력9월)
g=d+f	h=e+f	i=g+h

1	4	5
해월(음력10월)	자월(음력11월)	축월(음력12월)
j=a+d+g	k=b+e+h	l=c+f+i

인월과 묘월 그리고 진월은 음력 1월과 음력 2월 그리고 음력 3월에 해당한다. 그 시기는 음력 1월과 음력 2월 그리고 음력 3월로 시차가 있으나 매화역수라는 역학에서는 봄이라는 계절이 동일(同一)하기 때문에 인월과 묘월 그리고 진월을 동일(同一)한 공간과 동일(同一)한 시간으로 보고 해석한다. 이것이 의미하는 것은 음력 1월에 발생할 일이 음력 2월이나 음력 3월에 발생할 수 있다는 것이고 음력 2월에 발생할 일이 음력 1월이나 음력 3월에 발생할 수 있다는 것이며 음력 3월에 발생할 일이 음력 1월이나 음력 2월에 발생할 수 있다는 것이다. 음력으로 봄을 동일한 시공(時空)으로 보기 때문이다.

사월과 오월 그리고 미월은 음력 4월과 음력 5월 그리고 음력 6월에 해당한다. 그 시기는 음력 4월과 음력 5월 그리고 음력 6월로 시차가 있으나 매화역수라는 역학에서는 여름이라는 계절이 동일(同一)하기 때문에 사월과 오월 그리고 미월을 동일(同一)한 공간과 동일(同一)한 시간으로 보고 해석한다. 이것이 의미하는 것은 음력 4월에 발생할 일이 음력 5월이나 음력 6월에 발생할 수 있다는 것이고 음력 5월에 발생할 일이 음력 4월이나 음력 6월에 발생할 수 있다는 것이며 음력 6월에 발생할 일이 음력 4월이나 음력 5월에 발생할 수 있다는 것이다. 음력으로 여름을 동일한 시공(時空)으로 보기 때문이다.

신월과 유월 그리고 술월은 음력 7월과 음력 8월 그리고 음력 9월에 해당한다. 그 시기는 음력 7월과 음력 8월 그리고 음력 9월로 시차가 있으나 매화역수라는 역학에서는 가을이라는 계절이 동일(同一)하기 때문에 신월과 유월 그리고 술월을 동일(同一)한 공간과 동일(同一)한 시간으로 보고 해석한다. 이것이 의미하는 것은 음력 7월에 발생할 일이 음력 8월이나 음력 9월에 발생할 수 있다는 것이고 음력 8월에 발생할 일이 음력 7월이나 음력 9월에 발생할 수 있다는 것이며 음력 9월에 발생할 일이 음력 7월이나 음력 8월에 발생할 수 있다는 것이다. 음력으로 가을을 동일한 시공(時空)으로 보기 때문이다.

해월과 자월 그리고 축월은 음력 10월과 음력 11월 그리고 음력 12월에 해당한다. 그 시기는 음력 10월과 음력 11월 그리고 음력 12월로 시차가 있으나 매화역수라는 역학에서는 겨울이라는 계절이 동일(同一)하기 때문에 해월과 자월 그리고 축월을 동일(同一)한 공간과 동일(同一)한 시간으로 보고 해석한다. 이것이 의미하는 것은 음력 10월에 발생할 일이 음력 11월이나 음력 12월에 발생할 수 있다는 것이고 음력 11월에 발생할 일이 음력 10월이나 음력 12월에 발생할 수 있다는 것이며 음력 12월에 발생할 일이 음력 10월이나 음력 11월에 발생할 수 있다는 것이다. 음력으로 겨울을 동일한 시공(時空)으로 보기 때문이다.

위의 원리는 매화역수로 보는 평생운세에도 적용할 수 있다. 역학(易學)으로 미래를 예측하는 것은 과거의 주기(週期)와 현재의 주기(週期) 그리고 미래의 주기(週期)를 닮은꼴로 보기 때문이다.

2014년	5	1	6	
2015년	5	2	7	가장 나쁜 해
2016년	5	3	8	
2017년	5	4	9	
2018년	5	5	1	가장 좋은 해
2019년	5	6	2	
2020년	5	7	3	
2021년	5	8	4	
2022년	5	9	5	
2023년	5	1	6	

8] 올해의 운세를 보는 방법
① 남자 : 오른손잡이
음력 우리나라 나이가 기준이다.

남자 1973년 음력 10월(큰달) 21일 06시 10분 生

오른손잡이		평생 기본수			2016년 올해의 주도수				
육체체질	목-음 축(丑) 늦겨울 [토]	5	토+양 인(寅) 초봄 [목]		3	토-음묘 (卯) 한봄 [목]	8	화+양진 (辰) 늦봄 [토]	파
		4	화-음 사(巳) 초여름 [화]	삼합 (금)	2	금+양 오(午) 한여름 [화]	육해원진	6	금-음 미(未) 늦여름 [토]	충,삼형 (육형)
		1	기+양 신(申) 초가을 [금]		8	기-음 유(酉) 한가을 [금]	삼합 (금)	9	수+양 술(戌) 늦가을 [토]	삼형 (육형)
		1	수-음 해(亥) 초겨울 [수]	방합 (수)	4	목+양 자(子) 한겨울 [수]	육합 (토), 방합 (수)	5	목-음 축(丑) 늦겨울 [토]	

② 남자 : 왼손잡이

음력 우리나라 나이가 기준이다.

남자 1973년 음력 10월(큰달) 21일 06시 10분 生

왼손잡이		평생 기본수			2016년 올해의 주도수				
육체 체질	수-음 해(亥) 초겨울 [수]	5	토+양 인(寅) 초봄 [목]	육합(목)파	3	토-음 묘(卯) 한봄 [목]	삼합(목)	8	화+양 진(辰) 늦봄 [토]	원진
		4	화-음 사(巳) 초여름 [화]	충	2	금+양 오(午) 한여름 [화]		6	금-음 미(未) 늦여름 [토]	삼합(목)
		1	기+양 신(申) 초가을 [금]	육해	8	기-음 유(酉) 한가을 [금]		9	수+양 술(戌) 늦가을 [토]	
		1	수-음 해(亥) 초겨울 [수]	자형	4	목+양 자(子) 한겨울 [수]	방합(수)	5	목-음 축(丑) 늦겨울 [토]	방합(수)

③ 여자 : 오른손잡이

음력 우리나라 나이가 기준이다.

여자 1981년 음력 11월(큰달) 16일 12시 13분 30초 生

오른손잡이   평생기본수   2016년   올해의주도수

육체체질	금+양오(午)한여름[화]	1	토+양인(寅)초봄[목]	삼합(화)	9	토-음묘(卯)한봄[목]	파	1	화+양진(辰)늦봄[토]	
		2	화-음사(巳)초여름[화]	방합(화)	1	금+양오(午)한여름[화]	자형	3	금-음미(未)늦여름[토]	육합( )방합(화)
		5	기+양신(申)초가을[금]		4	기-음유(酉)한가을[금]		9	수+양술(戌)늦가을[토]	삼합(화)
		8	수-음해(亥)초겨울[수]		5	목+양자(子)한겨울[수]	충	4	목-음축(丑)늦겨울[토]	육해원진

④ 여자 : 왼손잡이
음력 우리나라 나이가 기준이다.

여자 1981년 음력 11월(큰달) 16일 12시 13분 30초 生

왼손잡이   평생기본수   2016년   올해의주도수

육체체질	화- 음 사(巳) 초여름 [화]								
	1	토+ 양 인(寅) 초봄 [목]	육해 삼형	9	토- 음 묘(卯) 한봄 [목]		1	화+ 양 진(辰) 늦봄 [토]	
	2	화- 음 사(巳) 초여름 [화]		1	금+ 양 오(午) 한여름 [화]	방합(화)	3	금- 음 미(未) 늦여름 [토]	방합(화)
	5	기+ 양 신(申) 초가을 [금]	육합(수)파삼형	4	기- 음 유(酉) 한가을 [금]	삼합(금)	9	수+ 양 술(戌) 늦가을 [토]	원진
	8	수- 음 해(亥) 초겨울 [수]	충	5	목+ 양 자(子) 한겨울 [수]		4	목- 음 축(丑) 늦겨울 [토]	삼합(금)

9] 평생운세를 보는 방법
① 남자 : 오른손잡이
남자 1973년 음력 10월(큰달) 21일 06시 10분 生

평생
기본수

평생주도수=〉 1973년 11월 15일(양력),
1973년 10월 21일(음력) 06시 10분 20초 =
19년역 수 5 + 223월역 수 2 + 음력월 수 10 +
음력일 수 21 + 음력1일역(13시32분36초) 수 5
= 43 (43/9 = 4와 나머지7)

육체 체질	목-음 축(丑) 늦겨울 [토]								
	5	토+양 인(寅) 초봄 [목]		7	토-음 묘(卯) 한봄 [목]		3	화+양 진(辰) 늦봄 [토]	파
	5세 (음력)	·	·	12세 (음력)	·	·	15세 (음력)	·	·
	8	화-음 사(巳) 초여름 [화]	삼합 (금)	1	금+양 오(午) 한여름 [화]	육해 원진	9	금-음 미(未) 늦여름 [토]	충, 삼형 (육형)
	23세 (음력)	·	·	24세 (음력)	·	·	33세 (음력)	·	·
	8	기+양 신(申) 초가을 [금]		1	기-음 유(酉) 한가을 [금]	삼합 (금)	9	수+양 술(戌) 늦가을 [토]	삼형 (육형)
	41세 (음력)	·	·	42세 (음력)	·	·	51세 (음력)	·	·
	3	수-음 해(亥) 초겨울 [수]	방합 (수)	9	목+양 자(子) 한겨울 [수]	육합 (토) 방합 (수)	3	목-음 축(丑) 늦겨울 [토]	
	54세 (음력)	·	·	63세 (음력)	·	·	66세 (음력)	·	·
	78세 (음력)	최후의 나이		75세 (음력)	·	·			

② 남자 : 왼손잡이

남자 1973년 음력 10월(큰달) 21일 06시 10분 生

평생
기본수

평생주도수=) 1973년 11월 15일(양력),
1973년 10월 21일(음력) 06시 10분 20초 =
19년역 수 5 + 223월역 수 2 + 음력월 수 10 +
음력일 수 21 + 음력1일역(13시32분36초) 수 5
= 43 (43/9 = 4와 나머지 7)

육체 체질	수-음 해(亥) 초 겨울 [수]									
		5	토+양 인(寅) 초봄 [목]	육합(목)파	7	토-음 묘(卯) 한봄 [목]	삼합(목)	3	화+양 진(辰) 늦봄 [토]	원진
		5세(음력)			12세(음력)			15세(음력)		
		8	화-음 사(巳) 초여름 [화]	충	1	금+양 오(午) 한여름 [화]		9	금-음 미(未) 늦여름 [토]	삼합(목)
		23세(음력)			24세(음력)			33세(음력)		
		8	기+양 신(申) 초가을 [금]	육해	1	기-음 유(酉) 한가을 [금]		9	수+양 술(戌) 늦가을 [토]	
		41세(음력)			42세(음력)			51세(음력)		
		3	수-음 해(亥) 초겨울 [수]	자형	9	목+양 자(子) 한겨울 [수]	방합(수)	3	목-음 축(丑) 늦겨울 [토]	방합(수)
		54세(음력)			63세(음력)			66세(음력)		
		78세(음력)	최후의 나이		75세(음력)					

③ 남자 : 수명(壽命)을 보는 방법

첫 번째 방법.
최후의 나이(78세) + 평생 기본수(5) = 83세(음력)
78세(음력) ~ 83세(음력) 사이에, 올해의 주도수가 있는 달(1월 ~ 12
월 모두 해당된다.)과 본인의 육체체질이 형, 충, 파, 원진이 되는 그
해에 사(死)한다.

두 번째 방법.
12월(음력)에 해당하는 "목- 음 축(丑)" 기간의 마지막 나이 66세(음
력)에 올해의 주도수가 있는 달(1월 ~ 12월 모두 해당된다.)과 본인의
육체체질이 형, 충, 파, 원진이 되면 역으로 더할 필요 없이 그 해에
사(死)한다.

④ 여자 : 오른손잡이

음력 우리나라 나이가 기준이다.

여자 1981년 음력 11월(큰달) 16일 12시 13분 30초 生

평생기본수

평생주도수=)1981년 12월 11일(양력), 1981년 11월 16일(음력) 12시 13분 30초 = 19년역 수 8 + 223월역 수 6 + 음력월 수 11 + 음력일 수 16 + 음력1일역(23시45분05초) 수 1 = 42 (42/9 = 4와 나머지 6)

육체체질	금+양 오(午) 한여름 [화]

1	토+양 인(寅) 초봄 [목]	삼합(화)
1세(음력)		

6	토-음 묘(卯) 한봄 [목]	파
7세(음력)		

7	화+양 진(辰) 늦봄 [토]
14세(음력)	

8	화-음 사(巳) 초여름 [화]	방합(화)
22세(음력)		

4	금+양 오(午) 한여름 [화]	자형
26세(음력)		

3	금-음 미(未) 늦여름 [토]	육합( ) 방합(화)
29세(음력)		

2	기+양 신(申) 초가을 [금]
31세(음력)	

7	기-음 유(酉) 한가을 [금]
38세(음력)	

9	수+양 술(戌) 늦가을 [토]	삼합(화)
47세(음력)		

2	수-음 해(亥) 초겨울 [수]
49세(음력)	
68세(음력)	최후의 나이

8	목+양 자(子) 한겨울 [수]	충
57세(음력)		
66세(음력)		

1	목-음 축(丑) 늦겨울 [토]	육해 원진
58세(음력)		

⑤ 여자 : 왼손잡이
음력 우리나라 나이가 기준이다.
여자 1981년 음력 11월(큰달) 16일 12시 13분 30초 生

평생
기본수

평생주도수=>1981년 12월 11일(양력),
1981년 11월 16일(음력) 12시 13분 30초 = 19년역 수 8 +
223월역 수 6 + 음력월 수 11 + 음력일 수 16 +
음력1일역(23시45분05초) 수 1
= 42 (42/9 = 4와 나머지 6)

육체체질	화-음 사(巳) 초 여름 [화]

1	토+양 인(寅) 초봄 [목]	육해 삼형		6	토-음 묘(卯) 한봄 [목]			7	화+양 진(辰) 늦봄 [토]	
1세 (음력)				7세 (음력)				14세 (음력)		

8	화-음 사(巳) 초여름 [화]			4	금+양 오(午) 한여름 [화]	방합 (화)		3	금-음 미(未) 늦여름 [토]	방합 (화)
22세 (음력)				26세 (음력)				29세 (음력)		

2	기+양 신(申) 초가을 [금]	육합 (수) 파 삼형		7	기-음 유(酉) 한가을 [금]	삼합 (금)		9	수+양 술(戌) 늦가을 [토]	원진
31세 (음력)				38세 (음력)				47세 (음력)		

2	수-음 해(亥) 초겨울 [수]	충		8	목+양 자(子) 한겨울 [수]			1	목-음 축(丑) 늦겨울 [토]	삼합 (금)
49세 (음력)				57세 (음력)				58세 (음력)		
68세 (음력)	최후의 나이			66세 (음력)						

⑥ 여자 : 수명(壽命)을 보는 방법

첫 번째 방법.
최후의 나이(68세) + 평생 기본수(1) = 69세(음력)
68세(음력) ~ 69세(음력) 사이에, 올해의 주도수가 있는 달(1월 ~ 12월 모두 해당된다.)과 본인의 육체체질이 형, 충, 파, 원진이 되는 그 해에 사(死)한다.

두 번째 방법.
12월(음력)에 해당하는 "목- 음 축(丑)" 기간의 마지막 나이 58세(음력)에 올해의 주도수가 있는 달(1월 ~ 12월 모두 해당된다.)과 본인의 육체체질이 형, 충, 파, 원진이 되면 역으로 더할 필요 없이 그 해에 사(死)한다.

10] 오늘의 운세를 보는 방법

① 남자 : 오른손잡이

남자 1973년 음력 10월(큰달) 21일 06시 10분 生

오른손잡이		평생 기본수		2016 년		오늘의주도수=〉 양력2016년5월31일(음력2016년4월25일) =4+25=29 9로 나누면 3과 나머지 2			
육체 체질	목-음 축(丑) 늦겨울 [토]	5	토+양인(寅) 초봄 [목]		2	토-음묘(卯) 한봄 [목]	7	화+양진(辰) 늦봄 [토]	파
		3	화-음사(巳) 초여름 [화]	삼합(금)	9	금+양오(午) 한여름 [화]	육해, 원진	3	금-음미(未) 늦여름 [토]	충, 삼형(육형)
		6	기+양신(申) 초가을 [금]		3	기-음유(酉) 한가을 [금]	삼합(금)	9	수+양술(戌) 늦가을 [토]	삼형(육형)
		5	수-음해(亥) 초겨울 [수]	방합(수)	5	목+양자(子) 한겨울 [수]	육합(토), 방합(수)	1	목-음축(丑) 늦겨울 [토]	

② 남자 : 왼손잡이

남자 1973년 음력 10월(큰달) 21일 06시 10분 生

왼손잡이	평생 기본수	2016 년	오늘의주도수=> 양력2016년5월31일(음력2016년4월25일) =4+25=29 9로 나누면 나머지 2				

육체 체질	수-음 해 (亥) 초 겨울 [수]	5	토+양 인(寅) 초봄 [목]	육합 (목) 파	2	토-음 묘(卯) 한봄 [목]	삼합(목)	7	화+양 진(辰) 늦봄 [토]	원진
		3	화-음 사(巳) 초여름 [화]	충	9	금+양 오(午) 한여름 [화]		3	금-음 미(未) 늦여름 [토]	삼합(목)
		6	기+양 신(申) 초가을 [금]	육해	3	기-음 유(酉) 한가을 [금]		9	수+양 술(戌) 늦가을 [토]	
		5	수-음 해(亥) 초겨울 [수]	자형	5	목+양 자(子) 한겨울 [수]	방합(수)	1	목-음 축(丑) 늦겨울 [토]	방합(수)

③ 여자 : 오른손잡이

음력 우리나라 나이가 기준이다.

여자 1981년 음력 11월(큰달) 16일 12시 13분 30초 生

오른손잡이　　　평생기본수　　　2016년

오늘의주도수=〉
양력 2016년 5월 31일(음력 2016년 4월 25일)
= 4 + 25 = 29　9로 나누면 나머지 2

육체 체질	금+ 양 오 (午) 한 여름 [화]	1	토+ 양 인(寅) 초봄 [목]	삼합 (화)	2	토- 음 묘(卯) 한봄 [목]	파	3	화+ 양 진(辰) 늦봄 [토]	
		4	화- 음 사(巳) 초여름 [화]	방합 (화)	5	금+ 양 오(午) 한여름 [화]	자형	9	금- 음 미(未) 늦여름 [토]	육합( ) 방합(화)
		4	기+ 양 신(申) 초가을 [금]		5	기- 음 유(酉) 한가을 [금]		9	수+ 양 술(戌) 늦가을 [토]	삼합(화)
		9	수- 음 해(亥) 초겨울 [수]		3	목+ 양 자(子) 한겨울 [수]	충	3	목- 음 축(丑) 늦겨울 [토]	육해 원진

④ 여자 : 왼손잡이

음력 우리나라 나이가 기준이다.

여자 1981년 음력 11월(큰달) 16일 12시 13분 30초 生

| 왼손잡이 | | 평생기본수 | | 2016년 | | 오늘의주도수=>
양력 2016년 5월 31일(음력 2016년 4월 25일)
= 4 + 25 = 29   9로 나누면 나머지 2 | | |

육체 체질	화- 음 사 (巳) 초 여름 [화]	1	토+ 양 인(寅) 초봄 [목]	육해 삼형	2	토- 음 묘(卯) 한봄 [목]		3	화+ 양 진(辰) 늦봄 [토]	
		4	화- 음 사(巳) 초여름 [화]		5	금+ 양 오(午) 한여름 [화]	방합 (화)	9	금- 음 미(未) 늦여름 [토]	방합(화)
		4	기+ 양 신(申) 초가을 [금]	육합(수) 파 삼형	5	기- 음 유(酉) 한가을 [금]	삼합 (금)	9	수+ 양 술(戌) 늦가을 [토]	원진
		9	수- 음 해(亥) 초겨울 [수]	충	3	목+ 양 자(子) 한겨울 [수]		3	목- 음 축(丑) 늦겨울 [토]	삼합(금)

11] 숫자의 작용

1,3,5,7,9 : 양수(陽數), 활동적(活動的), 과격(過激)
2,4,6,8 : 음수(陰數), 내성적(內省的), 온건(穩健)

1수리 생(生), 사람

합(合)일 경우 :
생(生)을 한다.
귀인(사업의 협조자), 동업자, 이성, 식구의 증가, 출산, 며느리
결혼, 임신, 기쁜 소식, 새로운 동반자

흉(凶)일 경우 :
극(剋)을 한다.
배신자, 사기꾼, 경쟁자, 원수, 결별, 사별, 부부싸움
모함(剋), 주위 사람을 조심하라.

1(生)의 작용
20代 ; 이성이나 귀인을 알게 된다.
30代 ; 자식을 출산한다.
40代 : 부부(夫婦)사이에 문제가 생긴다.
50代 : 부모가 사(死)한다.
60代 : 자식의 결혼, 손자. 손녀, 집안에 경사가 있다.

2수리 주(柱), 변동

합(合)일 경우 :
그 해에는 이사나 변동을 해도 좋다. 자신이 뜻이 이루어진다.
외국에 나간다.
이사, 이동, 외부 활동, 여행, 새로운 사업구상

흉(凶)일 경우 :
심리적 갈등이 생긴다.
몸은 여기에 있으나 마음은 다른 곳에 있다.
변화나 변동을 하지 말고 가만히 있어라. 손해를 본다.
퇴출, 퇴직, 원행(怨行)을 하지 마라.
자중(自重)하고 자리를 지켜라.

3수리 귀(鬼), 갈등

합(合)일 경우 :
신앙(信仰)이나 영적(靈的)인 것에 의존하고 싶어한다.
조상의 도움, 생각하지 않은 일이 성사된다.
두뇌회전이 빠르다.

흉(凶)일 경우 :
남의 말을 안 듣는다. 심리적 갈등이 생긴다.
분수를 지키지 못한다. 의외(意外)의 사건이 발생한다. 피곤하다.
정서불안, 누명을 쓴다.(形), 오해를 받는다.(沖), 입조심 하라.

4수리 정(定), 안정

합(合)일 경우 :
안정(安定)
자존심 강하다. 여유가 있다.

흉(凶)일 경우 :
갈등(葛藤)
안정이 깨진다. 몸이 괴롭다. 병원에 의존한다.

5수리 파(破), 놀람

합(合)일 경우 :
과감하게 하라. 밀고 나가라.
대운(大運)일 때 모든 것을 성취할 수 있다.
기쁜 일로 놀란다. 적극적이고 과감해진다.

흉(凶)일 경우 :
놀랄 일이 있다. 친구나 이성으로 인해 놀랄 일이 생긴다.
성급하게 행동하지 마라. 뜻을 이루지 못한다.
비운(悲運)일 때 자기고집 때문에 망한다.
나쁜 일로 놀란다. 크게 손해 본다.

6수리 관(官), 명예

합(合)일 경우 :
합격. 대학입시 합격. 자격증 합격. 기타 시험 합격.
적극적. 승진. 명예의 상승 또는 명예의 회복
지연되었던 문제가 해결된다.

흉(凶)일 경우 :
관재구설(沖, 破), 시비, 중상모략, 병원신세(沖, 破),
소송사건발생(形), 명예 실추, 피신(元嗔)

7수리 식(食), 질병

합(合)일 경우 :
건강이나 재물을 잃는 정도(程度)가 약하다.
고집쟁이, 적극적이고 저돌적이다.

흉(凶)일 경우 :
지병 발생, 혈압상승, 마음의 동요
구설에 주의하라. 건강에 신경을 써라.

8수리 재(財), 재물

합(合)일 경우 :
들어오는 돈이다.
수입이 증가한다. 금전의 유통이 원활하다.

흉(凶)일 경우 :
나가는 돈이다.
손재 또는 사기를 당한다.(元嗔)
동업하지 마라. 돈을 빌려주지 마라.(沖),

9수리 서(書), 문서

합(合)일 경우 :
자기의 능력을 믿고 과감히 밀고 나가라.
외국에 나간다. 집을 사도 좋다. 학업(學業)과 인연이 있다.
이성, 중매, 혼인신고, 출생신고.

흉(凶)일 경우 :
배신을 당한다. 직장에서 쫓겨난다. 문서로 인한 손해.
재판에서 패소. 나쁜 소식, 이혼신고, 계약해지, 입원, 학업 중단(破)

역학(易學)을 해석하고 적용(適用)할 때에는 인생이라는 여행(旅行)에
참고(參考)할 정도면 족(足)하다. 지나친 해석과 적용(適用)은 지양(止
揚)하는 것이 바람직하다. 역학(易學)의 이치(理致)를 제대로 알게 되면
자연스럽게 겸손(謙遜)의 미덕(美德)을 지향(志向)하게 된다.

사랑을 "十(열십)"이라는 기호로 표현하면 가로가 남자이고 세로가 여자다. 남자와 여자의 생식기를 생각해 보라. 이와 닮은꼴을 보면 얼굴에는 가로로 된 표시가 두 가지 있고 세로로 된 표시가 두 가지 있다. 가로는 눈과 입이 있고 세로는 귀와 코가 있다. 남자를 상징하는 가로가 눈과 입이고 여자를 상징하는 세로가 귀와 코다. 왜냐하면 눈과 입은 남자의 생식기와 같이 밖에서 움직일 수 있고, 귀와 코는 여자의 생식기와 같이 밖에서 움직일 수 없기 때문이다. 그래서 남자는 보이는 것과 맛에 민감하고 여자는 소리와 냄새에 민감한 것이다. 또한 눈과 입은 양(남성)이어서 쉽게 움직일 수 있지만 귀와 코는 음(여성)이어서 쉽게 움직이기 어렵다.

가로와 세로를 남자와 여자 그리고 양(陽)과 음(陰)으로 비유(比喩)한 것을 어떻게 과학적 방법으로 증명(證明)할 수 있겠는가? 불가능(不可能)한 일이다. 이처럼 비물질(非物質)에 대한 깨달음은 과학적 방법으로 증명(證明)할 수 있는 것이 아니다.

12)쌍둥이 해석

쌍둥이는 어머니 자궁 안에 있을 때 음(陰)과 양(陽)으로 있어야 생명
을 유지할 수 있다. 그 음(陰)과 양(陽)은 평생기본수로 나눈다.

1. 평생기본수가 "1(水陽)"인 경우
첫째는   "1(水陽)"을 평생기본수로 한다.
둘째는   "6(水陰)"을 평생기본수로 한다.
셋째는   "1(水陽)"을 평생기본수로 한다.
넷째는   "6(水陰)"을 평생기본수로 한다.
다섯째는 "1(水陽)"을 평생기본수로 한다.
 .
 .
 .

2. 평생기본수가 "2(火陰)"인 경우
첫째는   "2(火陰)"를 평생기본수로 한다.
둘째는   "7(火陽)"을 평생기본수로 한다.
셋째는   "2(火陰)"를 평생기본수로 한다.
넷째는   "7(火陽)"을 평생기본수로 한다.
다섯째는 "2(火陰)"를 평생기본수로 한다.
 .
 .
 .

3. 평생기본수가 "3(木陽)"인 경우
첫째는   "3(木陽)"을 평생기본수로 한다.
둘째는   "8(木陰)"을 평생기본수로 한다.

셋째는   "3(木陽)"을 평생기본수로 한다.
넷째는   "8(木陰)"을 평생기본수로 한다.
다섯째는 "3(木陽)"을 평생기본수로 한다.

．

．

．

4. 평생기본수가 "4(金陰)"인 경우
첫째는   "4(金陰)"를 평생기본수로 한다.
둘째는   "9(金陽)"를 평생기본수로 한다.
셋째는   "4(金陰)"를 평생기본수로 한다.
넷째는   "9(金陽)"를 평생기본수로 한다.
다섯째는 "4(金陰)"를 평생기본수로 한다.

－

．

．

5. 하지만, 평생기본수가 "5(土陽)"인 경우는
첫째는   "5(土陽)"를 평생기본수로 한다.
둘째는   "5(土陽, 氣陰)"를 평생기본수로 한다.
셋째는   "5(土陽)"를 평생기본수로 한다.
넷째는   "5(土陽, 氣陰)"를 평생기본수로 한다.
다섯째는 "5(土陽)"를 평생기본수로 한다.

．

．

．

6. 평생기본수가 "6(水陰)"인 경우

첫째는 "6(水陰)"을 평생기본수로 한다.
둘째는 "1(水陽)"을 평생기본수로 한다.
셋째는 "6(水陰)"을 평생기본수로 한다.
넷째는 "1(水陽)"을 평생기본수로 한다.
다섯째는 "6(水陰)"을 평생기본수로 한다.
.
.
.

7. 평생기본수가 "7(火陽)"인 경우
첫째는 "7(火陽)"을 평생기본수로 한다.
둘째는 "2(火陰)"를 평생기본수로 한다.
셋째는 "7(火陽)"을 평생기본수로 한다.
넷째는 "2(火陰)"를 평생기본수로 한다.
다섯째는 "7(火陽)"을 평생기본수로 한다.
.
.
.

8. 평생기본수가 "8(木陰)"인 경우
첫째는 "8(木陰)"을 평생기본수로 한다.
둘째는 "3(木陽)"을 평생기본수로 한다.
셋째는 "8(木陰)"을 평생기본수로 한다.
넷째는 "3(木陽)"을 평생기본수로 한다.
다섯째는 "8(木陰)"을 평생기본수로 한다.
.
.
.

9. 평생기본수가 "9(金陽)"인 경우

첫째는　"9(金陽)"를 평생기본수로 한다.

둘째는　"4(金陰)"를 평생기본수로 한다.

셋째는　"9(金陽)"를 평생기본수로 한다.

넷째는　"4(金陰)"를 평생기본수로 한다.

다섯째는 "9(金陽)"를 평생기본수로 한다.

.

.

.

제 6장 역학(易學)과 수상학(手相學)

1] 양력 1일역과 두뇌선(화)
양력 1일역은 정신적인 것과 관련이 있다. 이유는 지구의 자전과 태양의 관계에 의하여 만들어진 역이기 때문이다. 태양이 비치는 낮 동안에 눈으로 본 것들이 정신을 주(主)로 만든다고 보기 때문이다. 자신(自身)의 현재 정신 이전의 원래(元來)의 정신이다. 이를 "자아(自我)"라고 칭(稱)한다. "자아(自我)"는 정자(精子)를 만드는 정보(情報)를 가지고 있는 "정보(情報)Energy"를 말한다. 이 자아의 존재가 주(主)로 나타나 있는 것이 손에 있는 두뇌선이다. 남자는 주(主)로 어머니의 영향으로 만들어진 선이고 여자는 주(主)로 아버지의 영향으로 만들어진 선이다.

양력 1일역으로 찾는 체질인 "자아체질"은 남자의 경우에 육친의 관계로 볼 때 아버지의 자리이며 "관성"이라 칭한다. 그리고 "관성"을 "편관"과 "정관"으로 나누어 볼 때 편관은 직장, 딸, 외조모로 해석하고 정관은 직장, 아들, 조카로 해석한다. 여자의 경우도 육친의 관계로 볼 때 아버지의 자리이며 "재성"이라 칭한다. 그리고 "재성"을 "편재"와 "정재"로 나누어 볼 때 편재는 재물, 아버지, 외손자로 해석하고 정재는 재물, 아버지로 해석한다.

2] 음력 1일역과 감정선(금)
음력 1일역은 육체적인 것과 관련이 있다. 이유는 달의 자전과 지구의 관계에 의하여 만들어진 역이기 때문이다. 어두운 환경에 있는 동안에 수면(睡眠)을 통하여 낮 동안의 활동으로 인한 몸의 피로를 회복하기 때문이다. 자신의 현재 육체 이전의 원래의 육체이다. 이를 "진아(眞我)"라고 칭(稱)한다. "진아(眞我)"는 난자(卵子)를 만드는 정보(情報)를 가지고 있는 "정보(情報)Energy"를 말한다. 이 진아의 존재가 주(主)로 나타나 있는 것이 손에 있는 감정선이다. 남자는 주(主)로 어머니의 영향으로 만들어진 선이고 여자는 주(主)로 아버지의 영향으로 만들어진 선이다.

음력 1일역으로 찾는 체질인 "진아체질"은 남자의 경우에 육친의 관계로 볼 때 어머니의 자리이며 "인성"이라 칭한다. 그리고 "인성"을 "편인"과 "정인"으로 나누어 볼 때 편인는 문서, 계모, 할아버지로 해석하고 정인은 문서, 생모, 장인, 손자로 해석한다. 여자의 경우도 육친의 관계로 볼 때 어머니의 자리이며 "인성"이라 칭한다. 그리고 "인성"을 "편인"과 "정인"으로 나누어 볼 때 편인은 문서, 계모로 해석하고 정인은 문서, 어머니, 사위, 손녀로 해석한다.

3]양력 1년역과 운명선(기)
양력(陽曆)은 하늘(天)과 태양(太陽)이 기준(基準)이다. 태양은 양(陽)이고 양(陽)은 남자(男子)와 정신적(精神的)인 것을 의미(意味)한다. 양력(陽曆) 1년역은 사람의 정신에 가장 크게 작용한다. 그래서 양력 1년역으로 정신체질을 찾는다. 양력 1년역으로 찾은 정신체질을 "정신"이라 칭(稱)한다. 이 정신의 존재가 손에 나타나 있다. 바로 운명선이다. 아버지의 두뇌선과 어머니의 감정선이 서로 사랑하여 운명선(정신)이라는 열매로 나타난 것이다.

양력 1년역으로 찾는 체질인 "정신체질"은 남자의 경우에 육친의 관계로 볼 때 본인의 자리이며 "비겁"이라 칭한다. 그리고 "비겁"을 "비견"과 "겁재"로 나누어 볼 때 비견은 형제, 친구, 동업자, 조카, 자매로 해석하고 겁재는 이복형제, 친구, 조카, 며느리, 자매로 해석한다. 여자의 경우는 육친의 관계로 볼 때 배우자의 자리이며 "관성"이라 칭한다. 그리고 "관성"을 "편관"과 "정관"로 나누어 볼 때 편관은 남편, 직장, 남자 친구로 해석하고 정관은 남편, 직장으로 해석한다.

4] 음력 1달역과 생명선(토)

음력(陰曆)은 땅(地)과 달(月)이 기준(基準)이다. 달(月)은 음(陰)이고 음(陰)은 여자(女子)와 육체적(肉體的)인 것을 의미(意味)한다. 음력(陰曆) 1달역은 사람의 육체(肉體)에 가장 크게 작용한다. 그래서 음력 1달역(삭망월)으로 육체체질을 찾는다. 음력 1달역(삭망월)으로 찾은 육체체질을 "육체"라고 칭(稱)한다. 이 육체의 존재가 손에 나타나 있다. 바로 생명선이다. 아버지의 두뇌선과 어머니의 감정선이 서로 사랑하여 생명선(육체)이라는 열매로 나타난 것이다.

음력 1달역으로 찾는 체질인 "육체체질"은 남자의 경우에 육친의 관계로 볼 때 아내의 자리이며 "재성"이라 칭한다. 그리고 "재성"을 "편재"와 "정재"로 나누어 볼 때 편재는 아버지, 여자, 재물로 해석하고 정재는 아버지, 아내, 여자, 재물로 해석한다. 여자의 경우는 육친의 관계로 볼 때 본인의 자리이며 "비겁"이라 칭한다. 그리고 "비겁"을 "비견"과 "겁재"로 나누어 볼 때 비견은 형제, 친구, 동업자로 해석하고 겁재는 이복 형제, 친구, 조카, 시아버지로 해석한다.

5] 양력 19년역과 사업선(수)

양력 19년역은 메톤 주기(Metonic cycle)인데 동짓날과 그믐날이 겹치는 날의 자정(子正)을 기준(基準)으로 한다. 메톤 주기에 대한 설명은 천문학 사전에 자세히 설명되어 있으니 생략하겠다. 이 역은 정신적인 것과 관련이 있다. 그 이유는 19태양년이 양력(陽曆)이기 때문이다. 양력 19년역은 정신의 껍데기로 보기 때문에 "재물"로 해석(解釋)한다. 이 재물의 존재가 손에 나타나 있다. 바로 사업선이다. 두뇌선과 운명선을 보완하고 자식 중 주로 아들과 관계가 있다.

양력 19년역으로 찾는 체질인 "재물체질"은 남자의 경우에 육친의 관계로 볼 때 아들의 자리이며 "식신"이라 칭한다. 그리고 제자, 사위, 장모로 해석하며 여자의 경우도 육친의 관계로 볼 때 아들의 자리이며 "상관"이라 칭한다. 그리고 제자, 자식, 외조부, 친할머니로 해석한다.

6] 음력 223월역과 재물선(목)
음력 223월(삭망월)역은 사로스 주기(Saros cycle)인데 금환일식(金環日蝕)날과 그믐날이 서로 가장 가까운 날의 자정(子正)을 기준(基準)으로 한다. 사로스 주기에 대한 설명은 천문학 사전에 자세히 설명되어 있으니 생략하겠다. 이 역은 육체적인 것과 관련이 있다. 그 이유는 223삭망월(陰曆)이 음력(陰曆)이기 때문이다. 223삭망월(陰曆)은 육체의 껍데기로 보기 때문에 "명예"로 해석(解釋)한다. 이 명예의 존재가 손에 나타나 있다. 바로 재물선이다. 감정선과 생명선을 보완하고 자식 중 주로 딸과 관계가 있다.

음력 223월역으로 찾는 체질인 "명예체질"은 남자의 경우에 육친의 관계로 볼 때 딸의 자리이며 "상관"이라 칭한다. 그리고 제자, 친할머니, 손녀로 해석하며 여자의 경우도 육친의 관계로 볼 때 딸의 자리이며 "식신"이라 칭한다. 그리고 제자, 딸, 증조할아버지로 해석한다.

제 7장 손금과 구(Mount)의 관계

남자의 손금 중 두뇌선과 감정선 그리고 운명선과 사업선은 주로 어머니의 영향으로 만들어진 것이고 생명선과 재물선은 주로 아버지의 영향으로 만들어진 것이다. 여자의 손금 중 두뇌선과 감정선 그리고 운명선과 사업선은 주로 아버지의 영향으로 만들어진 것이고 생명선과 재물선은 주로 어머니의 영향으로 만들어진 것이다. 그리고 남자의 제2화성구와 수성구 그리고 금성구와 토성구는 주로 어머니의 영향으로 만들어진 것이고 월구와 목성구, 제1화성구는 주로 아버지의 영향으로 만들어진 것이다. 여자의 제 2화성구와 수성구 그리고 금성구와 토성구는 주로 아버지의 영향으로 만들어진 것이고 월구와 목성구, 제1화성구는 주로 어머니의 영향으로 만들어진 것이다. 이런 원칙(原則)을 적용(適用)하면 역학(易學)과 수상학(手相學)을 연결(連結)하여 해석(解釋)하는데 도움이 된다.

1] 두뇌선(화)과 제2화성구(금)
두뇌선과 제2화성구의 관계는, 두뇌선은 지적인 성향의 "양적(陽的)"인 기능을 가진 것이고 제2화성구는 지적인 성향의 "음적(陰的)"인 기능을 가진 것이다. "양적(陽的)"이라는 말의 뜻은 밖으로 드러나는 성향을 의미하고, "음적(陰的)"이라는 말의 뜻은 마음속에 있는 성향을 의미한다. 두뇌선은 그 사람의 지적인 성향을 판단할 수 있는데 그 두뇌선의 지적인 성향을 보완하는 것이 제2화성구의 기능이다. 예를 들면 두뇌선이 짧은 사람은 성급한 경향이 있는데 제2화성구가 적당히 발달해 있으면 끈기와 지구력이 있어서 두뇌선의 성급함을 보완한다.

2] 감정선(금)과 수성구(화)

감정선과 수성구의 관계는, 감정선은 성격적 특성의 "양적(陽的)"인 기능을 가진 것이고 수성구는 성격적 특성의 "음적(陰的)"인 기능을 가진 것이다. 감정선은 그 사람의 성격적 특성을 판단할 수 있는데 그 감정선의 성격적 특성을 보완하는 것이 수성구 기능이다. 예를 들면 감정선이 짧은 사람은 감정이 메말라 있다고 보는데 수성구가 적당히 발달해 있으면 감성이 풍부하고 소통능력이 있어서 감정선의 단점을 보완한다.

3] 운명선(기)과 금성구(기)

운명선과 금성구는 남자의 경우에는 주로 어머니의 영향을 받은 것이고 여자의 경우에는 주로 아버지의 영향을 받은 것이다. 운명선과 금성구의 관계는, 운명선이 뚜렷하면 분명한 목적이 있는 사회생활을 한다는 의미가 있고 금성구는 사회생활을 하는데 필요한 체력을 추정할 수 있다. 운명선은 이성적인 부분을 담당하는 머리고 금성구는 겉으로 드러난 육체라고 보면 된다. 상호 보완적이다.

4] 생명선(토)과 월구(토)

생명선과 월구는 남자의 경우에는 주로 아버지의 영향을 받은 것이고 여자의 경우에는 주로 어머니의 영향을 받은 것이다. 생명선과 월구의 관계는 생명선으로 건강상태를 추정할 수 있고 월구는 창조, 연구, 예능의 능력을 추정할 수 있다. 생명선은 내부 장기이고 월구는 감성적인 부분을 담당하는 머리라고 보면 된다. 상호 보완적이다.

5] 사업선(수)과 토성구(수)

사업선과 토성구는 남자의 경우에는 주로 어머니의 영향을 받은 것이고 여자의 경우에는 주로 아버지의 영향을 받은 것이다. 사업선과 토성구의 관계는, 사업선은 사교적이고 계산적인 성향을 추정할 수 있는데 이런 의미 때문에 사업선이라 이름을 붙인 것이다. 토성구는 책임감, 신용 등을 추정할 수 있다. 상호 보완적이다.

6] 재물선(목)과 목성구(목), 제1화성구(목)

재물선과 목성구는 남자의 경우에는 주로 아버지의 영향을 받은 것이고 여자의 경우에는 주로 어머니의 영향을 받은 것이다. 재물선과 목성구의 관계는, 재물선은 부와 명예 그리고 인기의 정도를 추정하며 목성구는 명예에 대한 욕구, 자신감을 추정할 수 있다. 상호 보완적이다.

제 8장 역학의 기준

만약 본인의 육체 체질이 차갑다면 어떤 환경을 좋아할까? 당연히 따뜻한 환경을 좋아할 것이다. 반대로 만약 본인의 육체 체질이 따뜻하다면 어떤 환경을 좋아할까? 당연히 시원한 환경을 좋아할 것이다. 이는 생명이라는 건 기본적으로 자신이 가진 체질과는 반대의 환경이 좋다는 의미가 된다. 물론 몸에 병이 있을 경우는 그렇지 않다. 여기에서는 건강한 상태에서 육체가 반응하는 것을 기준으로 설명하고자 한다.

우리가 세상에 나올 때는 육체라는 걸 만들어서 어머니의 배에서 나온다. 그러면 어머니 배에서 나올 때 아무 때나 나와서 호흡(呼吸)을 시작하는 것일까? 그건 아니다. 일단 배 안에서 약 265일 동안 육체를 만드는 시간이 필요하다. 그리고 만든 그 육체의 체질이 만약 따뜻한 체질이라면 시원한 시간에 나오는 것이 좋을 것이다. 그래야 따뜻한 체질(陽)과 시원한 시간(陰)이 조화(調和)를 이루어 편안한 환경이 되기 때문이다. 호흡(呼吸)의 시작도 자신의 체질과 조화를 이루는 시점에서 시작하게 된다. 이와 같이 생명체는 아무 때나 태어나서 활동을 하는 것이 아니라 자신의 체질과 조화를 이루는 시간에 태어나서 호흡(呼吸)을 시작하게 되는 것이다.

시간의 주기는 양력1일만 있는 것이 아니다. 사람을 예로 들면 6가지의 시간의 주기가 동시에 사람에게 영향을 미친다. 앞에서 말한 양력1일역의 시간 주기가 있고 양력1일역의 닮은꼴인 양력1년역의 시간 주기가 있다. 그리고 양력1년역의 닮은꼴인 19태양년의 시간 주기가 있다. 그리고 음력으로는 음력1일역이라는 시간 주기가 있고 음력1일역의 닮은꼴인 음력1달역의 시간 주기가 있다. 그리고 음력1달역의 닮은꼴인 음력223월(삭망월)역의 시간 주기가 있다. 이 여섯 가지의 시간 주기로 본인의 자아, 진아, 정신, 육체, 재물, 명예(인덕)의 체질을 찾을 수 있다. 체질을 찾는 원리는 다음과 같다.

하기의 표와 도형은 육기[六氣(수, 목, 토, 화, 금, 기)]를 계절에 따라 나눈 것이다. 6가지의 시간 주기를 모두 같은 모양으로 나눌 수 있으며, 이렇게 나눈 시간을 기준으로 그 사람의 자아체질, 진아체질, 정신체질, 육체체질, 재물체질, 명예(인덕)체질을 찾을 수 있다.

번호	계절	36기운	12기운	비율	시작 시점	끝나는 시점
2	겨울	목목	목-음축 (丑) 늦겨울 [토]	0.03412037037037040	0:49:08	1:38:16
3	겨울	목토		0.02412037037037040	1:38:16	2:13:00
4	겨울	목화		0.03412037037037040	2:13:00	3:02:08
5	겨울	목금	토+양인 (寅) 초봄 [목]	0.03412037037037040	3:02:08	3:51:16
6	겨울	목기		0.02412037037037040	3:51:16	4:26:00
7	겨울	목수		0.03412037037037040	4:26:00	5:15:08
8	봄	토목	토-음묘 (卯) 한봄 [목]	0.02412037037037040	5:15:08	5:49:52
9	봄	토토		0.01703703703703700	5:49:52	6:14:24
10	봄	토화		0.02412037037037040	6:14:24	6:49:08
11	봄	토금	화+양진 (辰) 늦봄 [토]	0.02412037037037040	6:49:08	7:23:52
12	봄	토기		0.01703703703703700	7:23:52	7:48:24
13	봄	토수		0.02412037037037040	7:48:24	8:23:08
14	여름	화목	화-음사 (巳) 초여름 [화]	0.03412037037037040	8:23:08	9:12:16
15	여름	화토		0.02412037037037040	9:12:16	9:47:00
16	여름	화화		0.03412037037037040	9:47:00	10:36:08
17	여름	화금	금+양오 (午) 한여름 [화]	0.03412037037037040	10:36:08	11:25:16
18	여름	화기		0.02412037037037040	11:25:16	12:00:00
19	여름	화수		0.03412037037037040	12:00:00	12:49:08

번호	계절	36기운	12기운	비율	시작 시점	끝나는 시점
20	여름	금목	금-음미 (未) 늦여름 [토]	0.034120370 37037040	12:49:08	13:38:16
21	여름	금토		0.024120370 37037040	13:38:16	14:13:00
22	여름	금화		0.034120370 37037040	14:13:00	15:02:08
23	여름	금금	기+양신 (申) 초가을 [금]	0.034120370 37037040	15:02:08	15:51:16
24	여름	금기		0.024120370 37037040	15:51:16	16:26:00
25	여름	금수		0.034120370 37037040	16:26:00	17:15:08
26	가을	기목	기-음유 (酉) 한가을 [금]	0.024120370 37037040	17:15:08	17:49:52
27	가을	기토		0.017037037 03703700	17:49:52	18:14:24
28	가을	기화		0.024120370 37037040	18:14:24	18:49:08
29	가을	기금	수+양술 (戌) 늦가을 [토]	0.024120370 37037040	18:49:08	19:23:52
30	가을	기기		0.017037037 03703700	19:23:52	19:48:24
31	가을	기수		0.024120370 37037040	19:48:24	20:23:08
32	겨울	수목	수-음해 (亥) 초겨울 [수]	0.034120370 37037040	20:23:08	21:12:16
33	겨울	수토		0.024120370 37037040	21:12:16	21:47:00
34	겨울	수화		0.034120370 37037040	21:47:00	22:36:08
35	겨울	수금	목+양자 (子) 한겨울 [수]	0.034120370 37037040	22:36:08	23:25:16
36	겨울	수기		0.024120370 37037040	23:25:16	0:00:00
1	겨울	수수		0.034120370 37037040	0:00:00	0:49:08

하기(下記)는 36기운과 12기운의 "비율"을 정(定)한 방법이다.

36기운의 "수수"와 12기운의 "음(陰)에 해당하는 목+ 양 자(子)"의 "시작 시점"을 양력1년인 경우에 12월 22일 00시 00분 00초로 하고 지구 자전축의 기울기인 약23.5도를 주기준(主基準)으로, 지구가 1년 동안 공전하는 360도를 부기준(副基準)으로 하여 봄, 여름, 가을, 겨울을 정(定)하였다. 사계절인 봄, 여름, 가을, 겨울이 생기는 이유가 자전축이 약23.5도 기울어진 지구가 양력1년 동안 태양 주위를 공전하기 때문이다. 토+양인(寅)은 약23.5도 기울어진 지구 자전축을 기준(基準)으로 하면 겨울에 해당되지만 1년 동안 공전하는 360도를 기준(基準)으로 하면 토+양인(寅)은 초봄에 해당된다. 또한 기+양신(申)도 약23.5도 기울어진 지구 자전축을 기준(基準)으로 하면 여름에 해당되지만 1년 동안 공전하는 360도를 기준(基準)으로 하면 기+양신(申)은 초가을에 해당된다. 36기운과 12기운의 "비율"은 지구 자전축의 기울기인 약23.5도를 주기준(主基準)으로 하고 지구가 1년 동안 공전하는 360도를 부기준(副基準)으로 하였다.

정오

하지

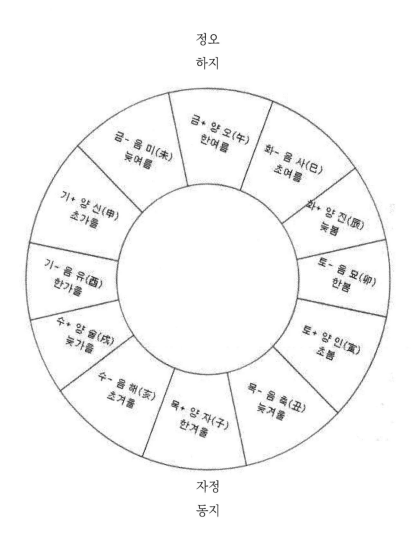

금 + 양 오(午)
한여름

화 - 음 사(巳)
초여름

화 + 양 진(辰)
늦봄

토 - 음 묘(卯)
한봄

토 + 양 인(寅)
초봄

목 - 음 축(丑)
늦겨울

목 + 양 자(子)
한겨울

수 - 음 해(亥)
초겨울

수 + 양 술(戌)
늦가을

기 - 음 유(酉)
한가을

기 + 양 신(申)
초가을

금 - 음 미(未)
늦여름

자정

동지

36기운과 12기운의 기준을 설명하기 위해서 시계방향으로 약 20.97 도를 기울인 도형이다. 부록(附錄) 도표(1) "체질 찾는 방법"을 만든 기준은 다음과 같다. 36기운에서 음(陰)의 기운이 가장 강한 때는 "수

수"다. 그리고 12기운의 각각을 음양중(陰陽中)으로 나눌 때 음(陰)의 기운이 가장 강한 때는, 한겨울인 "목+ 양 자(子)"의 음양중(陰陽中)에서 "음(陰)에 해당하는 목+ 양 자(子)"다. "수수"와 "음(陰)에 해당하는 목+ 양 자(子)"가 36기운과 12기운을 정(定)하는 기준(基準)이다. 양력 1년을 예로 들면 12월 22일 00시 00분 00초가 그 기준(基準)이다.

시간

남

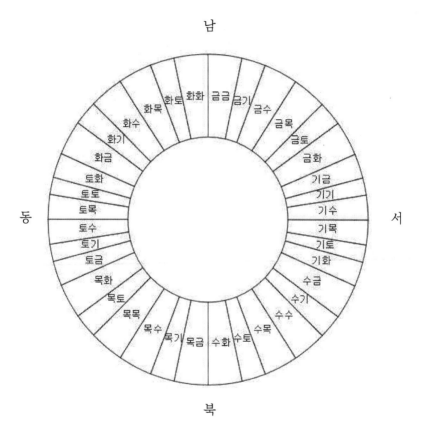

동　　　　　　　　　　　　서

북

공간

북

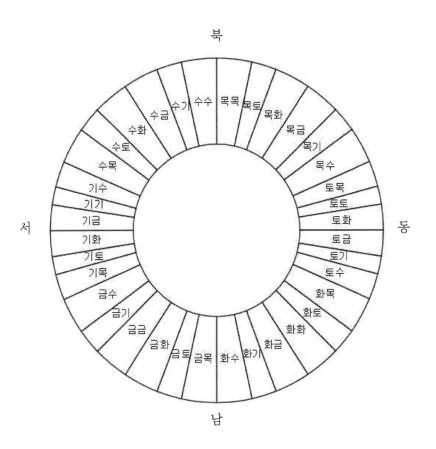

서

동

남

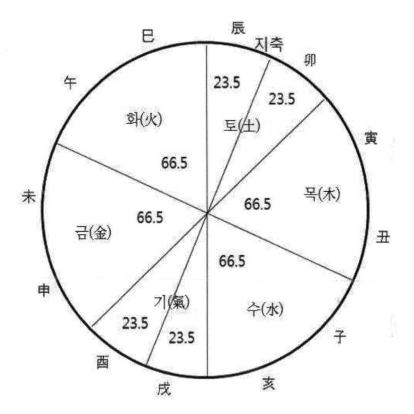

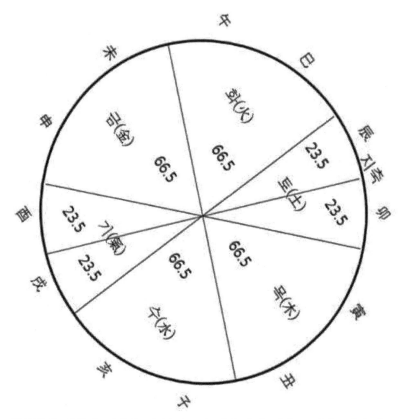

천문학에 의하면 지축은 약23.5도가 기울어져 있다고 한다. 지축의 중심을 기준으로 기울어진 23.5도의 반사각도 23.5도다. 두 각의 합은 47도이고 이는 12기운에서 묘(卯)와 진(辰)에 해당한다. 대칭각에 있는 47도에는 유(酉)와 술(戌)이 해당하며 나머지 8기운도 그림으로 이해할 수 있다.

1] 양력(陽曆) 1일(日)

지구는 약 24시간을 주기로 끊임없는 자전을 반복하고 있다. 이를 자정과 정오를 기준으로 나누어 생활에 편리하게 사용하고 있으며 역학에서도 중요한 기준으로 사용한다. 역학의 기준이 되는 이유는 약 24시간 동안 천문의 기운이 계속하여 반복하기 때문이다. 반복을 하지 않으면 기준으로 적용할 수가 없다.

2] 양력(陽曆) 1년(太陽年)

지구가 태양을 공전을 하는데 약 365일의 시간이 걸린다. 이를 동지와 하지를 기준으로 나누어 인간 생활에 편리하게 사용하고 있으며 역학에서 중요한 기준이 된다. 역학을 하는데 기준이 되는 이유는 양력 1일역과 마찬가지로 약 365일 동안 천문의 기운이 계속하여 반복하기 때문이다. 이를 소수점으로 나타내면 약365.2422일이 된다.

3] 양력(陽曆) 19태양년(太陽年)

메톤주기라고 하며 19년 또는 235삭망월의 주기를 말한다. 이 또한 약 6939.68일을 주기로 순환하며 역학의 중요한 기준이 된다. 이 주기는 19태양년과 235삭망월이 거의 일치하여 순환한다는 특징이 있다.

4] 음력(陰曆) 1일(日)

지구에서 달을 보면 지구 주위를 공전하는 달은 항상 같은 면만을 볼수 있다. 그래서 달이 자전을 하지 않는 것으로 생각을 하는데, 달은 지구의 자전과는 다른 형태의 주기로 자전을 하고 있다. 달은 지구 주위를 공전하고 있어서 달이 뜨는 "달뜸" 시각은 매일 50분 정도씩 늦

어진다. 그래서 달의 자전 주기는 약 24시간 50분이다. 이를 음력 1
일역이라고 한다.

5] 음력(陰曆) 1달(朔望月)
달이 지구를 한 바퀴 돌고 또한 스스로 한 바퀴 도는 데 걸리는 시간
은 27.3일이고 이를 항성월이라 한다. 그런데 달이 한번 기울었다가
다시 차는 데 걸리는 시간은 29.5일이고 이를 삭망월이라 하며 그 차
이는 약 2.2일이 된다. 이는 달이 한번 지구를 도는 동안 지구도 태
양을 돌기 때문에 생기는 차이이며 역학에서는 삭망월을 기준으로 한
다. 왜냐하면 그믐달을 음(陰)으로 보고 보름달을 양(陽)으로 보기 때
문이다.

6] 음력(陰曆) 223월(朔望月)
달이 천구상의 특정 지점에서 출발하여 6585.3212일 후에 다시 그
특정 지점으로 오는 주기다. 1사로스 주기 이후에는 지구에서 달의
거리가 원래대로 된다. 223삭망월이며 3사로스 주기가 지나면 지구상
의 동일 위치에서 같은 시각에 같은 일식을 관측할 수 있다.

7] 천문의 주기

	년(양력)	일(양력)	월(삭망월)	일(양력)
메톤주기	18-12-30 16:31:00	6939.6018	235	6939.6882 (6939)
사로스주기	18-01-10 7:42:32		223	6585.3212 (6585)
사로스주기X3	54-01-31 23:07:35		669	19755.9636 (19756)
메톤주기X6	113-12-30 3:06:03		1410	41638.1292 (41638)
칼리푸스주기 (메톤주기X4)	75-12-30 18:04:02		940	27758.7528 (27759)

8] 한국의 표준시와 서머타임

지역	경도	135도 기준	127.5도 기준
서울	126도 58분 46초	32분 05초 +	02분 05초 +
부산	129도 02분 23초	23분 48초 +	06분 12초 -
대구	128도 37분 05초	25분 32초 +	04분 28초 -
인천	126도 37분 07초	33분 32초 +	03분 32초 +
광주	126도 55분 39초	32분 17초 +	02분 17초 +
대전	127도 25분 23초	30분 19초 +	00분 19초 +
청주	127도 29분 00초	30분 03초 +	03분 03초 +
전주	127도 08분 55초	31분 24초 +	01분 24초 +
춘천	127도 44분 02초	29분 04초 +	00분 56초 -
강릉	128도 54분 11초	24분 23초 +	05분 37초 -
포항	129도 21분 42초	22분 33초 +	07분 27초 -
경주	129도 13분 18초	23분 07초 +	06분 53초-
목포	126도 23분 27초	34분 26초 +	04분 26초 +
제주	126도 31분 56초	33분 52초 +	03분 52초 +

1)지역별 표준시와의 시차
동경 127도 30분 사용 시기
1908년 02월 01일 ~ 1911년 12월 31일
1954년 03월 21일 ~ 1961년 08월 09일
이 외의 기간은 동경 135도를 사용하였다.

2)서머타임(Summer time)
여름철 낮 시간이 긴 것을 이용하여 법령으로 표준시를 01시간 앞당긴 시각을 사용하는 제도이다. 우리나라에서는 1948년부터 1951년까지 실시하고, 1955년부터 1960년까지 실시하다가 1961년에 폐지되었다. 그 뒤에 서울에서 제24회 올림픽을 치르게 됨에 따라 해외 주요 국가와의 시간대를 맞출 필요성이 있어 1987년부터 1988년까지 시행하다가 1989년에 다시 폐지되었다.

서머타임 실시 시기(양력 기준)

1948년 06월 01일 00시 00분 00초 ~ 1948년 09월 13일 00시 00분 00초

1949년 04월 03일 00시 00분 00초 ~ 1949년 09월 11일 00시 00분 00초

1950년 04월 01일 00시 00분 00초 ~ 1950년 09월 10일 00시 00분 00초

1951년 04월 01일 00시 00분 00초 ~ 1951년 09월 09일 00시 00분 00초

1955년 05월 05일 00시 00분 00초 ~ 1955년 09월 09일 00시 00분 00초

1956년 05월 20일 00시 00분 00초 ~ 1956년 09월 30일 00시 00분 00초

1957년 05월 05일 00시 00분 00초 ~ 1957년 08월 22일 00시 00분 00초

1958년 05월 04일 00시 00분 00초 ~ 1958년 09월 21일 00시 00분 00초

1959년 05월 03일 00시 00분 00초 ~ 1959년 09월 20일 00시 00분 00초

1960년 05월 01일 00시 00분 00초 ~ 1960년 09월 18일 00시 00분 00초

1987년 05월 10일 02시 00분 00초 ~ 1987년 10월 11일 03시 00분 00초

1988년 05월 08일 02시 00분 00초 ~ 1988년 10월 09일 03시 00분 00초

9] 합(合), 형(刑), 충(沖), 파(破), 해(害), 원진(怨嗔)

1) 육합(六合)의 원리

육합

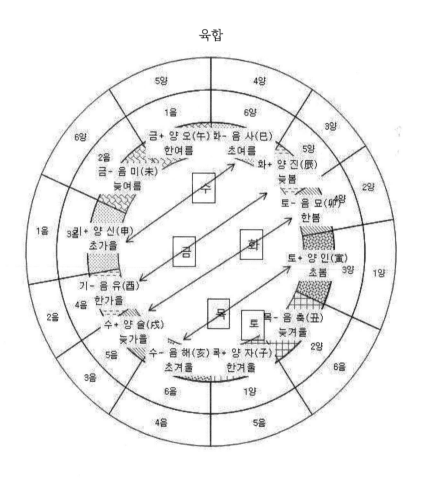

위 표를 보면 목+ 양 자(子)부터 1양이 시작되지만 실제로는 토+ 양
인(寅)부터 1양이 시작된다. 그러므로 목+ 양 자(子) 1양과 목- 음 축

(丑) 2양은 실제로는 양(陽)의 기운이 거의 없다. 양(陽)과 음(陰)은 다르지만 서로가 양(陽)의 기운이 거의 없다는 것은 같다. 그래서 자(子)와 축(丑)은 합(合)을 한다. 그리고 자(子)와 축(丑)의 가운데를 기준으로 서로 대응하는 음(陰)과 양(陽) 또는, 양(陽)과 음(陰)은 음양(陰陽)이 다르고 그 힘의 크기가 비슷하기 때문에 합(合)을 하는데 이를 육합(六合)이라고 한다.

음양합(陰陽合)이라고도 하며, 좋은 것을 서로 채워 놓은 모양이다. 육합이 있으면 활동성이나 사회성이 강하다고 본다. 육합은 12기운 중 두 기운끼리 합을 이루어 6개의 합이 되므로 육합이라고 하며 주로 긍정적인 의미로 해석한다. 지혜, 생산, 총명의 인자로 본다.

육합의 종류
자축 인해 묘술 진유 사신 오미

2) 방합(方合)의 원리

방합

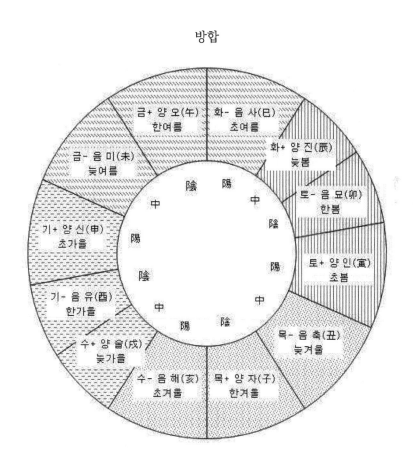

천문학자들은 지축이 23.5도 정도 기울어져 있다고 말한다. 사계절은 기울어진 지축으로 인해 생기는 것이다. 진(辰)은 동(東)과 남(南)의 사이(中)에 있고, 술(戌)은 서(西)와 북(北)의 사이(中)에 있다. 그리고 축(丑)은 북(北)과 동(東) 사이(中)에 있고, 미(未)는 남(南)과 서(西) 사이

(中)에 있다. 그래서 진(辰)과 술(戌) 그리고 축(丑)과 미(未)를 토(土, 中)로 보며, 인(寅) 묘(卯) 진(辰)은 봄, 사(巳) 오(午) 미(未)는 여름, 신(申) 유(酉) 술(戌)은 가을, 해(亥) 자(子) 축(丑)은 겨울이다. 사계절 각각의 시작은 양(陽)이고 그 다음은 음(陰)이며 그리고 마무리는 중(中)이다. 양(陽)이 나오고 음(陰)이 있어야 중(中)이 생긴다. 기울어진 지축으로 인해 생기는 사계절은, 봄의 음양중(陰陽中), 여름의 음양중(陰陽中), 가을의 음양중(陰陽中) 그리고 겨울의 음양중(陰陽中)이 각각 무리를 지어 합(合)을 하는데, 이를 방합이라고 한다. 방합의 음양중(陰陽中)이 1년의 1월에서 12월의 음양중(陰陽中)과 차이가 있는 이유는 1년은 12개월을 하나의 원(圓)으로 보고 음양중(陰陽中)을 정하고, 방합은 각각의 계절을 하나의 원(圓)으로 보고 음양중(陰陽中)을 정하기 때문이다. 양력1년(약365일)은 음력1년(약354일)과 약11일의 차이가 있으나 그 차이는 양력19년의 기간에 7번의 윤달로 조정한다.

합(合) 중에서 가장 강력한 합이며 힘이 매우 강해서 쉽게 변화할 수 없는 형태의 합이다. 형제합, 가족합으로 해석하며 강력한 결합력이 있는 것이 특징이다. 계절의 합이며 방합의 각각은 살아가는 모양이나 인생의 꿈, 그리고 사회적인 역할이 다르지만 이유 없이 무리지어 있는 것을 뜻한다. 어려움이나 힘든 일이 있을 때는 힘이 된다. 하지만 사회에서 직장이나 직업은 다르다. 방합으로 알 수 있는 것은 본인이 타고난 기본적인 정서, 문제해결 방식, 근본적인 품성을 알 수 있다. 이는 직업적 성향으로 연결된다.

방합의 종류
인묘진 사오미 신유술 해자축

3) 삼합(三合)의 원리

삼합

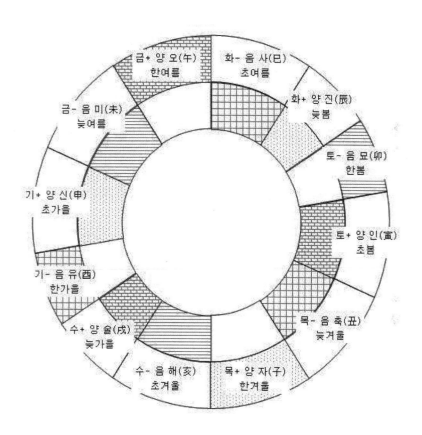

왕지(旺地)는 목국, 화국, 금국, 수국의 가운데에 있다. 왕지(旺地)를 중심으로 힘의 방향이 같고 힘이 균형을 이루는 것은 해묘미(亥卯未), 인오술(寅午戌), 사유축(巳酉丑), 신자진(申子辰)이 있다. 이들을 삼합이라고 하는데, 삼합의 생지(生地)와 왕지(旺地) 그리고 고지(庫地)는 힘

의 방향이 같고 힘이 균형을 이루기 때문에 원(願)하는 것이 같다고
볼 수 있다. 원(願)하는 것이 같기 때문에 서로가 합(合)을 한다. 힘의
방향이 같고 힘이 균형을 이루면 안정적인 상태에서 큰 힘을 발휘할
수 있다. 삼합의 생지(生地)에서 왕지(旺地)의 기운이 나타나고 삼합의
고지(庫地)에서 왕지(旺地)의 기운이 물러간다.

삼합은 어떤 목적을 이루기 위하여 모이는 사회적인 합이며 동일한
방향성과 운동성을 가지고 공통의 목적을 달성하기 위하여 서로가 힘
을 합한다. 합이라는 것은 서로 좋아하는 관계를 의미하며 12운성의
장생, 제왕, 묘가 모두 모이면 삼합이 된다. 장생, 제왕, 묘가 있으면
하나의 새로운 조직을 만든다.

삼합의 종류
해묘미 인오술 사유축 신자진

4) 형(刑)의 원리

합(合), 형(刑), 충(沖), 파(破), 해(害), 원진(怨嗔)의 각각(各各)에 있는 12기운(氣運)은 그 기운(氣運)이 중복되지 않는다. 그리고 형(刑), 충(沖), 파(破)는 역마살 간(間), 도화살 간(間), 화개살 간(間)의 관계(關係)이다.

어떤 것을 적당히 희생하여 그 용도에 맞춘다는 의미가 있다. 힘을 가하여 형태가 바뀌는 형상이며 어려움을 겪는 인자로 해석하는데 사고, 수술, 불화 등을 일으키는 기운으로 본다.

인신사해는 역마살, 자오묘유는 도화살, 진술축미는 화개살이다. 이중(中)에서 진(辰), 오(午), 유(酉), 해(亥)는 그 Energy가 크기 때문에 겹치면 좋지 않다. 형(刑)의 원리는 다음과 같다.

1. 자형(自刑)의 원리

육체체질	목-음 축(丑) 늦겨울 [토]	평생 기본수			2016년 올해의 주도수			
		5	토+양 인(寅) 초봄 [목]	3	토-음 묘(卯) 한봄 [목]	8	화+양 진(辰) 늦봄 [토]	파
		4	화-음 사(巳) 초여름 [화]	삼합(금)	2	금+양 오(午) 한여름 [화]	육해, 원진	6	금-음 미(未) 늦여름 [토]	충, 삼형(육형)
		1	기+양 신(申) 초가을 [금]		8	기-음 유(酉) 한가을 [금]	삼합(금)	9	수+양 술(戌) 늦가을 [토]	삼형(육형)
		1	수-음 해(亥) 초겨울 [수]	방합(수)	4	목+양 자(子) 한겨울 [수]	육합(토), 방합(수)	5	목-음 축(丑) 늦겨울 [토]	

위의 표는 매화역수 포국이다. 인신사해는 역마살이고 자오묘유는 도화살이고 진술축미는 화개살이다. 인사신해 역마살 중에서 역마의 힘이 가장 큰 것은 해(亥)다. 그 이유는 추운 겨울에 돌아다니기 때문이다. 큰 힘 두 개가 겹치니 스스로에게 안 좋다. 진술축미 화개살 중에서 화개(華蓋)의 힘이 가장 큰 것은 진(辰)이다. 그 이유는 봄의 솟아오르는 기운을 덮어버리기 때문이다. 큰 힘 두 개가 겹치니 스스로에게 안 좋다. 자오묘유 도화살 중에서 도화의 힘이 큰 것이 오(午)와 유(酉)다. 진도화(眞桃花)라고 한다. 그 이유는 도화살 중에서 오(午)와 유(酉)는 묘(卯)와 자(子)의 보호를 받고 있는 "알맹이"이기 때문이다. 위의 표를 보면 자오묘유는 같은 도화살이지만 묘(卯)와 자(子)는 오

(午)와 유(酉)를 보호하는 "껍데기"이다. 껍데기보다는 알맹이의 Energy가 크다. 큰 힘 두 개가 겹치니 스스로에게 안 좋다. 자(子)와 묘(卯)는 도화살이지만 그 힘이 크지 않아 가도화(假桃花)라고 한다. 자형(自刑)이 아닌 경우의 비견(比肩)은 자신이 하나 더 있는 것으로 좋은 것이다.

2. 상형(相刑)의 원리

자오묘유 도화살 중에서 오(午)와 유(酉)는 자형이 되고, 오(午)와 유(酉)를 제외한 나머지인 자(子)와 묘(卯)는 상형이 된다. 그 이유는 도화살을 기준으로 볼 때 자(子)의 입장에서 묘(卯)는 겁재의 기운으로 작용하기 때문이다. 묘(卯)의 입장에서도 마찬가지다.

3. 삼형(三刑)의 원리

인사신(寅巳申)삼형

역마살 인(寅)의 입장에서 볼 때, 사(巳)나 신(申)은 겁재의 기운으로 작용한다. 사(巳)나 신(申)의 입장에서도 마찬가지다.

축술미(丑戌未)삼형

화개살 축(丑)의 입장에서 볼 때, 술(戌)이나 미(未)는 겁재의 기운으로 작용한다. 술(戌)이나 미(未)의 입장에서도 마찬가지다.

형(刑)

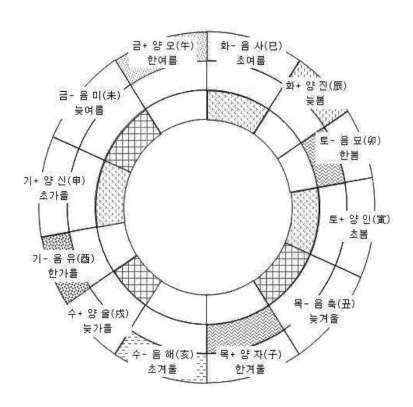

형의 종류

삼형(三刑) : 인사신

삼형(三刑) : 축술미

상형(相刑) : 자묘

자형(自刑) : 진진 오오 유유 해해

5) 충(沖), 파(破)의 원리

육체체질	평생기본수			2016년 올해의 주도수					
목-음 축(丑) 늦겨울 [토]	토+양 인(寅) 초봄 [목]	5		3	토-음 묘(卯) 한봄 [목]		8	화+양 진(辰) 늦봄 [토]	파
	화-음 사(巳) 초여름 [화]	4	삼합 (금)	2	금+양 오(午) 한여름 [화]	육해, 원진	6	금-음 미(未) 늦여름 [토]	충, 삼형 (육형)
	기+양 신(申) 초가을 [금]	1		8	기-음 유(酉) 한가을 [금]	삼합 (금)	9	수+양 술(戌) 늦가을 [토]	삼형 (육형)
	수-음 해(亥) 초겨울 [수]	1	방합 (수)	4	목+양 자(子) 한겨울 [수]	육합 (토), 방합 (수)	5	목-음 축(丑) 늦겨울 [토]	

위의 표는 매화역수 포국이다. 인신사해는 역마살이고 자오묘유는 도화살이고 진술축미는 화개살이다. 육체체질이 목- 음 축(丑)인데 12기운의 마지막인 목- 음 축(丑)과는 비견(比肩)이다. 비견은 자신이 하나 더 있는 것으로 자형(自刑)이 아닌 경우에는 좋은 것이다. 하지만 나머지 진술미는 다른 계절의 화개살이므로 목- 음 축(丑) 화개살을 기준으로 볼 때는 겁재의 기운으로 작용한다.

이 겁재들이 자신의 육체체질에 영향을 주는 힘의 방향과 크기에 따라 이름을 붙인 것이 충(沖), 파(破)다. 겁재는 좋은 것이 아니다. 자신이 힘이 있으면 빼앗고 자신이 힘이 없으면 뺏기는 관계는 상생의 관계가 아니므로 둘 중 어느 것이든 좋은 것이 아니다.

충(沖)은 타인과 자주 충돌하고 불화하여 살아가면서 삶의 질곡이나 역경이 많다는 의미가 있다. 투쟁성이며 반대 기운끼리 서로 조화(調和)가 맞지 않아 어쩔 수 없이 무너지는 상태로 보며 공존의 양식을 취하기 어려운 상태이다. 엎어 버리는 동작 그리고 항상 주먹을 쥐고 있는 상태로 해석한다. 충은 가만히 있는 것을 움직이게 하고 모여 있는 것을 분리시켜 변화를 일으킨다. 단편적인 판단을 할 것이 아니라 육기(六氣)의 전체 기운을 보고 종합적인 판단을 해야 한다. 충은 양의 운동과 양의 운동, 음의 운동과 음의 운동이 만나서 이루어지는데 동일한 공간에서 양립할 수 없는 상태를 말하며 역마의 작용이 있다고 본다.

파(破)는 꼬집는 행위에 비유할 수 있다. 거래관계에서 시비나 구설, 질투, 모함 등이 따르고 서류나 문서로 인한 착오나 실수로 인한 사고가 발생한다. 대인관계에서는 배신이나 실망감으로 다툼이 생기고 인간적인 정과 인격을 믿고 한 일에 배반을 당하거나 누명을 쓰기도 한다.

충(沖)

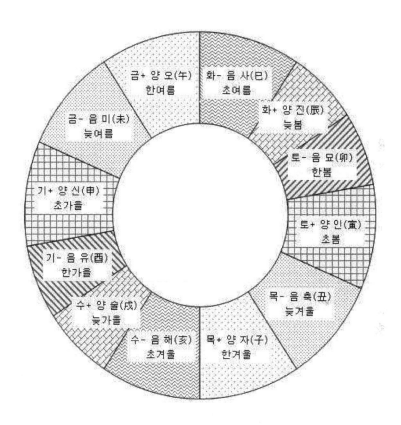

충의 종류
자오(子午) 축미(丑未) 인신(寅申) 묘유(卯酉) 진술(辰戌) 사해(巳亥)

파(破)

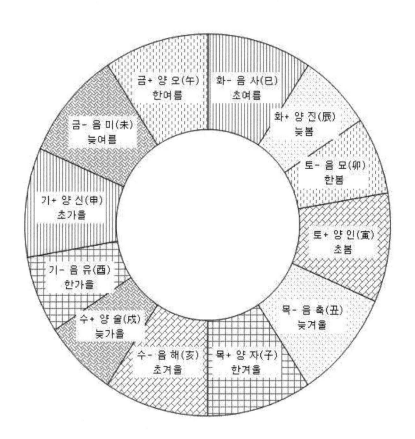

음(-)은 소극적이므로 계절의 흐름과 같은 방향을 바라보고 양(+)은 적극적이므로 계절의 흐름과 반대 방향을 바라본다. 음(-)과 양(+)이 바라보는 방향(方向)에서 처음으로 만나는 겁재(역마살, 도화살, 화개살 기준)를 파(破)라고 한다. 세 번째에 만나는 겁재의 기운은 크게 영

향을 미치지 않는다. 왜냐하면 처음에 놀라고, 두 번째에 놀라면 세 번째에는 그 영향이 미미하게 되기 때문이다.

파의 종류
자유(子酉) 축진(丑辰) 인해(寅亥) 묘오(卯午) 사신(巳申) 술미(戌未)

6) 해(害)의 원리

해

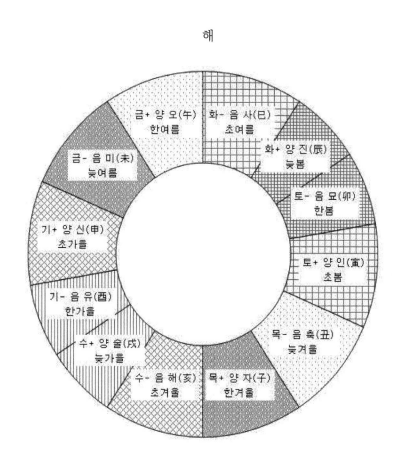

위 표를 보라. 해(害)는 육합(六合)의 각각을 충(沖)으로 방해한다.

음양을 짝짓지 못하게 하는 인자이며 해로움을 준다는 의미가 있다.
육합을 방해하여 육합이 뜻을 채우지 못하도록 작용한다. 해(害)가 되는 글자는 고유의 작용을 하지 못하게 된다. 단결하는 것을 방해하는 인자이며 사람 사이에 예상하지 못한 배신이 발생하는 인자로 해석한다. 해(害)는 "해치다."의 뜻이 있으며 질투, 음해, 모략, 소송, 손해를 의미한다.

해의 종류
자미(子未) 축오(丑午) 인사(寅巳) 묘진(卯辰) 신해(申亥) 유술(酉戌)

7) 원진(怨嗔)의 원리

원진

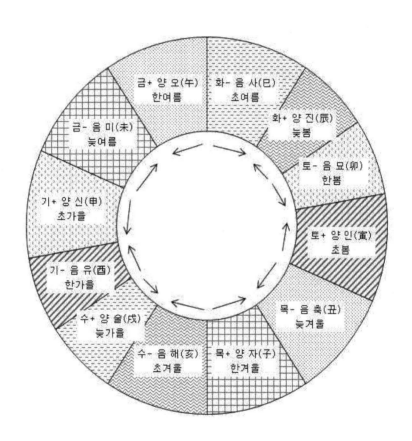

화살표를 보라. 수, 목, 토, 화, 금, 기의 각각은 같은 기운이다. 같은 기운에 음양이 다르다. 그러므로 합(合)을 하려고 한다. 합(合)을 하려고 하는데 충(冲)으로 방해를 하기 때문에 방해하는 것을 미워하는 것이다. 이를 원진이라고 한다. 이 합(合)은 육합(六合)의 합(合)과는 다

른 합(合)이다. 육합(六合)은 합화(合化)를 하지만, 이 합(合)은 각각(各各) 같은 기운(氣運)인 수(水)의 음(陰)과 양(陽), 목(木)의 음(陰)과 양(陽), 토(土)의 음(陰)과 양(陽), 화(火)의 음(陰)과 양(陽), 금(金)의 음(陰)과 양(陽), 기(氣)의 음(陰)과 양(陽)의 음양(陰陽)이 합(合)하기 때문에 육합(六合)이 합화(合化)되어 다른 기운으로 변화하는 것과는 달리 그 근본(根本) 기운(氣運)이 변하지 않는다.

원천적으로 잘 맞지 않은데 불편한 상태로 동거를 할 수 밖에 없다는 의미가 있다. 가장 피곤한 상태이며 기운적으로 팽팽한 대립관계를 뜻한다. 충은 아니므로 원수는 아니다. 마음이나 말로 세상을 바꾸고자 한다. 그래서 종교지도자, 교육지도자, 정신과적인 질병을 다루는 사람이 많다. 또한 말로 해결하고자 하기 때문에 행동성향이 약해진다. 상대방의 피를 말리는 능력으로 본다.

만나면 싸우고, 떨어지면 보고 싶어진다. 처음에는 불평과 불만으로 시작하지만 점점 시간이 지나감에 따라 미움과 원망하는 마음이 생긴다. 그리고 그것이 심해지면 증오, 저주 등으로 자신을 몰고 나가게 된다. 원진살의 이치는 합을 방해하기 때문에 미워한다는 것이다. 원진살은 부부관계뿐만 아니라 관계되는 사람 사이에도 작용한다.

원진의 종류
자미(子未) 丑午(축오) 寅酉(인유) 卯申(묘신) 辰亥(진해) 巳戌(사술)

제 9장 역학의 적용

남자의 체질과 여자의 체질을 찾아서 아래의 방법으로 운명의 해석에 적용해 보자. 여자의 자궁(子宮)에서 나와 처음으로 원활(圓滑)한 호흡(呼吸)을 시작한 때가 태어난 시(時)의 기준(基準)이다.

자연분만(自然分娩)이 아닌 경우(境遇)도 태어나서 처음으로 원활(圓滑)한 호흡(呼吸)을 시작한 시점(時點)을 기준(基準)으로 정신체질(陰)의 흐름인 "세운(歲運)"과 육체체질(陽)의 흐름인 수리역학 "매화역수"를 그대로 적용(適用)한다. 왜냐하면, 태아가 여자의 자궁(子宮) 안의 내부(內部)에서 자궁(子宮) 밖의 외부(外部)로 나와 처음으로 원활(圓滑)한 숨을 쉬는 시점(時點)에서 태아는 외부의 기운과 조화를 제대로 시작하기 때문이다. 생명(生命)은 외부의 기운과 조화를 하고 있기 때문에 살아서 성장(成長)할 수 있는 것이다.

1] 남자(男子)

①오른손잡이

　　　　김석현(가명) 경북 포항 태생 오른손잡이일 경우

생년월일시(동경 135도 표준시) : 양력 1973년 11월 15일 06시 30분경

　　　　　　　　　　　　　　　　　　　재물시간 : 기수

양력(평년)	1973-11-15 6:10:20
음력(큰달)	1973-10-21 6:10:20

　　　　　　　　　　　　　음력1일역 : 13:32:36

여자의 자궁(子宮)에서 나와 처음으로 원활(圓滑)한 호흡(呼吸)을 시작
한 때가 태어난 시(時)의 기준(基準)이다. 왜냐하면, 태아가 여자의 자
궁(子宮) 안의 내부(內部)에서 자궁(子宮) 밖의 외부(外部)로 나와 처음
으로 원활(圓滑)한 숨을 쉬는 시점(時點)에서 태아는 외부의 기운과 조
화를 제대로 시작하기 때문이다.

	아버지 편관:아들,외할머니 정관:딸 말년운	본인 비견:남자형제 겁재:여자형제,며느리 중년운	아들 식신:친손자,사위,장모 초년운
	화:꽃,자아,오른팔, 두뇌선,좌뇌 신장,수성구 하복부의내장기관 소장,대장,생식기 지방,황(S)	기:씨,정신, 머리,운명선,현생 위장,금성구,비장 공기,수소(H)	수:뿌리,재물, 왼발,사업선 심장,토성구 시력,순환계통 물,질소(N)
하늘(天)	토토	수토	기수
땅(地)	목금	목토	수수
	금:열매,진아,왼팔, 감정선,우뇌,전생 폐,제2화성구 호흡기관,대장 소금,인(P)	토:잎,육체, 몸,생명선 뇌,월구 호흡기관,심리상태 단백질,산소(O)	목:줄기,인덕, 오른발,재물선,내생 간,목성구,쓸개 제1화성구,신경계통 탄수화물,탄소(C)
	어머니 편인:친할아버지, 외손자 외삼촌 정인:어머니,외손녀 이모,장인 말년운	아내 편재:아버지,친삼촌 애인(첩) 정재:아내,고모 중년운	딸 상관:친할머니,친손녀 외할아버지 초년운

본인	사 삼합(목)		관대
	상관		편관
	재살	역마살	반안살
	토-음묘(卯) 한봄 [목]	수+양해(亥) 초겨울 [수]	수+양술(戌) 늦가을 [토]
하늘(天)	토-음묘(卯) 한봄 [목]	수-음해(亥) 초겨울 [수]	수+양술(戌) 늦가을 [토]
땅(地)	토+양인(寅) 초봄 [목]	목-음축(丑) 늦겨울 [토]	목+양자(子) 한겨울 [수]
	토+양인(寅) 초봄 [목]	목-음축(丑) 늦겨울 [토]	목-음자(子) 한겨울 [수]
	겁살		육해살
	식신	정관	겁재
	병 육합(목) 파	쇠 방합(수)	제왕 방합(수)

배우자	목욕	쇠 방합(수)	병 삼형(육형)
	편관	정재	겁재
	장성살		천살
	토-음묘(卯) 한봄 [목]	수+양해(亥) 초겨울 [수]	수+양술(戌) 늦가을 [토]
하늘(天)	토-음묘(卯) 한봄 [목]	수-음해(亥) 초겨울 [수]	수+양술(戌) 늦가을 [토]
땅(地)	토+양인(寅) 초봄 [목]	목-음축(丑) 늦겨울 [토]	목+양자(子) 한겨울 [수]
	토+양인(寅) 초봄 [목]	목-음축(丑) 늦겨울 [토]	목-음자(子) 한겨울 [수]
	망신살	월살	년살 (도화살)
	정관		편재
	관대		제왕 육합(토) 방합(수)

어머니	제왕 방합(목)	장생 육합(목) 파	양 삼합(화)
	겁재	편인	편재
		지살	천살
	토-음묘(卯) 한봄 [목]	수+양해(亥) 초겨울 [수]	수+양술(戌) 늦가을 [토]
하늘(天)	토-음묘(卯) 한봄 [목]	수-음해(亥) 초겨울 [수]	수+양술(戌) 늦가을 [토]
땅(地)	토+양인(寅) 초봄 [목]	목-음축(丑) 늦겨울 [토]	목+양자(子) 한겨울 [수]
	토+양인(寅) 초봄 [목]	목-음축(丑) 늦겨울 [토]	목-음자(子) 한겨울 [수]
	망신살	월살	년살 (도화살)
		정재	정인
		관대	목욕

		사 삼합(목)	묘 육합(화)
아버지		정인	정재
	년살 (도화살)	겁살	화개살
	토-음묘(卯) 한봄 [목]	수+양해(亥) 초겨울 [수]	수+양술(戌) 늦가을 [토]
하늘(天)	토-음묘(卯) 한봄 [목]	수-음해(亥) 초겨울 [수]	수+양술(戌) 늦가을 [토]
땅(地)	토+양인(寅) 초봄 [목]	목-음축(丑) 늦겨울 [토]	목+양자(子) 한겨울 [수]
	토+양인(寅) 초봄 [목]	목-음축(丑) 늦겨울 [토]	목-음자(子) 한겨울 [수]
		천살	재살
	겁재	편재	편인
	제왕 방합(목)	쇠	병 상형

아들	묘 육합(화)	제왕	
	정관	편재	
	육해살	망신살	월살
	토-음묘(卯) 한봄 [목]	수+양해(亥) 초겨울 [수]	수+양술(戌) 늦가을 [토]
하늘(天)	토-음묘(卯) 한봄 [목]	수-음해(亥) 초겨울 [수]	수+양술(戌) 늦가을 [토]
땅(地)	토+양인(寅) 초봄 [목]	목-음축(丑) 늦겨울 [토]	목+양자(子) 한겨울 [수]
	토+양인(寅) 초봄 [목]	목-음축(丑) 늦겨울 [토]	목-음자(子) 한겨울 [수]
	역마살	반안살	
	편관	겁재	정재
	사 삼합(화)	병 삼형	쇠

딸	장생 상형	제왕 방합(수)	쇠
	식신	겁재	정관
	년살 (도화살)	겁살	
	토-음묘(卯) 한봄 [목]	수+양해(亥) 초겨울 [수]	수+양술(戌) 늦가을 [토]
하늘(天)	토-음묘(卯) 한봄 [목]	수-음해(亥) 초겨울 [수]	수+양술(戌) 늦가을 [토]
땅(地)	토+양인(寅) 초봄 [목]	목-음축(丑) 늦겨울 [토]	목+양자(子) 한겨울 [수]
	토+양인(寅) 초봄 [목]	목-음축(丑) 늦겨울 [토]	목-음자(子) 한겨울 [수]
	지살	천살	재살
	상관	편관	
	목욕	관대 육합(토) 방합(수)	

②왼손잡이

김석현(가명) 경북 포항 태생 왼손잡이일 경우

생년월일시(동경 135도 표준시) : 양력 1973년 11월 15일 06시 30분경

재물시간 : 기수

양력(평년)	1973-11-15 6:10:20
음력(큰달)	1973-10-21 6:10:20

음력1일역 : 13:32:36

여자의 자궁(子宮)에서 나와 처음으로 원활(圓滑)한 호흡(呼吸)을 시작한 때가 태어난 시(時)의 기준(基準)이다. 왜냐하면, 태아가 여자의 자궁(子宮) 안의 내부(內部)에서 자궁(子宮) 밖의 외부(外部)로 나와 처음으로 원활(圓滑)한 숨을 쉬는 시점(時點)에서 태아는 외부의 기운과 조화를 제대로 시작하기 때문이다.

왼손잡이일 경우는 하늘(天)의 기운과 땅(地)의 기운(氣運)을 바꿔서 해석(解釋)한다.

아버지 편관:아들,외할머니 정관:딸 말년운	본인 비견:남자형제 겁재:여자형제,며느리 중년운	아들 식신:친손자,사위,장모 초년운
화:꽃,자아, 오른팔,두뇌선,좌뇌 신장,수성구 하복부의내장기관 소장,대장,생식기 지방,황(S)	기:씨,정신, 머리,운명선,현생 위장,금성구,비장 공기,수소(H)	수:뿌리,재물, 왼발,사업선 심장,토성구 시력,순환계통 물,질소(N)

하늘(天)	목금	목토	수수
땅(地)	토토	수토	기수

금:열매,진아, 왼팔,감정선,우뇌,전생 폐,제2화성구 호흡기관,대장 소금,인(P)	토:잎,육체, 몸,생명선 뇌,월구 호흡기관,심리상태 단백질,산소(O)	목:줄기,인덕, 오른발,재물선,내생 간,목성구,쓸개 제1화성구,신경계통 탄수화물,탄소(C)
어머니 편인:친할아버지, 외손자 외삼촌 정인:어머니,외손녀 이모,장인 말년운	아내 편재:아버지,친삼촌 애인(첩) 정재:아내,고모 중년운	딸 상관:친할머니,친손녀 외할아버지 초년운

본인	관대		제왕 육합(토) 방합(수)
	정관		편재
	망신살	월살	년살 (도화살)
	토+양인(寅) 초봄 [목]	목-음축(丑) 늦겨울 [토]	목-음자(子) 한겨울 [수]
하늘(天)	토+양인(寅) 초봄 [목]	목-음축(丑) 늦겨울 [토]	목+양자(子) 한겨울 [수]
땅(地)	토-음묘(卯) 한봄 [목]	수-음해(亥) 초겨울 [수]	수+양술(戌) 늦가을 [토]
	토-음묘(卯) 한봄 [목]	수+양해(亥) 초겨울 [수]	수+양술(戌) 늦가을 [토]
	장성살		천살
	편관	정재	겁재
	목욕	쇠 방합(수)	병 삼형(육형)

배우자	병 육합(목) 파	쇠 방합(수)	제왕 방합(수)
	식신	정관	겁재
	겁살		육해살
	토+양인(寅) 초봄 [목]	목-음축(丑) 늦겨울 [토]	목-음자(子) 한겨울 [수]
하늘(天)	토+양인(寅) 초봄 [목]	목-음축(丑) 늦겨울 [토]	목+양자(子) 한겨울 [수]
땅(地)	토-음묘(卯) 한봄 [목]	수-음해(亥) 초겨울 [수]	수+양술(戌) 늦가을 [토]
	토-음묘(卯) 한봄 [목]	수+양해(亥) 초겨울 [수]	수+양술(戌) 늦가을 [토]
	재살	역마살	반안살
	상관		편관
	사 삼합(목)		관대

어머니	제왕 방합(목)	쇠	병 상형
	겁재	편재	편인
		천살	재살
	토+양인(寅) 초봄 [목]	목-음축(丑) 늦겨울 [토]	목-음자(子) 한겨울 [수]
하늘(天)	토+양인(寅) 초봄 [목]	목-음축(丑) 늦겨울 [토]	목+양자(子) 한겨울 [수]
땅(地)	토-음묘(卯) 한봄 [목]	수-음해(亥) 초겨울 [수]	수+양술(戌) 늦가을 [토]
	토-음묘(卯) 한봄 [목]	수+양해(亥) 초겨울 [수]	수+양술(戌) 늦가을 [토]
	년살 (도화살)	겁살	화개살
		정인	정재
		사 삼합(목)	묘 육합(화)

아버지		관대	목욕
		정재	정인
	망신살	월살	년살 (도화살)
	토+양인(寅) 초봄 [목]	목-음축(丑) 늦겨울 [토]	목-음자(子) 한겨울 [수]
하늘(天)	토+양인(寅) 초봄 [목]	목-음축(丑) 늦겨울 [토]	목+양자(子) 한겨울 [수]
땅(地)	토-음묘(卯) 한봄 [목]	수-음해(亥) 초겨울 [수]	수+양술(戌) 늦가을 [토]
	토-음묘(卯) 한봄 [목]	수+양해(亥) 초겨울 [수]	수+양술(戌) 늦가을 [토]
		지살	천살
	겁재	편인	편재
	제왕 방합(목)	장생 육합(목) 파	양 삼합(화)

아들	목욕	관대 육합(토) 방합(수)	
	상관	편관	
	지살	천살	재살
	토+양인(寅) 초봄 [목]	목-음축(丑) 늦겨울 [토]	목-음자(子) 한겨울 [수]
하늘(天)	토+양인(寅) 초봄 [목]	목-음축(丑) 늦겨울 [토]	목+양자(子) 한겨울 [수]
땅(地)	토-음묘(卯) 한봄 [목]	수-음해(亥) 초겨울 [수]	수+양술(戌) 늦가을 [토]
	토-음묘(卯) 한봄 [목]	수+양해(亥) 초겨울 [수]	수+양술(戌) 늦가을 [토]
	년살 (도화살)	겁살	
	식신	겁재	정관
	장생 상형	제왕 방합(수)	쇠

	사 삼합(화)	병 삼형	쇠
	편관	겁재	정재
	역마살	반안살	
	토+양인(寅) 초봄 [목]	목-음축(丑) 늦겨울 [토]	목-음자(子) 한겨울 [수]
하늘(天)	토+양인(寅) 초봄 [목]	목-음축(丑) 늦겨울 [토]	목+양자(子) 한겨울 [수]
땅(地)	토-음묘(卯) 한봄 [목]	수-음해(亥) 초겨울 [수]	수+양술(戌) 늦가을 [토]
	토-음묘(卯) 한봄 [목]	수+양해(亥) 초겨울 [수]	수+양술(戌) 늦가을 [토]
	육해살	망신살	월살
	정관	편재	
	묘 육합(화)	제왕	

딸

2] 여자(女子)

①오른손잡이

백영숙(가명) 여자 경북 구미태생 오른손잡이일 경우

생년월일시(동경 135도 표준시) : 양력 1981년 12월 11일 12시 30분경

재물시간 : 토화

양력(평년)	1981-12-11 12:13:30
음력(큰달)	1981-11-16 12:13:30

음력1일역 : 23:45:05

여자의 자궁(子宮)에서 나와 처음으로 원활(圓滑)한 호흡(呼吸)을 시작한 때가 태어난 시(時)의 기준(基準)이다. 왜냐하면, 태아가 여자의 자궁(子宮) 안의 내부(內部)에서 자궁(子宮) 밖의 외부(外部)로 나와 처음으로 원활(圓滑)한 숨을 쉬는 시점(時點)에서 태아는 외부의 기운과 조화를 제대로 시작하기 때문이다.

	아버지 편재:아버지,외손녀 고모,시어머니 정재:외손자,친삼촌 말년운	남편 편관:애인,외할머니 며느리 정관:남편 중년운	아들 상관:친할머니,아들 외할아버지 초년운
	화:꽃,자아, 오른팔,두뇌선, 좌뇌,전생 신장,수성구 하복부의내장기관 소장,대장,생식기 지방,황(S)	기:씨,정신, 머리,운명선 위장,금성구,비장 공기,수소(H)	수:뿌리,재물, 왼발,사업선,내생 심장,토성구 시력,순환계통 물,질소(N)
하늘(天)	수화	화목	기수
땅(地)	수기	화수	수목
	금:열매,진아, 왼팔,감정선,우뇌 폐,제2화성구 호흡기관,대장 소금.인(P)	토:잎,육체, 몸,생명선,현생 뇌,월구 호흡기관,심리상태 단백질,산소(O)	목:줄기,인덕, 오른발,재물선 간,목성구,쓸개 제1화성구,신경계통 탄수화물,탄소(C)
	어머니 편인:친할아버지, 친손녀 이모 정인:어머니,친손자 외삼촌,사위 말년운	본인 비견:여자형제 겁재:남자형제, 시아버지 중년운	딸 식신:딸, 친증조할아버지 초년운

본인	절 충		묘 원진
	편관		식신
	겁살	망신살	화개살
	수+양해(亥) 초겨울 [수]	화+양사(巳) 초여름 [화]	수+양술(戌) 늦가을 [토]
하늘(天)	수-음해(亥) 초겨울 [수]	화-음사(巳) 초여름 [화]	수+양술(戌) 늦가을 [토]
땅(地)	목+양자(子) 한겨울 [수]	금+양오(午) 한여름 [화]	수-음해(亥) 초겨울 [수]
	목-음자(子) 한겨울 [수]	금-음오(午) 한여름 [화]	수+양해(亥) 초겨울 [수]
	재살		겁살
	정관	겁재	편관
	태	제왕 방합(화)	절 충

배우자	태	제왕 방합(화)	양 삼합(화)
	정관	겁재	상관
	역마살		반안살
	수+양해(亥) 초겨울 [수]	화+양사(巳) 초여름 [화]	수+양술(戌) 늦가을 [토]
하늘(天)	수-음해(亥) 초겨울 [수]	화-음사(巳) 초여름 [화]	수+양술(戌) 늦가을 [토]
땅(地)	목+양자(子) 한겨울 [수]	금+양오(午) 한여름 [화]	수-음해(亥) 초겨울 [수]
	목-음자(子) 한겨울 [수]	금-음오(午) 한여름 [화]	수+양해(亥) 초겨울 [수]
	육해살	년살 (도화살)	역마살
	편관		정관
	절 충		태

어머니	제왕 방합(수)	태	쇠
	겁재	정재	정관
		역마살	천살
	수+양해(亥) 초겨울 [수]	화+양사(巳) 초여름 [화]	수+양술(戌) 늦가을 [토]
하늘(天)	수-음해(亥) 초겨울 [수]	화-음사(巳) 초여름 [화]	수+양술(戌) 늦가을 [토]
땅(地)	목+양자(子) 한겨울 [수]	금+양오(午) 한여름 [화]	수-음해(亥) 초겨울 [수]
	목-음자(子) 한겨울 [수]	금-음오(午) 한여름 [화]	수+양해(亥) 초겨울 [수]
	년살 (도화살)	육해살	지살
		편재	겁재
		절 충	제왕 방합(수)

아버지		절 충	관대
		편재	편관
	망신살	겁살	월살
	수+양해(亥) 초겨울 [수]	화+양사(巳) 초여름 [화]	수+양술(戌) 늦가을 [토]
하늘(天)	수-음해(亥) 초겨울 [수]	화-음사(巳) 초여름 [화]	수+양술(戌) 늦가을 [토]
땅(地)	목+양자(子) 한겨울 [수]	금+양오(午) 한여름 [화]	수-음해(亥) 초겨울 [수]
	목-음자(子) 한겨울 [수]	금-음오(午) 한여름 [화]	수+양해(亥) 초겨울 [수]
		재살	망신살
	겁재	정재	비견
	제왕 방합(수)	태	건록 자형

아들	제왕	태 원진	
	편재	편인	
	지살	역마살	천살
	수+양해(亥) 초겨울 [수]	화+양사(巳) 초여름 [화]	수+양술(戌) 늦가을 [토]
하늘(天)	수-음해(亥) 초겨울 [수]	화-음사(巳) 초여름 [화]	수+양술(戌) 늦가을 [토]
땅(地)	목+양자(子) 한겨울 [수]	금+양오(午) 한여름 [화]	수-음해(亥) 초겨울 [수]
	목-음자(子) 한겨울 [수]	금-음오(午) 한여름 [화]	수+양해(亥) 초겨울 [수]
	년살 (도화살)	육해살	
	정재	정인	편재
	쇠	양 삼합(화)	제왕

딸	건록 자형	절 충	관대
	비견	편재	편관
	겁살	망신살	
	수+양해(亥) 초겨울 [수]	화+양사(巳) 초여름 [화]	수+양술(戌) 늦가을 [토]
하늘(天)	수-음해(亥) 초겨울 [수]	화-음사(巳) 초여름 [화]	수+양술(戌) 늦가을 [토]
땅(地)	목+양자(子) 한겨울 [수]	금+양오(午) 한여름 [화]	수-음해(亥) 초겨울 [수]
	목-음자(子) 한겨울 [수]	금-음오(午) 한여름 [화]	수+양해(亥) 초겨울 [수]
	재살	장성살	겁살
	겁재	정재	
	제왕 방합(수)	태	

②왼손잡이

백영숙(가명) 여자 경북 구미태생 왼손잡이일 경우

생년월일시(동경 135도 표준시) : 양력 1981년 12월 11일 12시 30분경

재물시간 : 토화

양력(평년)	1981-12-11 12:13:30
음력(큰달)	1981-11-16 12:13:30

음력1일역 : 23:45:05

여자의 자궁(子宮)에서 나와 처음으로 원활(圓滑)한 호흡(呼吸)을 시작한 때가 태어난 시(時)의 기준(基準)이다. 왜냐하면, 태아가 여자의 자궁(子宮) 안의 내부(內部)에서 자궁(子宮) 밖의 외부(外部)로 나와 처음으로 원활(圓滑)한 숨을 쉬는 시점(時點)에서 태아는 외부의 기운과 조화를 제대로 시작하기 때문이다.

왼손잡이일 경우는 하늘(天)의 기운과 땅(地)의 기운(氣運)을 바꿔서 해석(解釋)한다.

	아버지 편재:아버지,외손녀 고모,시어머니 정재:외손자,친삼촌 말년운	남편 편관:애인,외할머니 며느리 정관:남편 중년운	아들 상관:친할머니,아들 외할아버지 초년운
	화:꽃,자아, 오른팔,두뇌선, 좌뇌,전생 신장,수성구 하복부의내장기관 소장,대장,생식기 지방,황(S)	기:씨,정신, 머리,운명선 위장,금성구,비장 공기,수소(H)	수:뿌리,재물, 왼발,사업선,내생 심장,토성구 시력,순환계통 물,질소(N)
하늘(天)	수기	화수	수목
땅(地)	수화	화목	기수
	금:열매,진아, 왼팔,감정선,우뇌 폐,제2화성구 호흡기관,대장 소금,인(P)	토:잎,육체, 몸,생명선,현생 뇌,월구 호흡기관,심리상태 단백질,산소(O)	목:줄기,인덕, 오른발,재물선 간,목성구,쓸개 제1화성구,신경계통 탄수화물,탄소(C)
	어머니 편인:친할아버지, 친손녀,이모 정인:어머니,친손자 외삼촌,사위 말년운	본인 비견:여자형제 겁재:남자형제, 시아버지 중년운	딸 식신:딸, 친증조할아버지 초년운

본인	절 충		태
	편관		정관
	육해살	년살 (도화살)	역마살
	목-음자(子) 한겨울 [수]	금-음오(午) 한여름 [화]	수+양해(亥) 초겨울 [수]
하늘(天)	목+양자(子) 한겨울 [수]	금+양오(午) 한여름 [화]	수-음해(亥) 초겨울 [수]
땅(地)	수-음해(亥) 초겨울 [수]	화-음사(巳) 초여름 [화]	수+양술(戌) 늦가을 [토]
	수+양해(亥) 초겨울 [수]	화+양사(巳) 초여름 [화]	수+양술(戌) 늦가을 [토]
	역마살		반안살
	정관	겁재	상관
	태	제왕 방합(화)	양 삼합(화)

배우자	태	제왕 방합(화)	절 충
	정관	겁재	편관
	재살		겁살
	목-음자(子) 한겨울 [수]	금-음오(午) 한여름 [화]	수+양해(亥) 초겨울 [수]
하늘(天)	목+양자(子) 한겨울 [수]	금+양오(午) 한여름 [화]	수-음해(亥) 초겨울 [수]
땅(地)	수-음해(亥) 초겨울 [수]	화-음사(巳) 초여름 [화]	수+양술(戌) 늦가을 [토]
	수+양해(亥) 초겨울 [수]	화+양사(巳) 초여름 [화]	수+양술(戌) 늦가을 [토]
	겁살	망신살	화개살
	편관		식신
	절 충		묘 원진

어머니	제왕 방합(수)	태	건록 자형
	겁재	정재	비견
		재살	망신살
	목-음자(子) 한겨울 [수]	금-음오(午) 한여름 [화]	수+양해(亥) 초겨울 [수]
하늘(天)	목+양자(子) 한겨울 [수]	금+양오(午) 한여름 [화]	수-음해(亥) 초겨울 [수]
땅(地)	수-음해(亥) 초겨울 [수]	화-음사(巳) 초여름 [화]	수+양술(戌) 늦가을 [토]
	수+양해(亥) 초겨울 [수]	화+양사(巳) 초여름 [화]	수+양술(戌) 늦가을 [토]
	망신살	겁살	월살
		편재	편관
		절 충	관대

아버지		절 충	제왕 방합(수)
		편재	겁재
	년살 (도화살)	육해살	지살
	목-음자(子) 한겨울 [수]	금-음오(午) 한여름 [화]	수+양해(亥) 초겨울 [수]
하늘(天)	목+양자(子) 한겨울 [수]	금+양오(午) 한여름 [화]	수-음해(亥) 초겨울 [수]
땅(地)	수-음해(亥) 초겨울 [수]	화-음사(巳) 초여름 [화]	수+양술(戌) 늦가을 [토]
	수+양해(亥) 초겨울 [수]	화+양사(巳) 초여름 [화]	수+양술(戌) 늦가을 [토]
		역마살	천살
	겁재	정재	정관
	제왕 방합(수)	태	쇠

아들	제왕 방합(수)	태	
	겁재	정재	
	재살	장성살	겁살
	목-음자(子) 한겨울 [수]	금-음오(午) 한여름 [화]	수+양해(亥) 초겨울 [수]
하늘(天)	목+양자(子) 한겨울 [수]	금+양오(午) 한여름 [화]	수-음해(亥) 초겨울 [수]
땅(地)	수-음해(亥) 초겨울 [수]	화-음사(巳) 초여름 [화]	수+양술(戌) 늦가을 [토]
	수+양해(亥) 초겨울 [수]	화+양사(巳) 초여름 [화]	수+양술(戌) 늦가을 [토]
	겁살	망신살	
	비견	편재	편관
	건록 자형	절 충	관대

딸	쇠	양 삼합(화)	제왕
	정재	정인	편재
	년살 (도화살)	육해살	
	목-음자(子) 한겨울 [수]	금-음오(午) 한여름 [화]	수+양해(亥) 초겨울 [수]
하늘(天)	목+양자(子) 한겨울 [수]	금+양오(午) 한여름 [화]	수-음해(亥) 초겨울 [수]
땅(地)	수-음해(亥) 초겨울 [수]	화-음사(巳) 초여름 [화]	수+양술(戌) 늦가을 [토]
	수+양해(亥) 초겨울 [수]	화+양사(巳) 초여름 [화]	수+양술(戌) 늦가을 [토]
	지살	역마살	천살
	편재	편인	
	제왕	태 원진	

제10장 육기(六氣)의 상생과 상극

1] 육기(六氣)의 상생

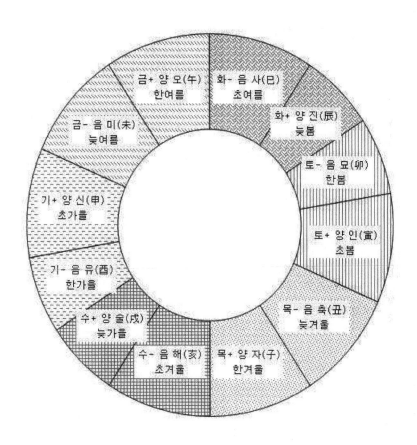

계절의 변화를 도형으로 나타내 보았다. 봄(인묘진)은 여름(사오미)을
낳고, 여름은 가을(신유술)을 낳고, 가을은 겨울(해자축)을 낳고 겨울

은 다시 봄을 낳는다. 육기(六氣)로 보면 수(水)는 목(木)을 낳고 목(木)은 토(土)를 낳고 토(土)는 화(火)를 낳고 화(火)는 금(金)을 낳고 금(金)은 기(氣)를 낳는다. 그리고 기(氣)는 수(水)를 낳는다. 이것이 지구라는 환경(環境)에서 계절(季節)이 순환(循環)하는 이치(理致)인데 이를 "상생(相生)"이라고 표현한다.

2] 육기(六氣)의 상극

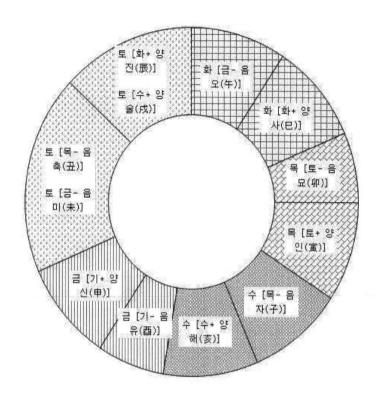

앞서 세상은 수 -〉 목-〉 토-〉 화-〉 금-〉 기-〉 수의 육기(六氣)로 돌
고 돈다고 이야기 하였다. 위의 도표가 수 -〉 목-〉 화-〉 토-〉 금으로
되어 있는 것은 세상이 수 -〉 목-〉 화-〉 토-〉 금-〉 수로 돌아간다는
뜻이 아니다. 토(진술축미)의 원래의 자리는 화와 금 사이가 아니다.
토를 화와 금 사이에 넣은 이유는 "상극(相剋)"을 설명하기 위해서 그
자리에 넣은 것이다. 상극(相剋)의 원리는 수는 화를 극하고, 화는 금

을 극하고, 금은 목을 극하고, 목은 토를 극하고, 토는 수를 극한다는 의미가 있다. "극"(剋)이란 극(剋)하고 파괴한다는 뜻이다. 그러므로 극을 당하는 육기(六氣)는 힘이 빠지게 되고, 극을 하는 육기(六氣)도 약간은 힘이 빠지게 된다. 세상이 "수 -〉목-〉화-〉토-〉금"-〉수로 변화한다고 하는 것은 사실(事實)이 아니다. 하지만 현실(現實)에서 나타나는 현상(現象)으로 보면 "수 -〉목-〉화-〉토-〉금"-〉수로 변화하는 것으로 볼 수도 있다. 오행(五行, 목화토금수)은 이치(理致)로는 맞지 않지만 현실(現實)에서 나타나는 현상(現狀)으로 보면 일리(一理)가 있다. 진술축미(辰戌丑未)가 토(中)의 성질(性質)을 가지는 이유(理由)는 아래와 같다.

3] 진술축미(土)

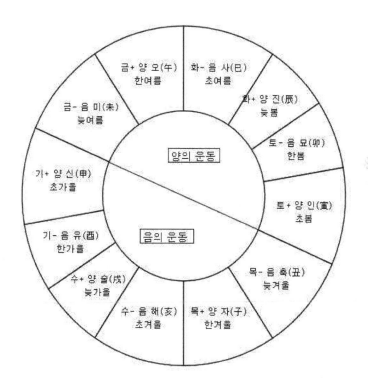

위의 도형을 보면, 진(辰)은 동(東)과 남(南)의 사이(中)에 있고, 술(戌)
은 서(西)와 북(北)의 사이(中)에 있다. 그리고 축(丑)은 북(北)과 동(東)
사이(中)에 있고, 미(未)는 남(南)과 서(西) 사이(中)에 있다. 그래서 진
(辰)과 술(戌) 그리고 축(丑)과 미(未)를 토(土, 中)로 보며, 진(辰)은 봄
이고 미(未)는 여름이며 술(戌)은 가을이고 축(丑)은 겨울이다. 그리고
음(陰)과 음(陰) 가운데 있는 "진술"은 양(陽)의 토(中)가 되며, 양(陽)과
양(陽) 가운데 있는 "축미"는 음(陰)의 토(中)가 된다. "진술축미"는 각

계절의 영향을 받는 "토(土)"이기 때문에 "토(土)"의 성질과 함께 그 계절 고유의 성질도 함께 적용하여야 한다.

제11장 12기운(氣運)

1] 목+양 자(子)
한겨울

2] 목-음 축(丑)
늦겨울

3] 토+양 인(寅)
초봄

4] 토-음 묘(卯)
한봄

5] 화+양 진(辰)
늦봄

6] 화-음 사(巳)
초여름

7] 금+양 오(午)
한여름

8] 금-음 미(未)
늦여름

9] 기+양 신(申)
초가을

10] 기-음 유(酉)
한가을

11] 수+양 술(戌)
늦가을

12] 수-음 해(亥)
초겨울

13] 12기운의 분석

12기운의 삼합은 자(子), 오(午), 묘(卯), 유(酉)가 주도하며 반드시 3기운이 모두 있어야 완전한 국(局)을 이룬다. 삼합(三合)이 완전히 갖추어지면 그 힘은 매우 크다. 반합(半合)인 인오(寅午), 오술(午戌), 해묘(亥卯), 묘미(卯未), 신자(申子), 자진(子辰), 사유(巳酉), 유축(酉丑)의 힘은 완전한 삼합의 1/2 정도 된다. 자오묘유(子午卯酉)가 없는 삼합은 반합의 1/2 정도가 되어 완전한 삼합의 1/4 정도의 힘이 있다.

방합(方合)은 계절의 합(合)이다. 인묘진(寅卯辰) 3개의 기운이 모두 있으면 그 힘이 매우 강하다. 하지만 3개의 기운 중(中)에서 2개의 기운만 있어도 방합의 기운이 상당하다고 본다.

힘을 비교해 보면 방합(方合)의 힘이 가장 강하고 다음은 삼합(三合)의 힘이 강하며 육합(六合)의 힘은 삼합(三合)의 힘보다 약하다.

형(刑)의 작용은 해(害)보다 크기 때문에 형(刑)과 해(害)의 두 기운이 겹칠 때는 형(刑)으로만 판단한다.

충(沖)이 삼합(三合)과 중복(重複)이 되어 있는 경우에 제왕지인 자오묘유(子午卯酉)를 충(沖)하는 12기운이 있으면 충(沖)으로 판단하고, 제왕지를 충(沖)하는 12기운이 없으면 삼합(三合)으로 판단한다. 반합의 경우도 같은 방법으로 판단한다. 완전한 삼합(三合)일 경우에는 제왕지(子午卯酉)가 충(沖)을 만나지 않으면 충(沖)이 있어도 충(沖)으로 판단하지 않는다.

방합의 힘은 삼합보다 크기 때문에 삼합과 방합이 중복되는 경우는 방합으로 판단하며 삼합으로 판단하지 않는다.

삼합의 힘은 육충(六沖)보다 크기 때문에 삼합과 육충이 중복되는 경우는 제왕지를 충(沖)하는 경우가 아니면 삼합으로 판단하며 충으로 판단하지 않는다.

육충(六沖)의 힘은 육합보다 크기 때문에 중복되는 경우는 충으로 판단한다.

육합의 힘은 형(刑)이나 해(害)보다 크기 때문에 중복이 되면 합으로 판단한다.

삼합과 방합 그리고 충과 합은 작용하는 힘이 크고 형과 해는 작용하는 힘이 크지 않다. 형과 해는 그 영향력이 크지는 않지만 흉(凶)한 작용으로 판단한다.

제12장 12운성(運星)

존재하는 모든 것은 시간과 공간 안에서 끊임없이 변화하고 있으며 변화하지 않는 순간은 없다. 12운성은 "천기(天氣)"가 발생, 성장, 소멸하는 원리다. 모든 것은 12단계로 존재하다가 사라진다고 본다. 12운성(運星)은 힘의 크기를 나타내고 12신살(神殺)은 그 힘의 방향(方向)을 나타낸다. 12운성(運星)과 12신살(神殺)은 운(運)의 흐름을 예측(豫測)할 때 소극적(消極的)으로 적용(適用)한다.

1] 장생(長生)

2] 목욕(沐浴)

3] 관대(冠帶)

4] 건록(乾祿)

5] 제왕(帝旺)

6] 쇠(衰)

7] 병(病)

8] 사(死)

9] 묘(墓)

10] 절(絶)(포)

11] 태(胎)

12] 양(養)

제13장 12신살(神殺)

신(神)은 긍정적 의미의 길신(吉神)이고, 살(殺)은 부정적 의미의 흉살(凶殺)이다. 12기운의 관계가 행위, 모양 등으로 나타난 것이다. 12운성(運星)은 힘의 크기를 나타내고 12신살(神殺)은 그 힘의 방향(方向)을 나타낸다. 12운성(運星)과 12신살(神殺)은 운(運)의 흐름을 예측(豫測)할 때 소극적(消極的)으로 적용(適用)한다.

1] 겁살

2] 재살

3] 천살

4] 지살

5] 년살(도화살)

6] 월살

7] 망신살

8] 장성살

9] 반안살

10] 역마살

11] 육해살

12] 화개살

제14장 육친(六親)

12기운(氣運)의 관계에 대한 명칭(名稱)이며 육친(六親)을 통하여 인간 관계를 이해한다. 육친(六親)의 상생(相生)과 상극(相剋)은 인간관계의 대부분을 해석하는 틀이다. 육기(六氣)의 기운(氣運)을 동작과 행위로 해석(解釋)하여 전체적인 그림을 그릴 수 있어야 한다. 사람은 행동이 누적되면 습관(習慣)이 되고 습관은 제2의 천성(天性)이 되어 운명의 바탕이 된다. 좋은 습관은 좋은 운명을 만드는 유용한 수단이므로 자신의 태어난 기운(氣運)을 알아서 좋은 습관을 제2의 천성으로 만들어 인생을 긍정적이고 적극적으로 살아가기를 바란다. 육친(六親)은 본인에 대해 긍정적 작용 또는 부정적 작용을 한다.

1]비겁 : 비견 겁재

2]식상 : 식신 상관

3]재성 : 편재 정재

4]관성 : 편관 정관

5]인성 : 편인 정인

6] 육친(六親)의 생극(生剋)

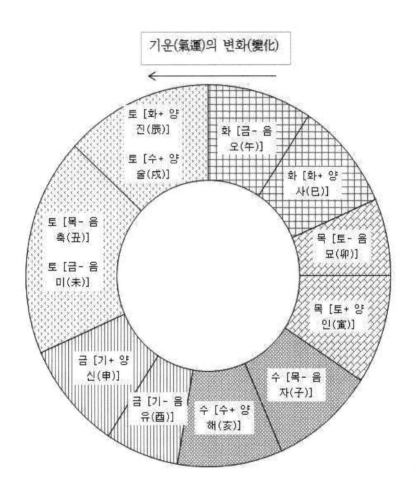

기운(氣運)의 변화(變化)

토 [화+ 양 진(辰)]
토 [수+ 양 술(戌)]
화 [금- 음 오(午)]
화 [화+ 양 사(巳)]
목 [토- 음 묘(卯)]
목 [토+ 양 인(寅)]
토 [목- 음 축(丑)]
토 [금- 음 미(未)]
금 [기+ 양 신(申)]
금 [기- 음 유(酉)]
수 [수+ 양 해(亥)]
수 [목- 음 자(子)]

1]비겁
비견(+)
식신을 생한다, 편재를 극한다.
겁재(-)
상관을 생한다, 정재를 극한다.

2]식상
식신(+)
편재를 생한다, 편관을 극한다.
상관(-)
정재를 생한다, 정관을 극한다.

3]재성
편재(+)
편관을 생한다, 편인을 극한다.
정재(-)
정관을 생한다, 정인을 극한다.

4]관성
편관(+)
편인을 생한다, 비견을 극한다.
정관(-)
정인을 생한다, 겁재를 극한다.

5]인성

편인(+)

비견을 생한다, 식신을 극한다.

정인(-)

겁재를 생한다, 상관을 극한다.

육친(六親)은 주(主)로 정신체질(精神體質)을 기준(基準)으로 해석(解釋)한다. "수(水) -〉목(木) -〉화(火) -〉토(土) -〉금(金)" -〉수(水)로 변화(變化)하는 현상(現象)으로 육친(六親)의 생극(生剋)을 해석하면, 비견(比肩)이 비견(比肩)을 만나면 자신(自身)의 기운(氣運)이 하나 더 있는 것이기 때문에 좋은 것이고 겁재(劫財)는 비견(比肩)과 반대(反對)의 기운(氣運)이기 때문에 좋지 않은 것이다. 식신(食神)은 비견(比肩)과 음양(陰陽)이 같기 때문에 비견(比肩)의 기운(氣運)을 지킬 수 있어서 좋은 것이고 상관(傷官)은 비견(比肩)과 음양(陰陽)이 반대(反對)이기 때문에 비견(比肩)의 기운(氣運)을 소모(消耗)시켜서 좋지 않은 것이다. 재(財)와 관(官)은 비견(比肩)이 살아가는 Partner(배우자)이기 때문에 음(陰)과 양(陽)으로 만나는 것이 좋다. 그래서 정재(正財)와 정관(正官)이 편재(偏財)와 편관(偏官)보다 좋은 것이다. 인성(印星)은 비견(比肩)을 밀어내는 편인(偏印)보다 비견(比肩)에 기운(氣運)을 더해주는 정인(正印)이 좋은 것이다.

제15장 세운(歲運)

1] 남자(男子)

①오른손잡이

김석현(가명) 경북 포항 태생 오른손잡이일 경우

수리역학 "매화역수"는 육체체질(陽)을 기준으로 운의 흐름을 본다.
"세운(歲運)"은 정신체질(陰)을 기준으로 운의 흐름을 본다.
육체체질(陽)과 정신체질(陰)을 모두 고려하여 판단하라.

양력(평년)	1973-11-15 6:10:20
음력(큰달)	1973-10-21 6:10:20

음력1일역 : 13:32:36

	아버지 자아체질 두뇌선 제2화성구 엄지	본인 정신체질 운명선 금성구 중지	아들 재물체질 사업선 토성구 소지
천기 (天氣)	토토	수토	기수
지기 (地氣)	목금	목토	수수
	어머니 진아체질 감정선 수성구 검지	배우자 육체체질 생명선 월구 약지	딸 명예체질 재물선 목성구 제1화성구 약지

	목+양자(子)한겨울[수]	목-음축(丑)늦겨울[토]	토+양인(寅)초봄[목]
12기운	목+양자(子)한겨울[수]	목-음축(丑)늦겨울[토]	토+양인(寅)초봄[목]
육친	목-음자(子)한겨울[수]	목-음축(丑)늦겨울[토]	토+양인(寅)초봄[목]
19년역 시작 시점	14-12-22	15-8-15	17-5-17
19년역 끝나는 시점	15-8-15	17-5-17	19-2-17
12신살(운)	육해살	화개살	겁살
육친(운)	겁재	정관	식신
12운성(운)	제왕방합(수)	쇠방합(수)	병육합(목)파

12기운	토-음묘(卯) 한봄 [목]	화+양진(辰) 늦봄 [토]	화-음사(巳) 초여름 [화]
육친	토-음묘(卯) 한봄 [목]	화+양진(辰) 늦봄 [토]	화+양사(巳) 초여름 [화]
19년역 시작 시점	19-2-17	20-5-15	21-8-11
19년역 끝나는 시점	20-5-15	21-8-11	23-5-14
12신살(운)	재살	천살	지살
육친(운)	상관	편관	편재
12운성(운)	사 삼합(목)	묘 원진	절 충

12기운	금+양오(午) 한여름 [화]	금-음미(未) 늦여름 [토]	기+양신(申) 초가을 [금]
육친	금-음오(午) 한여름 [화]	금-음미(未) 늦여름 [토]	기+양신(申) 초가을 [금]
19년역 시작 시점	23-5-14	25-2-13	26-11-16
19년역 끝나는 시점	25-2-13	26-11-16	28-8-18
12신살(운)	년살 (도화살)	월살	망신살
육친(운)	정재	정관	편인
12운성(운)	태	양 삼합(목)	장생 육해

12기운	기-음유(酉) 한가을 [금]	수+양술(戌) 늦가을 [토]	수-음해(亥) 초겨울 [수]	목+양자(子) 한겨울 [수]
육친	기-음유(酉) 한가을 [금]	수+양술(戌) 늦가을 [토]	수+양해(亥) 초겨울 [수]	목-음자(子) 한겨울 [수]
19년역 시작 시점	28-8-18	29-11-14	31-2-10	32-11-12
19년역 끝나는 시점	29-11-14	31-2-10	32-11-12	33-12-22
12신살(운)	장성살	반안살	역마살	육해살
육친(운)	정인	편관	비견	겁재
12운성(운)	목욕	관대	건록 자형	제왕 방합(수)

②왼손잡이

김석현(가명) 경북 포항 태생 왼손잡이일 경우

수리역학 "매화역수"는 육체체질(陽)을 기준으로 운의 흐름을 본다.
"세운(歲運)"은 정신체질(陰)을 기준으로 운의 흐름을 본다.
육체체질(陽)과 정신체질(陰)을 모두 고려하여 판단하라.

양력(평년)	1973-11-15 6:10:20
음력(큰달)	1973-10-21 6:10:20

음력1일역 : 13:32:36

	아버지 자아체질 두뇌선 제2화성구 엄지	본인 정신체질 운명선 금성구 중지	아들 재물체질 사업선 토성구 소지
천기 (天氣)	목금	목토	수수
지기 (地氣)	토토	수토	기수
	어머니 진아체질 감정선 수성구 검지	배우자 육체체질 생명선 월구 약지	딸 명예체질 재물선 목성구 제1화성구 약지

12기운	목+양자(子) 한겨울 [수]	목-음축(丑) 늦겨울 [토]	토+양인(寅) 초봄 [목]
육친	목-음자(子) 한겨울 [수]	목-음축(丑) 늦겨울 [토]	토+양인(寅) 초봄 [목]
19년역 시작 시점	14-12-22	15-8-15	17-5-17
19년역 끝나는 시점	15-8-15	17-5-17	19-2-17
12신살(운)	년살 (도화살)	월살	망신살
육친(운)	편재	비견	정관
12운성(운)	제왕 육합(토) 방합(수)	건록 비인	관대

12기운	토-음묘(卯) 한봄 [목]	화+양진(辰) 늦봄 [토]	화-음사(巳) 초여름 [화]
육친	토-음묘(卯) 한봄 [목]	화+양진(辰) 늦봄 [토]	화+양사(巳) 초여름 [화]
19년역 시작 시점	19-2-17	20-5-15	21-8-11
19년역 끝나는 시점	20-5-15	21-8-11	23-5-14
12신살(운)	장성살	반안살	역마살
육친(운)	편관	겁재	정인
12운성(운)	목욕	장생 파	양 삼합(금)

12기운	금+양오(午) 한여름 [화]	금-음미(未) 늦여름 [토]	기+양신(申) 초가을 [금]
육친	금-음오(午) 한여름 [화]	금-음미(未) 늦여름 [토]	기+양신(申) 초가을 [금]
19년역 시작 시점	23-5-14	25-2-13	26-11-16
19년역 끝나는 시점	25-2-13	26-11-16	28-8-18
12신살(운)	육해살	화개살	겁살
육친(운)	편인	비견	상관
12운성(운)	태 육해 원진	절 충 삼형(육형)	묘

	기-음유(酉) 한가을 [금]	수+양술(戌) 늦가을 [토]	수-음해(亥) 초겨울 [수]	목+양자(子) 한겨울 [수]
12기운	기-음유(酉) 한가을 [금]	수+양술(戌) 늦가을 [토]	수-음해(亥) 초겨울 [수]	목+양자(子) 한겨울 [수]
육친	기-음유(酉) 한가을 [금]	수+양술(戌) 늦가을 [토]	수+양해(亥) 초겨울 [수]	목-음자(子) 한겨울 [수]
19년역 시작 시점	28-8-18	29-11-14	31-2-10	32-11-12
19년역 끝나는 시점	29-11-14	31-2-10	32-11-12	33-12-22
12신살 (운)	재살	천살	지살	년살 (도화살)
육친(운)	식신	겁재	정재	편재
12운성 (운)	사 삼합(금)	병 삼형(육형)	쇠 방합(수)	제왕 육합(토) 방합(수)

2] 여자(女子)

①오른손잡이

백영숙(가명) 여자 경북 구미태생 오른손잡이일 경우

수리역학 "매화역수"는 육체체질(陽)을 기준으로 운의 흐름을 본다.

"세운(歲運)"은 정신체질(陰)을 기준으로 운의 흐름을 본다.

육체체질(陽)과 정신체질(陰)을 모두 고려하여 판단하라.

양력(평년)	1981-12-11 12:13:30
음력(큰달)	1981-11-16 12:13:30

음력1일역 : 23:45:05

	아버지 자아체질 두뇌선 제2화성구 엄지	배우자 정신체질 운명선 금성구 약지	아들 재물체질 사업선 토성구 약지
천기 (天氣)	수화	화목	기수
지기 (地氣)	수기	화수	수목
	어머니 진아체질 감정선 수성구 검지	본인 육체체질 생명선 월구 중지	딸 명예체질 재물선 목성구 제1화성구 소지

12기운	목+양자(子) 한겨울 [수]	목-음축(丑) 늦겨울 [토]	토+양인(寅) 초봄 [목]
육친	목-음자(子) 한겨울 [수]	목-음축(丑) 늦겨울 [토]	토+양인(寅) 초봄 [목]
19년역 시작 시점	14-12-22	15-8-15	17-5-17
19년역 끝나는 시점	15-8-15	17-5-17	19-2-17
12신살(운)	재살	천살	지살
육친(운)	정관	상관	편인
12운성(운)	태	양 삼합(금)	장생 육해 삼형

12기운	토-음묘(卯) 한봄 [목]	화+양진(辰) 늦봄 [토]	화-음사(巳) 초여름 [화]
육친	토-음묘(卯) 한봄 [목]	화+양진(辰) 늦봄 [토]	화+양사(巳) 초여름 [화]
19년역 시작 시점	19-2-17	20-5-15	21-8-11
19년역 끝나는 시점	20-5-15	21-8-11	23-5-14
12신살(운)	년살 (도화살)	월살	망신살
육친(운)	정인	식신	비견
12운성(운)	목욕	관대	건록

12기운	금+양오(午) 한여름 [화]	금-음미(未) 늦여름 [토]	기+양신(申) 초가을 [금]
육친	금-음오(午) 한여름 [화]	금-음미(未) 늦여름 [토]	기+양신(申) 초가을 [금]
19년역 시작 시점	23-5-14	25-2-13	26-11-16
19년역 끝나는 시점	25-2-13	26-11-16	28-8-18
12신살(운)	장성살	반안살	역마살
육친(운)	겁재	상관	편재
12운성(운)	제왕 방합(화)	쇠 방합(화)	병 육합(수) 파,삼형

12기운	기-음유(酉) 한가을 [금]	수+양술(戌) 늦가을 [토]	수-음해(亥) 초겨울 [수]	목+양자(子) 한겨울 [수]
육친	기-음유(酉) 한가을 [금]	수+양술(戌) 늦가을 [토]	수+양해(亥) 초겨울 [수]	목-음자(子) 한겨울 [수]
19년역 시작 시점	28-8-18	29-11-14	31-2-10	32-11-12
19년역 끝나는 시점	29-11-14	31-2-10	32-11-12	33-12-22
12신살(운)	육해살	화개살	겁살	재살
육친(운)	정재	식신	편관	정관
12운성(운)	사 삼합(금)	묘 원진	절 충	태

②왼손잡이

백영숙(가명) 여자 경북 구미태생 왼손잡이일 경우

수리역학 "매화역수"는 육체체질(陽)을 기준으로 운의 흐름을 본다.
"세운(歲運)"은 정신체질(陰)을 기준으로 운의 흐름을 본다.
육체체질(陽)과 정신체질(陰)을 모두 고려하여 판단하라.

양력(평년)	1981-12-11 12:13:30
음력(큰달)	1981-11-16 12:13:30

음력1일역 : 23:45:05

	아버지 자아체질 두뇌선 제2화성구 엄지	배우자 정신체질 운명선 금성구 약지	아들 재물체질 사업선 토성구 약지
천기 (天氣)	수기	화수	수목
지기 (地氣)	수화	화목	기수
	어머니 진아체질 감정선 수성구 검지	본인 육체체질 생명선 월구 중지	딸 명예체질 재물선 목성구 제1화성구 소지

12기운	목+양자(子) 한겨울 [수]	목-음축(丑) 늦겨울 [토]	토+양인(寅) 초봄 [목]
육친	목-음자(子) 한겨울 [수]	목-음축(丑) 늦겨울 [토]	토+양인(寅) 초봄 [목]
19년역 시작 시점	14-12-22	15-8-15	17-5-17
19년역 끝나는 시점	15-8-15	17-5-17	19-2-17
12신살(운)	육해살	화개살	겁살
육친(운)	편관	식신	정인
12운성(운)	절 충	묘 육해 원진	사 삼합(화)

12기운	토-음묘(卯) 한봄 [목]	화+양진(辰) 늦봄 [토]	화-음사(巳) 초여름 [화]
육친	토-음묘(卯) 한봄 [목]	화+양진(辰) 늦봄 [토]	화+양사(巳) 초여름 [화]
19년역 시작 시점	19-2-17	20-5-15	21-8-11
19년역 끝나는 시점	20-5-15	21-8-11	23-5-14
12신살(운)	재살	천살	지살
육친(운)	편인	상관	겁재
12운성(운)	병 파	쇠	제왕 방합(화)

12기운	금+양오(午) 한여름 [화]	금-음미(未) 늦여름 [토]	기+양신(申) 초가을 [금]
육친	금-음오(午) 한여름 [화]	금-음미(未) 늦여름 [토]	기+양신(申) 초가을 [금]
19년역 시작 시점	23-5-14	25-2-13	26-11-16
19년역 끝나는 시점	25-2-13	26-11-16	28-8-18
12신살(운)	년살 (도화살)	월살	망신살
육친(운)	비견	식신	정재
12운성(운)	건록 자형	관대 육합( ) 방합(화)	목욕

12기운	기-음유(酉) 한가을 [금]	수+양술(戌) 늦가을 [토]	수-음해(亥) 초겨울 [수]	목+양자(子) 한겨울 [수]
육친	기-음유(酉) 한가을 [금]	수+양술(戌) 늦가을 [토]	수+양해(亥) 초겨울 [수]	목-음자(子) 한겨울 [수]
19년역 시작 시점	28-8-18	29-11-14	31-2-10	32-11-12
19년역 끝나는 시점	29-11-14	31-2-10	32-11-12	33-12-22
12신살(운)	장성살	반안살	역마살	육해살
육친(운)	편재	상관	정관	편관
12운성(운)	장생	양 삼합(화)	태	절 충

제16장 대운(大運)

서두에 세상은 닮은꼴이라고 하였다. 이 개념을 머리에 두고 생각하기 바란다. 운(運)이란 글자 그대로 보면 돈다는 뜻이다. 지구의 자전은 1일이라는 개념을 만들었고 지구의 공전은 1년이라는 개념을 만들었다. 이 1년 안에는 사계절이 있는데 특히 북반구 중위도에 위치한 나라들은 사계절이 뚜렷하다. 이 사계절 중 겨울에 씨를 뿌린다면 그 씨는 어떻게 될까? 살지 못하고 얼어서 죽게 될 것이다. 만약 그 씨가 살아있다고 해도 봄이 될 때까지 기다렸다가 싹을 틔우고 성장하게 된다. 겨울에 뿌려진 씨는 봄까지 살아서 싹을 틔운다 해도 겨울 동안 혹독한 시기를 보내게 된다. 때를 알아서 봄에 씨를 뿌리면 혹독한 시기를 피할 수 있는 것이다.

여기에 언급한 체질을 찾는 방법은 북반구에서 태어난 사람을 기준으로 한 것이다. 만약에 남반구에서 태어난 사람이라면, 남반구의 생년월일시로 자아체질, 진아체질, 정신체질, 육체체질, 재물체질, 명예(인덕)체질의 6가지 체질을 찾은 다음에 정신체질만 그 체질을 반대로 하면 된다. 예를 들어 남반구에서 태어난 사람의 정신체질이 "수토"라면 그 반대의 기운인 "화기"를 적용하면 된다. 정신체질을 찾는 방법은 양력 1년의 주기가 기준인데 북반구(적도 이북)가 여름일 때 남반구(적도 이남)는 겨울이 되고 춘분, 하지, 추분, 동지 등 절기도 반대가 되기 때문이다. 하지만 육체체질을 찾는 방법은 음력 1달(삭망월)의 주기가 기준인데 달(Moon)은 북반구에서 보름달일 때 남반구 역시 보름달이기 때문에 육체체질은 반대의 기운을 적용하지 않는 것이다.

생명체는 주기에 따라 반복해서 성장을 하는데 지구상에서의 생명체는 태양과 지구 그리고 달의 주기와 밀접하게 연결되어 있다. 그리고 식물이 주로 영향을 받는 주기가 따로 있고, 동물이 주로 영향을 받는 주기가 따로 있다. 또한 동물 중에서도 사람에게 주로 영향을 주는 주기는 따로 있다. 사람은 사계절인 봄, 여름, 가을 그리고 겨울의 시작 시점과 끝나는 시점이 태어난 생년월일시에 따라 모두 다르다. 이 시점을 아는 것이 계절을 아는 것이고 운(運)을 아는 것이다. 태어난 생년, 생월, 생일, 생시를 알면 개인의 계절을 찾을 수 있다. 각자의 계절을 찾아서 삶이 보다 윤택하고 풍요롭게 되기를 바란다. 계절을 아는 사람이 계절을 모르는 사람보다 삶을 더 윤택하고 풍요롭게 할 수 있다. 왜냐하면 봄에 씨를 뿌리고 여름에는 일을 하고 가을에 수확하여 겨울에는 휴식을 하는 자연의 순리를 따를 수 있기 때문이다.

대운(大運)은 좁은 의미로는 가을을 뜻하고 넓은 의미로는 인생 전체의 운(運)을 뜻한다. 삶의 의미를 여러 가지로 정의(定義)할 수 있겠지만 자신에게 다가온 고난과 역경을 극복하는 삶은 자신을 더욱 성숙하게 하고 운(運)을 좋게 한다. 물론 극복하지 못해도 포기만 하지 않으면 그 삶을 통한 유전정보의 진화(進化)는 이루어진다. 중력에 역행하는 행동을 지속하는 것이 삶이고 중력에 역행하는 행동을 지속하지 못하는 것이 죽음이다. 지구에 중력이 있는 것과 같이 마음에도 중력이 있다. 마음의 중력은 바로 본능이다. 사람들은 살아가는 동안에 몸이 중력의 영향을 받는 것과 같이 마음은 본능의 영향을 받게 된다. 중력은 몸을 당기지만 본능은 마음을 당긴다. 몸이 중력을 역행하는 운동을 지속하면 몸에 새로운 힘이 생기고 몸이 변화하는 것과 같이 마음이 본능을 역행하는 극기를 지속하면 유전정보에 새로운 정보가 생기고 유전정보는 진화하게 된다.

운(運)을 좋아지게 하는 방법이 있다. 사람은 고급가치를 추구(追求)하는 사람이 있고 저급가치를 추구(追求)하는 사람이 있다. 고급가치에는 건강, 지혜, 사랑 등이 있으며 저급가치에는 돈, 권력 등이 있다. 명예는 그 중간 정도가 될 것이다. 물론 어느 것이든 모두 필요하다. 하지만 고급가치는 많이 가져도 누구도 손해를 보지 않지만, 저급가치는 한 사람이 많이 가질수록 상대방이 가질 수 있는 것은 반드시 적어진다. 저급가치는 한쪽이 이득을 보면 반드시 다른 한쪽이 손해를 보는 상태(狀態)인 제로섬(Zero-Sum) 게임과 같다. 상대방에게 손해나 피해를 주는 업(業)과 악(惡)은 결국에는 나와 상대방의 건강을 해치게 된다. 사람으로 태어나 고급가치를 지향(志向)하고 저급가치는 적당히 취(取)하는 삶은 자신의 인생에 겨울이 왔을 때 수월하게 지나갈 수 있는 방법이기도 하다.

1] 남자(男子)

①오른손잡이

평생운세를 보는 방법 : 오른손잡이일 경우

남자 1973년 음력 10월(큰달) 21일 06시 10분 20초 生

평생주도수=〉 1973년 11월 15일(양력),
1973년 10월 21일(음력) 06시 10분 20초 =
19년역 수 5 + 223월역 수 2 + 음력월 수 10 +
음력일 수 21 + 음력1일역(13시32분36초) 수 5
= 43 (43/9 = 4와 나머지 7)

평생
기본수

육체 체질	목-음 축(丑) 늦겨울 [토]

5	토+양 인(寅) 초봄 [목]	
5세 (음력)		

7	토-음 묘(卯) 한봄 [목]	
12세 (음력)		

3	화+양 진(辰) 늦봄 [토]	파
15세 (음력)		

8	화-음 사(巳) 초여름 [화]	삼합
23세 (음력)		

1	금+양 오(午) 한여름 [화]	육해, 원진
24세 (음력)		

9	금-음 미(未) 늦여름 [토]	충형, 육형
33세 (음력)		

8	기+양 신(申) 초가을 [금]	
41세 (음력)		

1	기-음 유(酉) 한가을 [금]	삼합
42세 (음력)		

9	수+양 술(戌) 늦가을 [토]	삼형, 육형
51세 (음력)		

3	수-음 해(亥) 초겨울 [수]	방합
54세 (음력)		
78세 (음력)	최후 의 나이	

9	목+양 자(子) 한겨울 [수]	육합 (토), 방합 (수)
63세 (음력)		
75세 (음력)		

3	목-음 축(丑) 늦겨울 [토]	
66세 (음력)		

성명	김석현(가명) 경북 포항 태생		
오른손잡이	1973 11 15 06:30 경(梗)		
평생운(平生運)의 흐름 좋은 운(運)=합(合) 안 좋은 운(運)=형(刑), 충(沖), 파(破), 해(害), 원진(怨嗔)			
시작 시점	끝나는 시점	운(運)의 흐름	
1세(음력)	5세(음력)		
6세(음력)	12세(음력)		
13세(음력)	15세(음력)	파	
16세(음력)	23세(음력)	삼합(금)	
24세(음력)	24세(음력)	육해 원진	
25세(음력)	33세(음력)	충 삼형(육형)	
34세(음력)	41세(음력)		
42세(음력)	42세(음력)	삼합(금)	

성명	김석현(가명) 경북 포항 태생		
오른손잡이	1973 11 15 06:30 경(梗)		
평생운(平生運)의 흐름 좋은 운(運)=합(合) 안 좋은 운(運)=형(刑), 충(沖), 파(破), 해(害), 원진(怨嗔)			
시작 시점	끝나는 시점	운(運)의 흐름	
43세(음력)	51세(음력)	삼형(육형)	
52세(음력)	54세(음력)	방합(수)	
55세(음력)	63세(음력)	육합(토) 방합(수)	
64세(음력)	66세(음력)		마지막 나이
67세(음력)	75세(음력)	육합(토) 방합(수)	
76세(음력)	78세(음력)	방합(수)	최후의 나이
79세(음력)	83세(음력)		

평생주도수는 음력에 해당하는 수리를 모두 더하여 찾는다.

1973년 11월 15일(양력)

1973년 10월 21일(음력) 06시 10분 20초

19년역(235월역) 수 5

223월역 수 2

음력월 수 10

음력일 수 21

음력1일역(13시32분36초) 수 5

= 43 (43/9 = 4와 나머지7 평생주도수 = 7)

평생운(平生運)의 흐름에서 좋은 운(運)인 합(合)이 겹쳐서 들어오는 경우가 있고, 안 좋은 운(運)인 형(刑), 충(沖), 파(破), 해(害), 원진(怨嗔)이 겹쳐서 들어오는 경우가 있다. 안 좋은 운(運)이 겹쳐서 들어오는 경우가 그렇지 않은 경우보다 더욱 운(運)이 좋지 않다. 마찬가지로 좋은 운(運)이 겹쳐서 들어오는 경우가 그렇지 않은 경우보다 더욱 운(運)이 좋다. 위의 경우는 24세에서 33세가 안 좋은 운(運)이 겹치는 기간이고, 52세에서 63세와 67세에서 78세가 좋은 운(運)이 겹치는 기간이다.

수리	음력 우리나이	년	AA	A	B	C	CC
551	1세	1973년	AA				
562	2세	1974년		A			
573	3세	1975년		A			
584	4세	1976년			B		
595	5세	1977년			B		
516	6세	1978년			B		
527	7세	1979년					CC
538	8세	1980년		A			
549	9세	1981년		A			
551	10세	1982년	AA				
562	11세	1983년		A			
573	12세	1984년		A			
584	13세	1985년			B		
595	14세	1986년			B		
516	15세	1987년			B		
527	16세	1988년					CC
538	17세	1989년		A			
549	18세	1990년		A			
551	19세	1991년	AA				
562	20세	1992년		A			

육체운(肉體運)의 흐름
AA:매우 좋다. A:좋다.
B:보통이다. C:나쁘다. CC:매우 나쁘다.

육체운(肉體運)의 흐름							
AA:매우 좋다. A:좋다.							
B:보통이다. C:나쁘다. CC:매우 나쁘다.							
수리	음력 우리나이	년	AA	A	B	C	CC
573	21세	1993년		A			
584	22세	1994년			B		
595	23세	1995년			B		
516	24세	1996년			B		
527	25세	1997년					CC
538	26세	1998년		A			
549	27세	1999년		A			
551	28세	2000년	AA				
562	29세	2001년		A			
573	30세	2002년		A			
584	31세	2003년			B		
595	32세	2004년			B		
516	33세	2005년			B		
527	34세	2006년					CC
538	35세	2007년		A			
549	36세	2008년		A			
551	37세	2009년	AA				
562	38세	2010년		A			
573	39세	2011년		A			
584	40세	2012년			B		

	육체운(肉體運)의 흐름 AA:매우 좋다. A:좋다. B:보통이다. C:나쁘다. CC:매우 나쁘다.						
수리	음력 우리나이	년	AA	A	B	C	CC
595	41세	2013년			B		
516	42세	2014년			B		
527	43세	2015년					CC
538	44세	2016년		A			
549	45세	2017년		A			
551	46세	2018년	AA				
562	47세	2019년		A			
573	48세	2020년		A			
584	49세	2021년			B		
595	50세	2022년			B		
516	51세	2023년			B		
527	52세	2024년					CC
538	53세	2025년		A			
549	54세	2026년		A			
551	55세	2027년	AA				
562	56세	2028년		A			
573	57세	2029년		A			
584	58세	2030년			B		
595	59세	2031년			B		
516	60세	2032년			B		

	육체운(肉體運)의 흐름						
	AA:매우 좋다. A:좋다.						
	B:보통이다. C:나쁘다. CC:매우 나쁘다.						
수리	음력 우리나이	년	AA	A	B	C	CC
527	61세	2033년					CC
538	62세	2034년		A			
549	63세	2035년		A			
551	64세	2036년	AA				
562	65세	2037년		A			
573	66세	2038년		A			
584	67세	2039년			B		
595	68세	2040년			B		
516	69세	2041년			B		
527	70세	2042년					CC
538	71세	2043년		A			
549	72세	2044년		A			
551	73세	2045년	AA				
562	74세	2046년		A			
573	75세	2047년		A			
584	76세	2048년			B		
595	77세	2049년			B		
516	78세	2050년			B		
527	79세	2051년					CC
538	80세	2052년		A			

수리	음력 우리나이	년	AA	A	B	C	CC
					육체운(肉體運)의 흐름 AA:매우 좋다. A:좋다. B:보통이다. C:나쁘다. CC:매우 나쁘다.		
549	81세	2053년		A			
551	82세	2054년	AA				
562	83세	2055년		A			
573	84세	2056년		A			
584	85세	2057년			B		
595	86세	2058년			B		
516	87세	2059년			B		
527	88세	2060년					CC
538	89세	2061년		A			
549	90세	2062년		A			
551	91세	2063년	AA				
562	92세	2064년		A			
573	93세	2065년		A			
584	94세	2066년			B		
595	95세	2067년			B		
516	96세	2068년			B		
527	97세	2069년					CC
538	98세	2070년		A			
549	99세	2071년		A			
551	100세	2072년	AA				

		육체운(肉體運)의 흐름 AA:매우 좋다. A:좋다. B:보통이다. C:나쁘다. CC:매우 나쁘다.						
수리	음력 우리나이	년	AA	A	B	C	CC
562	101세	2073년		A			
573	102세	2074년		A			
584	103세	2075년			B		
595	104세	2076년			B		
516	105세	2077년			B		
527	106세	2078년					CC
538	107세	2079년		A			
549	108세	2080년		A			
551	109세	2081년	AA				
562	110세	2082년		A			
573	111세	2083년		A			
584	112세	2084년			B		
595	113세	2085년			B		
516	114세	2086년			B		

성명	김석현(가명) 경북 포항 태생	
오른손잡이	양력 1973 11 15 06:30 경(梗)	

정신운(精神運)의 흐름
좋은 운(運):비견, 식신, 정재, 정관, 정인
안 좋은 운(運):겁재, 상관, 편재, 편관, 편인

시작 시점	끝나는 시점	운(運)의 흐름
14-12-22 0:00	15-8-15 19:05	겁재
15-8-15 19:05	17-5-17 18:45	정관
17-5-17 18:45	19-2-17 18:25	식신
19-2-17 18:25	20-5-15 19:05	상관
20-5-15 19:05	21-8-11 19:45	편관
21-8-11 19:45	23-5-14 19:25	편재
23-5-14 19:25	25-2-13 19:05	정재
25-2-13 19:05	26-11-16 18:45	정관
26-11-16 18:45	28-8-18 18:25	편인
28-8-18 18:25	29-11-14 19:05	정인
29-11-14 19:05	31-2-10 19:45	편관
31-2-10 19:45	32-11-12 19:25	비견
32-11-12 19:25	33-12-22 0:00	겁재

②왼손잡이

평생운세를 보는 방법 : 왼손잡이일 경우

남자 1973년 음력 10월(큰달) 21일 06시 10분 20초 生

평생주도수=〉 1973년 11월 15일(양력),
1973년 10월 21일(음력) 06시 10분 20초 =
19년역 수 5 + 223월역 수 2 + 음력월 수 10 +
음력일 수 21 + 음력1일역(13시32분36초) 수 5
= 43 (43/9 = 4와 나머지 7)

평생 기본수

육체 체질	수-음 해(亥) 초겨울 [수]

5	토+양 인(寅) 초봄 [목]	육합(木)파		7	토-음 묘(卯) 한봄 [목]	삼합(목)		3	화+양 진(辰) 늦봄 [토]	원진
5세(음력)				12세(음력)				15세(음력)		

8	화-음 사(巳) 초여름 [화]	충		1	금+양 오(午) 한여름 [화]			9	금-음 미(未) 늦여름 [토]	삼합(목)
23세(음력)				24세(음력)				33세(음력)		

8	기+양 신(申) 초가을 [금]	육해		1	기-음 유(酉) 한가을 [금]			9	수+양 술(戌) 늦가을 [토]	
41세(음력)				42세(음력)				51세(음력)		

3	수-음 해(亥) 초겨울 [수]	자형		9	목+양 자(子) 한겨울 [수]	방합(수)		3	목-음 축(丑) 늦겨울 [토]	방합(수)
54세(음력)				63세(음력)				66세(음력)		
78세(음력)	최후의 나이			75세(음력)						

성명	김석현(가명) 경북 포항 태생		
왼손잡이	1973 11 15 06:30 경(梗)		
평생운(平生運)의 흐름 좋은운(運)=합(合) 안좋은운(運)=형(刑),충(沖),파(破),해(害),원진(怨嗔)			
시작시점	끝나는시점	운(運)의 흐름	
1세(음력)	5세(음력)	육합(목) 파	
6세(음력)	12세(음력)	삼합(목)	
13세(음력)	15세(음력)	원진	
16세(음력)	23세(음력)	충	
24세(음력)	24세(음력)		
25세(음력)	33세(음력)	삼합(목)	
34세(음력)	41세(음력)	육해	
42세(음력)	42세(음력)		

성명	김석현(가명) 경북 포항 태생
왼손잡이	1973 11 15 06:30 경(梗)

평생운(平生運)의흐름
좋은운(運)=합(合)
안좋은운(運)=형(刑),충(沖),파(破),해(害),원진(怨嗔)

시작시점	끝나는시점	운(運)의 흐름	
43세(음력)	51세(음력)		
52세(음력)	54세(음력)	자형	
55세(음력)	63세(음력)	방합(수)	
64세(음력)	66세(음력)	방합(수)	마지막 나이
67세(음력)	75세(음력)	방합(수)	
76세(음력)	78세(음력)	자형	최후의 나이
79세(음력)	83세(음력)	육합(목) 파	

평생주도수는 음력에 해당하는 수리를 모두 더하여 찾는다.

1973년 11월 15일(양력)

1973년 10월 21일(음력) 06시 10분 20초

19년역(235월역) 수 5

223월역 수 2

음력월 수 10

음력일 수 21

음력1일역(13시32분36초) 수 5

= 43 (43/9 = 4와 나머지7 평생주도수 = 7)

평생운(平生運)의 흐름에서 좋은 운(運)인 합(合)이 겹쳐서 들어오는 경우가 있고, 안 좋은 운(運)인 형(刑), 충(沖), 파(破), 해(害), 원진(怨嗔)이 겹쳐서 들어오는 경우가 있다. 안 좋은 운(運)이 겹쳐서 들어오는 경우가 그렇지 않은 경우보다 더욱 운(運)이 좋지 않다. 마찬가지로 좋은 운(運)이 겹쳐서 들어오는 경우가 그렇지 않은 경우보다 더욱 운(運)이 좋다. 위의 경우는 13세에서 23세와 76세에서 83세가 안 좋은 운(運)이 겹치는 기간이고, 55세에서 75세가 좋은 운(運)이 겹치는 기간이다.

	육체운(肉體運)의 흐름						
	AA:매우 좋다. A:좋다.						
	B:보통이다. C:나쁘다. CC:매우 나쁘다.						
수리	음력 우리나이	년	AA	A	B	C	CC
551	1세	1973년	AA				
562	2세	1974년		A			
573	3세	1975년		A			
584	4세	1976년			B		
595	5세	1977년			B		
516	6세	1978년			B		
527	7세	1979년					CC
538	8세	1980년		A			
549	9세	1981년		A			
551	10세	1982년	AA				
562	11세	1983년		A			
573	12세	1984년		A			
584	13세	1985년			B		
595	14세	1986년			B		
516	15세	1987년			B		
527	16세	1988년					CC
538	17세	1989년		A			
549	18세	1990년		A			
551	19세	1991년	AA				
562	20세	1992년		A			

육체운(肉體運)의 흐름								
AA:매우 좋다. A:좋다.								
B:보통이다. C:나쁘다. CC:매우 나쁘다.								
수리	음력 우리나이	년	AA	A	B	C	CC
573	21세	1993년		A			
584	22세	1994년			B		
595	23세	1995년			B		
516	24세	1996년			B		
527	25세	1997년					CC
538	26세	1998년		A			
549	27세	1999년		A			
551	28세	2000년	AA				
562	29세	2001년		A			
573	30세	2002년		A			
584	31세	2003년			B		
595	32세	2004년			B		
516	33세	2005년			B		
527	34세	2006년					CC
538	35세	2007년		A			
549	36세	2008년		A			
551	37세	2009년	AA				
562	38세	2010년		A			
573	39세	2011년		A			
584	40세	2012년			B		

| | 육체운(肉體運)의 흐름 AA:매우 좋다. A:좋다. B:보통이다. C:나쁘다. CC:매우 나쁘다. | | | | | | |
수리	음력 우리나이	년	AA	A	B	C	CC
595	41세	2013년			B		
516	42세	2014년			B		
527	43세	2015년					CC
538	44세	2016년		A			
549	45세	2017년		A			
551	46세	2018년	AA				
562	47세	2019년		A			
573	48세	2020년		A			
584	49세	2021년			B		
595	50세	2022년			B		
516	51세	2023년			B		
527	52세	2024년					CC
538	53세	2025년		A			
549	54세	2026년		A			
551	55세	2027년	AA				
562	56세	2028년		A			
573	57세	2029년		A			
584	58세	2030년			B		
595	59세	2031년			B		
516	60세	2032년			B		

육체운(肉體運)의 흐름 AA:매우 좋다. A:좋다. B:보통이다. C:나쁘다. CC:매우 나쁘다.							
수리	음력 우리나이	년	AA	A	B	C	CC
527	61세	2033년					CC
538	62세	2034년		A			
549	63세	2035년		A			
551	64세	2036년	AA				
562	65세	2037년		A			
573	66세	2038년		A			
584	67세	2039년			B		
595	68세	2040년			B		
516	69세	2041년			B		
527	70세	2042년					CC
538	71세	2043년		A			
549	72세	2044년		A			
551	73세	2045년	AA				
562	74세	2046년		A			
573	75세	2047년		A			
584	76세	2048년			B		
595	77세	2049년			B		
516	78세	2050년			B		
527	79세	2051년					CC
538	80세	2052년		A			

수리	음력 우리나이	년	AA	A	B	C	CC
		육체운(肉體運)의 흐름 AA:매우 좋다. A:좋다. B:보통이다. C:나쁘다. CC:매우 나쁘다.					
549	81세	2053년		A			
551	82세	2054년	AA				
562	83세	2055년		A			
573	84세	2056년		A			
584	85세	2057년			B		
595	86세	2058년			B		
516	87세	2059년			B		
527	88세	2060년					CC
538	89세	2061년		A			
549	90세	2062년		A			
551	91세	2063년	AA				
562	92세	2064년		A			
573	93세	2065년		A			
584	94세	2066년			B		
595	95세	2067년			B		
516	96세	2068년			B		
527	97세	2069년					CC
538	98세	2070년		A			
549	99세	2071년		A			
551	100세	2072년	AA				

수리	음력 우리나이	년	AA	A	B	C	CC
			육체운(肉體運)의 흐름 AA:매우 좋다. A:좋다. B:보통이다. C:나쁘다. CC:매우 나쁘다.				
562	101세	2073년		A			
573	102세	2074년		A			
584	103세	2075년			B		
595	104세	2076년			B		
516	105세	2077년			B		
527	106세	2078년					CC
538	107세	2079년		A			
549	108세	2080년		A			
551	109세	2081년	AA				
562	110세	2082년		A			
573	111세	2083년		A			
584	112세	2084년			B		
595	113세	2085년			B		
516	114세	2086년			B		

성명	김석현(가명) 경북 포항 태생	
왼손잡이	1973 11 15 06:30	
정신운(精神運)의흐름 좋은운(運):비견,식신,정재,정관,정인 안좋은운(運):겁재,상관,편재,편관,편인		
시작시점	끝나는시점	운(運)의 흐름
14-12-22 0:00	15-8-15 19:05	편재
15-8-15 19:05	17-5-17 18:45	비견
17-5-17 18:45	19-2-17 18:25	정관
19-2-17 18:25	20-5-15 19:05	편관
20-5-15 19:05	21-8-11 19:45	겁재
21-8-11 19:45	23-5-14 19:25	정인
23-5-14 19:25	25-2-13 19:05	편인
25-2-13 19:05	26-11-16 18:45	비견
26-11-16 18:45	28-8-18 18:25	상관
28-8-18 18:25	29-11-14 19:05	식신
29-11-14 19:05	31-2-10 19:45	겁재
31-2-10 19:45	32-11-12 19:25	정재
32-11-12 19:25	33-12-22 0:00	편재

2] 여자(女子)

①오른손잡이 : 평생운세를 보는 방법

여자 1981년 음력 11월(큰달) 16일 12시 13분 30초 生

평생
기본수

평생주도수=〉1981년 12월 11일(양력),
1981년 11월 16일(음력) 12시 13분 30초 = 19년역 수 8
+ 223월역 수 6 + 음력월 수 11 + 음력일 수 16 +
음력1일역(23시45분05초) 수 1
= 42 (42/9 = 4와 나머지 6)

육체 체질	금+양 오(午) 한여름 [화]

1	토+양 인(寅) 초봄 [목]	삼합 (화)		6	토-음 묘(卯) 한봄 [목]	파		7	화+양 진(辰) 늦봄 [토]	
1세 (음력)				7세 (음력)				14세 (음력)		

8	화-음 사(巳) 초여름 [화]	방합 (화)		4	금+양 오(午) 한여름 [화]	자형		3	금-음 미(未) 늦여름 [토]	육합 ( ) 방합 (화)
22세 (음력)				26세 (음력)				29세 (음력)		

2	기+양 신(申) 초가을 [금]			7	기-음 유(酉) 한가을 [금]			9	수+양 술(戌) 늦가을 [토]	삼합 (화)
31세 (음력)				38세 (음력)				47세 (음력)		

2	수-음 해(亥) 초겨울 [수]			8	목+양 자(子) 한겨울 [수]	충		1	목-음 축(丑) 늦겨울 [토]	육해 원진
49세 (음력)				57세 (음력)				58세 (음력)		
68세 (음력)	최후의 나이			66세 (음력)						

성명	백영숙(가명) 여자 경북 구미태생		
오른손잡이	1981 12 11 12:30 경(梗)		
평생운(平生運)의 흐름 좋은 운(運)=합(合) 안 좋은 운(運)=형(刑), 충(沖), 파(破), 해(害), 원진(怨嗔)			
시작 시점	끝나는 시점	운(運)의 흐름	
1세(음력)	1세(음력)	삼합(화)	
2세(음력)	7세(음력)	파	
8세(음력)	14세(음력)		
15세(음력)	22세(음력)	방합(화)	
23세(음력)	26세(음력)	자형	
27세(음력)	29세(음력)	육합( ) 방합(화)	
30세(음력)	31세(음력)		
32세(음력)	38세(음력)		

성명	백영숙(가명) 여자 경북 구미태생		
오른손잡이	1981 12 11 12:30 경(梗)		
평생운(平生運)의 흐름 좋은 운(運)=합(合) 안 좋은 운(運)=형(刑), 충(沖), 파(破), 해(害), 원진(怨嗔)			
시작 시점	끝나는 시점	운(運)의 흐름	
39세(음력)	47세(음력)	삼합(화)	
48세(음력)	49세(음력)		
50세(음력)	57세(음력)	충	
58세(음력)	58세(음력)	육해 원진	마지막 나이
59세(음력)	66세(음력)	충	
67세(음력)	68세(음력)		최후의 나이
69세(음력)	69세(음력)	삼합(화)	

평생주도수는 음력에 해당하는 수리를 모두 더하여 찾는다.

1981년 12월 11일(양력)

1981년 11월 16일(음력) 12시 13분 30초

19년역(235월역) 수 8

223월역 수 6

음력월 수 11

음력일 수 16

음력1일역(23시45분05초) 수 1

= 42 (42/9 = 4와 나머지6 평생주도수 = 6)

평생운(平生運)의 흐름에서 좋은 운(運)인 합(合)이 겹쳐서 들어오는 경우가 있고, 안 좋은 운(運)인 형(刑), 충(沖), 파(破), 해(害), 원진(怨嗔)이 겹쳐서 들어오는 경우가 있다. 안 좋은 운(運)이 겹쳐서 들어오는 경우가 그렇지 않은 경우보다 더욱 운(運)이 좋지 않다. 마찬가지로 좋은 운(運)이 겹쳐서 들어오는 경우가 그렇지 않은 경우보다 더욱 운(運)이 좋다. 위의 경우는 50세에서 66세가 안 좋은 운(運)이 겹치는 기간이다.

수리	음력 우리나이	년	AA	A	B	C	CC
112	1세	1981년		A			
123	2세	1982년				C	
134	3세	1983년					CC
145	4세	1984년		A			
156	5세	1985년			B		
167	6세	1986년		A			
178	7세	1987년		A			
189	8세	1988년	AA				
191	9세	1989년				C	
112	10세	1990년		A			
123	11세	1991년				C	
134	12세	1992년					CC
145	13세	1993년		A			
156	14세	1994년			B		
167	15세	1995년		A			
178	16세	1996년		A			
189	17세	1997년	AA				
191	18세	1998년				C	
112	19세	1999년		A			
123	20세	2000년				C	

육체운(肉體運)의 흐름
AA:매우 좋다. A:좋다.
B:보통이다. C:나쁘다. CC:매우 나쁘다.

	육체운(肉體運)의 흐름 AA:매우 좋다. A:좋다. B:보통이다. C:나쁘다. CC:매우 나쁘다.							

수리	음력 우리나이	년	AA	A	B	C	CC
134	21세	2001년					CC
145	22세	2002년		A			
156	23세	2003년			B		
167	24세	2004년		A			
178	25세	2005년		A			
189	26세	2006년	AA				
191	27세	2007년				C	
112	28세	2008년		A			
123	29세	2009년				C	
134	30세	2010년					CC
145	31세	2011년		A			
156	32세	2012년			B		
167	33세	2013년		A			
178	34세	2014년		A			
189	35세	2015년	AA				
191	36세	2016년				C	
112	37세	2017년		A			
123	38세	2018년				C	
134	39세	2019년					CC
145	40세	2020년		A			

수리	음력 우리나이	년	AA	A	B	C	CC
			육체운(肉體運)의 흐름 AA:매우 좋다. A:좋다. B:보통이다. C:나쁘다. CC:매우 나쁘다.				
156	41세	2021년			B		
167	42세	2022년		A			
178	43세	2023년		A			
189	44세	2024년	AA				
191	45세	2025년				C	
112	46세	2026년		A			
123	47세	2027년				C	
134	48세	2028년					CC
145	49세	2029년		A			
156	50세	2030년			B		
167	51세	2031년		A			
178	52세	2032년		A			
189	53세	2033년	AA				
191	54세	2034년				C	
112	55세	2035년		A			
123	56세	2036년				C	
134	57세	2037년					CC
145	58세	2038년		A			
156	59세	2039년			B		
167	60세	2040년		A			

수리	음력 우리나이	년	AA	A	B	C	CC
178	61세	2041년		A			
189	62세	2042년	AA				
191	63세	2043년				C	
112	64세	2044년		A			
123	65세	2045년				C	
134	66세	2046년					CC
145	67세	2047년		A			
156	68세	2048년			B		
167	69세	2049년		A			
178	70세	2050년		A			
189	71세	2051년	AA				
191	72세	2052년				C	
112	73세	2053년		A			
123	74세	2054년				C	
134	75세	2055년					CC
145	76세	2056년		A			
156	77세	2057년			B		
167	78세	2058년		A			
178	79세	2059년		A			
189	80세	2060년	AA				

육체운(肉體運)의 흐름
AA:매우 좋다. A:좋다.
B:보통이다. C:나쁘다. CC:매우 나쁘다.

수리	음력 우리나이	년	AA	A	B	C	CC
							육체운(肉體運)의 흐름
						AA:매우 좋다. A:좋다.	
				B:보통이다. C:나쁘다. CC:매우 나쁘다.			
191	81세	2061년				C	
112	82세	2062년		A			
123	83세	2063년				C	
134	84세	2064년					CC
145	85세	2065년		A			
156	86세	2066년			B		
167	87세	2067년		A			
178	88세	2068년		A			
189	89세	2069년	AA				
191	90세	2070년				C	
112	91세	2071년		A			
123	92세	2072년				C	
134	93세	2073년					CC
145	94세	2074년		A			
156	95세	2075년			B		
167	96세	2076년		A			
178	97세	2077년		A			
189	98세	2078년	AA				
191	99세	2079년				C	
112	100세	2080년		A			

수리	음력 우리나이	년	AA	A	B	C	CC
		육체운(肉體運)의 흐름 AA:매우 좋다. A:좋다. B:보통이다. C:나쁘다. CC:매우 나쁘다.					
123	101세	2081년				C	
134	102세	2082년					CC
145	103세	2083년		A			
156	104세	2084년			B		
167	105세	2085년		A			
178	106세	2086년		A			
189	107세	2087년	AA				
191	108세	2088년				C	
112	109세	2089년		A			
123	110세	2090년				C	
134	111세	2091년					CC
145	112세	2092년		A			
156	113세	2093년			B		
167	114세	2094년		A			
178	115세	2095년		A			
189	116세	2096년	AA				
191	117세	2097년				C	

성명	백영숙(가명) 여자 경북 구미태생	
오른손잡이	양력 1981 12 11 12:30 경(梗)	
정신운(精神運)의 흐름 좋은 운(運):비견, 식신, 정재, 정관, 정인 안 좋은 운(運):겁재, 상관, 편재, 편관, 편인		
시작 시점	끝나는 시점	운(運)의 흐름
14-12-22 0:00	15-8-15 19:05	정관
15-8-15 19:05	17-5-17 18:45	상관
17-5-17 18:45	19-2-17 18:25	편인
19-2-17 18:25	20-5-15 19:05	정인
20-5-15 19:05	21-8-11 19:45	식신
21-8-11 19:45	23-5-14 19:25	비견
23-5-14 19:25	25-2-13 19:05	겁재
25-2-13 19:05	26-11-16 18:45	상관
26-11-16 18:45	28-8-18 18:25	편재
28-8-18 18:25	29-11-14 19:05	정재
29-11-14 19:05	31-2-10 19:45	식신
31-2-10 19:45	32-11-12 19:25	편관
32-11-12 19:25	33-12-22 0:00	정관

②왼손잡이 : 평생운세를 보는 방법

여자 1981년 음력 11월(큰달) 16일 12시 13분 30초 生

평생
기본수

평생주도수=)1981년 12월 11일(양력),
1981년 11월 16일(음력) 12시 13분 30초 = 19년역 수 8 +
223월역 수 6 + 음력월 수 11 + 음력일 수 16 +
음력1일역(23시45분05초) 수 1
= 42 (42/9 = 4와 나머지 6)

육체체질	화-음 사(巳) 초 여름 [화]

1	토+양 인(寅) 초봄 [목]	육해 삼형		6	토-음묘(卯) 한봄 [목]			7	화+양 진(辰) 늦봄 [토]	
1세(음력)				7세(음력)				14세(음력)		

8	화-음 사(巳) 초 여름 [화]			4	금+양오(午) 한 여름 [화]	방합(화)		3	금-음미(未) 늦 여름 [토]	방합(화)
22세(음력)				26세(음력)				29세(음력)		

2	기+양 신(申) 초 가을 [금]	육합(수)파 삼형		7	기-음유(酉) 한 가을 [금]	삼합(금)		9	수+양 술(戌) 늦 가을 [토]	원진
31세(음력)				38세(음력)				47세(음력)		

2	수-음 해(亥) 초 겨울 [수]	충		8	목+양자(子) 한 겨울 [수]			1	목-음축(丑) 늦 겨울 [토]	삼합(금)
49세(음력)				57세(음력)				58세(음력)		
68세(음력)	최후의 나이			66세(음력)						

성명	백영숙(가명) 여자 경북 구미태생		
왼손잡이	1981 12 11 12:30 경(梗)		
평생운(平生運)의흐름 좋은운(運)=합(合) 안좋은운(運)=형(刑),충(沖),파(破),해(害),원진(怨嗔)			
시작시점	끝나는시점	운(運)의 흐름	
1세(음력)	1세(음력)	육해 삼형	
2세(음력)	7세(음력)		
8세(음력)	14세(음력)		
15세(음력)	22세(음력)		
23세(음력)	26세(음력)	방합(화)	
27세(음력)	29세(음력)	방합(화)	
30세(음력)	31세(음력)	육합(수) 파 삼형	
32세(음력)	38세(음력)	삼합(금)	

성명	백영숙(가명) 여자 경북 구미태생		
왼손잡이	1981 12 11 12:30 경(梗)		
평생운(平生運)의흐름 좋은운(運)=합(合) 안좋은운(運)=형(刑),충(沖),파(破),해(害),원진(怨嗔)			
시작시점	끝나는시점	운(運)의 흐름	
39세(음력)	47세(음력)	원진	
48세(음력)	49세(음력)	충	
50세(음력)	57세(음력)		
58세(음력)	58세(음력)	삼합(금)	마지막 나이
59세(음력)	66세(음력)		
67세(음력)	68세(음력)	충	최후의 나이
69세(음력)	69세(음력)	육해 삼형	

평생주도수는 음력에 해당하는 수리를 모두 더하여 찾는다.

1981년 12월　11일(양력)

1981년 11월 16일(음력) 12시 13분 30초

19년역(235월역) 수 8

223월역 수 6

음력월 수 11

음력일 수 16

음력1일역(23시45분05초) 수 1

= 42 (42/9 = 4와 나머지6 평생주도수 = 6)

평생운(平生運)의 흐름에서 좋은 운(運)인 합(合)이 겹쳐서 들어오는 경우가 있고, 안 좋은 운(運)인 형(刑), 충(沖), 파(破), 해(害), 원진(怨嗔)이 겹쳐서 들어오는 경우가 있다. 안 좋은 운(運)이 겹쳐서 들어오는 경우가 그렇지 않은 경우보다 더욱 운(運)이 좋지 않다. 마찬가지로 좋은 운(運)이 겹쳐서 들어오는 경우가 그렇지 않은 경우보다 더욱 운(運)이 좋다. 위의 경우는 23세에서 29세가 좋은 운(運)이 겹치는 기간이고 39세에서 49세와 67세에서 69세가 안 좋은 운(運)이 겹치는 기간이다.

	육체운(肉體運)의 흐름						
	AA:매우 좋다. A:좋다.						
	B:보통이다. C:나쁘다. CC:매우 나쁘다.						
수리	음력 우리나이	년	AA	A	B	C	CC
112	1세	1981년		A			
123	2세	1982년				C	
134	3세	1983년					CC
145	4세	1984년		A			
156	5세	1985년			B		
167	6세	1986년		A			
178	7세	1987년		A			
189	8세	1988년	AA				
191	9세	1989년				C	
112	10세	1990년		A			
123	11세	1991년				C	
134	12세	1992년					CC
145	13세	1993년		A			
156	14세	1994년			B		
167	15세	1995년		A			
178	16세	1996년		A			
189	17세	1997년	AA				
191	18세	1998년				C	
112	19세	1999년		A			
123	20세	2000년				C	

수리	음력 우리나이	년	AA	A	B	C	CC
							육체운(肉體運)의 흐름
							AA:매우 좋다. A:좋다.
							B:보통이다. C:나쁘다. CC:매우 나쁘다.
134	21세	2001년					CC
145	22세	2002년		A			
156	23세	2003년			B		
167	24세	2004년		A			
178	25세	2005년		A			
189	26세	2006년	AA				
191	27세	2007년				C	
112	28세	2008년		A			
123	29세	2009년				C	
134	30세	2010년					CC
145	31세	2011년		A			
156	32세	2012년			B		
167	33세	2013년		A			
178	34세	2014년		A			
189	35세	2015년	AA				
191	36세	2016년				C	
112	37세	2017년		A			
123	38세	2018년				C	
134	39세	2019년					CC
145	40세	2020년		A			

육체운(肉體運)의 흐름 AA:매우 좋다. A:좋다. B:보통이다. C:나쁘다. CC:매우 나쁘다.							
수리	음력 우리나이	년	AA	A	B	C	CC
156	41세	2021년			B		
167	42세	2022년		A			
178	43세	2023년		A			
189	44세	2024년	AA				
191	45세	2025년				C	
112	46세	2026년		A			
123	47세	2027년				C	
134	48세	2028년					CC
145	49세	2029년		A			
156	50세	2030년			B		
167	51세	2031년		A			
178	52세	2032년		A			
189	53세	2033년	AA				
191	54세	2034년				C	
112	55세	2035년		A			
123	56세	2036년				C	
134	57세	2037년					CC
145	58세	2038년		A			
156	59세	2039년			B		
167	60세	2040년		A			

육체운(肉體運)의 흐름							
AA:매우 좋다. A:좋다.							
B:보통이다. C:나쁘다. CC:매우 나쁘다.							
수리	음력 우리나이	년	AA	A	B	C	CC
178	61세	2041년		A			
189	62세	2042년	AA				
191	63세	2043년				C	
112	64세	2044년		A			
123	65세	2045년				C	
134	66세	2046년					CC
145	67세	2047년		A			
156	68세	2048년			B		
167	69세	2049년		A			
178	70세	2050년		A			
189	71세	2051년	AA				
191	72세	2052년				C	
112	73세	2053년		A			
123	74세	2054년				C	
134	75세	2055년					CC
145	76세	2056년		A			
156	77세	2057년			B		
167	78세	2058년		A			
178	79세	2059년		A			
189	80세	2060년	AA				

수리	음력 우리나이	년	AA	A	B	C	CC
			육체운(肉體運)의 흐름 AA:매우 좋다. A:좋다. B:보통이다. C:나쁘다. CC:매우 나쁘다.				
191	81세	2061년				C	
112	82세	2062년		A			
123	83세	2063년				C	
134	84세	2064년					CC
145	85세	2065년		A			
156	86세	2066년			B		
167	87세	2067년		A			
178	88세	2068년		A			
189	89세	2069년	AA				
191	90세	2070년				C	
112	91세	2071년		A			
123	92세	2072년				C	
134	93세	2073년					CC
145	94세	2074년		A			
156	95세	2075년			B		
167	96세	2076년		A			
178	97세	2077년		A			
189	98세	2078년	AA				
191	99세	2079년				C	
112	100세	2080년		A			

수리	음력 우리나이	년	AA	A	B	C	CC
			육체운(肉體運)의 흐름				
			AA:매우 좋다. A:좋다.				
			B:보통이다. C:나쁘다. CC:매우 나쁘다.				
123	101세	2081년				C	
134	102세	2082년					CC
145	103세	2083년		A			
156	104세	2084년			B		
167	105세	2085년		A			
178	106세	2086년		A			
189	107세	2087년	AA				
191	108세	2088년				C	
112	109세	2089년		A			
123	110세	2090년				C	
134	111세	2091년					CC
145	112세	2092년		A			
156	113세	2093년			B		
167	114세	2094년		A			
178	115세	2095년		A			
189	116세	2096년	AA				
191	117세	2097년				C	

성명	백영숙(가명) 여자 경북 구미태생	
왼손잡이	1981 12 11 12:30	

정신운(精神運)의흐름
좋은운(運):비견,식신,정재,정관,정인
안좋은운(運):겁재,상관,편재,편관,편인

시작시점	끝나는시점	운(運)의 흐름
14-12-22 0:00	15-8-15 19:05	편관
15-8-15 19:05	17-5-17 18:45	식신
17-5-17 18:45	19-2-17 18:25	정인
19-2-17 18:25	20-5-15 19:05	편인
20-5-15 19:05	21-8-11 19:45	상관
21-8-11 19:45	23-5-14 19:25	겁재
23-5-14 19:25	25-2-13 19:05	비견
25-2-13 19:05	26-11-16 18:45	식신
26-11-16 18:45	28-8-18 18:25	정재
28-8-18 18:25	29-11-14 19:05	편재
29-11-14 19:05	31-2-10 19:45	상관
31-2-10 19:45	32-11-12 19:25	정관
32-11-12 19:25	33-12-22 0:00	편관

홀로 행하고 게으르지 말며

비난과 칭찬에도 흔들리지 마라.

소리에 놀라지 않는 사자처럼

그물에 걸리지 않는 바람처럼

진흙에 더럽히지 않는 연꽃처럼

무소의 뿔처럼 혼자서 가라.

-숫타니파타 법문 中-

제17장 이름을 짓는 방법(方法)

이름은 정신체질(精神體質)의 부족(不足)한 기운(氣運)을 보완(補完)하여야 한다. 목(木)의 계절에 태어난 남자나 여자는 목(木)의 기운(氣運)이 부족(不足)하기 때문에 목(木)의 계절에 태어난 것이다. 그러므로 목(木)의 기운(氣運)을 주(主)된 기운(氣運)으로 하고 나머지 기운(氣運)을 부(副)의 기운(氣運)으로 하여 작명(作名)을 하는 것이 좋으며, 발음과 의미를 모두 고려(考慮)하여야 한다.

인	음절
ㅇ ㅣ ㄴ	음소(초성, 중성, 종성)

ㆍ, ○	하늘(天)

ㅡ, □	땅(地)

ㅣ, △	사람(人)

남자의 정신체질은 태어난 계절 그대로 찾는다. 예를 들어 남자가 "목토"의 계절에 태어났다면 정신체질은 그대로 "목토"가 된다. 여자가 "목토"의 계절에 태어났다면 의 정신체질은 반대인 "금기"가 된다. 왜냐하면, 남자에게 정신은 알맹이고 여자에게 정신은 껍데기이기 때문이다.

수	목	토	육기(六氣)
잇소리	혓소리	반혓소리	육기(六氣)
금(□ or □)	화(△)		훈민정음 해례본(觀相)
금	화		일반 작명 (훈민정음 운해)
잇소리	혓소리		오행
ㅅ ㅈ ㅊ	ㄴ ㄷ ㅌ	ㄹ	자음
오 요	우 유	으	모음
치음	설음	반설음	
齒音	舌音	半舌音	
수	느	라	남자에게 좋은 소리
시	노	루	여자에게 좋은 소리
쉬(수이)	노(노으)	루ㅏ (루아)	남녀 모두에 좋은 소리
심장 안정	간장 안정	뇌장 안정	장기
소변을 나오게한다.		마음을 안정시킨다.	

화	금	기	육기(六氣)
입술소리	어금니소리	목구멍소리	육기(六氣)
토(◇)	목(▽)	수(○)	훈민정음 해례본(觀相)
수	목	토	일반 작명 (훈민정음 운해)
입술소리	어금니소리	목구멍소리	오행
ㅁ ㅂ ㅍ	ㄱ ㅋ	ㅇ ㅎ	자음
아 야	어 여	이	모음
순음	아음	후음	
脣音	牙音	喉音	
머	기	오	남자에게 좋은 소리
므	가	어	여자에게 좋은 소리
므ㅓ(므어)	갸(기아)	오ㅓ(오어)	남녀 모두에 좋은 소리
신장 안정	폐장 안정	위장 안정	장기
		위장을 편하게한다.	

제18장 체질(體質) 찾는 기준(基準)

생물의 일반적 특징 :

환경에 반대로 역행한다.

껍데기는 알맹이를 감싸고 있다.

남자 : 껍데기　　정신 : 알맹이
　　　　　　　　　　육체 : 껍데기

여자 : 알맹이　　정신 : 껍데기
　　　　　　　　　　육체 : 알맹이

제19장 역학의 기운(글자)과 매화역수의 수리를 찾는 방법

1] 남자(男子) 김석현(가명) 경북 포항 태생

1973년 11월 15일 06시 30분경 (약 -22분) **경도 약 129도 21분 42초**

	성명	성별	L, R	출생지	재물시간
	김석현	남자	오른손잡이	경북 포항	기수
생년월일시	1973 11 15 06:30경				
양력(평년)	1973 11 15 06:10:20				
음력(큰달)	1973 10 21 06:10:20				
				음력1일 시(時)	13:32:36
천(天)	자아체질		정신체질		재물체질
	토토		수토		기수
지(地)	진아체질		육체체질		명예체질
	목금		목토		수수

남자의 예(例)

바탕이 회색인 부분은 부록을 보고 직접 찾아야 한다. 회색인 부분을 찾는 방법은 다음과 같다. 태어난 시(時)의 기준(基準)은 여자의 자궁 (子宮)에서 나와 처음으로 원활(圓滑)한 호흡(呼吸)을 시작한 때이기 때문에 반드시 양력(평년) 1973년 11월 15일 06시 30분경 (약 -22분) 인 1973년 11월 15일 06시 08분 이후가 된다.

①재물시간을 찾는 방법
1973년 11월 15일 06시 30분(경도 135도) 경에 여자의 자궁에서 나왔을 경우 22분을 뺀 시각인 1973년 11월 15일 06시 08분을 부록의 도표(1) "체질(體質) 찾는 방법"에 있는 "재물체질 찾는 표"에서 +19년이나 -19년을 적용하여 찾는다. 이 경우는 +19년을 한 1992년 11월 15일 06시 08분을 찾으면 된다. "번호" 31에 해당(1992년 8월 26일 14시 27분 36초 ~ 1993년 2월 9일 23시 22분 12초)한다. 36 기운 가운데 "기수"에 해당한다. 재물시간은 "기수"다.

②양력 시(時)를 정하는 방법
1973년 11월 15일 06시 30분(경도 135도) 경에 여자의 자궁에서 나왔을 경우 22분을 뺀 시각인 06시 08분을 부록의 도표(3) "양력1일 시점표"에서 찾는다. 그리고 06시 08분 이후에 있는 첫 번째 재물시간 "기수"를 찾는다. "연번" 319에 "기수"(06시 10분 07초 ~ 06시 10분 42초)가 있다. 이 가운데 적당한 시각을 적용한다. 적당한 시각을 "06시 10분 20초"로 정한다.

③양력(평년)을 찾는 방법
양력 1973년 11월 15일과 "②양력 시(時)를 정하는 방법"에서 정한 06시 10분 20초를 적용하면 양력(평년)은 "1973년 11월 15일 06시 10분 20초"이다.

④음력(큰달)을 찾는 방법
양력 "1973년 11월 15일"의 음력은 "1973년 10월 21일"이다. 여기에 양력 시(時)를 적용하면 "1973년 10월 21일 06시 10분 20초"가 음력(큰달)이다.

⑤음력1일시(時)를 찾는 방법
부록의 도표(2) "음력(陰曆) 1일의 시간을 찾는 방법" 음력큰달(30일) "날짜(음력)시간(양력)"에서 "21일 06시 10분 20초"에 해당하는 "번호"는 704다. 704의 음력1일(日)시간 "12시 49분 08초 ~ 13시 38분 16초"와 날짜(음력)시간(양력) "05시 25분 07초 ~ 06시 16분 13초"를 비율로 나누어 음력1일시(時)를 정한다. 비율로 나눈 음력1일시(時)는 약 "13시 32분 36초"다.

⑥자아체질을 찾는 방법
도표(1) "자아체질 찾는 표"에서 "06시 10분 20초"를 찾아 "남자는 그대로"를 적용하면 된다. 왜냐하면, 남자는 정신이 "알맹이"이고 육체가 "껍데기"이기 때문이다.

⑦진아체질을 찾는 방법
도표(1) "진아체질 찾는 표"에서 "13시 32분 36초"를 찾아 "남자는

반대로"를 적용하면 된다. 왜냐하면, 남자는 정신이 "알맹이"이고 육체
가 "껍데기"이기 때문이다.

⑧정신체질을 찾는 방법
"정신체질 찾는 표" 365일(평년)역에서 "11월 15일 06시 10분 20초"
를 찾아 "남자는 그대로"를 적용하면 된다.

⑨육체제질을 찾는 방법
"육체체질 찾는 표" "큰달=30일"에서 "21일 06시 10분 20초"를 찾아
"남자는 반대로"를 적용하면 된다.

⑩재물체질을 찾는 방법
"재물체질 찾는 표"의 "19년역"에서 +19년이나 −19년을 적용하여 양
력(평년) "1973년 11월 15일 06시 10분 20초"를 찾아 "남자는 그대
로"를 적용하면 된다.

⑪명예(인덕)체질을 찾는 방법
"명예(인덕)체질 찾는 표"의 "223월역"에서 양력(평년) "1973년 11월
15일 06시 10분 20초"를 찾아 "남자는 반대로"를 적용하면 된다.

⑫양력 시(時)를 찾을 때 "재물시간"이 기준(基準)인 이유
"재물시간"으로 "재물체질"을 찾을 때 남자와 여자는 그 방법이 반대
다. "재물체질"은 남자는 "재물시간"을 그대로 적용하고 여자는 "재물
시간"을 반대로 적용한다. 그리고 "재물체질" 이전(以前)의 비대칭적(非
對稱的) 반대가 "정신체질"이고 "정신체질" 이전(以前)의 비대칭적(非對

稱的) 반대가 "자아체질"이기 때문에 "재물체질"과 "자아체질"은 일정한 부분에 같은 기운(氣運)이 있는 것이다.

"도표(1) 체질(體質) 찾는 방법"의 "자아체질 찾는 표"에서 번호 9번의 "토토"(5시 49분 52초 ~ 6시 14분 24초)에서 "06시 10분 20초" 이후 첫 번째 "재물시간"인 "기수"에 해당하는 부분은 부록의 "도표(3) 양력1일 시점표(時點表)"의 "연번" 319에 "기수"(06시 10분 07초 ~ 06시 10분 42초)다.

"도표(1) 체질(體質) 찾는 방법"의 "자아체질 찾는 표"에서 번호 9번의 "토토"(5시 49분 52초 ~ 6시 14분 24초)에서 "06시 10분 20초" 이후 첫 번째 "재물시간"인 "기수"와 "재물시간"의 "기수"는 같은 기운(氣運)이며 이때를 여자의 자궁(子宮)에서 나와 처음으로 원활(圓滑)한 호흡(呼吸)을 시작한 때로 보기 때문에 양력 시(時)를 찾을 때 "재물시간"인 "기수"를 기준(基準)으로 하는 것이다.

김석현(가명) 경북 포항 태생

매화역수는 음력(육체)이 기준이다.

음력 1973년 10월 21일 생(生)
예)2016년 음력 10월 10일을 기준으로 본 나이

매화역수

평생 기본수	올해의 주도수	평생 주도수
5	3	7

평생기본수
음력 1973년 10월 21일 생(生)
음력월 + 음력일 + 1
10(음력월) + 21(음력일) + 1 = 32
32 나누기 9 = 3 나머지 5
평생기본수 = 5

올해의 주도수
음력 1973년 10월 21일 생(生)
음력 우리나라 나이 + 음력월 + 음력일
44(나이) + 10(음력월) + 21(음력일) = 75
75 나누기 9 = 8 나머지 3
올해의 주도수 = 3

평생주도수
양력 1973년 11월 15일 생(生)
음력 1973년 10월 21일 06시 10분 20초 생(生)
5(19년역 수) + 2(223월역 수) + 10(음력월 수)
+ 21(음력일 수) + 5(음력1일역 수) 13시 32분 36초 = 43
43 나누기 9 = 4 나머지 7
평생 주도수 = 7

(※평생주도수를 찾는 방법(方法)은 위의 방법(方法)도 있지만, 아래의
방법(方法)도 있다. 이 책(冊)에서는 아래의 방법(方法)은 사용하지 않
았다. 아래의 방법(方法)은 "음력1일역 수"를 생략(省略)하는 것이다.
그 방법(方法)은 다음과 같다.

평생주도수
양력 1973년 11월 15일 생(生)
음력 1973년 10월 21일 06시 10분 20초 생(生)
5(19년역 수) + 2(223월역 수) + 10(음력월 수)
+ 21(음력일 수) = 38
38 나누기 9 = 4 나머지 2
평생 주도수 = 2)

오늘의 주도수
양력 2016년 5월 31일의 오늘의 주도수
음력 2016년 4월 25일
= 4(음력월) + 25(음력일) = 29
29 나누기 9 = 3 나머지 2
오늘의 주도수 = 2

2] 여자(女子) 백영숙(가명) 여자 경북 구미 태생
1981년 12월 11일 12시 30분경 (약 -25분) 경도 약 128도 37분 05초

	성명	성별	L, R	출생지	재물시간
	백영숙	여자	오른손잡이	경북 구미	토화
생년월일시	1981 12 11 12:30경				
양력(평년)	1981 12 11 12:13:30				
음력(큰달)	1981 11 16 12:13:30				
				음력1일 시(時)	23:45:05
천(天)	자아체질		정신체질		재물체질
	수화		화목		기수
지(地)	진아체질		육체체질		명예체질
	수기		화수		수목

여자의 예(例)

바탕이 회색인 부분은 부록을 보고 직접 찾아야 한다. 회색인 부분을
찾는 방법은 다음과 같다. 태어난 시(時)의 기준(基準)은 여자의 자궁
(子宮)에서 나와 처음으로 원활(圓滑)한 호흡(呼吸)을 시작한 때이기 때
문에 반드시 양력(평년) 1981년 12월 11일 12시 30분경 (약 −25분)
인 1981년 12월 11일 12시 05분 이후가 된다.

①재물시간을 찾는 방법
1981년 12월 11일 12시 30분(경도 135도) 경에 여자의 자궁에서 나
왔을 경우 25분을 뺀 시각인 1981년 12월 11일 12시 05분을 부록
의 도표(1) "체질(體質) 찾는 방법"에 있는 "재물체질 찾는 표"에서 찾
는다. "번호" 10에 해당(1981년 11월 30일 03시 21분 36초 ~
1982년 5월 16일 12시 16분 12초)한다. 36기운 가운데 "토화"에 해
당한다. 재물시간은 "토화"다.

②양력 시(時)를 정하는 방법
1981년 12월 11일 12시 30분(경도 135도) 경에 여자의 자궁에서 나
왔을 경우 25분을 뺀 시각인 12시 05분을 부록의 도표(3) "양력1일
시점표"에서 찾는다. 그리고 12시 05분 이후에 있는 첫 번째 재물시
간 "토화"를 찾는다. "연번" 658에 "토화"(12시 12분 46초 ~ 12시
13분 58초)가 있다. 이 가운데 적당한 시각을 적용한다. 적당한 시각
을 "12시 13분 30초"로 정한다.

③양력(평년)을 찾는 방법

양력 1981년 12월 11일과 "②양력 시(時)를 정하는 방법"에서 정한 12시 13분 30초를 적용하면 양력(평년)은 "1981년 12월 11일 12시 13분 30초"이다.

④음력(큰달)을 찾는 방법
양력 "1981년 12월 11일"의 음력은 "1981년 11월 16일"이다. 여기에 양력 시(時)를 적용하면 "1981년 11월 16일 12시 13분 30초"가 음력(큰달)이다.

⑤음력1일시(時)를 찾는 방법
부록의 도표(2) "음력(陰曆) 1일의 시간을 찾는 방법" 음력큰달(30일) "날짜(음력)시간(양력)"에서 "16일 12시 13분 30초"에 해당하는 "번호"는 540다. 540의 음력1일(日)시간 "23시 25분 16초 ~ 0시 00분 00초"와 날짜(음력)시간(양력) "11시 52분 52초 ~ 12시 29분 00초"를 비율로 나누어 음력1일시(時)를 정한다. 비율로 나눈 음력1일시(時)는 약 "23시 45분 05초"다.

⑥자아체질을 찾는 방법
도표(1) "자아체질 찾는 표"에서 "12시 13분 30초"를 찾아 "여자는 반대로"를 적용하면 된다. 왜냐하면, 여자는 정신이 "껍데기"이고 육체가 "알맹이"이기 때문이다.

⑦진아체질을 찾는 방법
도표(1) "진아체질 찾는 표"에서 "23시 45분 05초"를 찾아 "여자는 그대로"를 적용하면 된다. 왜냐하면, 여자는 정신이 "껍데기"이고 육체

가 "알맹이"이기 때문이다.

⑧정신체질을 찾는 방법
"정신체질 찾는 표" 365일(평년)역에서 "12월 11일 12시 13분 30초"를 찾아 "여자는 반대로"를 적용하면 된다.

⑨육체제질을 찾는 방법
"육체체질 찾는 표" "큰달=30일"에서 "16일 12시 13분 30초"를 찾아 "여자는 그대로"를 적용하면 된다.

⑩재물체질을 찾는 방법
"재물체질 찾는 표"의 "19년역"에서 양력(평년) "1981년 12월 11일 12시 13분 30초"를 찾아 "여자는 반대로"를 적용하면 된다.

⑪명예(인덕)체질을 찾는 방법
"명예(인덕)체질 찾는 표"의 "223월역"에서 양력(평년) "1981년 12월 11일 12시 13분 30초"를 찾아 "여자는 그대로"를 적용하면 된다.

⑫양력 시(時)를 찾을 때 "재물시간"이 기준(基準)인 이유
"재물시간"으로 "재물체질"을 찾을 때 남자와 여자는 그 방법이 반대다. "재물체질"은 남자는 "재물시간"을 그대로 적용하고 여자는 "재물시간"을 반대로 적용한다. 그리고 "재물체질" 이전(以前)의 비대칭적(非對稱的) 반대가 "정신체질"이고 "정신체질" 이전(以前)의 비대칭적(非對稱的) 반대가 "자아체질"이기 때문에 "재물체질"과 "자아체질"은 일정한 부분에 같은 기운(氣運)이 있는 것이다.

"도표(1) 체질(體質) 찾는 방법"의 "자아체질 찾는 표"에서 번호 19번의 "화수"(12시 00분 00초 ~ 12시 49분 08초)에서 "12시 13분 30초" 이후 첫 번째 "재물시간"인 "토화"에 해당하는 부분은 부록의 "도표(3) 양력1일 시점표(時點表)"의 "연번" 658에 "토화"(12시 12분 46초 ~ 12시 13분 58초)다.

"도표(1) 체질(體質) 찾는 방법"의 "자아체질 찾는 표"에서 번호 19번의 "화수"(12시 00분 00초 ~ 12시 49분 08초)에서 "12시 13분 30초" 이후 첫 번째 "재물시간"인 "토화"와 "재물시간"의 "토화"는 같은 기운(氣運)이며 이때를 여자의 자궁(子宮)에서 나와 처음으로 원활(圓滑)한 호흡(呼吸)을 시작한 때로 보기 때문에 양력 시(時)를 찾을 때 "재물시간"인 "토화"를 기준(基準)으로 하는 것이다.

백영숙(가명) 여자 경북 구미 태생

매화역수는 음력(육체)이 기준이다.

음력 1981년 11월 16일 생(生)
예)2016년 음력 10월 10일을 기준으로 본 나이

매화역수

평생 기본수	올해의 주도수	평생 주도수
1	9	6

평생기본수
음력 1981년 11월 16일 생(生)
음력월 + 음력일 + 1
11(음력월) + 16(음력일) + 1 = 28
28 나누기 9 = 3 나머지 1
평생기본수 = 1

올해의 주도수
음력 1981년 11월 16일 생(生)
음력 우리나라 나이 + 음력월 + 음력일
36(나이) + 11(음력월) + 16(음력일) = 63
63 나누기 9 = 7 나머지 0
올해의 주도수 = 9

평생주도수

양력 1981년 12월 11일 생(生)

음력 1981년 11월 16일 생(生)

8(19년역 수) + 6(223월역 수) + 11(음력월 수)

+ 16(음력일 수) + 1(음력1일역 수) 23시 45분 05초 = 42

42 나누기 9 = 4 나머지 6

평생 주도수 = 6

(※평생주도수를 찾는 방법(方法)은 위의 방법(方法)도 있지만, 아래의 방법(方法)도 있다. 이 책(冊)에서는 아래의 방법(方法)은 사용하지 않았다. 아래의 방법(方法)은 "음력1일역 수"를 생략(省略)하는 것이다. 그 방법(方法)은 다음과 같다.

평생주도수

양력 1981년 12월 11일 생(生)

음력 1981년 11월 16일 생(生)

8(19년역 수) + 6(223월역 수) + 11(음력월 수)

+ 16(음력일 수) = 41

41 나누기 9 = 4 나머지 5

평생 주도수 = 5)

오늘의 주도수

양력 2016년 5월 31일의 오늘의 주도수

음력 2016년 4월 25일

= 4(음력월) + 25(음력일) = 29

29 나누기 9 = 3 나머지 2

오늘의 주도수 = 2

제20장 육기(六氣)의 반대(反對)를 적용하는 방법

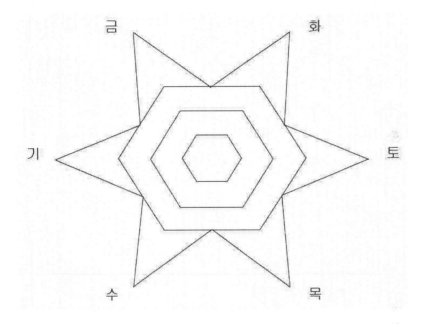

시간을 기준으로 본 반대와 공간을 기준으로 본 반대는 다르다. 시간
을 기준으로 본 반대는 비대칭적 반대이며 공간을 기준으로 본 반대
는 대칭적 반대다.

시간을 기준으로 본 반대

"수"의 반대는 "화"　　　　　　　"수수"의 반대는 "화화"
"목"의 반대는 "금"　　　　　　　"수목"의 반대는 "화금"
"토"의 반대는 "기"　　　　　　　"수토"의 반대는 "화기"
"화"의 반대는 "수"　　　　　　　"수화"의 반대는 "화수"
"금"의 반대는 "목"　　　　　　　"수금"의 반대는 "화목"
"기"의 반대는 "토"　　　　　　　"수기"의 반대는 "화토"

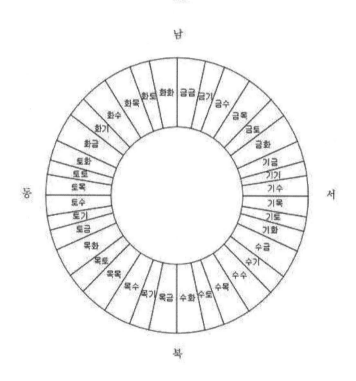

공간을 기준으로 본 반대

"수"의 반대는 "화"　　　　　　　　　"수수"의 반대는 "화수"
"목"의 반대는 "금"　　　　　　　　　"수목"의 반대는 "화목"
"토"의 반대는 "기"　　　　　　　　　"수토"의 반대는 "화토"
"화"의 반대는 "수"　　　　　　　　　"수화"의 반대는 "화화"
"금"의 반대는 "목"　　　　　　　　　"수금"의 반대는 "화금"
"기"의 반대는 "토"　　　　　　　　　"수기"의 반대는 "화기"

공간

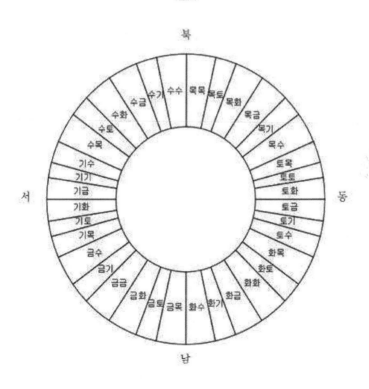

※후기(後記)

"생명의 기원과 역학의 원리"를 쓰면서 생명의 본질(本質)과 역학(易學)의 이치(理致)를 설명하기 위해 나름대로 노력(努力)하였으나 글로 표현(表現)하기에는 한계(限界)가 있다는 것을 절감(切感)하게 되었다. 언어(言語)로 표현(表現)하는 해상도(Pixel)는 인식(認識)의 해상도(Pixel)보다 항상 낮기 때문이다. 이것이 깨달음을 말로 온전히 전하지 못하는 이유(理由)일 것이다. 특히 "나와 우주(宇宙) 그리고 생명(生命)"에 대한 글을 쓸 때는 글로써는 전(傳)할 수 없다는 "불립문자(不立文字)"와 말할 길이 끊어졌다는 "언어도단(言語道斷)"을 떠올리게 하였으나, 이 책을 이해(理解)하는데 가능(可能)한 한 도움이 되도록 노력(努力)하였다.

독자(讀者)의 대부분은 이 책으로 역학(易學)과 운명(運命)의 관계(關係)를 알려고 하는데 그 주(主)된 목적(目的)이 있을 것이다. 물론 역학(易學)과 운명(運命)의 관계(關係)도 중요(重要)하다. 하지만 주(主)된 목적(目的)은 본인(本人)이 생명(生命)과 역학(易學)의 관계(關係)에 관심을 가지고 그 근본원리와 이치(理致)를 알기 위해 노력(努力)하는 과정(過程)에서 깨우친 것들을 글로 남겨 본인(本人)과 같은 의문(疑問)과 궁금증을 가지고 있는 독자(讀者)가 있다면 그 의문(疑問)과 궁금증을 해소(解消)하여 근원적(根源的)인 자유(自由)를 자각(自覺)할 수 있도록 하는 것이다. 또한 독자(讀者)에게 "나와 우주(宇宙) 그리고 생명(生命)"의 본질(本質)에 대해 글로써 간접적(間接的)이나마 전달(傳達)하고자 하는 것이다.

이 책에 있는 물(Water)과 눈(Snow)의 특성을 직관(直觀)하여 본인(本人)이 사상(史上) 최초(最初)로 밝힌 생물(生物)의 창조(創造)와 진화(進化)에 대한 설명(說明)은 가설(假說)이지만 단순한 추측(推測)에 의한 가설(假說)이 아니며 "역행과 반대 그리고 닮은꼴"의 공리(公理)로 변화와 진화를 하는 우리가 존재(存在)하는 우주의 이치(理致)에 따른 가설(假說)이다. 부연(敷衍)하면 과학의 관점(觀點)에서는 가설(假說)이지만 이치(理致)의 관점(觀點)에서는 진리(眞理)다. 이치(理致)란 닮은꼴을 의미한다. 그리고 물(Water)이 생물(生物)이라는 것을 직관(直觀)하고 물(Water)이 진화(進化)하여 인간(人間)이 된 것을 논리(論理) 또는 이성적(理性的) 추론(推論)으로 설명(說明)하기까지 상당한 시간이 걸렸다. 본문에 있는 내용의 대부분은 "역행과 반대 그리고 닮은꼴"의 공리(公理)로 경험(經驗)과 무관(無關)한 부분을 탐구(探求)한 형이상학(形而上學)이다.

본인(本人)이 경험(經驗)한 기존(旣存)의 종교(宗敎)나 철학(哲學) 또는 기타(其他)의 학문(學問)으로는 "나와 우주(宇宙) 그리고 생명(生命)"의 본질(本質)에 대한 의문(疑問)과 궁금증을 해소(解消)할 수 없었다. 그에 대한 의문(疑問)과 궁금증을 해소(解消)하는데 역학(易學)은 물론(勿論)이고 수상학(手相學)과 매화역수(梅花易數)가 큰 도움이 되었다.

알면 수정(修正)을 할 수 있지만 모르면 모방(模倣)을 할 수밖에 없다. 여기에 쓰여 있는 역학(易學)과 매화역수(梅花易數)의 원리(原理)는 기존(旣存)에 있던 역학(易學)과 매화역수(梅花易數)의 원리(原理)와는 그 기준(基準)과 체계(體系)가 다르다. 그 이유는 물(Water)과 눈(Snow)의 특성(特性)과 생명(生命)의 관계(關係) 때문이다. 하지만 역학(易學)

의 용어(用語)는 기존(旣存)에 있던 것을 대부분 차용(借用)하여 썼다.

끝으로, 이 책(冊)의 내용(內容)을 이해(理解)하고 공감(共感)한 독자(讀者)가 있다면 인류(人類)의 궁극적(窮極的) 의문(疑問)인 우주(宇宙)와 생명(生命)의 본질(本質)과 창조(創造)와 진화(進化)의 이치(理致) 그리고 나는 누구인가?(Who am I?)를 알 수 있는 복음(福音)이 되리라 생각한다. 모쪼록 인연(因緣)이 닿아 인생(人生)이라는 여행(旅行)에 도움이 되었으면 한다.

부록(附錄)

도표(1) 체질(體質) 찾는 방법

번호	계절	36기운	12기운	매화역수 수리	시작 시점	1일역 끝나는 시점
		자아체질 찾는 표 => 남자는 그대로, 여자는 반대로 진아체질 찾는 표 => 남자는 반대로, 여자는 그대로				
1	겨울	수수	목+양자(子) 한겨울 [수]	1	0:00:00	0:49:08
2	겨울	목목	목-음축(丑) 늦겨울 [토]	5	0:49:08	1:38:16
3	겨울	목토	목-음축(丑) 늦겨울 [토]	5	1:38:16	2:13:00
4	겨울	목화	목-음축(丑) 늦겨울 [토]	5	2:13:00	3:02:08
5	겨울	목금	토+양인(寅) 초봄 [목]	3	3:02:08	3:51:16
6	겨울	목기	토+양인(寅) 초봄 [목]	3	3:51:16	4:26:00
7	겨울	목수	토+양인(寅) 초봄 [목]	3	4:26:00	5:15:08
8	봄	토목	토-음묘(卯) 한봄 [목]	8	5:15:08	5:49:52
9	봄	토토	토-음묘(卯) 한봄 [목]	8	5:49:52	6:14:24
10	봄	토화	토-음묘(卯) 한봄 [목]	8	6:14:24	6:49:08
11	봄	토금	화+양진(辰) 늦봄 [토]	5	6:49:08	7:23:52
12	봄	토기	화+양진(辰) 늦봄 [토]	5	7:23:52	7:48:24
13	봄	토수	화+양진(辰) 늦봄 [토]	5	7:48:24	8:23:08

번호	계절	36기운	12기운	매화역수 수리	시작 시점	1일역 끝나는 시점
		자아체질 찾는 표 =〉 남자는 그대로, 여자는 반대로 진아체질 찾는 표 =〉 남자는 반대로, 여자는 그대로				
14	여름	화목	화-음사(巳) 초여름 [화]	2	8:23:08	9:12:16
15	여름	화토	화-음사(巳) 초여름 [화]	2	9:12:16	9:47:00
16	여름	화화	화-음사(巳) 초여름 [화]	2	9:47:00	10:36:08
17	여름	화금	금+양오(午) 한여름 [화]	7	10:36:08	11:25:16
18	여름	화기	금+양오(午) 한여름 [화]	7	11:25:16	12:00:00
19	여름	화수	금+양오(午) 한여름 [화]	7	12:00:00	12:49:08
20	여름	금목	금-음미(未) 늦여름 [토]	5	12:49:08	13:38:16
21	여름	금토	금-음미(未) 늦여름 [토]	5	13:38:16	14:13:00
22	여름	금화	금-음미(未) 늦여름 [토]	5	14:13:00	15:02:08
23	여름	금금	기+양신(申) 초가을 [금]	9	15:02:08	15:51:16
24	여름	금기	기+양신(申) 초가을 [금]	9	15:51:16	16:26:00
25	여름	금수	기+양신(申) 초가을 [금]	9	16:26:00	17:15:08
26	가을	기목	기-음유(酉) 한가을 [금]	4	17:15:08	17:49:52

번호	계절	36기운	12기운	매화역수 수리	시작 시점	끝나는 시점
\multicolumn{7}{}{자아체질 찾는 표 =〉 남자는 그대로, 여자는 반대로 / 진아체질 찾는 표 =〉 남자는 반대로, 여자는 그대로 / 1일역}
27	가을	기토	기-음유(酉) 한가을 [금]	4	17:49:52	18:14:24
28	가을	기화	기-음유(酉) 한가을 [금]	4	18:14:24	18:49:08
29	가을	기금	수+양술(戌) 늦가을 [토]	5	18:49:08	19:23:52
30	가을	기기	수+양술(戌) 늦가을 [토]	5	19:23:52	19:48:24
31	가을	기수	수+양술(戌) 늦가을 [토]	5	19:48:24	20:23:08
32	겨울	수목	수-음해(亥) 초겨울 [수]	6	20:23:08	21:12:16
33	겨울	수토	수-음해(亥) 초겨울 [수]	6	21:12:16	21:47:00
34	겨울	수화	수-음해(亥) 초겨울 [수]	6	21:47:00	22:36:08
35	겨울	수금	목+양자(子) 한겨울 [수]	1	22:36:08	23:25:16
36	겨울	수기	목+양자(子) 한겨울 [수]	1	23:25:16	0:00:00

정신체질 찾는 표 =〉 남자는 그대로, 여자는 반대로				365일 (평년)역
번호	계절	36기운	12기운	시작 시점	끝나는 시점
1	겨울	수수	목+양자(子) 한겨울 [수]	12-22 0:00:00	01-03 10:53:40
2	겨울	목목	목-음축(丑) 늦겨울 [토]	01-03 10:53:40	01-15 21:47:20
3	겨울	목토	목-음축(丑) 늦겨울 [토]	01-15 21:47:20	01-24 17:05:00
4	겨울	목화	목-음축(丑) 늦겨울 [토]	01-24 17:05:00	02-06 3:58:40
5	겨울	목금	토+양인(寅) 초봄 [목]	02-06 3:58:40	02-18 14:52:20
6	겨울	목기	토+양인(寅) 초봄 [목]	02-18 14:52:20	02-27 10:10:00
7	겨울	목수	토+양인(寅) 초봄 [목]	02-27 10:10:00	03-11 21:03:40
8	봄	토목	토-음묘(卯) 한봄 [목]	03-11 21:03:40	03-20 16:21:20
9	봄	토토	토-음묘(卯) 한봄 [목]	03-20 16:21:20	03-26 21:36:00
10	봄	토화	토-음묘(卯) 한봄 [목]	03-26 21:36:00	04-04 16:53:40
11	봄	토금	화+양진(辰) 늦봄 [토]	04-04 16:53:40	04-13 12:11:20
12	봄	토기	화+양진(辰) 늦봄 [토]	04-13 12:11:20	04-19 17:26:00
13	봄	토수	화+양진(辰) 늦봄 [토]	04-19 17:26:00	04-28 12:43:40
14	여름	화목	화-음사(巳) 초여름 [화]	04-28 12:43:40	05-10 23:37:20

정신체질 찾는 표 =〉 남자는 그대로, 여자는 반대로					365일 (평년)역
번호	계절	36기운	12기운	시작 시점	끝나는 시점
15	여름	화토	화-음사(巳) 초여름 [화]	05-10 23:37:20	05-19 18:55:00
16	여름	화화	화-음사(巳) 초여름 [화]	05-19 18:55:00	06-01 5:48:40
17	여름	화금	금+양오(午) 한여름 [화]	06-01 5:48:40	06-13 16:42:20
18	여름	화기	금+양오(午) 한여름 [화]	06-13 16:42:20	06-22 12:00:00
19	여름	화수	금+양오(午) 한여름 [화]	06-22 12:00:00	07-04 22:53:40
20	여름	금목	금-음미(未) 늦여름 [토]	07-04 22:53:40	07-17 9:47:20
21	여름	금토	금-음미(未) 늦여름 [토]	07-17 9:47:20	07-26 5:05:00
22	여름	금화	금-음미(未) 늦여름 [토]	07-26 5:05:00	08-07 15:58:40
23	여름	금금	기+양신(申) 초가을 [금]	08-07 15:58:40	08-20 2:52:20
24	여름	금기	기+양신(申) 초가을 [금]	08-20 2:52:20	08-28 22:10:00
25	여름	금수	기+양신(申) 초가을 [금]	08-28 22:10:00	09-10 9:03:40
26	가을	기목	기-음유(酉) 한가을 [금]	09-10 9:03:40	09-19 4:21:20
27	가을	기토	기-음유(酉) 한가을 [금]	09-19 4:21:20	09-25 9:36:00

정신체질 찾는 표 => 남자는 그대로, 여자는 반대로					365일 (평년)역
번호	계절	36기운	12기운	시작 시점	끝나는 시점
28	가을	기화	기-음유(酉) 한가을 [금]	09-25 9:36:00	10-04 4:53:40
29	가을	기금	수+양술(戌) 늦가을 [토]	10-04 4:53:40	10-13 0:11:20
30	가을	기기	수+양술(戌) 늦가을 [토]	10-13 0:11:20	10-19 5:26:00
31	가을	기수	수+양술(戌) 늦가을 [토]	10-19 5:26:00	10-28 0:43:40
32	겨울	수목	수-음해(亥) 초겨울 [수]	10-28 0:43:40	11-09 11:37:20
33	겨울	수토	수-음해(亥) 초겨울 [수]	11-09 11:37:20	11-18 6:55:00
34	겨울	수화	수-음해(亥) 초겨울 [수]	11-18 6:55:00	11-30 17:48:40
35	겨울	수금	목+양자(子) 한겨울 [수]	11-30 17:48:40	12-13 4:42:20
36	겨울	수기	목+양자(子) 한겨울 [수]	12-13 4:42:20	12-22 0:00:00

정신체질 찾는 표 => 남자는 그대로, 여자는 반대로					366일 (윤년)역
번호	계절	36기운	12기운	시작 시점	끝나는 시점
1	겨울	수수	목+양자(子) 한겨울 [수]	12-22 0:00:00	01-03 11:42:48
2	겨울	목목	목-음축(丑) 늦겨울 [토]	01-03 11:42:48	01-15 23:25:36
3	겨울	목토	목-음축(丑) 늦겨울 [토]	01-15 23:25:36	01-24 19:18:00
4	겨울	목화	목-음축(丑) 늦겨울 [토]	01-24 19:18:00	02-06 7:00:48
5	겨울	목금	토+양인(寅) 초봄 [목]	02-06 7:00:48	02-18 18:43:36
6	겨울	목기	토+양인(寅) 초봄 [목]	02-18 18:43:36	02-27 14:36:00
7	겨울	목수	토+양인(寅) 초봄 [목]	02-27 14:36:00	03-11 2:18:48
8	봄	토목	토-음묘(卯) 한봄 [목]	03-11 2:18:48	03-19 22:11:12
9	봄	토토	토-음묘(卯) 한봄 [목]	03-19 22:11:12	03-26 3:50:24
10	봄	토화	토-음묘(卯) 한봄 [목]	03-26 3:50:24	04-03 23:42:48
11	봄	토금	화+양진(辰) 늦봄 [토]	04-03 23:42:48	04-12 19:35:12
12	봄	토기	화+양진(辰) 늦봄 [토]	04-12 19:35:12	04-19 1:14:24
13	봄	토수	화+양진(辰) 늦봄 [토]	04-19 1:14:24	04-27 21:06:48

번호	계절	36기운	12기운	시작 시점	366일 (윤년)역 끝나는 시점
				정신체질 찾는 표 => 남자는 그대로, 여자는 반대로	
14	여름	화목	화-음사(巳) 초여름 [화]	04-27 21:06:48	05-10 8:49:36
15	여름	화토	화-음사(巳) 초여름 [화]	05-10 8:49:36	05-19 4:42:00
16	여름	화화	화-음사(巳) 초여름 [화]	05-19 4:42:00	05-31 16:24:48
17	여름	화금	금+양오(午) 한여름 [화]	05-31 16:24:48	06-13 4:07:36
18	여름	화기	금+양오(午) 한여름 [화]	06-13 4:07:36	06-22 0:00:00
19	여름	화수	금+양오(午) 한여름 [화]	06-22 0:00:00	07-04 11:42:48
20	여름	금목	금-음미(未) 늦여름 [토]	07-04 11:42:48	07-16 23:25:36
21	여름	금토	금-음미(未) 늦여름 [토]	07-16 23:25:36	07-25 19:18:00
22	여름	금화	금-음미(未) 늦여름 [토]	07-25 19:18:00	08-07 7:00:48
23	여름	금금	기+양신(申) 초가을 [금]	08-07 7:00:48	08-19 18:43:36
24	여름	금기	기+양신(申) 초가을 [금]	08-19 18:43:36	08-28 14:36:00
25	여름	금수	기+양신(申) 초가을 [금]	08-28 14:36:00	09-10 2:18:48
26	가을	기목	기-음유(酉) 한가을 [금]	09-10 2:18:48	09-18 22:11:12
27	가을	기토	기-음유(酉) 한가을 [금]	09-18 22:11:12	09-25 3:50:24

정신체질 찾는 표 => 남자는 그대로, 여자는 반대로					366일 (윤년)역
번호	계절	36기운	12기운	시작 시점	끝나는 시점
28	가을	기화	기-음유(酉) 한가을 [금]	09-25 3:50:24	10-03 23:42:48
29	가을	기금	수+양술(戌) 늦가을 [토]	10-03 23:42:48	10-12 19:35:12
30	가을	기기	수+양술(戌) 늦가을 [토]	10-12 19:35:12	10-19 1:14:24
31	가을	기수	수+양술(戌) 늦가을 [토]	10-19 1:14:24	10-27 21:06:48
32	겨울	수목	수-음해(亥) 초겨울 [수]	10-27 21:06:48	11-09 8:49:36
33	겨울	수토	수-음해(亥) 초겨울 [수]	11-09 8:49:36	11-18 4:42:00
34	겨울	수화	수-음해(亥) 초겨울 [수]	11-18 4:42:00	11-30 16:24:48
35	겨울	수금	목+양자(子) 한겨울 [수]	11-30 16:24:48	12-13 4:07:36
36	겨울	수기	목+양자(子) 한겨울 [수]	12-13 4:07:36	12-22 0:00:00

육체체질 찾는 표(작은달=29일) => 남자는 반대로, 여자는 그대로				
번호	36기운	12기운	시작 시점 (음력일, 양력시)	끝나는 시점 (음력일, 양력시)
1	수수	목+양자(子) 한겨울 [수]	01 0:00:00	01 23:44:52
2	목목	목-음축(丑) 늦겨울 [토]	01 23:44:52	02 23:29:44
3	목토	목-음축(丑) 늦겨울 [토]	02 23:29:44	03 16:17:00
4	목화	목-음축(丑) 늦겨울 [토]	03 16:17:00	04 16:01:52
5	목금	토+양인(寅) 초봄 [목]	04 16:01:52	05 15:46:44
6	목기	토+양인(寅) 초봄 [목]	05 15:46:44	06 8:34:00
7	목수	토+양인(寅) 초봄 [목]	06 8:34:00	07 8:18:52
8	토목	토-음묘(卯) 한봄 [목]	07 8:18:52	08 1:06:08
9	토토	토-음묘(卯) 한봄 [목]	08 1:06:08	08 12:57:36
10	토화	토-음묘(卯) 한봄 [목]	08 12:57:36	09 5:44:52
11	토금	화+양진(辰) 늦봄 [토]	09 5:44:52	09 22:32:08
12	토기	화+양진(辰) 늦봄 [토]	09 22:32:08	10 10:23:36
13	토수	화+양진(辰) 늦봄 [토]	10 10:23:36	11 3:10:52

번호	36기운	12기운	시작 시점 (음력일, 양력시)	끝나는 시점 (음력일, 양력시)
	육체체질 찾는 표(작은달=29일) => 남자는 반대로, 여자는 그대로			
14	화목	화-음사(巳) 초여름 [화]	11 3:10:52	12 2:55:44
15	화토	화-음사(巳) 초여름 [화]	12 2:55:44	12 19:43:00
16	화화	화-음사(巳) 초여름 [화]	12 19:43:00	13 19:27:52
17	화금	금+양오(午) 한여름 [화]	13 19:27:52	14 19:12:44
18	화기	금+양오(午) 한여름 [화]	14 19:12:44	15 12:00:00
19	화수	금+양오(午) 한여름 [화]	15 12:00:00	16 11:44:52
20	금목	금-음미(未) 늦여름 [토]	16 11:44:52	17 11:29:44
21	금토	금-음미(未) 늦여름 [토]	17 11:29:44	18 4:17:00
22	금화	금-음미(未) 늦여름 [토]	18 4:17:00	19 4:01:52
23	금금	기+양신(申) 초가을 [금]	19 4:01:52	20 3:46:44
24	금기	기+양신(申) 초가을 [금]	20 3:46:44	20 20:34:00
25	금수	기+양신(申) 초가을 [금]	20 20:34:00	21 20:18:52
26	기목	기-음유(酉) 한가을 [금]	21 20:18:52	22 13:06:08

육체체질 찾는 표(작은달=29일) => 남자는 반대로, 여자는 그대로				
번호	36기운	12기운	시작 시점 (음력일, 양력시)	끝나는 시점 (음력일, 양력시)
27	기토	기-음유(酉) 한가을 [금]	22 13:06:08	23 0:57:36
28	기화	기-음유(酉) 한가을 [금]	23 0:57:36	23 17:44:52
29	기금	수+양술(戌) 늦가을 [토]	23 17:44:52	24 10:32:08
30	기기	수+양술(戌) 늦가을 [토]	24 10:32:08	24 22:23:36
31	기수	수+양술(戌) 늦가을 [토]	24 22:23:36	25 15:10:52
32	수목	수-음해(亥) 초겨울 [수]	25 15:10:52	26 14:55:44
33	수토	수-음해(亥) 초겨울 [수]	26 14:55:44	27 7:43:00
34	수화	수-음해(亥) 초겨울 [수]	27 7:43:00	28 7:27:52
35	수금	목+양자(子) 한겨울 [수]	28 7:27:52	29 7:12:44
36	수기	목+양자(子) 한겨울 [수]	29 7:12:44	30 0:00:00

육체체질 찾는 표(큰달=30일) =〉 남자는 반대로, 여자는 그대로				
번호	36기운	12기운	시작 시점 (음력일, 양력시)	끝나는 시점 (음력일, 양력시)
1	수수	목+양자(子) 한겨울 [수]	01 0:00:00	02 0:34:00
2	목목	목-음축(丑) 늦겨울 [토]	02 0:34:00	03 1:08:00
3	목토	목-음축(丑) 늦겨울 [토]	03 1:08:00	03 18:30:00
4	목화	목-음축(丑) 늦겨울 [토]	03 18:30:00	04 19:04:00
5	목금	토+양인(寅) 초봄 [목]	04 19:04:00	05 19:38:00
6	목기	토+양인(寅) 초봄 [목]	05 19:38:00	06 13:00:00
7	목수	토+양인(寅) 초봄 [목]	06 13:00:00	07 13:34:00
8	토목	토-음묘(卯) 한봄 [목]	07 13:34:00	08 6:56:00
9	토토	토-음묘(卯) 한봄 [목]	08 6:56:00	08 19:12:00
10	토화	토-음묘(卯) 한봄 [목]	08 19:12:00	09 12:34:00
11	토금	화+양진(辰) 늦봄 [토]	09 12:34:00	10 5:56:00
12	토기	화+양진(辰) 늦봄 [토]	10 5:56:00	10 18:12:00
13	토수	화+양진(辰) 늦봄 [토]	10 18:12:00	11 11:34:00

육체체질 찾는 표(큰달=30일) => 남자는 반대로, 여자는 그대로				
번호	36기운	12기운	시작 시점 (음력일, 양력시)	끝나는 시점 (음력일, 양력시)
14	화목	화-음사(巳) 초여름 [화]	11 11:34:00	12 12:08:00
15	화토	화-음사(巳) 초여름 [화]	12 12:08:00	13 5:30:00
16	화화	화-음사(巳) 초여름 [화]	13 5:30:00	14 6:04:00
17	화금	금+양오(午) 한여름 [화]	14 6:04:00	15 6:38:00
18	화기	금+양오(午) 한여름 [화]	15 6:38:00	16 0:00:00
19	화수	금+양오(午) 한여름 [화]	16 0:00:00	17 0:34:00
20	금목	금-음미(未) 늦여름 [토]	17 0:34:00	18 1:08:00
21	금토	금-음미(未) 늦여름 [토]	18 1:08:00	18 18:30:00
22	금화	금-음미(未) 늦여름 [토]	18 18:30:00	19 19:04:00
23	금금	기+양신(申) 초가을 [금]	19 19:04:00	20 19:38:00
24	금기	기+양신(申) 초가을 [금]	20 19:38:00	21 13:00:00
25	금수	기+양신(申) 초가을 [금]	21 13:00:00	22 13:34:00
26	기목	기-음유(酉) 한가을 [금]	22 13:34:00	23 6:56:00

번호	36기운	12기운	시작 시점 (음력일, 양력시)	끝나는 시점 (음력일, 양력시)
		육체체질 찾는 표(큰달=30일) => 남자는 반대로, 여자는 그대로		
27	기토	기-음유(酉) 한가을 [금]	23 6:56:00	23 19:12:00
28	기화	기-음유(酉) 한가을 [금]	23 19:12:00	24 12:34:00
29	기금	수+양술(戌) 늦가을 [토]	24 12:34:00	25 5:56:00
30	기기	수+양술(戌) 늦가을 [토]	25 5:56:00	25 18:12:00
31	기수	수+양술(戌) 늦가을 [토]	25 18:12:00	26 11:34:00
32	수목	수-음해(亥) 초겨울 [수]	26 11:34:00	27 12:08:00
33	수토	수-음해(亥) 초겨울 [수]	27 12:08:00	28 5:30:00
34	수화	수-음해(亥) 초겨울 [수]	28 5:30:00	29 6:04:00
35	수금	목+양자(子) 한겨울 [수]	29 6:04:00	30 6:38:00
36	수기	목+양자(子) 한겨울 [수]	30 6:38:00	31 0:00:00

재물체질 찾는 표 => 남자는 그대로, 여자는 반대로						19년역
번호	계절	36기운	12기운	매화역수 수리	시작 시점	끝나는 시점
1	겨울	수수	목+양자(子) 한겨울 [수]	1	1976-12-22 0:00:00	1977-08-15 18:16:12
2	겨울	목목	목-음축(丑) 늦겨울 [토]	5	1977-08-15 18:16:12	1978-04-09 12:32:24
3	겨울	목토	목-음축(丑) 늦겨울 [토]	5	1978-04-09 12:32:24	1978-09-23 21:27:00
4	겨울	목화	목-음축(丑) 늦겨울 [토]	5	1978-09-23 21:27:00	1979-05-18 15:43:12
5	겨울	목금	토+양인(寅) 초봄 [목]	3	1979-05-18 15:43:12	1980-01-10 9:59:24
6	겨울	목기	토+양인(寅) 초봄 [목]	3	1980-01-10 9:59:24	1980-06-25 18:54:00
7	겨울	목수	토+양인(寅) 초봄 [목]	3	1980-06-25 18:54:00	1981-02-17 13:10:12
8	봄	토목	토-음묘(卯) 한봄 [목]	8	1981-02-17 13:10:12	1981-08-03 22:04:48
9	봄	토토	토-음묘(卯) 한봄 [목]	8	1981-08-03 22:04:48	1981-11-30 3:21:36
10	봄	토화	토-음묘(卯) 한봄 [목]	8	1981-11-30 3:21:36	1982-05-16 12:16:12
11	봄	토금	화+양진(辰) 늦봄 [토]	5	1982-05-16 12:16:12	1982-10-30 21:10:48
12	봄	토기	화+양진(辰) 늦봄 [토]	5	1982-10-30 21:10:48	1983-02-26 2:27:36

재물체질 찾는 표 => 남자는 그대로, 여자는 반대로						19년역
번호	계절	36기운	12기운	매화역수 수리	시작 시점	끝나는 시점
13	봄	토수	화+양진(辰) 늦봄 [토]	5	1983-02-26 2:27:36	1983-08-12 11:22:12
14	여름	화목	화-음사(巳) 초여름 [화]	2	1983-08-12 11:22:12	1984-04-05 5:38:24
15	여름	화토	화-음사(巳) 초여름 [화]	2	1984-04-05 5:38:24	1984-09-19 14:33:00
16	여름	화화	화-음사(巳) 초여름 [화]	2	1984-09-19 14:33:00	1985-05-14 8:49:12
17	여름	화금	금+양오(午) 한여름 [화]	7	1985-05-14 8:49:12	1986-01-06 3:05:24
18	여름	화기	금+양오(午) 한여름 [화]	7	1986-01-06 3:05:24	1986-06-22 12:00:00
19	여름	화수	금+양오(午) 한여름 [화]	7	1986-06-22 12:00:00	1987-02-14 6:16:12
20	여름	금목	금-음미(未) 늦여름 [토]	5	1987-02-14 6:16:12	1987-10-09 0:32:24
21	여름	금토	금-음미(未) 늦여름 [토]	5	1987-10-09 0:32:24	1988-03-24 9:27:00
22	여름	금화	금-음미(未) 늦여름 [토]	5	1988-03-24 9:27:00	1988-11-16 3:43:12
23	여름	금금	기+양신(申) 초가을 [금]	9	1988-11-16 3:43:12	1989-07-10 21:59:24
24	여름	금기	기+양신(申) 초가을 [금]	9	1989-07-10 21:59:24	1989-12-25 6:54:00
25	여름	금수	기+양신(申) 초가을 [금]	9	1989-12-25 6:54:00	1990-08-19 1:10:12
26	가을	기목	기-음유(酉) 한가을 [금]	4	1990-08-19 1:10:12	1991-02-02 10:04:48

재물체질 찾는 표 => 남자는 그대로, 여자는 반대로						19년역
번호	계절	36기운	12기운	매화역수 수리	시작 시점	끝나는 시점
27	가을	기토	기-음유(酉) 한가을 [금]	4	1991-02-02 10:04:48	1991-05-31 15:21:36
28	가을	기화	기-음유(酉) 한가을 [금]	4	1991-05-31 15:21:36	1991-11-15 0:16:12
29	가을	기금	수+양술(戌) 늦가을 [토]	5	1991-11-15 0:16:12	1992-04-30 9:10:48
30	가을	기기	수+양술(戌) 늦가을 [토]	5	1992-04-30 9:10:48	1992-08-26 14:27:36
31	가을	기수	수+양술(戌) 늦가을 [토]	5	1992-08-26 14:27:36	1993-02-09 23:22:12
32	겨울	수목	수-음해(亥) 초겨울 [수]	6	1993-02-09 23:22:12	1993-10-04 17:38:24
33	겨울	수토	수-음해(亥) 초겨울 [수]	6	1993-10-04 17:38:24	1994-03-21 2:33:00
34	겨울	수화	수-음해(亥) 초겨울 [수]	6	1994-03-21 2:33:00	1994-11-12 20:49:12
35	겨울	수금	목+양자(子) 한겨울 [수]	1	1994-11-12 20:49:12	1995-07-07 15:05:24
36	겨울	수기	목+양자(子) 한겨울 [수]	1	1995-07-07 15:05:24	1995-12-22 0:00:00

명예(인덕)체질 찾는 표 =〉 남자는 반대로, 여자는 그대로						223월역
번호	계절	36기운	12기운	매화역수 수리	시작 시점	끝나는 시점
1	겨울	수수	목+양자(子) 한겨울 [수]	1	1912-04-19 0:00:00	1912-11-29 16:23:00
2	겨울	목목	목-음축(丑) 늦겨울 [토]	5	1912-11-29 16:23:00	1913-07-12 8:46:00
3	겨울	목토	목-음축(丑) 늦겨울 [토]	5	1913-07-12 8:46:00	1913-12-18 4:45:00
4	겨울	목화	목-음축(丑) 늦겨울 [토]	5	1913-12-18 4:45:00	1914-07-30 21:08:00
5	겨울	목금	토+양인(寅) 초봄 [목]	3	1914-07-30 21:08:00	1915-03-12 13:31:00
6	겨울	목기	토+양인(寅) 초봄 [목]	3	1915-03-12 13:31:00	1915-08-18 9:30:00
7	겨울	목수	토+양인(寅) 초봄 [목]	3	1915-08-18 9:30:00	1916-03-30 1:53:00
8	봄	토목	토-음묘(卯) 한봄 [목]	8	1916-03-30 1:53:00	1916-09-04 21:52:00
9	봄	토토	토-음묘(卯) 한봄 [목]	8	1916-09-04 21:52:00	1916-12-26 2:24:00
10	봄	토화	토-음묘(卯) 한봄 [목]	8	1916-12-26 2:24:00	1917-06-02 22:23:00
11	봄	토금	화+양진(辰) 늦봄 [토]	5	1917-06-02 22:23:00	1917-11-08 18:22:00
12	봄	토기	화+양진(辰) 늦봄 [토]	5	1917-11-08 18:22:00	1918-02-28 22:54:00
13	봄	토수	화+양진(辰) 늦봄 [토]	5	1918-02-28 22:54:00	1918-08-06 18:53:00
14	여름	화목	화-음사(巳) 초여름 [화]	2	1918-08-06 18:53:00	1919-03-19 11:16:00

| | | | | 명예(인덕)체질 찾는 표 =〉 남자는 반대로, 여자는 그대로 | | 223월역 | |
번호	계절	36기운	12기운	매화역수 수리	시작 시점	끝나는 시점
15	여름	화토	화-음사(巳) 초여름 [화]	2	1919-03-19 11:16:00	1919-08-25 7:15:00
16	여름	화화	화-음사(巳) 초여름 [화]	2	1919-08-25 7:15:00	1920-04-05 23:38:00
17	여름	화금	금+양오(午) 한여름 [화]	7	1920-04-05 23:38:00	1920-11-16 16:01:00
18	여름	화기	금+양오(午) 한여름 [화]	7	1920-11-16 16:01:00	1921-04-24 12:00:00
19	여름	화수	금+양오(午) 한여름 [화]	7	1921-04-24 12:00:00	1921-12-05 4:23:00
20	여름	금목	금-음미(未) 늦여름 [토]	5	1921-12-05 4:23:00	1922-07-17 20:46:00
21	여름	금토	금-음미(未) 늦여름 [토]	5	1922-07-17 20:46:00	1922-12-23 16:45:00
22	여름	금화	금-음미(未) 늦여름 [토]	5	1922-12-23 16:45:00	1923-08-05 9:08:00
23	여름	금금	기+양신(申) 초가을 [금]	9	1923-08-05 9:08:00	1924-03-17 1:31:00
24	여름	금기	기+양신(申) 초가을 [금]	9	1924-03-17 1:31:00	1924-08-22 21:30:00
25	여름	금수	기+양신(申) 초가을 [금]	9	1924-08-22 21:30:00	1925-04-04 13:53:00
26	가을	기목	기-음유(酉) 한가을 [금]	4	1925-04-04 13:53:00	1925-09-10 9:52:00
27	가을	기토	기-음유(酉) 한가을 [금]	4	1925-09-10 9:52:00	1925-12-31 14:24:00
28	가을	기화	기-음유(酉) 한가을 [금]	4	1925-12-31 14:24:00	1926-06-08 10:23:00

명예(인덕)체질 찾는 표 =〉 남자는 반대로, 여자는 그대로						223월역
번호	계절	36기운	12기운	매화역수 수리	시작 시점	끝나는 시점
29	가을	기금	수+양술(戌) 늦가을 [토]	5	1926-06-08 10:23:00	1926-11-14 6:22:00
30	가을	기기	수+양술(戌) 늦가을 [토]	5	1926-11-14 6:22:00	1927-03-06 10:54:00
31	가을	기수	수+양술(戌) 늦가을 [토]	5	1927-03-06 10:54:00	1927-08-12 6:53:00
32	겨울	수목	수-음해(亥) 초겨울 [수]	6	1927-08-12 6:53:00	1928-03-23 23:16:00
33	겨울	수토	수-음해(亥) 초겨울 [수]	6	1928-03-23 23:16:00	1928-08-29 19:15:00
34	겨울	수화	수-음해(亥) 초겨울 [수]	6	1928-08-29 19:15:00	1929-04-11 11:38:00
35	겨울	수금	목+양자(子) 한겨울 [수]	1	1929-04-11 11:38:00	1929-11-22 4:01:00
36	겨울	수기	목+양자(子) 한겨울 [수]	1	1929-11-22 4:01:00	1930-04-30 0:00:00
1	겨울	수수	목+양자(子) 한겨울 [수]	1	1930-04-30 0:00:00	1930-12-10 16:23:00
2	겨울	목목	목-음축(丑) 늦겨울 [토]	5	1930-12-10 16:23:00	1931-07-23 8:46:00
3	겨울	목토	목-음축(丑) 늦겨울 [토]	5	1931-07-23 8:46:00	1931-12-29 4:45:00
4	겨울	목화	목-음축(丑) 늦겨울 [토]	5	1931-12-29 4:45:00	1932-08-09 21:08:00
5	겨울	목금	토+양인(寅) 초봄 [목]	3	1932-08-09 21:08:00	1933-03-22 13:31:00
6	겨울	목기	토+양인(寅) 초봄 [목]	3	1933-03-22 13:31:00	1933-08-28 9:30:00

명예(인덕)체질 찾는 표 =〉남자는 반대로, 여자는 그대로					223월역	
번호	계절	36기운	12기운	매화역수 수리	시작 시점	끝나는 시점
7	겨울	목수	토+양인(寅) 초봄 [목]	3	1933-08-28 9:30:00	1934-04-10 1:53:00
8	봄	토목	토-음묘(卯) 한봄 [목]	8	1934-04-10 1:53:00	1934-09-15 21:52:00
9	봄	토토	토-음묘(卯) 한봄 [목]	8	1934-09-15 21:52:00	1935-01-06 2:24:00
10	봄	토화	토-음묘(卯) 한봄 [목]	8	1935-01-06 2:24:00	1935-06-13 22:23:00
11	봄	토금	화+양진(辰) 늦봄 [토]	5	1935-06-13 22:23:00	1935-11-19 18:22:00
12	봄	토기	화+양진(辰) 늦봄 [토]	5	1935-11-19 18:22:00	1936-03-10 22:54:00
13	봄	토수	화+양진(辰) 늦봄 [토]	5	1936-03-10 22:54:00	1936-08-16 18:53:00
14	여름	화목	화-음사(巳) 초여름 [화]	2	1936-08-16 18:53:00	1937-03-29 11:16:00
15	여름	화토	화-음사(巳) 초여름 [화]	2	1937-03-29 11:16:00	1937-09-04 7:15:00
16	여름	화화	화-음사(巳) 초여름 [화]	2	1937-09-04 7:15:00	1938-04-16 23:38:00
17	여름	화금	금+양오(午) 한여름 [화]	7	1938-04-16 23:38:00	1938-11-27 16:01:00
18	여름	화기	금+양오(午) 한여름 [화]	7	1938-11-27 16:01:00	1939-05-05 12:00:00
19	여름	화수	금+양오(午) 한여름 [화]	7	1939-05-05 12:00:00	1939-12-16 4:23:00
20	여름	금목	금-음미(未) 늦여름 [토]	5	1939-12-16 4:23:00	1940-07-27 20:46:00

명예(인덕)체질 찾는 표 =〉 남자는 반대로, 여자는 그대로						223월역
번호	계절	36기운	12기운	매화역수 수리	시작 시점	끝나는 시점
21	여름	금토	금-음미(未) 늦여름 [토]	5	1940-07-27 20:46:00	1941-01-02 16:45:00
22	여름	금화	금-음미(未) 늦여름 [토]	5	1941-01-02 16:45:00	1941-08-15 9:08:00
23	여름	금금	기+양신(申) 초가을 [금]	9	1941-08-15 9:08:00	1942-03-28 1:31:00
24	여름	금기	기+양신(申) 초가을 [금]	9	1942-03-28 1:31:00	1942-09-02 21:30:00
25	여름	금수	기+양신(申) 초가을 [금]	9	1942-09-02 21:30:00	1943-04-15 13:53:00
26	가을	기목	기-음유(酉) 한가을 [금]	4	1943-04-15 13:53:00	1943-09-21 9:52:00
27	가을	기토	기-음유(酉) 한가을 [금]	4	1943-09-21 9:52:00	1944-01-11 14:24:00
28	가을	기화	기-음유(酉) 한가을 [금]	4	1944-01-11 14:24:00	1944-06-18 10:23:00
29	가을	기금	수+양술(戌) 늦가을 [토]	5	1944-06-18 10:23:00	1944-11-24 6:22:00
30	가을	기기	수+양술(戌) 늦가을 [토]	5	1944-11-24 6:22:00	1945-03-16 10:54:00
31	가을	기수	수+양술(戌) 늦가을 [토]	5	1945-03-16 10:54:00	1945-08-22 6:53:00
32	겨울	수목	수-음해(亥) 초겨울 [수]	6	1945-08-22 6:53:00	1946-04-03 23:16:00
33	겨울	수토	수-음해(亥) 초겨울 [수]	6	1946-04-03 23:16:00	1946-09-09 19:15:00
34	겨울	수화	수-음해(亥) 초겨울 [수]	6	1946-09-09 19:15:00	1947-04-22 11:38:00

명예(인덕)체질 찾는 표 =〉 남자는 반대로, 여자는 그대로					223월역
번호	계절	36기운	12기운	매화역수 수리	시작 시점	끝나는 시점
35	겨울	수금	목+양자(子) 한겨울 [수]	1	1947-04-22 11:38:00	1947-12-03 4:01:00
36	겨울	수기	목+양자(子) 한겨울 [수]	1	1947-12-03 4:01:00	1948-05-10 0:00:00
1	겨울	수수	목+양자(子) 한겨울 [수]	1	1948-05-10 0:00:00	1948-12-20 16:23:00
2	겨울	목목	목-음축(丑) 늦겨울 [토]	5	1948-12-20 16:23:00	1949-08-02 8:46:00
3	겨울	목토	목-음축(丑) 늦겨울 [토]	5	1949-08-02 8:46:00	1950-01-08 4:45:00
4	겨울	목화	목-음축(丑) 늦겨울 [토]	5	1950-01-08 4:45:00	1950-08-20 21:08:00
5	겨울	목금	토+양인(寅) 초봄 [목]	3	1950-08-20 21:08:00	1951-04-02 13:31:00
6	겨울	목기	토+양인(寅) 초봄 [목]	3	1951-04-02 13:31:00	1951-09-08 9:30:00
7	겨울	목수	토+양인(寅) 초봄 [목]	3	1951-09-08 9:30:00	1952-04-20 1:53:00
8	봄	토목	토-음묘(卯) 한봄 [목]	8	1952-04-20 1:53:00	1952-09-25 21:52:00
9	봄	토토	토-음묘(卯) 한봄 [목]	8	1952-09-25 21:52:00	1953-01-16 2:24:00
10	봄	토화	토-음묘(卯) 한봄 [목]	8	1953-01-16 2:24:00	1953-06-23 22:23:00
11	봄	토금	화+양진(辰) 늦봄 [토]	5	1953-06-23 22:23:00	1953-11-29 18:22:00
12	봄	토기	화+양진(辰) 늦봄 [토]	5	1953-11-29 18:22:00	1954-03-21 22:54:00

명예(인덕)체질 찾는 표 =〉 남자는 반대로, 여자는 그대로						223월역
번호	계절	36기운	12기운	매화역수 수리	시작 시점	끝나는 시점
13	봄	토수	화+양진(辰) 늦봄 [토]	5	1954-03-21 22:54:00	1954-08-27 18:53:00
14	여름	화목	화-음사(巳) 초여름 [화]	2	1954-08-27 18:53:00	1955-04-09 11:16:00
15	여름	화토	화-음사(巳) 초여름 [화]	2	1955-04-09 11:16:00	1955-09-15 7:15:00
16	여름	화화	화-음사(巳) 초여름 [화]	2	1955-09-15 7:15:00	1956-04-26 23:38:00
17	여름	화금	금+양오(午) 한여름 [화]	7	1956-04-26 23:38:00	1956-12-07 16:01:00
18	여름	화기	금+양오(午) 한여름 [화]	7	1956-12-07 16:01:00	1957-05-15 12:00:00
19	여름	화수	금+양오(午) 한여름 [화]	7	1957-05-15 12:00:00	1957-12-26 4:23:00
20	여름	금목	금-음미(未) 늦여름 [토]	5	1957-12-26 4:23:00	1958-08-07 20:46:00
21	여름	금토	금-음미(未) 늦여름 [토]	5	1958-08-07 20:46:00	1959-01-13 16:45:00
22	여름	금화	금-음미(未) 늦여름 [토]	5	1959-01-13 16:45:00	1959-08-26 9:08:00
23	여름	금금	기+양신(申) 초가을 [금]	9	1959-08-26 9:08:00	1960-04-07 1:31:00
24	여름	금기	기+양신(申) 초가을 [금]	9	1960-04-07 1:31:00	1960-09-12 21:30:00
25	여름	금수	기+양신(申) 초가을 [금]	9	1960-09-12 21:30:00	1961-04-25 13:53:00
26	가을	기목	기-음유(酉) 한가을 [금]	4	1961-04-25 13:53:00	1961-10-01 9:52:00

명예(인덕)체질 찾는 표 => 남자는 반대로, 여자는 그대로						223월역
번호	계절	36기운	12기운	매화역수 수리	시작 시점	끝나는 시점
27	가을	기토	기-음유(酉) 한가을 [금]	4	1961-10-01 9:52:00	1962-01-21 14:24:00
28	가을	기화	기-음유(酉) 한가을 [금]	4	1962-01-21 14:24:00	1962-06-29 10:23:00
29	가을	기금	수+양술(戌) 늦가을 [토]	5	1962-06-29 10:23:00	1962-12-05 6:22:00
30	가을	기기	수+양술(戌) 늦가을 [토]	5	1962-12-05 6:22:00	1963-03-27 10:54:00
31	가을	기수	수+양술(戌) 늦가을 [토]	5	1963-03-27 10:54:00	1963-09-02 6:53:00
32	겨울	수목	수-음해(亥) 초겨울 [수]	6	1963-09-02 6:53:00	1964-04-13 23:16:00
33	겨울	수토	수-음해(亥) 초겨울 [수]	6	1964-04-13 23:16:00	1964-09-19 19:15:00
34	겨울	수화	수-음해(亥) 초겨울 [수]	6	1964-09-19 19:15:00	1965-05-02 11:38:00
35	겨울	수금	목+양자(子) 한겨울 [수]	1	1965-05-02 11:38:00	1965-12-13 4:01:00
36	겨울	수기	목+양자(子) 한겨울 [수]	1	1965-12-13 4:01:00	1966-05-21 0:00:00
1	겨울	수수	목+양자(子) 한겨울 [수]	1	1966-05-21 0:00:00	1966-12-31 17:12:08
2	겨울	목목	목-음축(丑) 늦겨울 [토]	5	1966-12-31 17:12:08	1967-08-13 10:24:16
3	겨울	목토	목-음축(丑) 늦겨울 [토]	5	1967-08-13 10:24:16	1968-01-19 6:58:00
4	겨울	목화	목-음축(丑) 늦겨울 [토]	5	1968-01-19 6:58:00	1968-08-31 0:10:08

명예(인덕)체질 찾는 표 =〉 남자는 반대로, 여자는 그대로						223월역
번호	계절	36기운	12기운	매화역수 수리	시작 시점	끝나는 시점
5	겨울	목금	토+양인(寅) 초봄 [목]	3	1968-08-31 0:10:08	1969-04-12 17:22:16
6	겨울	목기	토+양인(寅) 초봄 [목]	3	1969-04-12 17:22:16	1969-09-18 13:56:00
7	겨울	목수	토+양인(寅) 초봄 [목]	3	1969-09-18 13:56:00	1970-05-01 7:08:08
8	봄	토목	토-음묘(卯) 한봄 [목]	8	1970-05-01 7:08:08	1970-10-07 3:41:52
9	봄	토토	토-음묘(卯) 한봄 [목]	8	1970-10-07 3:41:52	1971-01-27 8:38:24
10	봄	토화	토-음묘(卯) 한봄 [목]	8	1971-01-27 8:38:24	1971-07-05 5:12:08
11	봄	토금	화+양진(辰) 늦봄 [토]	5	1971-07-05 5:12:08	1971-12-11 1:45:52
12	봄	토기	화+양진(辰) 늦봄 [토]	5	1971-12-11 1:45:52	1972-04-01 6:42:24
13	봄	토수	화+양진(辰) 늦봄 [토]	5	1972-04-01 6:42:24	1972-09-07 3:16:08
14	여름	화목	화-음사(巳) 초여름 [화]	2	1972-09-07 3:16:08	1973-04-19 20:28:16
15	여름	화토	화-음사(巳) 초여름 [화]	2	1973-04-19 20:28:16	1973-09-25 17:02:00
16	여름	화화	화-음사(巳) 초여름 [화]	2	1973-09-25 17:02:00	1974-05-08 10:14:08
17	여름	화금	금+양오(午) 한여름 [화]	7	1974-05-08 10:14:08	1974-12-19 3:26:16
18	여름	화기	금+양오(午) 한여름 [화]	7	1974-12-19 3:26:16	1975-05-27 0:00:00

번호	계절	36기운	12기운	매화역수 수리	시작 시점	끝나는 시점
		명예(인덕)체질 찾는 표 =〉 남자는 반대로, 여자는 그대로				223월역
19	여름	화수	금+양오(午) 한여름 [화]	7	1975-05-27 0:00:00	1976-01-06 17:12:08
20	여름	금목	금-음미(未) 늦여름 [토]	5	1976-01-06 17:12:08	1976-08-18 10:24:16
21	여름	금토	금-음미(未) 늦여름 [토]	5	1976-08-18 10:24:16	1977-01-24 6:58:00
22	여름	금화	금-음미(未) 늦여름 [토]	5	1977-01-24 6:58:00	1977-09-06 0:10:08
23	여름	금금	기+양신(申) 초가을 [금]	9	1977-09-06 0:10:08	1978-04-18 17:22:16
24	여름	금기	기+양신(申) 초가을 [금]	9	1978-04-18 17:22:16	1978-09-24 13:56:00
25	여름	금수	기+양신(申) 초가을 [금]	9	1978-09-24 13:56:00	1979-05-07 7:08:08
26	가을	기목	기-음유(酉) 한가을 [금]	4	1979-05-07 7:08:08	1979-10-13 3:41:52
27	가을	기토	기-음유(酉) 한가을 [금]	4	1979-10-13 3:41:52	1980-02-02 8:38:24
28	가을	기화	기-음유(酉) 한가을 [금]	4	1980-02-02 8:38:24	1980-07-10 5:12:08
29	가을	기금	수+양술(戌) 늦가을 [토]	5	1980-07-10 5:12:08	1980-12-16 1:45:52
30	가을	기기	수+양술(戌) 늦가을 [토]	5	1980-12-16 1:45:52	1981-04-07 6:42:24
31	가을	기수	수+양술(戌) 늦가을 [토]	5	1981-04-07 6:42:24	1981-09-13 3:16:08
32	겨울	수목	수-음해(亥) 초겨울 [수]	6	1981-09-13 3:16:08	1982-04-25 20:28:16

명예(인덕)체질 찾는 표 =〉 남자는 반대로, 여자는 그대로						223월역
번호	계절	36기운	12기운	매화역수 수리	시작 시점	끝나는 시점
33	겨울	수토	수-음해(亥) 초겨울 [수]	6	1982-04-25 20:28:16	1982-10-01 17:02:00
34	겨울	수화	수-음해(亥) 초겨울 [수]	6	1982-10-01 17:02:00	1983-05-14 10:14:08
35	겨울	수금	목+양자(子) 한겨울 [수]	1	1983-05-14 10:14:08	1983-12-25 3:26:16
36	겨울	수기	목+양자(子) 한겨울 [수]	1	1983-12-25 3:26:16	1984-06-01 0:00:00
1	겨울	수수	목+양자(子) 한겨울 [수]	1	1984-06-01 0:00:00	1985-01-11 16:23:00
2	겨울	목목	목-음축(丑) 늦겨울 [토]	5	1985-01-11 16:23:00	1985-08-24 8:46:00
3	겨울	목토	목-음축(丑) 늦겨울 [토]	5	1985-08-24 8:46:00	1986-01-30 4:45:00
4	겨울	목화	목-음축(丑) 늦겨울 [토]	5	1986-01-30 4:45:00	1986-09-11 21:08:00
5	겨울	목금	토+양인(寅) 초봄 [목]	3	1986-09-11 21:08:00	1987-04-24 13:31:00
6	겨울	목기	토+양인(寅) 초봄 [목]	3	1987-04-24 13:31:00	1987-09-30 9:30:00
7	겨울	목수	토+양인(寅) 초봄 [목]	3	1987-09-30 9:30:00	1988-05-12 1:53:00
8	봄	토목	토-음묘(卯) 한봄 [목]	8	1988-05-12 1:53:00	1988-10-17 21:52:00
9	봄	토토	토-음묘(卯) 한봄 [목]	8	1988-10-17 21:52:00	1989-02-07 2:24:00
10	봄	토화	토-음묘(卯) 한봄 [목]	8	1989-02-07 2:24:00	1989-07-15 22:23:00

				명예(인덕)체질 찾는 표 =〉 남자는 반대로, 여자는 그대로		223월역	
번호	계절	36기운	12기운	매화역수 수리	시작 시점	끝나는 시점	
11	봄	토금	화+양진(辰) 늦봄 [토]	5	1989-07-15 22:23:00	1989-12-21 18:22:00	
12	봄	토기	화+양진(辰) 늦봄 [토]	5	1989-12-21 18:22:00	1990-04-12 22:54:00	
13	봄	토수	화+양진(辰) 늦봄 [토]	5	1990-04-12 22:54:00	1990-09-18 18:53:00	
14	여름	화목	화-음사(巳) 초여름 [화]	2	1990-09-18 18:53:00	1991-05-01 11:16:00	
15	여름	화토	화-음사(巳) 초여름 [화]	2	1991-05-01 11:16:00	1991-10-07 7:15:00	
16	여름	화화	화-음사(巳) 초여름 [화]	2	1991-10-07 7:15:00	1992-05-18 23:38:00	
17	여름	화금	금+양오(午) 한여름 [화]	7	1992-05-18 23:38:00	1992-12-29 16:01:00	
18	여름	화기	금+양오(午) 한여름 [화]	7	1992-12-29 16:01:00	1993-06-06 12:00:00	
19	여름	화수	금+양오(午) 한여름 [화]	7	1993-06-06 12:00:00	1994-01-17 4:23:00	
20	여름	금목	금-음미(未) 늦여름 [토]	5	1994-01-17 4:23:00	1994-08-29 20:46:00	
21	여름	금토	금-음미(未) 늦여름 [토]	5	1994-08-29 20:46:00	1995-02-04 16:45:00	
22	여름	금화	금-음미(未) 늦여름 [토]	5	1995-02-04 16:45:00	1995-09-17 9:08:00	
23	여름	금금	기+양신(申) 초가을 [금]	9	1995-09-17 9:08:00	1996-04-29 1:31:00	
24	여름	금기	기+양신(申) 초가을 [금]	9	1996-04-29 1:31:00	1996-10-04 21:30:00	

명예(인덕)체질 찾는 표 =〉 남자는 반대로, 여자는 그대로						223월역
번호	계절	36기운	12기운	매화역수 수리	시작 시점	끝나는 시점
25	여름	금수	기+양신(申) 초가을 [금]	9	1996-10-04 21:30:00	1997-05-17 13:53:00
26	가을	기목	기-음유(酉) 한가을 [금]	4	1997-05-17 13:53:00	1997-10-23 9:52:00
27	가을	기토	기-음유(酉) 한가을 [금]	4	1997-10-23 9:52:00	1998-02-12 14:24:00
28	가을	기화	기-음유(酉) 한가을 [금]	4	1998-02-12 14:24:00	1998-07-21 10:23:00
29	가을	기금	수+양술(戌) 늦가을 [토]	5	1998-07-21 10:23:00	1998-12-27 6:22:00
30	가을	기기	수+양술(戌) 늦가을 [토]	5	1998-12-27 6:22:00	1999-04-18 10:54:00
31	가을	기수	수+양술(戌) 늦가을 [토]	5	1999-04-18 10:54:00	1999-09-24 6:53:00
32	겨울	수목	수-음해(亥) 초겨울 [수]	6	1999-09-24 6:53:00	2000-05-05 23:16:00
33	겨울	수토	수-음해(亥) 초겨울 [수]	6	2000-05-05 23:16:00	2000-10-11 19:15:00
34	겨울	수화	수-음해(亥) 초겨울 [수]	6	2000-10-11 19:15:00	2001-05-24 11:38:00
35	겨울	수금	목+양자(子) 한겨울 [수]	1	2001-05-24 11:38:00	2002-01-04 4:01:00
36	겨울	수기	목+양자(子) 한겨울 [수]	1	2002-01-04 4:01:00	2002-06-12 0:00:00
1	겨울	수수	목+양자(子) 한겨울 [수]	1	2002-06-12 0:00:00	2003-01-22 16:23:00
2	겨울	목목	목-음축(丑) 늦겨울 [토]	5	2003-01-22 16:23:00	2003-09-04 8:46:00

명예(인덕)체질 찾는 표 =〉 남자는 반대로, 여자는 그대로					223월역	
번호	계절	36기운	12기운	매화역수 수리	시작 시점	끝나는 시점
3	겨울	목토	목-음축(丑) 늦겨울 [토]	5	2003-09-04 8:46:00	2004-02-10 4:45:00
4	겨울	목화	목-음축(丑) 늦겨울 [토]	5	2004-02-10 4:45:00	2004-09-21 21:08:00
5	겨울	목금	토+양인(寅) 초봄 [목]	3	2004-09-21 21:08:00	2005-05-04 13:31:00
6	겨울	목기	토+양인(寅) 초봄 [목]	3	2005-05-04 13:31:00	2005-10-10 9:30:00
7	겨울	목수	토+양인(寅) 초봄 [목]	3	2005-10-10 9:30:00	2006-05-23 1:53:00
8	봄	토목	토-음묘(卯) 한봄 [목]	8	2006-05-23 1:53:00	2006-10-28 21:52:00
9	봄	토토	토-음묘(卯) 한봄 [목]	8	2006-10-28 21:52:00	2007-02-18 2:24:00
10	봄	토화	토-음묘(卯) 한봄 [목]	8	2007-02-18 2:24:00	2007-07-26 22:23:00
11	봄	토금	화+양진(辰) 늦봄 [토]	5	2007-07-26 22:23:00	2008-01-01 18:22:00
12	봄	토기	화+양진(辰) 늦봄 [토]	5	2008-01-01 18:22:00	2008-04-22 22:54:00
13	봄	토수	화+양진(辰) 늦봄 [토]	5	2008-04-22 22:54:00	2008-09-28 18:53:00
14	여름	화목	화-음사(巳) 초여름 [화]	2	2008-09-28 18:53:00	2009-05-11 11:16:00
15	여름	화토	화-음사(巳) 초여름 [화]	2	2009-05-11 11:16:00	2009-10-17 7:15:00
16	여름	화화	화-음사(巳) 초여름 [화]	2	2009-10-17 7:15:00	2010-05-29 23:38:00

명예(인덕)체질 찾는 표 =〉 남자는 반대로, 여자는 그대로					223월역	
번호	계절	36기운	12기운	매화역수 수리	시작 시점	끝나는 시점
17	여름	화금	금+양오(午) 한여름 [화]	7	2010-05-29 23:38:00	2011-01-09 16:01:00
18	여름	화기	금+양오(午) 한여름 [화]	7	2011-01-09 16:01:00	2011-06-17 12:00:00
19	여름	화수	금+양오(午) 한여름 [화]	7	2011-06-17 12:00:00	2012-01-28 4:23:00
20	여름	금목	금-음미(未) 늦여름 [토]	5	2012-01-28 4:23:00	2012-09-08 20:46:00
21	여름	금토	금-음미(未) 늦여름 [토]	5	2012-09-08 20:46:00	2013-02-14 16:45:00
22	여름	금화	금-음미(未) 늦여름 [토]	5	2013-02-14 16:45:00	2013-09-27 9:08:00
23	여름	금금	기+양신(申) 초가을 [금]	9	2013-09-27 9:08:00	2014-05-10 1:31:00
24	여름	금기	기+양신(申) 초가을 [금]	9	2014-05-10 1:31:00	2014-10-15 21:30:00
25	여름	금수	기+양신(申) 초가을 [금]	9	2014-10-15 21:30:00	2015-05-28 13:53:00
26	가을	기목	기-음유(酉) 한가을 [금]	4	2015-05-28 13:53:00	2015-11-03 9:52:00
27	가을	기토	기-음유(酉) 한가을 [금]	4	2015-11-03 9:52:00	2016-02-23 14:24:00
28	가을	기화	기-음유(酉) 한가을 [금]	4	2016-02-23 14:24:00	2016-07-31 10:23:00
29	가을	기금	수+양술(戌) 늦가을 [토]	5	2016-07-31 10:23:00	2017-01-06 6:22:00
30	가을	기기	수+양술(戌) 늦가을 [토]	5	2017-01-06 6:22:00	2017-04-28 10:54:00

명예(인덕)체질 찾는 표 =〉 남자는 반대로, 여자는 그대로						223월역
번호	계절	36기운	12기운	매화역수 수리	시작 시점	끝나는 시점
31	가을	기수	수+양술(戌) 늦가을 [토]	5	2017-04-28 10:54:00	2017-10-04 6:53:00
32	겨울	수목	수-음해(亥) 초겨울 [수]	6	2017-10-04 6:53:00	2018-05-16 23:16:00
33	겨울	수토	수-음해(亥) 초겨울 [수]	6	2018-05-16 23:16:00	2018-10-22 19:15:00
34	겨울	수화	수-음해(亥) 초겨울 [수]	6	2018-10-22 19:15:00	2019-06-04 11:38:00
35	겨울	수금	목+양자(子) 한겨울 [수]	1	2019-06-04 11:38:00	2020-01-15 4:01:00
36	겨울	수기	목+양자(子) 한겨울 [수]	1	2020-01-15 4:01:00	2020-06-22 0:00:00

도표(2) 음력(陰曆) 1일(日)의 시간을 찾는 방법

음력큰달(30일)						
번호	36기운	12기운	음력1일 (日)시간	음력1일 (日)시간	날짜(음력) 시간(양력)	날짜(음력) 시간(양력)
1	수수	목+양자(子) 한겨울 [수]	0:00:00	0:49:08	01 0:00:00	01 0:51:07
2	목목	목-음축(丑) 늦겨울 [토]	0:49:08	1:38:16	01 0:51:07	01 1:42:13
3	목토	목-음축(丑) 늦겨울 [토]	1:38:16	2:13:00	01 1:42:13	01 2:18:21
4	목화	목-음축(丑) 늦겨울 [토]	2:13:00	3:02:08	01 2:18:21	01 3:09:28
5	목금	토+양인(寅) 초봄 [목]	3:02:08	3:51:16	01 3:09:28	01 4:00:35
6	목기	토+양인(寅) 초봄 [목]	3:51:16	4:26:00	01 4:00:35	01 4:36:43
7	목수	토+양인(寅) 초봄 [목]	4:26:00	5:15:08	01 4:36:43	01 5:27:50
8	토목	토-음묘(卯) 한봄 [목]	5:15:08	5:49:52	01 5:27:50	01 6:03:58
9	토토	토-음묘(卯) 한봄 [목]	5:49:52	6:14:24	01 6:03:58	01 6:29:29
10	토화	토-음묘(卯) 한봄 [목]	6:14:24	6:49:08	01 6:29:29	01 7:05:37
11	토금	화+양진(辰) 늦봄 [토]	6:49:08	7:23:52	01 7:05:37	01 7:41:45
12	토기	화+양진(辰) 늦봄 [토]	7:23:52	7:48:24	01 7:41:45	01 8:07:16
13	토수	화+양진(辰) 늦봄 [토]	7:48:24	8:23:08	01 8:07:16	01 8:43:24

			음력큰달(30일)			
번호	36기운	12기운	음력1일 (日)시간	음력1일 (日)시간	날짜(음력) 시간(양력)	날짜(음력) 시간(양력)
14	화목	화-음사(巳) 초여름 [화]	8:23:08	9:12:16	01 8:43:24	01 9:34:31
15	화토	화-음사(巳) 초여름 [화]	9:12:16	9:47:00	01 9:34:31	01 10:10:39
16	화화	화-음사(巳) 초여름 [화]	9:47:00	10:36:08	01 10:10:39	01 11:01:45
17	화금	금+양오(午) 한여름 [화]	10:36:08	11:25:16	01 11:01:45	01 11:52:52
18	화기	금+양오(午) 한여름 [화]	11:25:16	12:00:00	01 11:52:52	01 12:29:00
19	화수	금+양오(午) 한여름 [화]	12:00:00	12:49:08	01 12:29:00	01 13:20:07
20	금목	금-음미(未) 늦여름 [토]	12:49:08	13:38:16	01 13:20:07	01 14:11:13
21	금토	금-음미(未) 늦여름 [토]	13:38:16	14:13:00	01 14:11:13	01 14:47:21
22	금화	금-음미(未) 늦여름 [토]	14:13:00	15:02:08	01 14:47:21	01 15:38:28
23	금금	기+양신(申) 초가을 [금]	15:02:08	15:51:16	01 15:38:28	01 16:29:35
24	금기	기+양신(申) 초가을 [금]	15:51:16	16:26:00	01 16:29:35	01 17:05:43
25	금수	기+양신(申) 초가을 [금]	16:26:00	17:15:08	01 17:05:43	01 17:56:50
26	기목	기-음유(酉) 한가을 [금]	17:15:08	17:49:52	01 17:56:50	01 18:32:58
27	기토	기-음유(酉) 한가을 [금]	17:49:52	18:14:24	01 18:32:58	01 18:58:29

음력큰달(30일)						
번호	36기운	12기운	음력1일 (日)시간	음력1일 (日)시간	날짜(음력) 시간(양력)	날짜(음력) 시간(양력)
28	기화	기-음유(酉) 한가을 [금]	18:14:24	18:49:08	01 18:58:29	01 19:34:37
29	기금	수+양술(戌) 늦가을 [토]	18:49:08	19:23:52	01 19:34:37	01 20:10:45
30	기기	수+양술(戌) 늦가을 [토]	19:23:52	19:48:24	01 20:10:45	01 20:36:16
31	기수	수+양술(戌) 늦가을 [토]	19:48:24	20:23:08	01 20:36:16	01 21:12:24
32	수목	수-음해(亥) 초겨울 [수]	20:23:08	21:12:16	01 21:12:24	01 22:03:31
33	수토	수-음해(亥) 초겨울 [수]	21:12:16	21:47:00	01 22:03:31	01 22:39:39
34	수화	수-음해(亥) 초겨울 [수]	21:47:00	22:36:08	01 22:39:39	01 23:30:45
35	수금	목+양자(子) 한겨울 [수]	22:36:08	23:25:16	01 23:30:45	02 0:21:52
36	수기	목+양자(子) 한겨울 [수]	23:25:16	0:00:00	02 0:21:52	02 0:58:00
37	수수	목+양자(子) 한겨울 [수]	0:00:00	0:49:08	02 0:58:00	02 1:49:07
38	목목	목-음축(丑) 늦겨울 [토]	0:49:08	1:38:16	02 1:49:07	02 2:40:13
39	목토	목-음축(丑) 늦겨울 [토]	1:38:16	2:13:00	02 2:40:13	02 3:16:21
40	목화	목-음축(丑) 늦겨울 [토]	2:13:00	3:02:08	02 3:16:21	02 4:07:28

			음력큰달(30일)			
번호	36기운	12기운	음력1일 (日)시간	음력1일 (日)시간	날짜(음력) 시간(양력)	날짜(음력) 시간(양력)
41	목금	토+양인(寅) 초봄 [목]	3:02:08	3:51:16	02 4:07:28	02 4:58:35
42	목기	토+양인(寅) 초봄 [목]	3:51:16	4:26:00	02 4:58:35	02 5:34:43
43	목수	토+양인(寅) 초봄 [목]	4:26:00	5:15:08	02 5:34:43	02 6:25:50
44	토목	토-음묘(卯) 한봄 [목]	5:15:08	5:49:52	02 6:25:50	02 7:01:58
45	토토	토-음묘(卯) 한봄 [목]	5:49:52	6:14:24	02 7:01:58	02 7:27:29
46	토화	토-음묘(卯) 한봄 [목]	6:14:24	6:49:08	02 7:27:29	02 8:03:37
47	토금	화+양진(辰) 늦봄 [토]	6:49:08	7:23:52	02 8:03:37	02 8:39:45
48	토기	화+양진(辰) 늦봄 [토]	7:23:52	7:48:24	02 8:39:45	02 9:05:16
49	토수	화+양진(辰) 늦봄 [토]	7:48:24	8:23:08	02 9:05:16	02 9:41:24
50	화목	화-음사(巳) 초여름 [화]	8:23:08	9:12:16	02 9:41:24	02 10:32:31
51	화토	화-음사(巳) 초여름 [화]	9:12:16	9:47:00	02 10:32:31	02 11:08:39
52	화화	화-음사(巳) 초여름 [화]	9:47:00	10:36:08	02 11:08:39	02 11:59:45
53	화금	금+양오(午) 한여름 [화]	10:36:08	11:25:16	02 11:59:45	02 12:50:52

음력큰달(30일)						
번호	36기운	12기운	음력1일 (日)시간	음력1일 (日)시간	날짜(음력) 시간(양력)	날짜(음력) 시간(양력)
54	화기	금+양오(午) 한여름 [화]	11:25:16	12:00:00	02 12:50:52	02 13:27:00
55	화수	금+양오(午) 한여름 [화]	12:00:00	12:49:08	02 13:27:00	02 14:18:07
56	금목	금-음미(未) 늦여름 [토]	12:49:08	13:38:16	02 14:18:07	02 15:09:13
57	금토	금-음미(未) 늦여름 [토]	13:38:16	14:13:00	02 15:09:13	02 15:45:21
58	금화	금-음미(未) 늦여름 [토]	14:13:00	15:02:08	02 15:45:21	02 16:36:28
59	금금	기+양신(申) 초가을 [금]	15:02:08	15:51:16	02 16:36:28	02 17:27:35
60	금기	기+양신(申) 초가을 [금]	15:51:16	16:26:00	02 17:27:35	02 18:03:43
61	금수	기+양신(申) 초가을 [금]	16:26:00	17:15:08	02 18:03:43	02 18:54:50
62	기목	기-음유(酉) 한가을 [금]	17:15:08	17:49:52	02 18:54:50	02 19:30:58
63	기토	기-음유(酉) 한가을 [금]	17:49:52	18:14:24	02 19:30:58	02 19:56:29
64	기화	기-음유(酉) 한가을 [금]	18:14:24	18:49:08	02 19:56:29	02 20:32:37
65	기금	수+양술(戌) 늦가을 [토]	18:49:08	19:23:52	02 20:32:37	02 21:08:45
66	기기	수+양술(戌) 늦가을 [토]	19:23:52	19:48:24	02 21:08:45	02 21:34:16

			음력큰달(30일)			
번호	36기운	12기운	음력1일 (日)시간	음력1일 (日)시간	날짜(음력) 시간(양력)	날짜(음력) 시간(양력)
67	기수	수+양술(戌) 늦가을 [토]	19:48:24	20:23:08	02 21:34:16	02 22:10:24
68	수목	수-음해(亥) 초겨울 [수]	20:23:08	21:12:16	02 22:10:24	02 23:01:31
69	수토	수-음해(亥) 초겨울 [수]	21:12:16	21:47:00	02 23:01:31	02 23:37:39
70	수화	수-음해(亥) 초겨울 [수]	21:47:00	22:36:08	02 23:37:39	03 0:28:45
71	수금	목+양자(子) 한겨울 [수]	22:36:08	23:25:16	03 0:28:45	03 1:19:52
72	수기	목+양자(子) 한겨울 [수]	23:25:16	0:00:00	03 1:19:52	03 1:56:00
73	수수	목+양자(子) 한겨울 [수]	0:00:00	0:49:08	03 1:56:00	03 2:47:05
74	목목	목-음축(丑) 늦겨울 [토]	0:49:08	1:38:16	03 2:47:05	03 3:38:09
75	목토	목-음축(丑) 늦겨울 [토]	1:38:16	2:13:00	03 3:38:09	03 4:14:16
76	목화	목-음축(丑) 늦겨울 [토]	2:13:00	3:02:08	03 4:14:16	03 5:05:21
77	목금	토+양인(寅) 초봄 [목]	3:02:08	3:51:16	03 5:05:21	03 5:56:25
78	목기	토+양인(寅) 초봄 [목]	3:51:16	4:26:00	03 5:56:25	03 6:32:32
79	목수	토+양인(寅) 초봄 [목]	4:26:00	5:15:08	03 6:32:32	03 7:23:36

음력큰달(30일)						
번호	36기운	12기운	음력1일 (日)시간	음력1일 (日)시간	날짜(음력) 시간(양력)	날짜(음력) 시간(양력)
80	토목	토-음묘(卯) 한봄 [목]	5:15:08	5:49:52	03 7:23:36	03 7:59:43
81	토토	토-음묘(卯) 한봄 [목]	5:49:52	6:14:24	03 7:59:43	03 8:25:13
82	토화	토-음묘(卯) 한봄 [목]	6:14:24	6:49:08	03 8:25:13	03 9:01:20
83	토금	화+양진(辰) 늦봄 [토]	6:49:08	7:23:52	03 9:01:20	03 9:37:26
84	토기	화+양진(辰) 늦봄 [토]	7:23:52	7:48:24	03 9:37:26	03 10:02:56
85	토수	화+양진(辰) 늦봄 [토]	7:48:24	8:23:08	03 10:02:56	03 10:39:03
86	화목	화-음사(巳) 초여름 [화]	8:23:08	9:12:16	03 10:39:03	03 11:30:08
87	화토	화-음사(巳) 초여름 [화]	9:12:16	9:47:00	03 11:30:08	03 12:06:14
88	화화	화-음사(巳) 초여름 [화]	9:47:00	10:36:08	03 12:06:14	03 12:57:19
89	화금	금+양오(午) 한여름 [화]	10:36:08	11:25:16	03 12:57:19	03 13:48:24
90	화기	금+양오(午) 한여름 [화]	11:25:16	12:00:00	03 13:48:24	03 14:24:30
91	화수	금+양오(午) 한여름 [화]	12:00:00	12:49:08	03 14:24:30	03 15:15:35
92	금목	금-음미(未) 늦여름 [토]	12:49:08	13:38:16	03 15:15:35	03 16:06:39

음력큰달(30일)						
번호	36기운	12기운	음력1일 (日)시간	음력1일 (日)시간	날짜(음력) 시간(양력)	날짜(음력) 시간(양력)
93	금토	금-음미(未) 늦여름 [토]	13:38:16	14:13:00	03 16:06:39	03 16:42:46
94	금화	금-음미(未) 늦여름 [토]	14:13:00	15:02:08	03 16:42:46	03 17:33:51
95	금금	기+양신(申) 초가을 [금]	15:02:08	15:51:16	03 17:33:51	03 18:24:55
96	금기	기+양신(申) 초가을 [금]	15:51:16	16:26:00	03 18:24:55	03 19:01:02
97	금수	기+양신(申) 초가을 [금]	16:26:00	17:15:08	03 19:01:02	03 19:52:06
98	기목	기-음유(酉) 한가을 [금]	17:15:08	17:49:52	03 19:52:06	03 20:28:13
99	기토	기-음유(酉) 한가을 [금]	17:49:52	18:14:24	03 20:28:13	03 20:53:43
100	기화	기-음유(酉) 한가을 [금]	18:14:24	18:49:08	03 20:53:43	03 21:29:50
101	기금	수+양술(戌) 늦가을 [토]	18:49:08	19:23:52	03 21:29:50	03 22:05:56
102	기기	수+양술(戌) 늦가을 [토]	19:23:52	19:48:24	03 22:05:56	03 22:31:26
103	기수	수+양술(戌) 늦가을 [토]	19:48:24	20:23:08	03 22:31:26	03 23:07:33
104	수목	수-음해(亥) 초겨울 [수]	20:23:08	21:12:16	03 23:07:33	03 23:58:38
105	수토	수-음해(亥) 초겨울 [수]	21:12:16	21:47:00	03 23:58:38	04 0:34:44

음력큰달(30일)						
번호	36기운	12기운	음력1일 (日)시간	음력1일 (日)시간	날짜(음력) 시간(양력)	날짜(음력) 시간(양력)
106	수화	수-음해(亥) 초겨울 [수]	21:47:00	22:36:08	04 0:34:44	04 1:25:49
107	수금	목+양자(子) 한겨울 [수]	22:36:08	23:25:16	04 1:25:49	04 2:16:54
108	수기	목+양자(子) 한겨울 [수]	23:25:16	0:00:00	04 2:16:54	04 2:53:00
109	수수	목+양자(子) 한겨울 [수]	0:00:00	0:49:08	04 2:53:00	04 3:43:36
110	목목	목-음축(丑) 늦겨울 [토]	0:49:08	1:38:16	04 3:43:36	04 4:34:12
111	목토	목-음축(丑) 늦겨울 [토]	1:38:16	2:13:00	04 4:34:12	04 5:09:58
112	목화	목-음축(丑) 늦겨울 [토]	2:13:00	3:02:08	04 5:09:58	04 6:00:34
113	목금	토+양인(寅) 초봄 [목]	3:02:08	3:51:16	04 6:00:34	04 6:51:10
114	목기	토+양인(寅) 초봄 [목]	3:51:16	4:26:00	04 6:51:10	04 7:26:57
115	목수	토+양인(寅) 초봄 [목]	4:26:00	5:15:08	04 7:26:57	04 8:17:33
116	토목	토-음묘(卯) 한봄 [목]	5:15:08	5:49:52	04 8:17:33	04 8:53:19
117	토토	토-음묘(卯) 한봄 [목]	5:49:52	6:14:24	04 8:53:19	04 9:18:35
118	토화	토-음묘(卯) 한봄 [목]	6:14:24	6:49:08	04 9:18:35	04 9:54:21

			음력큰달(30일)			
번호	36기운	12기운	음력1일 (日)시간	음력1일 (日)시간	날짜(음력) 시간(양력)	날짜(음력) 시간(양력)
119	토금	화+양진(辰) 늦봄 [토]	6:49:08	7:23:52	04 9:54:21	04 10:30:07
120	토기	화+양진(辰) 늦봄 [토]	7:23:52	7:48:24	04 10:30:07	04 10:55:23
121	토수	화+양진(辰) 늦봄 [토]	7:48:24	8:23:08	04 10:55:23	04 11:31:09
122	화목	화-음사(巳) 초여름 [화]	8:23:08	9:12:16	04 11:31:09	04 12:21:45
123	화토	화-음사(巳) 초여름 [화]	9:12:16	9:47:00	04 12:21:45	04 12:57:32
124	화화	화-음사(巳) 초여름 [화]	9:47:00	10:36:08	04 12:57:32	04 13:48:08
125	화금	금+양오(午) 한여름 [화]	10:36:08	11:25:16	04 13:48:08	04 14:38:44
126	화기	금+양오(午) 한여름 [화]	11:25:16	12:00:00	04 14:38:44	04 15:14:30
127	화수	금+양오(午) 한여름 [화]	12:00:00	12:49:08	04 15:14:30	04 16:05:06
128	금목	금-음미(未) 늦여름 [토]	12:49:08	13:38:16	04 16:05:06	04 16:55:42
129	금토	금-음미(未) 늦여름 [토]	13:38:16	14:13:00	04 16:55:42	04 17:31:28
130	금화	금-음미(未) 늦여름 [토]	14:13:00	15:02:08	04 17:31:28	04 18:22:04
131	금금	기+양신(申) 초가을 [금]	15:02:08	15:51:16	04 18:22:04	04 19:12:40

			음력큰달(30일)			
번호	36기운	12기운	음력1일 (日)시간	음력1일 (日)시간	날짜(음력) 시간(양력)	날짜(음력) 시간(양력)
132	금기	기+양신(申) 초가을 [금]	15:51:16	16:26:00	04 19:12:40	04 19:48:27
133	금수	기+양신(申) 초가을 [금]	16:26:00	17:15:08	04 19:48:27	04 20:39:03
134	기목	기-음유(酉) 한가을 [금]	17:15:08	17:49:52	04 20:39:03	04 21:14:49
135	기토	기-음유(酉) 한가을 [금]	17:49:52	18:14:24	04 21:14:49	04 21:40:05
136	기화	기-음유(酉) 한가을 [금]	18:14:24	18:49:08	04 21:40:05	04 22:15:51
137	기금	수+양술(戌) 늦가을 [토]	18:49:08	19:23:52	04 22:15:51	04 22:51:37
138	기기	수+양술(戌) 늦가을 [토]	19:23:52	19:48:24	04 22:51:37	04 23:16:53
139	기수	수+양술(戌) 늦가을 [토]	19:48:24	20:23:08	04 23:16:53	04 23:52:39
140	수목	수-음해(亥) 초겨울 [수]	20:23:08	21:12:16	04 23:52:39	05 0:43:15
141	수토	수-음해(亥) 초겨울 [수]	21:12:16	21:47:00	05 0:43:15	05 1:19:02
142	수화	수-음해(亥) 초겨울 [수]	21:47:00	22:36:08	05 1:19:02	05 2:09:38
143	수금	목+양자(子) 한겨울 [수]	22:36:08	23:25:16	05 2:09:38	05 3:00:14
144	수기	목+양자(子) 한겨울 [수]	23:25:16	0:00:00	05 3:00:14	05 3:36:00

			음력큰달(30일)			
번호	36기운	12기운	음력1일 (日)시간	음력1일 (日)시간	날짜(음력) 시간(양력)	날짜(음력) 시간(양력)
145	수수	목+양자(子) 한겨울 [수]	0:00:00	0:49:08	05 3:36:00	05 4:27:07
146	목목	목-음축(丑) 늦겨울 [토]	0:49:08	1:38:16	05 4:27:07	05 5:18:13
147	목토	목-음축(丑) 늦겨울 [토]	1:38:16	2:13:00	05 5:18:13	05 5:54:21
148	목화	목-음축(丑) 늦겨울 [토]	2:13:00	3:02:08	05 5:54:21	05 6:45:28
149	목금	토+양인(寅) 초봄 [목]	3:02:08	3:51:16	05 6:45:28	05 7:36:35
150	목기	토+양인(寅) 초봄 [목]	3:51:16	4:26:00	05 7:36:35	05 8:12:43
151	목수	토+양인(寅) 초봄 [목]	4:26:00	5:15:08	05 8:12:43	05 9:03:50
152	토목	토-음묘(卯) 한봄 [목]	5:15:08	5:49:52	05 9:03:50	05 9:39:58
153	토토	토-음묘(卯) 한봄 [목]	5:49:52	6:14:24	05 9:39:58	05 10:05:29
154	토화	토-음묘(卯) 한봄 [목]	6:14:24	6:49:08	05 10:05:29	05 10:41:37
155	토금	화+양진(辰) 늦봄 [토]	6:49:08	7:23:52	05 10:41:37	05 11:17:45
156	토기	화+양진(辰) 늦봄 [토]	7:23:52	7:48:24	05 11:17:45	05 11:43:16
157	토수	화+양진(辰) 늦봄 [토]	7:48:24	8:23:08	05 11:43:16	05 12:19:24

음력큰달(30일)						
번호	36기운	12기운	음력1일 (日)시간	음력1일 (日)시간	날짜(음력) 시간(양력)	날짜(음력) 시간(양력)
158	화목	화-음사(巳) 초여름 [화]	8:23:08	9:12:16	05 12:19:24	05 13:10:31
159	화토	화-음사(巳) 초여름 [화]	9:12:16	9:47:00	05 13:10:31	05 13:46:39
160	화화	화-음사(巳) 초여름 [화]	9:47:00	10:36:08	05 13:46:39	05 14:37:45
161	화금	금+양오(午) 한여름 [화]	10:36:08	11:25:16	05 14:37:45	05 15:28:52
162	화기	금+양오(午) 한여름 [화]	11:25:16	12:00:00	05 15:28:52	05 16:05:00
163	화수	금+양오(午) 한여름 [화]	12:00:00	12:49:08	05 16:05:00	05 16:56:07
164	금목	금-음미(未) 늦여름 [토]	12:49:08	13:38:16	05 16:56:07	05 17:47:13
165	금토	금-음미(未) 늦여름 [토]	13:38:16	14:13:00	05 17:47:13	05 18:23:21
166	금화	금-음미(未) 늦여름 [토]	14:13:00	15:02:08	05 18:23:21	05 19:14:28
167	금금	기+양신(申) 초가을 [금]	15:02:08	15:51:16	05 19:14:28	05 20:05:35
168	금기	기+양신(申) 초가을 [금]	15:51:16	16:26:00	05 20:05:35	05 20:41:43
169	금수	기+양신(申) 초가을 [금]	16:26:00	17:15:08	05 20:41:43	05 21:32:50
170	기목	기-음유(酉) 한가을 [금]	17:15:08	17:49:52	05 21:32:50	05 22:08:58

			음력큰달(30일)			
번호	36기운	12기운	음력1일 (日)시간	음력1일 (日)시간	날짜(음력) 시간(양력)	날짜(음력) 시간(양력)
171	기토	기-음유(酉) 한가을 [금]	17:49:52	18:14:24	05 22:08:58	05 22:34:29
172	기화	기-음유(酉) 한가을 [금]	18:14:24	18:49:08	05 22:34:29	05 23:10:37
173	기금	수+양술(戌) 늦가을 [토]	18:49:08	19:23:52	05 23:10:37	05 23:46:45
174	기기	수+양술(戌) 늦가을 [토]	19:23:52	19:48:24	05 23:46:45	06 0:12:16
175	기수	수+양술(戌) 늦가을 [토]	19:48:24	20:23:08	06 0:12:16	06 0:48:24
176	수목	수-음해(亥) 초겨울 [수]	20:23:08	21:12:16	06 0:48:24	06 1:39:31
177	수토	수-음해(亥) 초겨울 [수]	21:12:16	21:47:00	06 1:39:31	06 2:15:39
178	수화	수-음해(亥) 초겨울 [수]	21:47:00	22:36:08	06 2:15:39	06 3:06:45
179	수금	목+양자(子) 한겨울 [수]	22:36:08	23:25:16	06 3:06:45	06 3:57:52
180	수기	목+양자(子) 한겨울 [수]	23:25:16	0:00:00	06 3:57:52	06 4:34:00
181	수수	목+양자(子) 한겨울 [수]	0:00:00	0:49:08	06 4:34:00	06 5:24:34
182	목목	목-음축(丑) 늦겨울 [토]	0:49:08	1:38:16	06 5:24:34	06 6:15:08
183	목토	목-음축(丑) 늦겨울 [토]	1:38:16	2:13:00	06 6:15:08	06 6:50:53

음력큰달(30일)						
번호	36기운	12기운	음력1일 (日)시간	음력1일 (日)시간	날짜(음력) 시간(양력)	날짜(음력) 시간(양력)
184	목화	목-음축(丑) 늦겨울 [토]	2:13:00	3:02:08	06 6:50:53	06 7:41:27
185	목금	토+양인(寅) 초봄 [목]	3:02:08	3:51:16	06 7:41:27	06 8:32:01
186	목기	토+양인(寅) 초봄 [목]	3:51:16	4:26:00	06 8:32:01	06 9:07:46
187	목수	토+양인(寅) 초봄 [목]	4:26:00	5:15:08	06 9:07:46	06 9:58:19
188	토목	토-음묘(卯) 한봄 [목]	5:15:08	5:49:52	06 9:58:19	06 10:34:04
189	토토	토-음묘(卯) 한봄 [목]	5:49:52	6:14:24	06 10:34:04	06 10:59:19
190	토화	토-음묘(卯) 한봄 [목]	6:14:24	6:49:08	06 10:59:19	06 11:35:04
191	토금	화+양진(辰) 늦봄 [토]	6:49:08	7:23:52	06 11:35:04	06 12:10:49
192	토기	화+양진(辰) 늦봄 [토]	7:23:52	7:48:24	06 12:10:49	06 12:36:04
193	토수	화+양진(辰) 늦봄 [토]	7:48:24	8:23:08	06 12:36:04	06 13:11:48
194	화목	화-음사(巳) 초여름 [화]	8:23:08	9:12:16	06 13:11:48	06 14:02:22
195	화토	화-음사(巳) 초여름 [화]	9:12:16	9:47:00	06 14:02:22	06 14:38:07
196	화화	화-음사(巳) 초여름 [화]	9:47:00	10:36:08	06 14:38:07	06 15:28:41

음력큰달(30일)						
번호	36기운	12기운	음력1일 (日)시간	음력1일 (日)시간	날짜(음력) 시간(양력)	날짜(음력) 시간(양력)
197	화금	금+양오(午) 한여름 [화]	10:36:08	11:25:16	06 15:28:41	06 16:19:15
198	화기	금+양오(午) 한여름 [화]	11:25:16	12:00:00	06 16:19:15	06 16:55:00
199	화수	금+양오(午) 한여름 [화]	12:00:00	12:49:08	06 16:55:00	06 17:45:34
200	금목	금-음미(未) 늦여름 [토]	12:49:08	13:38:16	06 17:45:34	06 18:36:08
201	금토	금-음미(未) 늦여름 [토]	13:38:16	14:13:00	06 18:36:08	06 19:11:53
202	금화	금-음미(未) 늦여름 [토]	14:13:00	15:02:08	06 19:11:53	06 20:02:27
203	금금	기+양신(申) 초가을 [금]	15:02:08	15:51:16	06 20:02:27	06 20:53:01
204	금기	기+양신(申) 초가을 [금]	15:51:16	16:26:00	06 20:53:01	06 21:28:46
205	금수	기+양신(申) 초가을 [금]	16:26:00	17:15:08	06 21:28:46	06 22:19:19
206	기목	기-음유(酉) 한가을 [금]	17:15:08	17:49:52	06 22:19:19	06 22:55:04
207	기토	기-음유(酉) 한가을 [금]	17:49:52	18:14:24	06 22:55:04	06 23:20:19
208	기화	기-음유(酉) 한가을 [금]	18:14:24	18:49:08	06 23:20:19	06 23:56:04
209	기금	수+양술(戌) 늦가을 [토]	18:49:08	19:23:52	06 23:56:04	07 0:31:49

			음력큰달(30일)			
번호	36기운	12기운	음력1일 (日)시간	음력1일 (日)시간	날짜(음력) 시간(양력)	날짜(음력) 시간(양력)
210	기기	수+양술(戌) 늦가을 [토]	19:23:52	19:48:24	07 0:31:49	07 0:57:04
211	기수	수+양술(戌) 늦가을 [토]	19:48:24	20:23:08	07 0:57:04	07 1:32:48
212	수목	수-음해(亥) 초겨울 [수]	20:23:08	21:12:16	07 1:32:48	07 2:23:22
213	수토	수-음해(亥) 초겨울 [수]	21:12:16	21:47:00	07 2:23:22	07 2:59:07
214	수화	수-음해(亥) 초겨울 [수]	21:47:00	22:36:08	07 2:59:07	07 3:49:41
215	수금	목+양자(子) 한겨울 [수]	22:36:08	23:25:16	07 3:49:41	07 4:40:15
216	수기	목+양자(子) 한겨울 [수]	23:25:16	0:00:00	07 4:40:15	07 5:16:00
217	수수	목+양자(子) 한겨울 [수]	0:00:00	0:49:08	07 5:16:00	07 6:06:34
218	목목	목-음축(丑) 늦겨울 [토]	0:49:08	1:38:16	07 6:06:34	07 6:57:08
219	목토	목-음축(丑) 늦겨울 [토]	1:38:16	2:13:00	07 6:57:08	07 7:32:53
220	목화	목-음축(丑) 늦겨울 [토]	2:13:00	3:02:08	07 7:32:53	07 8:23:27
221	목금	토+양인(寅) 초봄 [목]	3:02:08	3:51:16	07 8:23:27	07 9:14:01
222	목기	토+양인(寅) 초봄 [목]	3:51:16	4:26:00	07 9:14:01	07 9:49:46

음력큰달(30일)						
번호	36기운	12기운	음력1일 (日)시간	음력1일 (日)시간	날짜(음력) 시간(양력)	날짜(음력) 시간(양력)
223	목수	토+양인(寅) 초봄 [목]	4:26:00	5:15:08	07 9:49:46	07 10:40:19
224	토목	토-음묘(卯) 한봄 [목]	5:15:08	5:49:52	07 10:40:19	07 11:16:04
225	토토	토-음묘(卯) 한봄 [목]	5:49:52	6:14:24	07 11:16:04	07 11:41:19
226	토화	토-음묘(卯) 한봄 [목]	6:14:24	6:49:08	07 11:41:19	07 12:17:04
227	토금	화+양진(辰) 늦봄 [토]	6:49:08	7:23:52	07 12:17:04	07 12:52:49
228	토기	화+양진(辰) 늦봄 [토]	7:23:52	7:48:24	07 12:52:49	07 13:18:04
229	토수	화+양진(辰) 늦봄 [토]	7:48:24	8:23:08	07 13:18:04	07 13:53:48
230	화목	화-음사(巳) 초여름 [화]	8:23:08	9:12:16	07 13:53:48	07 14:44:22
231	화토	화-음사(巳) 초여름 [화]	9:12:16	9:47:00	07 14:44:22	07 15:20:07
232	화화	화-음사(巳) 초여름 [화]	9:47:00	10:36:08	07 15:20:07	07 16:10:41
233	화금	금+양오(午) 한여름 [화]	10:36:08	11:25:16	07 16:10:41	07 17:01:15
234	화기	금+양오(午) 한여름 [화]	11:25:16	12:00:00	07 17:01:15	07 17:37:00
235	화수	금+양오(午) 한여름 [화]	12:00:00	12:49:08	07 17:37:00	07 18:27:34

			음력큰달(30일)			
번호	36기운	12기운	음력1일 (日)시간	음력1일 (日)시간	날짜(음력) 시간(양력)	날짜(음력) 시간(양력)
236	금목	금-음미(未) 늦여름 [토]	12:49:08	13:38:16	07 18:27:34	07 19:18:08
237	금토	금-음미(未) 늦여름 [토]	13:38:16	14:13:00	07 19:18:08	07 19:53:53
238	금화	금-음미(未) 늦여름 [토]	14:13:00	15:02:08	07 19:53:53	07 20:44:27
239	금금	기+양신(申) 초가을 [금]	15:02:08	15:51:16	07 20:44:27	07 21:35:01
240	금기	기+양신(申) 초가을 [금]	15:51:16	16:26:00	07 21:35:01	07 22:10:46
241	금수	기+양신(申) 초가을 [금]	16:26:00	17:15:08	07 22:10:46	07 23:01:19
242	기목	기-음유(酉) 한가을 [금]	17:15:08	17:49:52	07 23:01:19	07 23:37:04
243	기토	기-음유(酉) 한가을 [금]	17:49:52	18:14:24	07 23:37:04	08 0:02:19
244	기화	기-음유(酉) 한가을 [금]	18:14:24	18:49:08	08 0:02:19	08 0:38:04
245	기금	수+양술(戌) 늦가을 [토]	18:49:08	19:23:52	08 0:38:04	08 1:13:49
246	기기	수+양술(戌) 늦가을 [토]	19:23:52	19:48:24	08 1:13:49	08 1:39:04
247	기수	수+양술(戌) 늦가을 [토]	19:48:24	20:23:08	08 1:39:04	08 2:14:48
248	수목	수-음해(亥) 초겨울 [수]	20:23:08	21:12:16	08 2:14:48	08 3:05:22

음력큰달(30일)						
번호	36기운	12기운	음력1일 (日)시간	음력1일 (日)시간	날짜(음력) 시간(양력)	날짜(음력) 시간(양력)
249	수토	수-음해(亥) 초겨울 [수]	21:12:16	21:47:00	08 3:05:22	08 3:41:07
250	수화	수-음해(亥) 초겨울 [수]	21:47:00	22:36:08	08 3:41:07	08 4:31:41
251	수금	목+양자(子) 한겨울 [수]	22:36:08	23:25:16	08 4:31:41	08 5:22:15
252	수기	목+양자(子) 한겨울 [수]	23:25:16	0:00:00	08 5:22:15	08 5:58:00
253	수수	목+양자(子) 한겨울 [수]	0:00:00	0:49:08	08 5:58:00	08 6:48:34
254	목목	목-음축(丑) 늦겨울 [토]	0:49:08	1:38:16	08 6:48:34	08 7:39:08
255	목토	목-음축(丑) 늦겨울 [토]	1:38:16	2:13:00	08 7:39:08	08 8:14:53
256	목화	목-음축(丑) 늦겨울 [토]	2:13:00	3:02:08	08 8:14:53	08 9:05:27
257	목금	토+양인(寅) 초봄 [목]	3:02:08	3:51:16	08 9:05:27	08 9:56:01
258	목기	토+양인(寅) 초봄 [목]	3:51:16	4:26:00	08 9:56:01	08 10:31:46
259	목수	토+양인(寅) 초봄 [목]	4:26:00	5:15:08	08 10:31:46	08 11:22:19
260	토목	토-음묘(卯) 한봄 [목]	5:15:08	5:49:52	08 11:22:19	08 11:58:04
261	토토	토-음묘(卯) 한봄 [목]	5:49:52	6:14:24	08 11:58:04	08 12:23:19

음력큰달(30일)						
번호	36기운	12기운	음력1일 (日)시간	음력1일 (日)시간	날짜(음력) 시간(양력)	날짜(음력) 시간(양력)
262	토화	토-음묘(卯) 한봄 [목]	6:14:24	6:49:08	08 12:23:19	08 12:59:04
263	토금	화+양진(辰) 늦봄 [토]	6:49:08	7:23:52	08 12:59:04	08 13:34:49
264	토기	화+양진(辰) 늦봄 [토]	7:23:52	7:48:24	08 13:34:49	08 14:00:04
265	토수	화+양진(辰) 늦봄 [토]	7:48:24	8:23:08	08 14:00:04	08 14:35:48
266	화목	화-음사(巳) 초여름 [화]	8:23:08	9:12:16	08 14:35:48	08 15:26:22
267	화토	화-음사(巳) 초여름 [화]	9:12:16	9:47:00	08 15:26:22	08 16:02:07
268	화화	화-음사(巳) 초여름 [화]	9:47:00	10:36:08	08 16:02:07	08 16:52:41
269	화금	금+양오(午) 한여름 [화]	10:36:08	11:25:16	08 16:52:41	08 17:43:15
270	화기	금+양오(午) 한여름 [화]	11:25:16	12:00:00	08 17:43:15	08 18:19:00
271	화수	금+양오(午) 한여름 [화]	12:00:00	12:49:08	08 18:19:00	08 19:09:34
272	금목	금-음미(未) 늦여름 [토]	12:49:08	13:38:16	08 19:09:34	08 20:00:08
273	금토	금-음미(未) 늦여름 [토]	13:38:16	14:13:00	08 20:00:08	08 20:35:53
274	금화	금-음미(未) 늦여름 [토]	14:13:00	15:02:08	08 20:35:53	08 21:26:27

			음력큰달(30일)			
번호	36기운	12기운	음력1일 (日)시간	음력1일 (日)시간	날짜(음력) 시간(양력)	날짜(음력) 시간(양력)
275	금금	기+양신(申) 초가을 [금]	15:02:08	15:51:16	08 21:26:27	08 22:17:01
276	금기	기+양신(申) 초가을 [금]	15:51:16	16:26:00	08 22:17:01	08 22:52:46
277	금수	기+양신(申) 초가을 [금]	16:26:00	17:15:08	08 22:52:46	08 23:43:19
278	기목	기-음유(酉) 한가을 [금]	17:15:08	17:49:52	08 23:43:19	09 0:19:04
279	기토	기-음유(酉) 한가을 [금]	17:49:52	18:14:24	09 0:19:04	09 0:44:19
280	기화	기-음유(酉) 한가을 [금]	18:14:24	18:49:08	09 0:44:19	09 1:20:04
281	기금	수+양술(戌) 늦가을 [토]	18:49:08	19:23:52	09 1:20:04	09 1:55:49
282	기기	수+양술(戌) 늦가을 [토]	19:23:52	19:48:24	09 1:55:49	09 2:21:04
283	기수	수+양술(戌) 늦가을 [토]	19:48:24	20:23:08	09 2:21:04	09 2:56:48
284	수목	수-음해(亥) 초겨울 [수]	20:23:08	21:12:16	09 2:56:48	09 3:47:22
285	수토	수-음해(亥) 초겨울 [수]	21:12:16	21:47:00	09 3:47:22	09 4:23:07
286	수화	수-음해(亥) 초겨울 [수]	21:47:00	22:36:08	09 4:23:07	09 5:13:41
287	수금	목+양자(子) 한겨울 [수]	22:36:08	23:25:16	09 5:13:41	09 6:04:15

			음력큰달(30일)			
번호	36기운	12기운	음력1일 (日)시간	음력1일 (日)시간	날짜(음력) 시간(양력)	날짜(음력) 시간(양력)
288	수기	목+양자(子) 한겨울 [수]	23:25:16	0:00:00	09 6:04:15	09 6:40:00
289	수수	목+양자(子) 한겨울 [수]	0:00:00	0:49:08	09 6:40:00	09 7:30:11
290	목목	목-음축(丑) 늦겨울 [토]	0:49:08	1:38:16	09 7:30:11	09 8:20:23
291	목토	목-음축(丑) 늦겨울 [토]	1:38:16	2:13:00	09 8:20:23	09 8:55:52
292	목화	목-음축(丑) 늦겨울 [토]	2:13:00	3:02:08	09 8:55:52	09 9:46:03
293	목금	토+양인(寅) 초봄 [목]	3:02:08	3:51:16	09 9:46:03	09 10:36:15
294	목기	토+양인(寅) 초봄 [목]	3:51:16	4:26:00	09 10:36:15	09 11:11:44
295	목수	토+양인(寅) 초봄 [목]	4:26:00	5:15:08	09 11:11:44	09 12:01:55
296	토목	토-음묘(卯) 한봄 [목]	5:15:08	5:49:52	09 12:01:55	09 12:37:24
297	토토	토-음묘(卯) 한봄 [목]	5:49:52	6:14:24	09 12:37:24	09 13:02:28
298	토화	토-음묘(卯) 한봄 [목]	6:14:24	6:49:08	09 13:02:28	09 13:37:56
299	토금	화+양진(辰) 늦봄 [토]	6:49:08	7:23:52	09 13:37:56	09 14:13:25
300	토기	화+양진(辰) 늦봄 [토]	7:23:52	7:48:24	09 14:13:25	09 14:38:29

음력큰달(30일)						
번호	36기운	12기운	음력1일 (日)시간	음력1일 (日)시간	날짜(음력) 시간(양력)	날짜(음력) 시간(양력)
301	토수	화+양진(辰) 늦봄 [토]	7:48:24	8:23:08	09 14:38:29	09 15:13:58
302	화목	화-음사(巳) 초여름 [화]	8:23:08	9:12:16	09 15:13:58	09 16:04:09
303	화토	화-음사(巳) 초여름 [화]	9:12:16	9:47:00	09 16:04:09	09 16:39:38
304	화화	화-음사(巳) 초여름 [화]	9:47:00	10:36:08	09 16:39:38	09 17:29:50
305	화금	금+양오(午) 한여름 [화]	10:36:08	11:25:16	09 17:29:50	09 18:20:01
306	화기	금+양오(午) 한여름 [화]	11:25:16	12:00:00	09 18:20:01	09 18:55:30
307	화수	금+양오(午) 한여름 [화]	12:00:00	12:49:08	09 18:55:30	09 19:45:41
308	금목	금-음미(未) 늦여름 [토]	12:49:08	13:38:16	09 19:45:41	09 20:35:53
309	금토	금-음미(未) 늦여름 [토]	13:38:16	14:13:00	09 20:35:53	09 21:11:22
310	금화	금-음미(未) 늦여름 [토]	14:13:00	15:02:08	09 21:11:22	09 22:01:33
311	금금	기+양신(申) 초가을 [금]	15:02:08	15:51:16	09 22:01:33	09 22:51:45
312	금기	기+양신(申) 초가을 [금]	15:51:16	16:26:00	09 22:51:45	09 23:27:14
313	금수	기+양신(申) 초가을 [금]	16:26:00	17:15:08	09 23:27:14	10 0:17:25

음력큰달(30일)						
번호	36기운	12기운	음력1일 (日)시간	음력1일 (日)시간	날짜(음력) 시간(양력)	날짜(음력) 시간(양력)
314	기목	기-음유(酉) 한가을 [금]	17:15:08	17:49:52	10 0:17:25	10 0:52:54
315	기토	기-음유(酉) 한가을 [금]	17:49:52	18:14:24	10 0:52:54	10 1:17:58
316	기화	기-음유(酉) 한가을 [금]	18:14:24	18:49:08	10 1:17:58	10 1:53:26
317	기금	수+양술(戌) 늦가을 [토]	18:49:08	19:23:52	10 1:53:26	10 2:28:55
318	기기	수+양술(戌) 늦가을 [토]	19:23:52	19:48:24	10 2:28:55	10 2:53:59
319	기수	수+양술(戌) 늦가을 [토]	19:48:24	20:23:08	10 2:53:59	10 3:29:28
320	수목	수-음해(亥) 초겨울 [수]	20:23:08	21:12:16	10 3:29:28	10 4:19:39
321	수토	수-음해(亥) 초겨울 [수]	21:12:16	21:47:00	10 4:19:39	10 4:55:08
322	수화	수-음해(亥) 초겨울 [수]	21:47:00	22:36:08	10 4:55:08	10 5:45:20
323	수금	목+양자(子) 한겨울 [수]	22:36:08	23:25:16	10 5:45:20	10 6:35:31
324	수기	목+양자(子) 한겨울 [수]	23:25:16	0:00:00	10 6:35:31	10 7:11:00
325	수수	목+양자(子) 한겨울 [수]	0:00:00	0:49:08	10 7:11:00	10 8:01:34
326	목목	목-음축(丑) 늦겨울 [토]	0:49:08	1:38:16	10 8:01:34	10 8:52:08

음력큰달(30일)						
번호	36기운	12기운	음력1일 (日)시간	음력1일 (日)시간	날짜(음력) 시간(양력)	날짜(음력) 시간(양력)
327	목토	목-음축(丑) 늦겨울 [토]	1:38:16	2:13:00	10 8:52:08	10 9:27:53
328	목화	목-음축(丑) 늦겨울 [토]	2:13:00	3:02:08	10 9:27:53	10 10:18:27
329	목금	토+양인(寅) 초봄 [목]	3:02:08	3:51:16	10 10:18:27	10 11:09:01
330	목기	토+양인(寅) 초봄 [목]	3:51:16	4:26:00	10 11:09:01	10 11:44:46
331	목수	토+양인(寅) 초봄 [목]	4:26:00	5:15:08	10 11:44:46	10 12:35:19
332	토목	토-음묘(卯) 한봄 [목]	5:15:08	5:49:52	10 12:35:19	10 13:11:04
333	토토	토-음묘(卯) 한봄 [목]	5:49:52	6:14:24	10 13:11:04	10 13:36:19
334	토화	토-음묘(卯) 한봄 [목]	6:14:24	6:49:08	10 13:36:19	10 14:12:04
335	토금	화+양진(辰) 늦봄 [토]	6:49:08	7:23:52	10 14:12:04	10 14:47:49
336	토기	화+양진(辰) 늦봄 [토]	7:23:52	7:48:24	10 14:47:49	10 15:13:04
337	토수	화+양진(辰) 늦봄 [토]	7:48:24	8:23:08	10 15:13:04	10 15:48:48
338	화목	화-음사(巳) 초여름 [화]	8:23:08	9:12:16	10 15:48:48	10 16:39:22
339	화토	화-음사(巳) 초여름 [화]	9:12:16	9:47:00	10 16:39:22	10 17:15:07

음력큰달(30일)						
번호	36기운	12기운	음력1일 (日)시간	음력1일 (日)시간	날짜(음력) 시간(양력)	날짜(음력) 시간(양력)
340	화화	화-음사(巳) 초여름 [화]	9:47:00	10:36:08	10 17:15:07	10 18:05:41
341	화금	금+양오(午) 한여름 [화]	10:36:08	11:25:16	10 18:05:41	10 18:56:15
342	화기	금+양오(午) 한여름 [화]	11:25:16	12:00:00	10 18:56:15	10 19:32:00
343	화수	금+양오(午) 한여름 [화]	12:00:00	12:49:08	10 19:32:00	10 20:22:34
344	금목	금-음미(未) 늦여름 [토]	12:49:08	13:38:16	10 20:22:34	10 21:13:08
345	금토	금-음미(未) 늦여름 [토]	13:38:16	14:13:00	10 21:13:08	10 21:48:53
346	금화	금-음미(未) 늦여름 [토]	14:13:00	15:02:08	10 21:48:53	10 22:39:27
347	금금	기+양신(申) 초가을 [금]	15:02:08	15:51:16	10 22:39:27	10 23:30:01
348	금기	기+양신(申) 초가을 [금]	15:51:16	16:26:00	10 23:30:01	11 0:05:46
349	금수	기+양신(申) 초가을 [금]	16:26:00	17:15:08	11 0:05:46	11 0:56:19
350	기목	기-음유(酉) 한가을 [금]	17:15:08	17:49:52	11 0:56:19	11 1:32:04
351	기토	기-음유(酉) 한가을 [금]	17:49:52	18:14:24	11 1:32:04	11 1:57:19
352	기화	기-음유(酉) 한가을 [금]	18:14:24	18:49:08	11 1:57:19	11 2:33:04

번호	36기운	12기운	음력1일(日)시간	음력1일(日)시간	날짜(음력)시간(양력)	날짜(음력)시간(양력)
			음력큰달(30일)			
353	기금	수+양술(戌) 늦가을 [토]	18:49:08	19:23:52	11 2:33:04	11 3:08:49
354	기기	수+양술(戌) 늦가을 [토]	19:23:52	19:48:24	11 3:08:49	11 3:34:04
355	기수	수+양술(戌) 늦가을 [토]	19:48:24	20:23:08	11 3:34:04	11 4:09:48
356	수목	수-음해(亥) 초겨울 [수]	20:23:08	21:12:16	11 4:09:48	11 5:00:22
357	수토	수-음해(亥) 초겨울 [수]	21:12:16	21:47:00	11 5:00:22	11 5:36:07
358	수화	수-음해(亥) 초겨울 [수]	21:47:00	22:36:08	11 5:36:07	11 6:26:41
359	수금	목+양자(子) 한겨울 [수]	22:36:08	23:25:16	11 6:26:41	11 7:17:15
360	수기	목+양자(子) 한겨울 [수]	23:25:16	0:00:00	11 7:17:15	11 7:53:00
361	수수	목+양자(子) 한겨울 [수]	0:00:00	0:49:08	11 7:53:00	11 8:44:07
362	목목	목-음축(丑) 늦겨울 [토]	0:49:08	1:38:16	11 8:44:07	11 9:35:13
363	목토	목-음축(丑) 늦겨울 [토]	1:38:16	2:13:00	11 9:35:13	11 10:11:21
364	목화	목-음축(丑) 늦겨울 [토]	2:13:00	3:02:08	11 10:11:21	11 11:02:28
365	목금	토+양인(寅) 초봄 [목]	3:02:08	3:51:16	11 11:02:28	11 11:53:35

음력큰달(30일)						
번호	36기운	12기운	음력1일 (日)시간	음력1일 (日)시간	날짜(음력) 시간(양력)	날짜(음력) 시간(양력)
366	목기	토+양인(寅) 초봄 [목]	3:51:16	4:26:00	11 11:53:35	11 12:29:43
367	목수	토+양인(寅) 초봄 [목]	4:26:00	5:15:08	11 12:29:43	11 13:20:50
368	토목	토-음묘(卯) 한봄 [목]	5:15:08	5:49:52	11 13:20:50	11 13:56:58
369	토토	토-음묘(卯) 한봄 [목]	5:49:52	6:14:24	11 13:56:58	11 14:22:29
370	토화	토-음묘(卯) 한봄 [목]	6:14:24	6:49:08	11 14:22:29	11 14:58:37
371	토금	화+양진(辰) 늦봄 [토]	6:49:08	7:23:52	11 14:58:37	11 15:34:45
372	토기	화+양진(辰) 늦봄 [토]	7:23:52	7:48:24	11 15:34:45	11 16:00:16
373	토수	화+양진(辰) 늦봄 [토]	7:48:24	8:23:08	11 16:00:16	11 16:36:24
374	화목	화-음사(巳) 초여름 [화]	8:23:08	9:12:16	11 16:36:24	11 17:27:31
375	화토	화-음사(巳) 초여름 [화]	9:12:16	9:47:00	11 17:27:31	11 18:03:39
376	화화	화-음사(巳) 초여름 [화]	9:47:00	10:36:08	11 18:03:39	11 18:54:45
377	화금	금+양오(午) 한여름 [화]	10:36:08	11:25:16	11 18:54:45	11 19:45:52
378	화기	금+양오(午) 한여름 [화]	11:25:16	12:00:00	11 19:45:52	11 20:22:00

\multicolumn{8}{c}{음력큰달(30일)}

번호	36기운	12기운	음력1일 (日)시간	음력1일 (日)시간	날짜(음력) 시간(양력)	날짜(음력) 시간(양력)
379	화수	금+양오(午) 한여름 [화]	12:00:00	12:49:08	11 20:22:00	11 21:13:07
380	금목	금-음미(未) 늦여름 [토]	12:49:08	13:38:16	11 21:13:07	11 22:04:13
381	금토	금-음미(未) 늦여름 [토]	13:38:16	14:13:00	11 22:04:13	11 22:40:21
382	금화	금-음미(未) 늦여름 [토]	14:13:00	15:02:08	11 22:40:21	11 23:31:28
383	금금	기+양신(申) 초가을 [금]	15:02:08	15:51:16	11 23:31:28	12 0:22:35
384	금기	기+양신(申) 초가을 [금]	15:51:16	16:26:00	12 0:22:35	12 0:58:43
385	금수	기+양신(申) 초가을 [금]	16:26:00	17:15:08	12 0:58:43	12 1:49:50
386	기목	기-음유(酉) 한가을 [금]	17:15:08	17:49:52	12 1:49:50	12 2:25:58
387	기토	기-음유(酉) 한가을 [금]	17:49:52	18:14:24	12 2:25:58	12 2:51:29
388	기화	기-음유(酉) 한가을 [금]	18:14:24	18:49:08	12 2:51:29	12 3:27:37
389	기금	수+양술(戌) 늦가을 [토]	18:49:08	19:23:52	12 3:27:37	12 4:03:45
390	기기	수+양술(戌) 늦가을 [토]	19:23:52	19:48:24	12 4:03:45	12 4:29:16
391	기수	수+양술(戌) 늦가을 [토]	19:48:24	20:23:08	12 4:29:16	12 5:05:24

음력큰달(30일)						
번호	36기운	12기운	음력1일 (日)시간	음력1일 (日)시간	날짜(음력) 시간(양력)	날짜(음력) 시간(양력)
392	수목	수-음해(亥) 초겨울 [수]	20:23:08	21:12:16	12 5:05:24	12 5:56:31
393	수토	수-음해(亥) 초겨울 [수]	21:12:16	21:47:00	12 5:56:31	12 6:32:39
394	수화	수-음해(亥) 초겨울 [수]	21:47:00	22:36:08	12 6:32:39	12 7:23:45
395	수금	목+양자(子) 한겨울 [수]	22:36:08	23:25:16	12 7:23:45	12 8:14:52
396	수기	목+양자(子) 한겨울 [수]	23:25:16	0:00:00	12 8:14:52	12 8:51:00
397	수수	목+양자(子) 한겨울 [수]	0:00:00	0:49:08	12 8:51:00	12 9:42:07
398	목목	목-음축(丑) 늦겨울 [토]	0:49:08	1:38:16	12 9:42:07	12 10:33:13
399	목토	목-음축(丑) 늦겨울 [토]	1:38:16	2:13:00	12 10:33:13	12 11:09:21
400	목화	목-음축(丑) 늦겨울 [토]	2:13:00	3:02:08	12 11:09:21	12 12:00:28
401	목금	토+양인(寅) 초봄 [목]	3:02:08	3:51:16	12 12:00:28	12 12:51:35
402	목기	토+양인(寅) 초봄 [목]	3:51:16	4:26:00	12 12:51:35	12 13:27:43
403	목수	토+양인(寅) 초봄 [목]	4:26:00	5:15:08	12 13:27:43	12 14:18:50
404	토목	토-음묘(卯) 한봄 [목]	5:15:08	5:49:52	12 14:18:50	12 14:54:58

			음력큰달(30일)			
번호	36기운	12기운	음력1일 (日)시간	음력1일 (日)시간	날짜(음력) 시간(양력)	날짜(음력) 시간(양력)
405	토토	토-음묘(卯) 한봄 [목]	5:49:52	6:14:24	12 14:54:58	12 15:20:29
406	토화	토-음묘(卯) 한봄 [목]	6:14:24	6:49:08	12 15:20:29	12 15:56:37
407	토금	화+양진(辰) 늦봄 [토]	6:49:08	7:23:52	12 15:56:37	12 16:32:45
408	토기	화+양진(辰) 늦봄 [토]	7:23:52	7:48:24	12 16:32:45	12 16:58:16
409	토수	화+양진(辰) 늦봄 [토]	7:48:24	8:23:08	12 16:58:16	12 17:34:24
410	화목	화-음사(巳) 초여름 [화]	8:23:08	9:12:16	12 17:34:24	12 18:25:31
411	화토	화-음사(巳) 초여름 [화]	9:12:16	9:47:00	12 18:25:31	12 19:01:39
412	화화	화-음사(巳) 초여름 [화]	9:47:00	10:36:08	12 19:01:39	12 19:52:45
413	화금	금+양오(午) 한여름 [화]	10:36:08	11:25:16	12 19:52:45	12 20:43:52
414	화기	금+양오(午) 한여름 [화]	11:25:16	12:00:00	12 20:43:52	12 21:20:00
415	화수	금+양오(午) 한여름 [화]	12:00:00	12:49:08	12 21:20:00	12 22:11:07
416	금목	금-음미(未) 늦여름 [토]	12:49:08	13:38:16	12 22:11:07	12 23:02:13
417	금토	금-음미(未) 늦여름 [토]	13:38:16	14:13:00	12 23:02:13	12 23:38:21

음력큰달(30일)						
번호	36기운	12기운	음력1일 (日)시간	음력1일 (日)시간	날짜(음력) 시간(양력)	날짜(음력) 시간(양력)
418	금화	금-음미(未) 늦여름 [토]	14:13:00	15:02:08	12 23:38:21	13 0:29:28
419	금금	기+양신(申) 초가을 [금]	15:02:08	15:51:16	13 0:29:28	13 1:20:35
420	금기	기+양신(申) 초가을 [금]	15:51:16	16:26:00	13 1:20:35	13 1:56:43
421	금수	기+양신(申) 초가을 [금]	16:26:00	17:15:08	13 1:56:43	13 2:47:50
422	기목	기-음유(酉) 한가을 [금]	17:15:08	17:49:52	13 2:47:50	13 3:23:58
423	기토	기-음유(酉) 한가을 [금]	17:49:52	18:14:24	13 3:23:58	13 3:49:29
424	기화	기-음유(酉) 한가을 [금]	18:14:24	18:49:08	13 3:49:29	13 4:25:37
425	기금	수+양술(戌) 늦가을 [토]	18:49:08	19:23:52	13 4:25:37	13 5:01:45
426	기기	수+양술(戌) 늦가을 [토]	19:23:52	19:48:24	13 5:01:45	13 5:27:16
427	기수	수+양술(戌) 늦가을 [토]	19:48:24	20:23:08	13 5:27:16	13 6:03:24
428	수목	수-음해(亥) 초겨울 [수]	20:23:08	21:12:16	13 6:03:24	13 6:54:31
429	수토	수-음해(亥) 초겨울 [수]	21:12:16	21:47:00	13 6:54:31	13 7:30:39
430	수화	수-음해(亥) 초겨울 [수]	21:47:00	22:36:08	13 7:30:39	13 8:21:45

			음력큰달(30일)			
번호	36기운	12기운	음력1일 (日)시간	음력1일 (日)시간	날짜(음력) 시간(양력)	날짜(음력) 시간(양력)
431	수금	목+양자(子) 한겨울 [수]	22:36:08	23:25:16	13 8:21:45	13 9:12:52
432	수기	목+양자(子) 한겨울 [수]	23:25:16	0:00:00	13 9:12:52	13 9:49:00
433	수수	목+양자(子) 한겨울 [수]	0:00:00	0:49:08	13 9:49:00	13 10:40:07
434	목목	목-음축(丑) 늦겨울 [토]	0:49:08	1:38:16	13 10:40:07	13 11:31:13
435	목토	목-음축(丑) 늦겨울 [토]	1:38:16	2:13:00	13 11:31:13	13 12:07:21
436	목화	목-음축(丑) 늦겨울 [토]	2:13:00	3:02:08	13 12:07:21	13 12:58:28
437	목금	토+양인(寅) 초봄 [목]	3:02:08	3:51:16	13 12:58:28	13 13:49:35
438	목기	토+양인(寅) 초봄 [목]	3:51:16	4:26:00	13 13:49:35	13 14:25:43
439	목수	토+양인(寅) 초봄 [목]	4:26:00	5:15:08	13 14:25:43	13 15:16:50
440	토목	토-음묘(卯) 한봄 [목]	5:15:08	5:49:52	13 15:16:50	13 15:52:58
441	토토	토-음묘(卯) 한봄 [목]	5:49:52	6:14:24	13 15:52:58	13 16:18:29
442	토화	토-음묘(卯) 한봄 [목]	6:14:24	6:49:08	13 16:18:29	13 16:54:37
443	토금	화+양진(辰) 늦봄 [토]	6:49:08	7:23:52	13 16:54:37	13 17:30:45

			음력큰달(30일)			
번호	36기운	12기운	음력1일 (日)시간	음력1일 (日)시간	날짜(음력) 시간(양력)	날짜(음력) 시간(양력)
444	토기	화+양진(辰) 늦봄 [토]	7:23:52	7:48:24	13 17:30:45	13 17:56:16
445	토수	화+양진(辰) 늦봄 [토]	7:48:24	8:23:08	13 17:56:16	13 18:32:24
446	화목	화-음사(巳) 초여름 [화]	8:23:08	9:12:16	13 18:32:24	13 19:23:31
447	화토	화-음사(巳) 초여름 [화]	9:12:16	9:47:00	13 19:23:31	13 19:59:39
448	화화	화-음사(巳) 초여름 [화]	9:47:00	10:36:08	13 19:59:39	13 20:50:45
449	화금	금+양오(午) 한여름 [화]	10:36:08	11:25:16	13 20:50:45	13 21:41:52
450	화기	금+양오(午) 한여름 [화]	11:25:16	12:00:00	13 21:41:52	13 22:18:00
451	화수	금+양오(午) 한여름 [화]	12:00:00	12:49:08	13 22:18:00	13 23:09:07
452	금목	금-음미(未) 늦여름 [토]	12:49:08	13:38:16	13 23:09:07	14 0:00:13
453	금토	금-음미(未) 늦여름 [토]	13:38:16	14:13:00	14 0:00:13	14 0:36:21
454	금화	금-음미(未) 늦여름 [토]	14:13:00	15:02:08	14 0:36:21	14 1:27:28
455	금금	기+양신(申) 초가을 [금]	15:02:08	15:51:16	14 1:27:28	14 2:18:35
456	금기	기+양신(申) 초가을 [금]	15:51:16	16:26:00	14 2:18:35	14 2:54:43

			음력큰달(30일)			
번호	36기운	12기운	음력1일 (日)시간	음력1일 (日)시간	날짜(음력) 시간(양력)	날짜(음력) 시간(양력)
457	금수	기+양신(申) 초가을 [금]	16:26:00	17:15:08	14 2:54:43	14 3:45:50
458	기목	기-음유(酉) 한가을 [금]	17:15:08	17:49:52	14 3:45:50	14 4:21:58
459	기토	기-음유(酉) 한가을 [금]	17:49:52	18:14:24	14 4:21:58	14 4:47:29
460	기화	기-음유(酉) 한가을 [금]	18:14:24	18:49:08	14 4:47:29	14 5:23:37
461	기금	수+양술(戌) 늦가을 [토]	18:49:08	19:23:52	14 5:23:37	14 5:59:45
462	기기	수+양술(戌) 늦가을 [토]	19:23:52	19:48:24	14 5:59:45	14 6:25:16
463	기수	수+양술(戌) 늦가을 [토]	19:48:24	20:23:08	14 6:25:16	14 7:01:24
464	수목	수-음해(亥) 초겨울 [수]	20:23:08	21:12:16	14 7:01:24	14 7:52:31
465	수토	수-음해(亥) 초겨울 [수]	21:12:16	21:47:00	14 7:52:31	14 8:28:39
466	수화	수-음해(亥) 초겨울 [수]	21:47:00	22:36:08	14 8:28:39	14 9:19:45
467	수금	목+양자(子) 한겨울 [수]	22:36:08	23:25:16	14 9:19:45	14 10:10:52
468	수기	목+양자(子) 한겨울 [수]	23:25:16	0:00:00	14 10:10:52	14 10:47:00
469	수수	목+양자(子) 한겨울 [수]	0:00:00	0:49:08	14 10:47:00	14 11:37:38

			음력큰달(30일)			
번호	36기운	12기운	음력1일 (日)시간	음력1일 (日)시간	날짜(음력) 시간(양력)	날짜(음력) 시간(양력)
470	목목	목-음축(丑) 늦겨울 [토]	0:49:08	1:38:16	14 11:37:38	14 12:28:16
471	목토	목-음축(丑) 늦겨울 [토]	1:38:16	2:13:00	14 12:28:16	14 13:04:04
472	목화	목-음축(丑) 늦겨울 [토]	2:13:00	3:02:08	14 13:04:04	14 13:54:42
473	목금	토+양인(寅) 초봄 [목]	3:02:08	3:51:16	14 13:54:42	14 14:45:20
474	목기	토+양인(寅) 초봄 [목]	3:51:16	4:26:00	14 14:45:20	14 15:21:08
475	목수	토+양인(寅) 초봄 [목]	4:26:00	5:15:08	14 15:21:08	14 16:11:46
476	토목	토-음묘(卯) 한봄 [목]	5:15:08	5:49:52	14 16:11:46	14 16:47:33
477	토토	토-음묘(卯) 한봄 [목]	5:49:52	6:14:24	14 16:47:33	14 17:12:50
478	토화	토-음묘(卯) 한봄 [목]	6:14:24	6:49:08	14 17:12:50	14 17:48:38
479	토금	화+양진(辰) 늦봄 [토]	6:49:08	7:23:52	14 17:48:38	14 18:24:26
480	토기	화+양진(辰) 늦봄 [토]	7:23:52	7:48:24	14 18:24:26	14 18:49:43
481	토수	화+양진(辰) 늦봄 [토]	7:48:24	8:23:08	14 18:49:43	14 19:25:30
482	화목	화-음사(巳) 초여름 [화]	8:23:08	9:12:16	14 19:25:30	14 20:16:08

			음력큰달(30일)			
번호	36기운	12기운	음력1일 (日)시간	음력1일 (日)시간	날짜(음력) 시간(양력)	날짜(음력) 시간(양력)
483	화토	화-음사(巳) 초여름 [화]	9:12:16	9:47:00	14 20:16:08	14 20:51:56
484	화화	화-음사(巳) 초여름 [화]	9:47:00	10:36:08	14 20:51:56	14 21:42:34
485	화금	금+양오(午) 한여름 [화]	10:36:08	11:25:16	14 21:42:34	14 22:33:12
486	화기	금+양오(午) 한여름 [화]	11:25:16	12:00:00	14 22:33:12	14 23:09:00
487	화수	금+양오(午) 한여름 [화]	12:00:00	12:49:08	14 23:09:00	14 23:59:38
488	금목	금-음미(未) 늦여름 [토]	12:49:08	13:38:16	14 23:59:38	15 0:50:16
489	금토	금-음미(未) 늦여름 [토]	13:38:16	14:13:00	15 0:50:16	15 1:26:04
490	금화	금-음미(未) 늦여름 [토]	14:13:00	15:02:08	15 1:26:04	15 2:16:42
491	금금	기+양신(申) 초가을 [금]	15:02:08	15:51:16	15 2:16:42	15 3:07:20
492	금기	기+양신(申) 초가을 [금]	15:51:16	16:26:00	15 3:07:20	15 3:43:08
493	금수	기+양신(申) 초가을 [금]	16:26:00	17:15:08	15 3:43:08	15 4:33:46
494	기목	기-음유(酉) 한가을 [금]	17:15:08	17:49:52	15 4:33:46	15 5:09:33
495	기토	기-음유(酉) 한가을 [금]	17:49:52	18:14:24	15 5:09:33	15 5:34:50

음력큰달(30일)						
번호	36기운	12기운	음력1일 (日)시간	음력1일 (日)시간	날짜(음력) 시간(양력)	날짜(음력) 시간(양력)
496	기화	기-음유(酉) 한가을 [금]	18:14:24	18:49:08	15 5:34:50	15 6:10:38
497	기금	수+양술(戌) 늦가을 [토]	18:49:08	19:23:52	15 6:10:38	15 6:46:26
498	기기	수+양술(戌) 늦가을 [토]	19:23:52	19:48:24	15 6:46:26	15 7:11:43
499	기수	수+양술(戌) 늦가을 [토]	19:48:24	20:23:08	15 7:11:43	15 7:47:30
500	수목	수-음해(亥) 초겨울 [수]	20:23:08	21:12:16	15 7:47:30	15 8:38:08
501	수토	수-음해(亥) 초겨울 [수]	21:12:16	21:47:00	15 8:38:08	15 9:13:56
502	수화	수-음해(亥) 초겨울 [수]	21:47:00	22:36:08	15 9:13:56	15 10:04:34
503	수금	목+양자(子) 한겨울 [수]	22:36:08	23:25:16	15 10:04:34	15 10:55:12
504	수기	목+양자(子) 한겨울 [수]	23:25:16	0:00:00	15 10:55:12	15 11:31:00
505	수수	목+양자(子) 한겨울 [수]	0:00:00	0:49:08	15 11:31:00	15 12:22:07
506	목목	목-음축(丑) 늦겨울 [토]	0:49:08	1:38:16	15 12:22:07	15 13:13:13
507	목토	목-음축(丑) 늦겨울 [토]	1:38:16	2:13:00	15 13:13:13	15 13:49:21
508	목화	목-음축(丑) 늦겨울 [토]	2:13:00	3:02:08	15 13:49:21	15 14:40:28

음력큰달(30일)						
번호	36기운	12기운	음력1일 (日)시간	음력1일 (日)시간	날짜(음력) 시간(양력)	날짜(음력) 시간(양력)
509	목금	토+양인(寅) 초봄 [목]	3:02:08	3:51:16	15 14:40:28	15 15:31:35
510	목기	토+양인(寅) 초봄 [목]	3:51:16	4:26:00	15 15:31:35	15 16:07:43
511	목수	토+양인(寅) 초봄 [목]	4:26:00	5:15:08	15 16:07:43	15 16:58:50
512	토목	토-음묘(卯) 한봄 [목]	5:15:08	5:49:52	15 16:58:50	15 17:34:58
513	토토	토-음묘(卯) 한봄 [목]	5:49:52	6:14:24	15 17:34:58	15 18:00:29
514	토화	토-음묘(卯) 한봄 [목]	6:14:24	6:49:08	15 18:00:29	15 18:36:37
515	토금	화+양진(辰) 늦봄 [토]	6:49:08	7:23:52	15 18:36:37	15 19:12:45
516	토기	화+양진(辰) 늦봄 [토]	7:23:52	7:48:24	15 19:12:45	15 19:38:16
517	토수	화+양진(辰) 늦봄 [토]	7:48:24	8:23:08	15 19:38:16	15 20:14:24
518	화목	화-음사(巳) 초여름 [화]	8:23:08	9:12:16	15 20:14:24	15 21:05:31
519	화토	화-음사(巳) 초여름 [화]	9:12:16	9:47:00	15 21:05:31	15 21:41:39
520	화화	화-음사(巳) 초여름 [화]	9:47:00	10:36:08	15 21:41:39	15 22:32:45
521	화금	금+양오(午) 한여름 [화]	10:36:08	11:25:16	15 22:32:45	15 23:23:52

음력큰달(30일)						
번호	36기운	12기운	음력1일 (日)시간	음력1일 (日)시간	날짜(음력) 시간(양력)	날짜(음력) 시간(양력)
522	화기	금+양오(午) 한여름 [화]	11:25:16	12:00:00	15 23:23:52	16 0:00:00
523	화수	금+양오(午) 한여름 [화]	12:00:00	12:49:08	16 0:00:00	16 0:51:07
524	금목	금-음미(未) 늦여름 [토]	12:49:08	13:38:16	16 0:51:07	16 1:42:13
525	금토	금-음미(未) 늦여름 [토]	13:38:16	14:13:00	16 1:42:13	16 2:18:21
526	금화	금-음미(未) 늦여름 [토]	14:13:00	15:02:08	16 2:18:21	16 3:09:28
527	금금	기+양신(申) 초가을 [금]	15:02:08	15:51:16	16 3:09:28	16 4:00:35
528	금기	기+양신(申) 초가을 [금]	15:51:16	16:26:00	16 4:00:35	16 4:36:43
529	금수	기+양신(申) 초가을 [금]	16:26:00	17:15:08	16 4:36:43	16 5:27:50
530	기목	기-음유(酉) 한가을 [금]	17:15:08	17:49:52	16 5:27:50	16 6:03:58
531	기토	기-음유(酉) 한가을 [금]	17:49:52	18:14:24	16 6:03:58	16 6:29:29
532	기화	기-음유(酉) 한가을 [금]	18:14:24	18:49:08	16 6:29:29	16 7:05:37
533	기금	수+양술(戌) 늦가을 [토]	18:49:08	19:23:52	16 7:05:37	16 7:41:45
534	기기	수+양술(戌) 늦가을 [토]	19:23:52	19:48:24	16 7:41:45	16 8:07:16

음력큰달(30일)						
번호	36기운	12기운	음력1일 (日)시간	음력1일 (日)시간	날짜(음력) 시간(양력)	날짜(음력) 시간(양력)
535	기수	수+양술(戌) 늦가을 [토]	19:48:24	20:23:08	16 8:07:16	16 8:43:24
536	수목	수-음해(亥) 초겨울 [수]	20:23:08	21:12:16	16 8:43:24	16 9:34:31
537	수토	수-음해(亥) 초겨울 [수]	21:12:16	21:47:00	16 9:34:31	16 10:10:39
538	수화	수-음해(亥) 초겨울 [수]	21:47:00	22:36:08	16 10:10:39	16 11:01:45
539	수금	목+양자(子) 한겨울 [수]	22:36:08	23:25:16	16 11:01:45	16 11:52:52
540	수기	목+양자(子) 한겨울 [수]	23:25:16	0:00:00	16 11:52:52	16 12:29:00
541	수수	목+양자(子) 한겨울 [수]	0:00:00	0:49:08	16 12:29:00	16 13:20:07
542	목목	목-음축(丑) 늦겨울 [토]	0:49:08	1:38:16	16 13:20:07	16 14:11:13
543	목토	목-음축(丑) 늦겨울 [토]	1:38:16	2:13:00	16 14:11:13	16 14:47:21
544	목화	목-음축(丑) 늦겨울 [토]	2:13:00	3:02:08	16 14:47:21	16 15:38:28
545	목금	토+양인(寅) 초봄 [목]	3:02:08	3:51:16	16 15:38:28	16 16:29:35
546	목기	토+양인(寅) 초봄 [목]	3:51:16	4:26:00	16 16:29:35	16 17:05:43
547	목수	토+양인(寅) 초봄 [목]	4:26:00	5:15:08	16 17:05:43	16 17:56:50

			음력큰달(30일)			
번호	36기운	12기운	음력1일 (日)시간	음력1일 (日)시간	날짜(음력) 시간(양력)	날짜(음력) 시간(양력)
548	토목	토-음묘(卯) 한봄 [목]	5:15:08	5:49:52	16　17:56:50	16　18:32:58
549	토토	토-음묘(卯) 한봄 [목]	5:49:52	6:14:24	16　18:32:58	16　18:58:29
550	토화	토-음묘(卯) 한봄 [목]	6:14:24	6:49:08	16　18:58:29	16　19:34:37
551	토금	화+양진(辰) 늦봄 [토]	6:49:08	7:23:52	16　19:34:37	16　20:10:45
552	토기	화+양진(辰) 늦봄 [토]	7:23:52	7:48:24	16　20:10:45	16　20:36:16
553	토수	화+양진(辰) 늦봄 [토]	7:48:24	8:23:08	16　20:36:16	16　21:12:24
554	화목	화-음사(巳) 초여름 [화]	8:23:08	9:12:16	16　21:12:24	16　22:03:31
555	화토	화-음사(巳) 초여름 [화]	9:12:16	9:47:00	16　22:03:31	16　22:39:39
556	화화	화-음사(巳) 초여름 [화]	9:47:00	10:36:08	16　22:39:39	16　23:30:45
557	화금	금+양오(午) 한여름 [화]	10:36:08	11:25:16	16　23:30:45	17　0:21:52
558	화기	금+양오(午) 한여름 [화]	11:25:16	12:00:00	17　0:21:52	17　0:58:00
559	화수	금+양오(午) 한여름 [화]	12:00:00	12:49:08	17　0:58:00	17　1:49:07
560	금목	금-음미(未) 늦여름 [토]	12:49:08	13:38:16	17　1:49:07	17　2:40:13

			음력큰달(30일)			
번호	36기운	12기운	음력1일 (日)시간	음력1일 (日)시간	날짜(음력) 시간(양력)	날짜(음력) 시간(양력)
561	금토	금-음미(未) 늦여름 [토]	13:38:16	14:13:00	17 2:40:13	17 3:16:21
562	금화	금-음미(未) 늦여름 [토]	14:13:00	15:02:08	17 3:16:21	17 4:07:28
563	금금	기+양신(申) 초가을 [금]	15:02:08	15:51:16	17 4:07:28	17 4:58:35
564	금기	기+양신(申) 초가을 [금]	15:51:16	16:26:00	17 4:58:35	17 5:34:43
565	금수	기+양신(申) 초가을 [금]	16:26:00	17:15:08	17 5:34:43	17 6:25:50
566	기목	기-음유(酉) 한가을 [금]	17:15:08	17:49:52	17 6:25:50	17 7:01:58
567	기토	기-음유(酉) 한가을 [금]	17:49:52	18:14:24	17 7:01:58	17 7:27:29
568	기화	기-음유(酉) 한가을 [금]	18:14:24	18:49:08	17 7:27:29	17 8:03:37
569	기금	수+양술(戌) 늦가을 [토]	18:49:08	19:23:52	17 8:03:37	17 8:39:45
570	기기	수+양술(戌) 늦가을 [토]	19:23:52	19:48:24	17 8:39:45	17 9:05:16
571	기수	수+양술(戌) 늦가을 [토]	19:48:24	20:23:08	17 9:05:16	17 9:41:24
572	수목	수-음해(亥) 초겨울 [수]	20:23:08	21:12:16	17 9:41:24	17 10:32:31
573	수토	수-음해(亥) 초겨울 [수]	21:12:16	21:47:00	17 10:32:31	17 11:08:39

			음력큰달(30일)			
번호	36기운	12기운	음력1일 (日)시간	음력1일 (日)시간	날짜(음력) 시간(양력)	날짜(음력) 시간(양력)
574	수화	수-음해(亥) 초겨울 [수]	21:47:00	22:36:08	17 11:08:39	17 11:59:45
575	수금	목+양자(子) 한겨울 [수]	22:36:08	23:25:16	17 11:59:45	17 12:50:52
576	수기	목+양자(子) 한겨울 [수]	23:25:16	0:00:00	17 12:50:52	17 13:27:00
577	수수	목+양자(子) 한겨울 [수]	0:00:00	0:49:08	17 13:27:00	17 14:18:07
578	목목	목-음축(丑) 늦겨울 [토]	0:49:08	1:38:16	17 14:18:07	17 15:09:13
579	목토	목-음축(丑) 늦겨울 [토]	1:38:16	2:13:00	17 15:09:13	17 15:45:21
580	목화	목-음축(丑) 늦겨울 [토]	2:13:00	3:02:08	17 15:45:21	17 16:36:28
581	목금	토+양인(寅) 초봄 [목]	3:02:08	3:51:16	17 16:36:28	17 17:27:35
582	목기	토+양인(寅) 초봄 [목]	3:51:16	4:26:00	17 17:27:35	17 18:03:43
583	목수	토+양인(寅) 초봄 [목]	4:26:00	5:15:08	17 18:03:43	17 18:54:50
584	토목	토-음묘(卯) 한봄 [목]	5:15:08	5:49:52	17 18:54:50	17 19:30:58
585	토토	토-음묘(卯) 한봄 [목]	5:49:52	6:14:24	17 19:30:58	17 19:56:29
586	토화	토-음묘(卯) 한봄 [목]	6:14:24	6:49:08	17 19:56:29	17 20:32:37

			음력큰달(30일)			
번호	36기운	12기운	음력1일 (日)시간	음력1일 (日)시간	날짜(음력) 시간(양력)	날짜(음력) 시간(양력)
587	토금	화+양진(辰) 늦봄 [토]	6:49:08	7:23:52	17 20:32:37	17 21:08:45
588	토기	화+양진(辰) 늦봄 [토]	7:23:52	7:48:24	17 21:08:45	17 21:34:16
589	토수	화+양진(辰) 늦봄 [토]	7:48:24	8:23:08	17 21:34:16	17 22:10:24
590	화목	화-음사(巳) 초여름 [화]	8:23:08	9:12:16	17 22:10:24	17 23:01:31
591	화토	화-음사(巳) 초여름 [화]	9:12:16	9:47:00	17 23:01:31	17 23:37:39
592	화화	화-음사(巳) 초여름 [화]	9:47:00	10:36:08	17 23:37:39	18 0:28:45
593	화금	금+양오(午) 한여름 [화]	10:36:08	11:25:16	18 0:28:45	18 1:19:52
594	화기	금+양오(午) 한여름 [화]	11:25:16	12:00:00	18 1:19:52	18 1:56:00
595	화수	금+양오(午) 한여름 [화]	12:00:00	12:49:08	18 1:56:00	18 2:47:07
596	금목	금-음미(未) 늦여름 [토]	12:49:08	13:38:16	18 2:47:07	18 3:38:13
597	금토	금-음미(未) 늦여름 [토]	13:38:16	14:13:00	18 3:38:13	18 4:14:21
598	금화	금-음미(未) 늦여름 [토]	14:13:00	15:02:08	18 4:14:21	18 5:05:28
599	금금	기+양신(申) 초가을 [금]	15:02:08	15:51:16	18 5:05:28	18 5:56:35

음력큰달(30일)						
번호	36기운	12기운	음력1일 (日)시간	음력1일 (日)시간	날짜(음력) 시간(양력)	날짜(음력) 시간(양력)
600	금기	기+양신(申) 초가을 [금]	15:51:16	16:26:00	18 5:56:35	18 6:32:43
601	금수	기+양신(申) 초가을 [금]	16:26:00	17:15:08	18 6:32:43	18 7:23:50
602	기목	기-음유(酉) 한가을 [금]	17:15:08	17:49:52	18 7:23:50	18 7:59:58
603	기토	기-음유(酉) 한가을 [금]	17:49:52	18:14:24	18 7:59:58	18 8:25:29
604	기화	기-음유(酉) 한가을 [금]	18:14:24	18:49:08	18 8:25:29	18 9:01:37
605	기금	수+양술(戌) 늦가을 [토]	18:49:08	19:23:52	18 9:01:37	18 9:37:45
606	기기	수+양술(戌) 늦가을 [토]	19:23:52	19:48:24	18 9:37:45	18 10:03:16
607	기수	수+양술(戌) 늦가을 [토]	19:48:24	20:23:08	18 10:03:16	18 10:39:24
608	수목	수-음해(亥) 초겨울 [수]	20:23:08	21:12:16	18 10:39:24	18 11:30:31
609	수토	수-음해(亥) 초겨울 [수]	21:12:16	21:47:00	18 11:30:31	18 12:06:39
610	수화	수-음해(亥) 초겨울 [수]	21:47:00	22:36:08	18 12:06:39	18 12:57:45
611	수금	목+양자(子) 한겨울 [수]	22:36:08	23:25:16	18 12:57:45	18 13:48:52
612	수기	목+양자(子) 한겨울 [수]	23:25:16	0:00:00	18 13:48:52	18 14:25:00

음력큰달(30일)						
번호	36기운	12기운	음력1일 (日)시간	음력1일 (日)시간	날짜(음력) 시간(양력)	날짜(음력) 시간(양력)
613	수수	목+양자(子) 한겨울 [수]	0:00:00	0:49:08	18 14:25:00	18 15:16:05
614	목목	목-음축(丑) 늦겨울 [토]	0:49:08	1:38:16	18 15:16:05	18 16:07:09
615	목토	목-음축(丑) 늦겨울 [토]	1:38:16	2:13:00	18 16:07:09	18 16:43:16
616	목화	목-음축(丑) 늦겨울 [토]	2:13:00	3:02:08	18 16:43:16	18 17:34:21
617	목금	토+양인(寅) 초봄 [목]	3:02:08	3:51:16	18 17:34:21	18 18:25:25
618	목기	토+양인(寅) 초봄 [목]	3:51:16	4:26:00	18 18:25:25	18 19:01:32
619	목수	토+양인(寅) 초봄 [목]	4:26:00	5:15:08	18 19:01:32	18 19:52:36
620	토목	토-음묘(卯) 한봄 [목]	5:15:08	5:49:52	18 19:52:36	18 20:28:43
621	토토	토-음묘(卯) 한봄 [목]	5:49:52	6:14:24	18 20:28:43	18 20:54:13
622	토화	토-음묘(卯) 한봄 [목]	6:14:24	6:49:08	18 20:54:13	18 21:30:20
623	토금	화+양진(辰) 늦봄 [토]	6:49:08	7:23:52	18 21:30:20	18 22:06:26
624	토기	화+양진(辰) 늦봄 [토]	7:23:52	7:48:24	18 22:06:26	18 22:31:56
625	토수	화+양진(辰) 늦봄 [토]	7:48:24	8:23:08	18 22:31:56	18 23:08:03

음력큰달(30일)						
번호	36기운	12기운	음력1일 (日)시간	음력1일 (日)시간	날짜(음력) 시간(양력)	날짜(음력) 시간(양력)
626	화목	화-음사(巳) 초여름 [화]	8:23:08	9:12:16	18 23:08:03	18 23:59:08
627	화토	화-음사(巳) 초여름 [화]	9:12:16	9:47:00	18 23:59:08	19 0:35:14
628	화화	화-음사(巳) 초여름 [화]	9:47:00	10:36:08	19 0:35:14	19 1:26:19
629	화금	금+양오(午) 한여름 [화]	10:36:08	11:25:16	19 1:26:19	19 2:17:24
630	화기	금+양오(午) 한여름 [화]	11:25:16	12:00:00	19 2:17:24	19 2:53:30
631	화수	금+양오(午) 한여름 [화]	12:00:00	12:49:08	19 2:53:30	19 3:44:35
632	금목	금-음미(未) 늦여름 [토]	12:49:08	13:38:16	19 3:44:35	19 4:35:39
633	금토	금-음미(未) 늦여름 [토]	13:38:16	14:13:00	19 4:35:39	19 5:11:46
634	금화	금-음미(未) 늦여름 [토]	14:13:00	15:02:08	19 5:11:46	19 6:02:51
635	금금	기+양신(申) 초가을 [금]	15:02:08	15:51:16	19 6:02:51	19 6:53:55
636	금기	기+양신(申) 초가을 [금]	15:51:16	16:26:00	19 6:53:55	19 7:30:02
637	금수	기+양신(申) 초가을 [금]	16:26:00	17:15:08	19 7:30:02	19 8:21:06
638	기목	기-음유(酉) 한가을 [금]	17:15:08	17:49:52	19 8:21:06	19 8:57:13

번호	36기운	12기운	음력1일 (日)시간	음력1일 (日)시간	날짜(음력) 시간(양력)	날짜(음력) 시간(양력)
639	기토	기-음유(酉) 한가을 [금]	17:49:52	18:14:24	19 8:57:13	19 9:22:43
640	기화	기-음유(酉) 한가을 [금]	18:14:24	18:49:08	19 9:22:43	19 9:58:50
641	기금	수+양술(戌) 늦가을 [토]	18:49:08	19:23:52	19 9:58:50	19 10:34:56
642	기기	수+양술(戌) 늦가을 [토]	19:23:52	19:48:24	19 10:34:56	19 11:00:26
643	기수	수+양술(戌) 늦가을 [토]	19:48:24	20:23:08	19 11:00:26	19 11:36:33
644	수목	수-음해(亥) 초겨울 [수]	20:23:08	21:12:16	19 11:36:33	19 12:27:38
645	수토	수-음해(亥) 초겨울 [수]	21:12:16	21:47:00	19 12:27:38	19 13:03:44
646	수화	수-음해(亥) 초겨울 [수]	21:47:00	22:36:08	19 13:03:44	19 13:54:49
647	수금	목+양자(子) 한겨울 [수]	22:36:08	23:25:16	19 13:54:49	19 14:45:54
648	수기	목+양자(子) 한겨울 [수]	23:25:16	0:00:00	19 14:45:54	19 15:22:00
649	수수	목+양자(子) 한겨울 [수]	0:00:00	0:49:08	19 15:22:00	19 16:12:36
650	목목	목-음축(丑) 늦겨울 [토]	0:49:08	1:38:16	19 16:12:36	19 17:03:12
651	목토	목-음축(丑) 늦겨울 [토]	1:38:16	2:13:00	19 17:03:12	19 17:38:58

음력큰달(30일)

			음력큰달(30일)			
번호	36기운	12기운	음력1일 (日)시간	음력1일 (日)시간	날짜(음력) 시간(양력)	날짜(음력) 시간(양력)
652	목화	목-음축(丑) 늦겨울 [토]	2:13:00	3:02:08	19 17:38:58	19 18:29:34
653	목금	토+양인(寅) 초봄 [목]	3:02:08	3:51:16	19 18:29:34	19 19:20:10
654	목기	토+양인(寅) 초봄 [목]	3:51:16	4:26:00	19 19:20:10	19 19:55:57
655	목수	토+양인(寅) 초봄 [목]	4:26:00	5:15:08	19 19:55:57	19 20:46:33
656	토목	토-음묘(卯) 한봄 [목]	5:15:08	5:49:52	19 20:46:33	19 21:22:19
657	토토	토-음묘(卯) 한봄 [목]	5:49:52	6:14:24	19 21:22:19	19 21:47:35
658	토화	토-음묘(卯) 한봄 [목]	6:14:24	6:49:08	19 21:47:35	19 22:23:21
659	토금	화+양진(辰) 늦봄 [토]	6:49:08	7:23:52	19 22:23:21	19 22:59:07
660	토기	화+양진(辰) 늦봄 [토]	7:23:52	7:48:24	19 22:59:07	19 23:24:23
661	토수	화+양진(辰) 늦봄 [토]	7:48:24	8:23:08	19 23:24:23	20 0:00:09
662	화목	화-음사(巳) 초여름 [화]	8:23:08	9:12:16	20 0:00:09	20 0:50:45
663	화토	화-음사(巳) 초여름 [화]	9:12:16	9:47:00	20 0:50:45	20 1:26:32
664	화화	화-음사(巳) 초여름 [화]	9:47:00	10:36:08	20 1:26:32	20 2:17:08

음력큰달(30일)						
번호	36기운	12기운	음력1일 (日)시간	음력1일 (日)시간	날짜(음력) 시간(양력)	날짜(음력) 시간(양력)
665	화금	금+양오(午) 한여름 [화]	10:36:08	11:25:16	20 2:17:08	20 3:07:44
666	화기	금+양오(午) 한여름 [화]	11:25:16	12:00:00	20 3:07:44	20 3:43:30
667	화수	금+양오(午) 한여름 [화]	12:00:00	12:49:08	20 3:43:30	20 4:34:06
668	금목	금-음미(未) 늦여름 [토]	12:49:08	13:38:16	20 4:34:06	20 5:24:42
669	금토	금-음미(未) 늦여름 [토]	13:38:16	14:13:00	20 5:24:42	20 6:00:28
670	금화	금-음미(未) 늦여름 [토]	14:13:00	15:02:08	20 6:00:28	20 6:51:04
671	금금	기+양신(申) 초가을 [금]	15:02:08	15:51:16	20 6:51:04	20 7:41:40
672	금기	기+양신(申) 초가을 [금]	15:51:16	16:26:00	20 7:41:40	20 8:17:27
673	금수	기+양신(申) 초가을 [금]	16:26:00	17:15:08	20 8:17:27	20 9:08:03
674	기목	기-음유(酉) 한가을 [금]	17:15:08	17:49:52	20 9:08:03	20 9:43:49
675	기토	기-음유(酉) 한가을 [금]	17:49:52	18:14:24	20 9:43:49	20 10:09:05
676	기화	기-음유(酉) 한가을 [금]	18:14:24	18:49:08	20 10:09:05	20 10:44:51
677	기금	수+양술(戌) 늦가을 [토]	18:49:08	19:23:52	20 10:44:51	20 11:20:37

음력큰달(30일)						
번호	36기운	12기운	음력1일 (日)시간	음력1일 (日)시간	날짜(음력) 시간(양력)	날짜(음력) 시간(양력)
678	기기	수+양술(戌) 늦가을 [토]	19:23:52	19:48:24	20 11:20:37	20 11:45:53
679	기수	수+양술(戌) 늦가을 [토]	19:48:24	20:23:08	20 11:45:53	20 12:21:39
680	수목	수-음해(亥) 초겨울 [수]	20:23:08	21:12:16	20 12:21:39	20 13:12:15
681	수토	수-음해(亥) 초겨울 [수]	21:12:16	21:47:00	20 13:12:15	20 13:48:02
682	수화	수-음해(亥) 초겨울 [수]	21:47:00	22:36:08	20 13:48:02	20 14:38:38
683	수금	목+양자(子) 한겨울 [수]	22:36:08	23:25:16	20 14:38:38	20 15:29:14
684	수기	목+양자(子) 한겨울 [수]	23:25:16	0:00:00	20 15:29:14	20 16:05:00
685	수수	목+양자(子) 한겨울 [수]	0:00:00	0:49:08	20 16:05:00	20 16:56:07
686	목목	목-음축(丑) 늦겨울 [토]	0:49:08	1:38:16	20 16:56:07	20 17:47:13
687	목토	목-음축(丑) 늦겨울 [토]	1:38:16	2:13:00	20 17:47:13	20 18:23:21
688	목화	목-음축(丑) 늦겨울 [토]	2:13:00	3:02:08	20 18:23:21	20 19:14:28
689	목금	토+양인(寅) 초봄 [목]	3:02:08	3:51:16	20 19:14:28	20 20:05:35
690	목기	토+양인(寅) 초봄 [목]	3:51:16	4:26:00	20 20:05:35	20 20:41:43

			음력큰달(30일)			
번호	36기운	12기운	음력1일 (日)시간	음력1일 (日)시간	날짜(음력) 시간(양력)	날짜(음력) 시간(양력)
691	목수	토+양인(寅) 초봄 [목]	4:26:00	5:15:08	20 20:41:43	20 21:32:50
692	토목	토-음묘(卯) 한봄 [목]	5:15:08	5:49:52	20 21:32:50	20 22:08:58
693	토토	토-음묘(卯) 한봄 [목]	5:49:52	6:14:24	20 22:08:58	20 22:34:29
694	토화	토-음묘(卯) 한봄 [목]	6:14:24	6:49:08	20 22:34:29	20 23:10:37
695	토금	화+양진(辰) 늦봄 [토]	6:49:08	7:23:52	20 23:10:37	20 23:46:45
696	토기	화+양진(辰) 늦봄 [토]	7:23:52	7:48:24	20 23:46:45	21 0:12:16
697	토수	화+양진(辰) 늦봄 [토]	7:48:24	8:23:08	21 0:12:16	21 0:48:24
698	화목	화-음사(巳) 초여름 [화]	8:23:08	9:12:16	21 0:48:24	21 1:39:31
699	화토	화-음사(巳) 초여름 [화]	9:12:16	9:47:00	21 1:39:31	21 2:15:39
700	화화	화-음사(巳) 초여름 [화]	9:47:00	10:36:08	21 2:15:39	21 3:06:45
701	화금	금+양오(午) 한여름 [화]	10:36:08	11:25:16	21 3:06:45	21 3:57:52
702	화기	금+양오(午) 한여름 [화]	11:25:16	12:00:00	21 3:57:52	21 4:34:00
703	화수	금+양오(午) 한여름 [화]	12:00:00	12:49:08	21 4:34:00	21 5:25:07

			음력큰달(30일)			
번호	36기운	12기운	음력1일 (日)시간	음력1일 (日)시간	날짜(음력) 시간(양력)	날짜(음력) 시간(양력)
704	금목	금-음미(未) 늦여름 [토]	12:49:08	13:38:16	21 5:25:07	21 6:16:13
705	금토	금-음미(未) 늦여름 [토]	13:38:16	14:13:00	21 6:16:13	21 6:52:21
706	금화	금-음미(未) 늦여름 [토]	14:13:00	15:02:08	21 6:52:21	21 7:43:28
707	금금	기+양신(申) 초가을 [금]	15:02:08	15:51:16	21 7:43:28	21 8:34:35
708	금기	기+양신(申) 초가을 [금]	15:51:16	16:26:00	21 8:34:35	21 9:10:43
709	금수	기+양신(申) 초가을 [금]	16:26:00	17:15:08	21 9:10:43	21 10:01:50
710	기목	기-음유(酉) 한가을 [금]	17:15:08	17:49:52	21 10:01:50	21 10:37:58
711	기토	기-음유(酉) 한가을 [금]	17:49:52	18:14:24	21 10:37:58	21 11:03:29
712	기화	기-음유(酉) 한가을 [금]	18:14:24	18:49:08	21 11:03:29	21 11:39:37
713	기금	수+양술(戌) 늦가을 [토]	18:49:08	19:23:52	21 11:39:37	21 12:15:45
714	기기	수+양술(戌) 늦가을 [토]	19:23:52	19:48:24	21 12:15:45	21 12:41:16
715	기수	수+양술(戌) 늦가을 [토]	19:48:24	20:23:08	21 12:41:16	21 13:17:24
716	수목	수-음해(亥) 초겨울 [수]	20:23:08	21:12:16	21 13:17:24	21 14:08:31

음력큰달(30일)						
번호	36기운	12기운	음력1일 (日)시간	음력1일 (日)시간	날짜(음력) 시간(양력)	날짜(음력) 시간(양력)
717	수토	수-음해(亥) 초겨울 [수]	21:12:16	21:47:00	21 14:08:31	21 14:44:39
718	수화	수-음해(亥) 초겨울 [수]	21:47:00	22:36:08	21 14:44:39	21 15:35:45
719	수금	목+양자(子) 한겨울 [수]	22:36:08	23:25:16	21 15:35:45	21 16:26:52
720	수기	목+양자(子) 한겨울 [수]	23:25:16	0:00:00	21 16:26:52	21 17:03:00
721	수수	목+양자(子) 한겨울 [수]	0:00:00	0:49:08	21 17:03:00	21 17:53:34
722	목목	목-음축(丑) 늦겨울 [토]	0:49:08	1:38:16	21 17:53:34	21 18:44:08
723	목토	목-음축(丑) 늦겨울 [토]	1:38:16	2:13:00	21 18:44:08	21 19:19:53
724	목화	목-음축(丑) 늦겨울 [토]	2:13:00	3:02:08	21 19:19:53	21 20:10:27
725	목금	토+양인(寅) 초봄 [목]	3:02:08	3:51:16	21 20:10:27	21 21:01:01
726	목기	토+양인(寅) 초봄 [목]	3:51:16	4:26:00	21 21:01:01	21 21:36:45
727	목수	토+양인(寅) 초봄 [목]	4:26:00	5:15:08	21 21:36:45	21 22:27:19
728	토목	토-음묘(卯) 한봄 [목]	5:15:08	5:49:52	21 22:27:19	21 23:03:04
729	토토	토-음묘(卯) 한봄 [목]	5:49:52	6:14:24	21 23:03:04	21 23:28:19

음력큰달(30일)						
번호	36기운	12기운	음력1일 (日)시간	음력1일 (日)시간	날짜(음력) 시간(양력)	날짜(음력) 시간(양력)
730	토화	토-음묘(卯) 한봄 [목]	6:14:24	6:49:08	21 23:28:19	22 0:04:04
731	토금	화+양진(辰) 늦봄 [토]	6:49:08	7:23:52	22 0:04:04	22 0:39:49
732	토기	화+양진(辰) 늦봄 [토]	7:23:52	7:48:24	22 0:39:49	22 1:05:04
733	토수	화+양진(辰) 늦봄 [토]	7:48:24	8:23:08	22 1:05:04	22 1:40:48
734	화목	화-음사(巳) 초여름 [화]	8:23:08	9:12:16	22 1:40:48	22 2:31:22
735	화토	화-음사(巳) 초여름 [화]	9:12:16	9:47:00	22 2:31:22	22 3:07:07
736	화화	화-음사(巳) 초여름 [화]	9:47:00	10:36:08	22 3:07:07	22 3:57:41
737	화금	금+양오(午) 한여름 [화]	10:36:08	11:25:16	22 3:57:41	22 4:48:15
738	화기	금+양오(午) 한여름 [화]	11:25:16	12:00:00	22 4:48:15	22 5:24:00
739	화수	금+양오(午) 한여름 [화]	12:00:00	12:49:08	22 5:24:00	22 6:14:34
740	금목	금-음미(未) 늦여름 [토]	12:49:08	13:38:16	22 6:14:34	22 7:05:08
741	금토	금-음미(未) 늦여름 [토]	13:38:16	14:13:00	22 7:05:08	22 7:40:53
742	금화	금-음미(未) 늦여름 [토]	14:13:00	15:02:08	22 7:40:53	22 8:31:27

음력큰달(30일)						
번호	36기운	12기운	음력1일 (日)시간	음력1일 (日)시간	날짜(음력) 시간(양력)	날짜(음력) 시간(양력)
743	금금	기+양신(申) 초가을 [금]	15:02:08	15:51:16	22 8:31:27	22 9:22:01
744	금기	기+양신(申) 초가을 [금]	15:51:16	16:26:00	22 9:22:01	22 9:57:45
745	금수	기+양신(申) 초가을 [금]	16:26:00	17:15:08	22 9:57:45	22 10:48:19
746	기목	기-음유(酉) 한가을 [금]	17:15:08	17:49:52	22 10:48:19	22 11:24:04
747	기토	기-음유(酉) 한가을 [금]	17:49:52	18:14:24	22 11:24:04	22 11:49:19
748	기화	기-음유(酉) 한가을 [금]	18:14:24	18:49:08	22 11:49:19	22 12:25:04
749	기금	수+양술(戌) 늦가을 [토]	18:49:08	19:23:52	22 12:25:04	22 13:00:49
750	기기	수+양술(戌) 늦가을 [토]	19:23:52	19:48:24	22 13:00:49	22 13:26:04
751	기수	수+양술(戌) 늦가을 [토]	19:48:24	20:23:08	22 13:26:04	22 14:01:48
752	수목	수-음해(亥) 초겨울 [수]	20:23:08	21:12:16	22 14:01:48	22 14:52:22
753	수토	수-음해(亥) 초겨울 [수]	21:12:16	21:47:00	22 14:52:22	22 15:28:07
754	수화	수-음해(亥) 초겨울 [수]	21:47:00	22:36:08	22 15:28:07	22 16:18:41
755	수금	목+양자(子) 한겨울 [수]	22:36:08	23:25:16	22 16:18:41	22 17:09:15

음력큰달(30일)						
번호	36기운	12기운	음력1일 (日)시간	음력1일 (日)시간	날짜(음력) 시간(양력)	날짜(음력) 시간(양력)
756	수기	목+양자(子) 한겨울 [수]	23:25:16	0:00:00	22 17:09:15	22 17:45:00
757	수수	목+양자(子) 한겨울 [수]	0:00:00	0:49:08	22 17:45:00	22 18:35:34
758	목목	목-음축(丑) 늦겨울 [토]	0:49:08	1:38:16	22 18:35:34	22 19:26:08
759	목토	목-음축(丑) 늦겨울 [토]	1:38:16	2:13:00	22 19:26:08	22 20:01:53
760	목화	목-음축(丑) 늦겨울 [토]	2:13:00	3:02:08	22 20:01:53	22 20:52:27
761	목금	토+양인(寅) 초봄 [목]	3:02:08	3:51:16	22 20:52:27	22 21:43:01
762	목기	토+양인(寅) 초봄 [목]	3:51:16	4:26:00	22 21:43:01	22 22:18:45
763	목수	토+양인(寅) 초봄 [목]	4:26:00	5:15:08	22 22:18:45	22 23:09:19
764	토목	토-음묘(卯) 한봄 [목]	5:15:08	5:49:52	22 23:09:19	22 23:45:04
765	토토	토-음묘(卯) 한봄 [목]	5:49:52	6:14:24	22 23:45:04	23 0:10:19
766	토화	토-음묘(卯) 한봄 [목]	6:14:24	6:49:08	23 0:10:19	23 0:46:04
767	토금	화+양진(辰) 늦봄 [토]	6:49:08	7:23:52	23 0:46:04	23 1:21:49
768	토기	화+양진(辰) 늦봄 [토]	7:23:52	7:48:24	23 1:21:49	23 1:47:04

음력큰달(30일)						
번호	36기운	12기운	음력1일 (日)시간	음력1일 (日)시간	날짜(음력) 시간(양력)	날짜(음력) 시간(양력)
769	토수	화+양진(辰) 늦봄 [토]	7:48:24	8:23:08	23 1:47:04	23 2:22:48
770	화목	화-음사(巳) 초여름 [화]	8:23:08	9:12:16	23 2:22:48	23 3:13:22
771	화토	화-음사(巳) 초여름 [화]	9:12:16	9:47:00	23 3:13:22	23 3:49:07
772	화화	화-음사(巳) 초여름 [화]	9:47:00	10:36:08	23 3:49:07	23 4:39:41
773	화금	금+양오(午) 한여름 [화]	10:36:08	11:25:16	23 4:39:41	23 5:30:15
774	화기	금+양오(午) 한여름 [화]	11:25:16	12:00:00	23 5:30:15	23 6:06:00
775	화수	금+양오(午) 한여름 [화]	12:00:00	12:49:08	23 6:06:00	23 6:56:34
776	금목	금-음미(未) 늦여름 [토]	12:49:08	13:38:16	23 6:56:34	23 7:47:08
777	금토	금-음미(未) 늦여름 [토]	13:38:16	14:13:00	23 7:47:08	23 8:22:53
778	금화	금-음미(未) 늦여름 [토]	14:13:00	15:02:08	23 8:22:53	23 9:13:27
779	금금	기+양신(申) 초가을 [금]	15:02:08	15:51:16	23 9:13:27	23 10:04:01
780	금기	기+양신(申) 초가을 [금]	15:51:16	16:26:00	23 10:04:01	23 10:39:45
781	금수	기+양신(申) 초가을 [금]	16:26:00	17:15:08	23 10:39:45	23 11:30:19

음력큰달(30일)						
번호	36기운	12기운	음력1일 (日)시간	음력1일 (日)시간	날짜(음력) 시간(양력)	날짜(음력) 시간(양력)
782	기목	기-음유(酉) 한가을 [금]	17:15:08	17:49:52	23 11:30:19	23 12:06:04
783	기토	기-음유(酉) 한가을 [금]	17:49:52	18:14:24	23 12:06:04	23 12:31:19
784	기화	기-음유(酉) 한가을 [금]	18:14:24	18:49:08	23 12:31:19	23 13:07:04
785	기금	수+양술(戌) 늦가을 [토]	18:49:08	19:23:52	23 13:07:04	23 13:42:49
786	기기	수+양술(戌) 늦가을 [토]	19:23:52	19:48:24	23 13:42:49	23 14:08:04
787	기수	수+양술(戌) 늦가을 [토]	19:48:24	20:23:08	23 14:08:04	23 14:43:48
788	수목	수-음해(亥) 초겨울 [수]	20:23:08	21:12:16	23 14:43:48	23 15:34:22
789	수토	수-음해(亥) 초겨울 [수]	21:12:16	21:47:00	23 15:34:22	23 16:10:07
790	수화	수-음해(亥) 초겨울 [수]	21:47:00	22:36:08	23 16:10:07	23 17:00:41
791	수금	목+양자(子) 한겨울 [수]	22:36:08	23:25:16	23 17:00:41	23 17:51:15
792	수기	목+양자(子) 한겨울 [수]	23:25:16	0:00:00	23 17:51:15	23 18:27:00
793	수수	목+양자(子) 한겨울 [수]	0:00:00	0:49:08	23 18:27:00	23 19:17:34
794	목목	목-음축(丑) 늦겨울 [토]	0:49:08	1:38:16	23 19:17:34	23 20:08:08

음력큰달(30일)						
번호	36기운	12기운	음력1일 (日)시간	음력1일 (日)시간	날짜(음력) 시간(양력)	날짜(음력) 시간(양력)
795	목토	목-음축(丑) 늦겨울 [토]	1:38:16	2:13:00	23 20:08:08	23 20:43:53
796	목화	목-음축(丑) 늦겨울 [토]	2:13:00	3:02:08	23 20:43:53	23 21:34:27
797	목금	토+양인(寅) 초봄 [목]	3:02:08	3:51:16	23 21:34:27	23 22:25:01
798	목기	토+양인(寅) 초봄 [목]	3:51:16	4:26:00	23 22:25:01	23 23:00:45
799	목수	토+양인(寅) 초봄 [목]	4:26:00	5:15:08	23 23:00:45	23 23:51:19
800	토목	토-음묘(卯) 한봄 [목]	5:15:08	5:49:52	23 23:51:19	24 0:27:04
801	토토	토-음묘(卯) 한봄 [목]	5:49:52	6:14:24	24 0:27:04	24 0:52:19
802	토화	토-음묘(卯) 한봄 [목]	6:14:24	6:49:08	24 0:52:19	24 1:28:04
803	토금	화+양진(辰) 늦봄 [토]	6:49:08	7:23:52	24 1:28:04	24 2:03:49
804	토기	화+양진(辰) 늦봄 [토]	7:23:52	7:48:24	24 2:03:49	24 2:29:04
805	토수	화+양진(辰) 늦봄 [토]	7:48:24	8:23:08	24 2:29:04	24 3:04:48
806	화목	화-음사(巳) 초여름 [화]	8:23:08	9:12:16	24 3:04:48	24 3:55:22
807	화토	화-음사(巳) 초여름 [화]	9:12:16	9:47:00	24 3:55:22	24 4:31:07

			음력큰달(30일)			
번호	36기운	12기운	음력1일 (日)시간	음력1일 (日)시간	날짜(음력) 시간(양력)	날짜(음력) 시간(양력)
808	화화	화-음사(巳) 초여름 [화]	9:47:00	10:36:08	24 4:31:07	24 5:21:41
809	화금	금+양오(午) 한여름 [화]	10:36:08	11:25:16	24 5:21:41	24 6:12:15
810	화기	금+양오(午) 한여름 [화]	11:25:16	12:00:00	24 6:12:15	24 6:48:00
811	화수	금+양오(午) 한여름 [화]	12:00:00	12:49:08	24 6:48:00	24 7:38:34
812	금목	금-음미(未) 늦여름 [토]	12:49:08	13:38:16	24 7:38:34	24 8:29:08
813	금토	금-음미(未) 늦여름 [토]	13:38:16	14:13:00	24 8:29:08	24 9:04:53
814	금화	금-음미(未) 늦여름 [토]	14:13:00	15:02:08	24 9:04:53	24 9:55:27
815	금금	기+양신(申) 초가을 [금]	15:02:08	15:51:16	24 9:55:27	24 10:46:01
816	금기	기+양신(申) 초가을 [금]	15:51:16	16:26:00	24 10:46:01	24 11:21:45
817	금수	기+양신(申) 초가을 [금]	16:26:00	17:15:08	24 11:21:45	24 12:12:19
818	기목	기-음유(酉) 한가을 [금]	17:15:08	17:49:52	24 12:12:19	24 12:48:04
819	기토	기-음유(酉) 한가을 [금]	17:49:52	18:14:24	24 12:48:04	24 13:13:19
820	기화	기-음유(酉) 한가을 [금]	18:14:24	18:49:08	24 13:13:19	24 13:49:04

			음력큰달(30일)			
번호	36기운	12기운	음력1일 (日)시간	음력1일 (日)시간	날짜(음력) 시간(양력)	날짜(음력) 시간(양력)
821	기금	수+양술(戌) 늦가을 [토]	18:49:08	19:23:52	24 13:49:04	24 14:24:49
822	기기	수+양술(戌) 늦가을 [토]	19:23:52	19:48:24	24 14:24:49	24 14:50:04
823	기수	수+양술(戌) 늦가을 [토]	19:48:24	20:23:08	24 14:50:04	24 15:25:48
824	수목	수-음해(亥) 초겨울 [수]	20:23:08	21:12:16	24 15:25:48	24 16:16:22
825	수토	수-음해(亥) 초겨울 [수]	21:12:16	21:47:00	24 16:16:22	24 16:52:07
826	수화	수-음해(亥) 초겨울 [수]	21:47:00	22:36:08	24 16:52:07	24 17:42:41
827	수금	목+양자(子) 한겨울 [수]	22:36:08	23:25:16	24 17:42:41	24 18:33:15
828	수기	목+양자(子) 한겨울 [수]	23:25:16	0:00:00	24 18:33:15	24 19:09:00
829	수수	목+양자(子) 한겨울 [수]	0:00:00	0:49:08	24 19:09:00	24 19:59:11
830	목목	목-음축(丑) 늦겨울 [토]	0:49:08	1:38:16	24 19:59:11	24 20:49:23
831	목토	목-음축(丑) 늦겨울 [토]	1:38:16	2:13:00	24 20:49:23	24 21:24:52
832	목화	목-음축(丑) 늦겨울 [토]	2:13:00	3:02:08	24 21:24:52	24 22:15:03
833	목금	토+양인(寅) 초봄 [목]	3:02:08	3:51:16	24 22:15:03	24 23:05:15

음력큰달(30일)						
번호	36기운	12기운	음력1일 (日)시간	음력1일 (日)시간	날짜(음력) 시간(양력)	날짜(음력) 시간(양력)
834	목기	토+양인(寅) 초봄 [목]	3:51:16	4:26:00	24 23:05:15	24 23:40:44
835	목수	토+양인(寅) 초봄 [목]	4:26:00	5:15:08	24 23:40:44	25 0:30:55
836	토목	토-음묘(卯) 한봄 [목]	5:15:08	5:49:52	25 0:30:55	25 1:06:24
837	토토	토-음묘(卯) 한봄 [목]	5:49:52	6:14:24	25 1:06:24	25 1:31:28
838	토화	토-음묘(卯) 한봄 [목]	6:14:24	6:49:08	25 1:31:28	25 2:06:56
839	토금	화+양진(辰) 늦봄 [토]	6:49:08	7:23:52	25 2:06:56	25 2:42:25
840	토기	화+양진(辰) 늦봄 [토]	7:23:52	7:48:24	25 2:42:25	25 3:07:29
841	토수	화+양진(辰) 늦봄 [토]	7:48:24	8:23:08	25 3:07:29	25 3:42:58
842	화목	화-음사(巳) 초여름 [화]	8:23:08	9:12:16	25 3:42:58	25 4:33:09
843	화토	화-음사(巳) 초여름 [화]	9:12:16	9:47:00	25 4:33:09	25 5:08:38
844	화화	화-음사(巳) 초여름 [화]	9:47:00	10:36:08	25 5:08:38	25 5:58:50
845	화금	금+양오(午) 한여름 [화]	10:36:08	11:25:16	25 5:58:50	25 6:49:01
846	화기	금+양오(午) 한여름 [화]	11:25:16	12:00:00	25 6:49:01	25 7:24:30

음력큰달(30일)						
번호	36기운	12기운	음력1일 (日)시간	음력1일 (日)시간	날짜(음력) 시간(양력)	날짜(음력) 시간(양력)
847	화수	금+양오(午) 한여름 [화]	12:00:00	12:49:08	25 7:24:30	25 8:14:41
848	금목	금-음미(未) 늦여름 [토]	12:49:08	13:38:16	25 8:14:41	25 9:04:53
849	금토	금-음미(未) 늦여름 [토]	13:38:16	14:13:00	25 9:04:53	25 9:40:22
850	금화	금-음미(未) 늦여름 [토]	14:13:00	15:02:08	25 9:40:22	25 10:30:33
851	금금	기+양신(申) 초가을 [금]	15:02:08	15:51:16	25 10:30:33	25 11:20:45
852	금기	기+양신(申) 초가을 [금]	15:51:16	16:26:00	25 11:20:45	25 11:56:14
853	금수	기+양신(申) 초가을 [금]	16:26:00	17:15:08	25 11:56:14	25 12:46:25
854	기목	기-음유(酉) 한가을 [금]	17:15:08	17:49:52	25 12:46:25	25 13:21:54
855	기토	기-음유(酉) 한가을 [금]	17:49:52	18:14:24	25 13:21:54	25 13:46:58
856	기화	기-음유(酉) 한가을 [금]	18:14:24	18:49:08	25 13:46:58	25 14:22:26
857	기금	수+양술(戌) 늦가을 [토]	18:49:08	19:23:52	25 14:22:26	25 14:57:55
858	기기	수+양술(戌) 늦가을 [토]	19:23:52	19:48:24	25 14:57:55	25 15:22:59
859	기수	수+양술(戌) 늦가을 [토]	19:48:24	20:23:08	25 15:22:59	25 15:58:28

음력큰달(30일)						
번호	36기운	12기운	음력1일 (日)시간	음력1일 (日)시간	날짜(음력) 시간(양력)	날짜(음력) 시간(양력)
860	수목	수-음해(亥) 초겨울 [수]	20:23:08	21:12:16	25 15:58:28	25 16:48:39
861	수토	수-음해(亥) 초겨울 [수]	21:12:16	21:47:00	25 16:48:39	25 17:24:08
862	수화	수-음해(亥) 초겨울 [수]	21:47:00	22:36:08	25 17:24:08	25 18:14:20
863	수금	목+양자(子) 한겨울 [수]	22:36:08	23:25:16	25 18:14:20	25 19:04:31
864	수기	목+양자(子) 한겨울 [수]	23:25:16	0:00:00	25 19:04:31	25 19:40:00
865	수수	목+양자(子) 한겨울 [수]	0:00:00	0:49:08	25 19:40:00	25 20:30:34
866	목목	목-음축(丑) 늦겨울 [토]	0:49:08	1:38:16	25 20:30:34	25 21:21:08
867	목토	목-음축(丑) 늦겨울 [토]	1:38:16	2:13:00	25 21:21:08	25 21:56:53
868	목화	목-음축(丑) 늦겨울 [토]	2:13:00	3:02:08	25 21:56:53	25 22:47:27
869	목금	토+양인(寅) 초봄 [목]	3:02:08	3:51:16	25 22:47:27	25 23:38:01
870	목기	토+양인(寅) 초봄 [목]	3:51:16	4:26:00	25 23:38:01	26 0:13:45
871	목수	토+양인(寅) 초봄 [목]	4:26:00	5:15:08	26 0:13:45	26 1:04:19
872	토목	토-음묘(卯) 한봄 [목]	5:15:08	5:49:52	26 1:04:19	26 1:40:04

음력큰달(30일)						
번호	36기운	12기운	음력1일 (日)시간	음력1일 (日)시간	날짜(음력) 시간(양력)	날짜(음력) 시간(양력)
873	토토	토-음묘(卯) 한봄 [목]	5:49:52	6:14:24	26 1:40:04	26 2:05:19
874	토화	토-음묘(卯) 한봄 [목]	6:14:24	6:49:08	26 2:05:19	26 2:41:04
875	토금	화+양진(辰) 늦봄 [토]	6:49:08	7:23:52	26 2:41:04	26 3:16:49
876	토기	화+양진(辰) 늦봄 [토]	7:23:52	7:48:24	26 3:16:49	26 3:42:04
877	토수	화+양진(辰) 늦봄 [토]	7:48:24	8:23:08	26 3:42:04	26 4:17:48
878	화목	화-음사(巳) 초여름 [화]	8:23:08	9:12:16	26 4:17:48	26 5:08:22
879	화토	화-음사(巳) 초여름 [화]	9:12:16	9:47:00	26 5:08:22	26 5:44:07
880	화화	화-음사(巳) 초여름 [화]	9:47:00	10:36:08	26 5:44:07	26 6:34:41
881	화금	금+양오(午) 한여름 [화]	10:36:08	11:25:16	26 6:34:41	26 7:25:15
882	화기	금+양오(午) 한여름 [화]	11:25:16	12:00:00	26 7:25:15	26 8:01:00
883	화수	금+양오(午) 한여름 [화]	12:00:00	12:49:08	26 8:01:00	26 8:51:34
884	금목	금-음미(未) 늦여름 [토]	12:49:08	13:38:16	26 8:51:34	26 9:42:08
885	금토	금-음미(未) 늦여름 [토]	13:38:16	14:13:00	26 9:42:08	26 10:17:53

음력큰달(30일)						
번호	36기운	12기운	음력1일 (日)시간	음력1일 (日)시간	날짜(음력) 시간(양력)	날짜(음력) 시간(양력)
886	금화	금-음미(未) 늦여름 [토]	14:13:00	15:02:08	26 10:17:53	26 11:08:27
887	금금	기+양신(申) 초가을 [금]	15:02:08	15:51:16	26 11:08:27	26 11:59:01
888	금기	기+양신(申) 초가을 [금]	15:51:16	16:26:00	26 11:59:01	26 12:34:45
889	금수	기+양신(申) 초가을 [금]	16:26:00	17:15:08	26 12:34:45	26 13:25:19
890	기목	기-음유(酉) 한가을 [금]	17:15:08	17:49:52	26 13:25:19	26 14:01:04
891	기토	기-음유(酉) 한가을 [금]	17:49:52	18:14:24	26 14:01:04	26 14:26:19
892	기화	기-음유(酉) 한가을 [금]	18:14:24	18:49:08	26 14:26:19	26 15:02:04
893	기금	수+양술(戌) 늦가을 [토]	18:49:08	19:23:52	26 15:02:04	26 15:37:49
894	기기	수+양술(戌) 늦가을 [토]	19:23:52	19:48:24	26 15:37:49	26 16:03:04
895	기수	수+양술(戌) 늦가을 [토]	19:48:24	20:23:08	26 16:03:04	26 16:38:48
896	수목	수-음해(亥) 초겨울 [수]	20:23:08	21:12:16	26 16:38:48	26 17:29:22
897	수토	수-음해(亥) 초겨울 [수]	21:12:16	21:47:00	26 17:29:22	26 18:05:07
898	수화	수-음해(亥) 초겨울 [수]	21:47:00	22:36:08	26 18:05:07	26 18:55:41

			음력큰달(30일)			
번호	36기운	12기운	음력1일 (日)시간	음력1일 (日)시간	날짜(음력) 시간(양력)	날짜(음력) 시간(양력)
899	수금	목+양자(子) 한겨울 [수]	22:36:08	23:25:16	26 18:55:41	26 19:46:15
900	수기	목+양자(子) 한겨울 [수]	23:25:16	0:00:00	26 19:46:15	26 20:22:00
901	수수	목+양자(子) 한겨울 [수]	0:00:00	0:49:08	26 20:22:00	26 21:13:07
902	목목	목-음축(丑) 늦겨울 [토]	0:49:08	1:38:16	26 21:13:07	26 22:04:13
903	목토	목-음축(丑) 늦겨울 [토]	1:38:16	2:13:00	26 22:04:13	26 22:40:21
904	목화	목-음축(丑) 늦겨울 [토]	2:13:00	3:02:08	26 22:40:21	26 23:31:28
905	목금	토+양인(寅) 초봄 [목]	3:02:08	3:51:16	26 23:31:28	27 0:22:35
906	목기	토+양인(寅) 초봄 [목]	3:51:16	4:26:00	27 0:22:35	27 0:58:43
907	목수	토+양인(寅) 초봄 [목]	4:26:00	5:15:08	27 0:58:43	27 1:49:50
908	토목	토-음묘(卯) 한봄 [목]	5:15:08	5:49:52	27 1:49:50	27 2:25:58
909	토토	토-음묘(卯) 한봄 [목]	5:49:52	6:14:24	27 2:25:58	27 2:51:29
910	토화	토-음묘(卯) 한봄 [목]	6:14:24	6:49:08	27 2:51:29	27 3:27:37
911	토금	화+양진(辰) 늦봄 [토]	6:49:08	7:23:52	27 3:27:37	27 4:03:45

			음력큰달(30일)			
번호	36기운	12기운	음력1일 (日)시간	음력1일 (日)시간	날짜(음력) 시간(양력)	날짜(음력) 시간(양력)
912	토기	화+양진(辰) 늦봄 [토]	7:23:52	7:48:24	27 4:03:45	27 4:29:16
913	토수	화+양진(辰) 늦봄 [토]	7:48:24	8:23:08	27 4:29:16	27 5:05:24
914	화목	화-음사(巳) 초여름 [화]	8:23:08	9:12:16	27 5:05:24	27 5:56:31
915	화토	화-음사(巳) 초여름 [화]	9:12:16	9:47:00	27 5:56:31	27 6:32:39
916	화화	화-음사(巳) 초여름 [화]	9:47:00	10:36:08	27 6:32:39	27 7:23:45
917	화금	금+양오(午) 한여름 [화]	10:36:08	11:25:16	27 7:23:45	27 8:14:52
918	화기	금+양오(午) 한여름 [화]	11:25:16	12:00:00	27 8:14:52	27 8:51:00
919	화수	금+양오(午) 한여름 [화]	12:00:00	12:49:08	27 8:51:00	27 9:42:07
920	금목	금-음미(未) 늦여름 [토]	12:49:08	13:38:16	27 9:42:07	27 10:33:13
921	금토	금-음미(未) 늦여름 [토]	13:38:16	14:13:00	27 10:33:13	27 11:09:21
922	금화	금-음미(未) 늦여름 [토]	14:13:00	15:02:08	27 11:09:21	27 12:00:28
923	금금	기+양신(申) 초가을 [금]	15:02:08	15:51:16	27 12:00:28	27 12:51:35
924	금기	기+양신(申) 초가을 [금]	15:51:16	16:26:00	27 12:51:35	27 13:27:43

			음력큰달(30일)			
번호	36기운	12기운	음력1일 (日)시간	음력1일 (日)시간	날짜(음력) 시간(양력)	날짜(음력) 시간(양력)
925	금수	기+양신(申) 초가을 [금]	16:26:00	17:15:08	27 13:27:43	27 14:18:50
926	기목	기-음유(酉) 한가을 [금]	17:15:08	17:49:52	27 14:18:50	27 14:54:58
927	기토	기-음유(酉) 한가을 [금]	17:49:52	18:14:24	27 14:54:58	27 15:20:29
928	기화	기-음유(酉) 한가을 [금]	18:14:24	18:49:08	27 15:20:29	27 15:56:37
929	기금	수+양술(戌) 늦가을 [토]	18:49:08	19:23:52	27 15:56:37	27 16:32:45
930	기기	수+양술(戌) 늦가을 [토]	19:23:52	19:48:24	27 16:32:45	27 16:58:16
931	기수	수+양술(戌) 늦가을 [토]	19:48:24	20:23:08	27 16:58:16	27 17:34:24
932	수목	수-음해(亥) 초겨울 [수]	20:23:08	21:12:16	27 17:34:24	27 18:25:31
933	수토	수-음해(亥) 초겨울 [수]	21:12:16	21:47:00	27 18:25:31	27 19:01:39
934	수화	수-음해(亥) 초겨울 [수]	21:47:00	22:36:08	27 19:01:39	27 19:52:45
935	수금	목+양자(子) 한겨울 [수]	22:36:08	23:25:16	27 19:52:45	27 20:43:52
936	수기	목+양자(子) 한겨울 [수]	23:25:16	0:00:00	27 20:43:52	27 21:20:00
937	수수	목+양자(子) 한겨울 [수]	0:00:00	0:49:08	27 21:20:00	27 22:11:07

\multicolumn{8}{c}{음력큰달(30일)}							
번호	36기운	12기운	음력1일 (日)시간	음력1일 (日)시간	날짜(음력) 시간(양력)	날짜(음력) 시간(양력)
938	목목	목-음축(丑) 늦겨울 [토]	0:49:08	1:38:16	27 22:11:07	27 23:02:13
939	목토	목-음축(丑) 늦겨울 [토]	1:38:16	2:13:00	27 23:02:13	27 23:38:21
940	목화	목-음축(丑) 늦겨울 [토]	2:13:00	3:02:08	27 23:38:21	28 0:29:28
941	목금	토+양인(寅) 초봄 [목]	3:02:08	3:51:16	28 0:29:28	28 1:20:35
942	목기	토+양인(寅) 초봄 [목]	3:51:16	4:26:00	28 1:20:35	28 1:56:43
943	목수	토+양인(寅) 초봄 [목]	4:26:00	5:15:08	28 1:56:43	28 2:47:50
944	토목	토-음묘(卯) 한봄 [목]	5:15:08	5:49:52	28 2:47:50	28 3:23:58
945	토토	토-음묘(卯) 한봄 [목]	5:49:52	6:14:24	28 3:23:58	28 3:49:29
946	토화	토-음묘(卯) 한봄 [목]	6:14:24	6:49:08	28 3:49:29	28 4:25:37
947	토금	화+양진(辰) 늦봄 [토]	6:49:08	7:23:52	28 4:25:37	28 5:01:45
948	토기	화+양진(辰) 늦봄 [토]	7:23:52	7:48:24	28 5:01:45	28 5:27:16
949	토수	화+양진(辰) 늦봄 [토]	7:48:24	8:23:08	28 5:27:16	28 6:03:24
950	화목	화-음사(巳) 초여름 [화]	8:23:08	9:12:16	28 6:03:24	28 6:54:31

			음력큰달(30일)			
번호	36기운	12기운	음력1일 (日)시간	음력1일 (日)시간	날짜(음력) 시간(양력)	날짜(음력) 시간(양력)
951	화토	화-음사(巳) 초여름 [화]	9:12:16	9:47:00	28 6:54:31	28 7:30:39
952	화화	화-음사(巳) 초여름 [화]	9:47:00	10:36:08	28 7:30:39	28 8:21:45
953	화금	금+양오(午) 한여름 [화]	10:36:08	11:25:16	28 8:21:45	28 9:12:52
954	화기	금+양오(午) 한여름 [화]	11:25:16	12:00:00	28 9:12:52	28 9:49:00
955	화수	금+양오(午) 한여름 [화]	12:00:00	12:49:08	28 9:49:00	28 10:40:07
956	금목	금-음미(未) 늦여름 [토]	12:49:08	13:38:16	28 10:40:07	28 11:31:13
957	금토	금-음미(未) 늦여름 [토]	13:38:16	14:13:00	28 11:31:13	28 12:07:21
958	금화	금-음미(未) 늦여름 [토]	14:13:00	15:02:08	28 12:07:21	28 12:58:28
959	금금	기+양신(申) 초가을 [금]	15:02:08	15:51:16	28 12:58:28	28 13:49:35
960	금기	기+양신(申) · 초가을 [금]	15:51:16	16:26:00	28 13:49:35	28 14:25:43
961	금수	기+양신(申) 초가을 [금]	16:26:00	17:15:08	28 14:25:43	28 15:16:50
962	기목	기-음유(酉) 한가을 [금]	17:15:08	17:49:52	28 15:16:50	28 15:52:58
963	기토	기-음유(酉) 한가을 [금]	17:49:52	18:14:24	28 15:52:58	28 16:18:29

음력큰달(30일)						
번호	36기운	12기운	음력1일 (日)시간	음력1일 (日)시간	날짜(음력) 시간(양력)	날짜(음력) 시간(양력)
964	기화	기-음유(酉) 한가을 [금]	18:14:24	18:49:08	28 16:18:29	28 16:54:37
965	기금	수+양술(戌) 늦가을 [토]	18:49:08	19:23:52	28 16:54:37	28 17:30:45
966	기기	수+양술(戌) 늦가을 [토]	19:23:52	19:48:24	28 17:30:45	28 17:56:16
967	기수	수+양술(戌) 늦가을 [토]	19:48:24	20:23:08	28 17:56:16	28 18:32:24
968	수목	수-음해(亥) 초겨울 [수]	20:23:08	21:12:16	28 18:32:24	28 19:23:31
969	수토	수-음해(亥) 초겨울 [수]	21:12:16	21:47:00	28 19:23:31	28 19:59:39
970	수화	수-음해(亥) 초겨울 [수]	21:47:00	22:36:08	28 19:59:39	28 20:50:45
971	수금	목+양자(子) 한겨울 [수]	22:36:08	23:25:16	28 20:50:45	28 21:41:52
972	수기	목+양자(子) 한겨울 [수]	23:25:16	0:00:00	28 21:41:52	28 22:18:00
973	수수	목+양자(子) 한겨울 [수]	0:00:00	0:49:08	28 22:18:00	28 23:09:07
974	목목	목-음축(丑) 늦겨울 [토]	0:49:08	1:38:16	28 23:09:07	29 0:00:13
975	목토	목-음축(丑) 늦겨울 [토]	1:38:16	2:13:00	29 0:00:13	29 0:36:21
976	목화	목-음축(丑) 늦겨울 [토]	2:13:00	3:02:08	29 0:36:21	29 1:27:28

음력큰달(30일)						
번호	36기운	12기운	음력1일 (日)시간	음력1일 (日)시간	날짜(음력) 시간(양력)	날짜(음력) 시간(양력)
977	목금	토+양인(寅) 초봄 [목]	3:02:08	3:51:16	29 1:27:28	29 2:18:35
978	목기	토+양인(寅) 초봄 [목]	3:51:16	4:26:00	29 2:18:35	29 2:54:43
979	목수	토+양인(寅) 초봄 [목]	4:26:00	5:15:08	29 2:54:43	29 3:45:50
980	토목	토-음묘(卯) 한봄 [목]	5:15:08	5:49:52	29 3:45:50	29 4:21:58
981	토토	토-음묘(卯) 한봄 [목]	5:49:52	6:14:24	29 4:21:58	29 4:47:29
982	토화	토-음묘(卯) 한봄 [목]	6:14:24	6:49:08	29 4:47:29	29 5:23:37
983	토금	화+양진(辰) 늦봄 [토]	6:49:08	7:23:52	29 5:23:37	29 5:59:45
984	토기	화+양진(辰) 늦봄 [토]	7:23:52	7:48:24	29 5:59:45	29 6:25:16
985	토수	화+양진(辰) 늦봄 [토]	7:48:24	8:23:08	29 6:25:16	29 7:01:24
986	화목	화-음사(巳) 초여름 [화]	8:23:08	9:12:16	29 7:01:24	29 7:52:31
987	화토	화-음사(巳) 초여름 [화]	9:12:16	9:47:00	29 7:52:31	29 8:28:39
988	화화	화-음사(巳) 초여름 [화]	9:47:00	10:36:08	29 8:28:39	29 9:19:45
989	화금	금+양오(午) 한여름 [화]	10:36:08	11:25:16	29 9:19:45	29 10:10:52

음력큰달(30일)						
번호	36기운	12기운	음력1일 (日)시간	음력1일 (日)시간	날짜(음력) 시간(양력)	날짜(음력) 시간(양력)
990	화기	금+양오(午) 한여름 [화]	11:25:16	12:00:00	29 10:10:52	29 10:47:00
991	화수	금+양오(午) 한여름 [화]	12:00:00	12:49:08	29 10:47:00	29 11:38:07
992	금목	금-음미(未) 늦여름 [토]	12:49:08	13:38:16	29 11:38:07	29 12:29:13
993	금토	금-음미(未) 늦여름 [토]	13:38:16	14:13:00	29 12:29:13	29 13:05:21
994	금화	금-음미(未) 늦여름 [토]	14:13:00	15:02:08	29 13:05:21	29 13:56:28
995	금금	기+양신(申) 초가을 [금]	15:02:08	15:51:16	29 13:56:28	29 14:47:35
996	금기	기+양신(申) 초가을 [금]	15:51:16	16:26:00	29 14:47:35	29 15:23:43
997	금수	기+양신(申) 초가을 [금]	16:26:00	17:15:08	29 15:23:43	29 16:14:50
998	기목	기-음유(酉) 한가을 [금]	17:15:08	17:49:52	29 16:14:50	29 16:50:58
999	기토	기-음유(酉) 한가을 [금]	17:49:52	18:14:24	29 16:50:58	29 17:16:29
1000	기화	기-음유(酉) 한가을 [금]	18:14:24	18:49:08	29 17:16:29	29 17:52:37
1001	기금	수+양술(戌) 늦가을 [토]	18:49:08	19:23:52	29 17:52:37	29 18:28:45
1002	기기	수+양술(戌) 늦가을 [토]	19:23:52	19:48:24	29 18:28:45	29 18:54:16

			음력큰달(30일)			
번호	36기운	12기운	음력1일 (日)시간	음력1일 (日)시간	날짜(음력) 시간(양력)	날짜(음력) 시간(양력)
1003	기수	수+양술(戌) 늦가을 [토]	19:48:24	20:23:08	29 18:54:16	29 19:30:24
1004	수목	수-음해(亥) 초겨울 [수]	20:23:08	21:12:16	29 19:30:24	29 20:21:31
1005	수토	수-음해(亥) 초겨울 [수]	21:12:16	21:47:00	29 20:21:31	29 20:57:39
1006	수화	수-음해(亥) 초겨울 [수]	21:47:00	22:36:08	29 20:57:39	29 21:48:45
1007	수금	목+양자(子) 한겨울 [수]	22:36:08	23:25:16	29 21:48:45	29 22:39:52
1008	수기	목+양자(子) 한겨울 [수]	23:25:16	0:00:00	29 22:39:52	29 23:16:00
1009	수수	목+양자(子) 한겨울 [수]	0:00:00	0:49:08	29 23:16:00	30 0:06:38
1010	목목	목-음축(丑) 늦겨울 [토]	0:49:08	1:38:16	30 0:06:38	30 0:57:16
1011	목토	목-음축(丑) 늦겨울 [토]	1:38:16	2:13:00	30 0:57:16	30 1:33:04
1012	목화	목-음축(丑) 늦겨울 [토]	2:13:00	3:02:08	30 1:33:04	30 2:23:42
1013	목금	토+양인(寅) 초봄 [목]	3:02:08	3:51:16	30 2:23:42	30 3:14:20
1014	목기	토+양인(寅) 초봄 [목]	3:51:16	4:26:00	30 3:14:20	30 3:50:08
1015	목수	토+양인(寅) 초봄 [목]	4:26:00	5:15:08	30 3:50:08	30 4:40:46

음력큰달(30일)						
번호	36기운	12기운	음력1일 (日)시간	음력1일 (日)시간	날짜(음력) 시간(양력)	날짜(음력) 시간(양력)
1016	토목	토-음묘(卯) 한봄 [목]	5:15:08	5:49:52	30 4:40:46	30 5:16:33
1017	토토	토-음묘(卯) 한봄 [목]	5:49:52	6:14:24	30 5:16:33	30 5:41:50
1018	토화	토-음묘(卯) 한봄 [목]	6:14:24	6:49:08	30 5:41:50	30 6:17:38
1019	토금	화+양진(辰) 늦봄 [토]	6:49:08	7:23:52	30 6:17:38	30 6:53:26
1020	토기	화+양진(辰) 늦봄 [토]	7:23:52	7:48:24	30 6:53:26	30 7:18:43
1021	토수	화+양진(辰) 늦봄 [토]	7:48:24	8:23:08	30 7:18:43	30 7:54:30
1022	화목	화-음사(巳) 초여름 [화]	8:23:08	9:12:16	30 7:54:30	30 8:45:08
1023	화토	화-음사(巳) 초여름 [화]	9:12:16	9:47:00	30 8:45:08	30 9:20:56
1024	화화	화-음사(巳) 초여름 [화]	9:47:00	10:36:08	30 9:20:56	30 10:11:34
1025	화금	금+양오(午) 한여름 [화]	10:36:08	11:25:16	30 10:11:34	30 11:02:12
1026	화기	금+양오(午) 한여름 [화]	11:25:16	12:00:00	30 11:02:12	30 11:38:00
1027	화수	금+양오(午) 한여름 [화]	12:00:00	12:49:08	30 11:38:00	30 12:28:38
1028	금목	금-음미(未) 늦여름 [토]	12:49:08	13:38:16	30 12:28:38	30 13:19:16

음력큰달(30일)						
번호	36기운	12기운	음력1일 (日)시간	음력1일 (日)시간	날짜(음력) 시간(양력)	날짜(음력) 시간(양력)
1029	금토	금-음미(未) 늦여름 [토]	13:38:16	14:13:00	30 13:19:16	30 13:55:04
1030	금화	금-음미(未) 늦여름 [토]	14:13:00	15:02:08	30 13:55:04	30 14:45:42
1031	금금	기+양신(申) 초가을 [금]	15:02:08	15:51:16	30 14:45:42	30 15:36:20
1032	금기	기+양신(申) 초가을 [금]	15:51:16	16:26:00	30 15:36:20	30 16:12:08
1033	금수	기+양신(申) 초가을 [금]	16:26:00	17:15:08	30 16:12:08	30 17:02:46
1034	기목	기-음유(酉) 한가을 [금]	17:15:08	17:49:52	30 17:02:46	30 17:38:33
1035	기토	기-음유(酉) 한가을 [금]	17:49:52	18:14:24	30 17:38:33	30 18:03:50
1036	기화	기-음유(酉) 한가을 [금]	18:14:24	18:49:08	30 18:03:50	30 18:39:38
1037	기금	수+양술(戌) 늦가을 [토]	18:49:08	19:23:52	30 18:39:38	30 19:15:26
1038	기기	수+양술(戌) 늦가을 [토]	19:23:52	19:48:24	30 19:15:26	30 19:40:43
1039	기수	수+양술(戌) 늦가을 [토]	19:48:24	20:23:08	30 19:40:43	30 20:16:30
1040	수목	수-음해(亥) 초겨울 [수]	20:23:08	21:12:16	30 20:16:30	30 21:07:08
1041	수토	수-음해(亥) 초겨울 [수]	21:12:16	21:47:00	30 21:07:08	30 21:42:56

음력큰달(30일)						
번호	36기운	12기운	음력1일 (日)시간	음력1일 (日)시간	날짜(음력) 시간(양력)	날짜(음력) 시간(양력)
1042	수화	수-음해(亥) 초겨울 [수]	21:47:00	22:36:08	30 21:42:56	30 22:33:34
1043	수금	목+양자(子) 한겨울 [수]	22:36:08	23:25:16	30 22:33:34	30 23:24:12
1044	수기	목+양자(子) 한겨울 [수]	23:25:16	0:00:00	30 23:24:12	31 0:00:00

음력작은달(29일)						
번호	36기운	12기운	음력1일 (日)시간	음력1일 (日)시간	날짜(음력) 시간(양력)	날짜(음력) 시간(양력)
1	수수	목+양자(子) 한겨울 [수]	0:00:00	0:49:08	01 0:00:00	01 0:51:11
2	목목	목-음축(丑) 늦겨울 [토]	0:49:08	1:38:16	01 0:51:11	01 1:42:22
3	목토	목-음축(丑) 늦겨울 [토]	1:38:16	2:13:00	01 1:42:22	01 2:18:32
4	목화	목-음축(丑) 늦겨울 [토]	2:13:00	3:02:08	01 2:18:32	01 3:09:43
5	목금	토+양인(寅) 초봄 [목]	3:02:08	3:51:16	01 3:09:43	01 4:00:54
6	목기	토+양인(寅) 초봄 [목]	3:51:16	4:26:00	01 4:00:54	01 4:37:05
7	목수	토+양인(寅) 초봄 [목]	4:26:00	5:15:08	01 4:37:05	01 5:28:16
8	토목	토-음묘(卯) 한봄 [목]	5:15:08	5:49:52	01 5:28:16	01 6:04:27
9	토토	토-음묘(卯) 한봄 [목]	5:49:52	6:14:24	01 6:04:27	01 6:30:00
10	토화	토-음묘(卯) 한봄 [목]	6:14:24	6:49:08	01 6:30:00	01 7:06:11
11	토금	화+양진(辰) 늦봄 [토]	6:49:08	7:23:52	01 7:06:11	01 7:42:22
12	토기	화+양진(辰) 늦봄 [토]	7:23:52	7:48:24	01 7:42:22	01 8:07:55
13	토수	화+양진(辰) 늦봄 [토]	7:48:24	8:23:08	01 8:07:55	01 8:44:06
14	화목	화-음사(巳) 초여름 [화]	8:23:08	9:12:16	01 8:44:06	01 9:35:17

음력작은달(29일)						
번호	36기운	12기운	음력1일 (日)시간	음력1일 (日)시간	날짜(음력) 시간(양력)	날짜(음력) 시간(양력)
15	화토	화-음사(巳) 초여름 [화]	9:12:16	9:47:00	01 9:35:17	01 10:11:27
16	화화	화-음사(巳) 초여름 [화]	9:47:00	10:36:08	01 10:11:27	01 11:02:38
17	화금	금+양오(午) 한여름 [화]	10:36:08	11:25:16	01 11:02:38	01 11:53:49
18	화기	금+양오(午) 한여름 [화]	11:25:16	12:00:00	01 11:53:49	01 12:30:00
19	화수	금+양오(午) 한여름 [화]	12:00:00	12:49:08	01 12:30:00	01 13:21:11
20	금목	금-음미(未) 늦여름 [토]	12:49:08	13:38:16	01 13:21:11	01 14:12:22
21	금토	금-음미(未) 늦여름 [토]	13:38:16	14:13:00	01 14:12:22	01 14:48:32
22	금화	금-음미(未) 늦여름 [토]	14:13:00	15:02:08	01 14:48:32	01 15:39:43
23	금금	기+양신(申) 초가을 [금]	15:02:08	15:51:16	01 15:39:43	01 16:30:54
24	금기	기+양신(申) 초가을 [금]	15:51:16	16:26:00	01 16:30:54	01 17:07:05
25	금수	기+양신(申) 초가을 [금]	16:26:00	17:15:08	01 17:07:05	01 17:58:16
26	기목	기-음유(酉) 한가을 [금]	17:15:08	17:49:52	01 17:58:16	01 18:34:27
27	기토	기-음유(酉) 한가을 [금]	17:49:52	18:14:24	01 18:34:27	01 19:00:00
28	기화	기-음유(酉) 한가을 [금]	18:14:24	18:49:08	01 19:00:00	01 19:36:11

			음력작은달(29일)			
번호	36기운	12기운	음력1일 (日)시간	음력1일 (日)시간	날짜(음력) 시간(양력)	날짜(음력) 시간(양력)
29	기금	수+양술(戌) 늦가을 [토]	18:49:08	19:23:52	01 19:36:11	01 20:12:22
30	기기	수+양술(戌) 늦가을 [토]	19:23:52	19:48:24	01 20:12:22	01 20:37:55
31	기수	수+양술(戌) 늦가을 [토]	19:48:24	20:23:08	01 20:37:55	01 21:14:06
32	수목	수-음해(亥) 초겨울 [수]	20:23:08	21:12:16	01 21:14:06	01 22:05:17
33	수토	수-음해(亥) 초겨울 [수]	21:12:16	21:47:00	01 22:05:17	01 22:41:27
34	수화	수-음해(亥) 초겨울 [수]	21:47:00	22:36:08	01 22:41:27	01 23:32:38
35	수금	목+양자(子) 한겨울 [수]	22:36:08	23:25:16	01 23:32:38	02 0:23:49
36	수기	목+양자(子) 한겨울 [수]	23:25:16	0:00:00	02 0:23:49	02 1:00:00
37	수수	목+양자(子) 한겨울 [수]	0:00:00	0:49:08	02 1:00:00	02 1:51:11
38	목목	목-음축(丑) 늦겨울 [토]	0:49:08	1:38:16	02 1:51:11	02 2:42:22
39	목토	목-음축(丑) 늦겨울 [토]	1:38:16	2:13:00	02 2:42:22	02 3:18:32
40	목화	목-음축(丑) 늦겨울 [토]	2:13:00	3:02:08	02 3:18:32	02 4:09:43
41	목금	토+양인(寅) 초봄 [목]	3:02:08	3:51:16	02 4:09:43	02 5:00:54
42	목기	토+양인(寅) 초봄 [목]	3:51:16	4:26:00	02 5:00:54	02 5:37:05

			음력작은달(29일)			
번호	36기운	12기운	음력1일 (日)시간	음력1일 (日)시간	날짜(음력) 시간(양력)	날짜(음력) 시간(양력)
43	목수	토+양인(寅) 초봄 [목]	4:26:00	5:15:08	02 5:37:05	02 6:28:16
44	토목	토-음묘(卯) 한봄 [목]	5:15:08	5:49:52	02 6:28:16	02 7:04:27
45	토토	토-음묘(卯) 한봄 [목]	5:49:52	6:14:24	02 7:04:27	02 7:30:00
46	토화	토-음묘(卯) 한봄 [목]	6:14:24	6:49:08	02 7:30:00	02 8:06:11
47	토금	화+양진(辰) 늦봄 [토]	6:49:08	7:23:52	02 8:06:11	02 8:42:22
48	토기	화+양진(辰) 늦봄 [토]	7:23:52	7:48:24	02 8:42:22	02 9:07:55
49	토수	화+양진(辰) 늦봄 [토]	7:48:24	8:23:08	02 9:07:55	02 9:44:06
50	화목	화-음사(巳) 초여름 [화]	8:23:08	9:12:16	02 9:44:06	02 10:35:17
51	화토	화-음사(巳) 초여름 [화]	9:12:16	9:47:00	02 10:35:17	02 11:11:28
52	화화	화-음사(巳) 초여름 [화]	9:47:00	10:36:08	02 11:11:28	02 12:02:38
53	화금	금+양오(午) 한여름 [화]	10:36:08	11:25:16	02 12:02:38	02 12:53:49
54	화기	금+양오(午) 한여름 [화]	11:25:16	12:00:00	02 12:53:49	02 13:30:00
55	화수	금+양오(午) 한여름 [화]	12:00:00	12:49:08	02 13:30:00	02 14:21:11
56	금목	금-음미(未) 늦여름 [토]	12:49:08	13:38:16	02 14:21:11	02 15:12:22

			음력작은달(29일)			
번호	36기운	12기운	음력1일 (日)시간	음력1일 (日)시간	날짜(음력) 시간(양력)	날짜(음력) 시간(양력)
57	금토	금-음미(未) 늦여름 [토]	13:38:16	14:13:00	02 15:12:22	02 15:48:33
58	금화	금-음미(未) 늦여름 [토]	14:13:00	15:02:08	02 15:48:33	02 16:39:43
59	금금	기+양신(申) 초가을 [금]	15:02:08	15:51:16	02 16:39:43	02 17:30:54
60	금기	기+양신(申) 초가을 [금]	15:51:16	16:26:00	02 17:30:54	02 18:07:05
61	금수	기+양신(申) 초가을 [금]	16:26:00	17:15:08	02 18:07:05	02 18:58:16
62	기목	기-음유(酉) 한가을 [금]	17:15:08	17:49:52	02 18:58:16	02 19:34:27
63	기토	기-음유(酉) 한가을 [금]	17:49:52	18:14:24	02 19:34:27	02 20:00:00
64	기화	기-음유(酉) 한가을 [금]	18:14:24	18:49:08	02 20:00:00	02 20:36:11
65	기금	수+양술(戌) 늦가을 [토]	18:49:08	19:23:52	02 20:36:11	02 21:12:22
66	기기	수+양술(戌) 늦가을 [토]	19:23:52	19:48:24	02 21:12:22	02 21:37:55
67	기수	수+양술(戌) 늦가을 [토]	19:48:24	20:23:08	02 21:37:55	02 22:14:06
68	수목	수-음해(亥) 초겨울 [수]	20:23:08	21:12:16	02 22:14:06	02 23:05:17
69	수토	수-음해(亥) 초겨울 [수]	21:12:16	21:47:00	02 23:05:17	02 23:41:28
70	수화	수-음해(亥) 초겨울 [수]	21:47:00	22:36:08	02 23:41:28	03 0:32:38

			음력작은달(29일)			
번호	36기운	12기운	음력1일 (日)시간	음력1일 (日)시간	날짜(음력) 시간(양력)	날짜(음력) 시간(양력)
71	수금	목+양자(子) 한겨울 [수]	22:36:08	23:25:16	03 0:32:38	03 1:23:49
72	수기	목+양자(子) 한겨울 [수]	23:25:16	0:00:00	03 1:23:49	03 2:00:00
73	수수	목+양자(子) 한겨울 [수]	0:00:00	0:49:08	03 2:00:00	03 2:51:11
74	목목	목-음축(丑) 늦겨울 [토]	0:49:08	1:38:16	03 2:51:11	03 3:42:22
75	목토	목-음축(丑) 늦겨울 [토]	1:38:16	2:13:00	03 3:42:22	03 4:18:33
76	목화	목-음축(丑) 늦겨울 [토]	2:13:00	3:02:08	03 4:18:33	03 5:09:43
77	목금	토+양인(寅) 초봄 [목]	3:02:08	3:51:16	03 5:09:43	03 6:00:54
78	목기	토+양인(寅) 초봄 [목]	3:51:16	4:26:00	03 6:00:54	03 6:37:05
79	목수	토+양인(寅) 초봄 [목]	4:26:00	5:15:08	03 6:37:05	03 7:28:16
80	토목	토-음묘(卯) 한봄 [목]	5:15:08	5:49:52	03 7:28:16	03 8:04:27
81	토토	토-음묘(卯) 한봄 [목]	5:49:52	6:14:24	03 8:04:27	03 8:30:00
82	토화	토-음묘(卯) 한봄 [목]	6:14:24	6:49:08	03 8:30:00	03 9:06:11
83	토금	화+양진(辰) 늦봄 [토]	6:49:08	7:23:52	03 9:06:11	03 9:42:22
84	토기	화+양진(辰) 늦봄 [토]	7:23:52	7:48:24	03 9:42:22	03 10:07:55

			음력작은달(29일)			
번호	36기운	12기운	음력1일 (日)시간	음력1일 (日)시간	날짜(음력) 시간(양력)	날짜(음력) 시간(양력)
85	토수	화+양진(辰) 늦봄 [토]	7:48:24	8:23:08	03 10:07:55	03 10:44:06
86	화목	화-음사(巳) 초여름 [화]	8:23:08	9:12:16	03 10:44:06	03 11:35:17
87	화토	화-음사(巳) 초여름 [화]	9:12:16	9:47:00	03 11:35:17	03 12:11:28
88	화화	화-음사(巳) 초여름 [화]	9:47:00	10:36:08	03 12:11:28	03 13:02:38
89	화금	금+양오(午) 한여름 [화]	10:36:08	11:25:16	03 13:02:38	03 13:53:49
90	화기	금+양오(午) 한여름 [화]	11:25:16	12:00:00	03 13:53:49	03 14:30:00
91	화수	금+양오(午) 한여름 [화]	12:00:00	12:49:08	03 14:30:00	03 15:21:11
92	금목	금-음미(未) 늦여름 [토]	12:49:08	13:38:16	03 15:21:11	03 16:12:22
93	금토	금-음미(未) 늦여름 [토]	13:38:16	14:13:00	03 16:12:22	03 16:48:33
94	금화	금-음미(未) 늦여름 [토]	14:13:00	15:02:08	03 16:48:33	03 17:39:43
95	금금	기+양신(申) 초가을 [금]	15:02:08	15:51:16	03 17:39:43	03 18:30:54
96	금기	기+양신(申) 초가을 [금]	15:51:16	16:26:00	03 18:30:54	03 19:07:05
97	금수	기+양신(申) 초가을 [금]	16:26:00	17:15:08	03 19:07:05	03 19:58:16
98	기목	기-음유(酉) 한가을 [금]	17:15:08	17:49:52	03 19:58:16	03 20:34:27

			음력작은달(29일)			
번호	36기운	12기운	음력1일 (日)시간	음력1일 (日)시간	날짜(음력) 시간(양력)	날짜(음력) 시간(양력)
99	기토	기-음유(酉) 한가을 [금]	17:49:52	18:14:24	03 20:34:27	03 21:00:00
100	기화	기-음유(酉) 한가을 [금]	18:14:24	18:49:08	03 21:00:00	03 21:36:11
101	기금	수+양술(戌) 늦가을 [토]	18:49:08	19:23:52	03 21:36:11	03 22:12:22
102	기기	수+양술(戌) 늦가을 [토]	19:23:52	19:48:24	03 22:12:22	03 22:37:55
103	기수	수+양술(戌) 늦가을 [토]	19:48:24	20:23:08	03 22:37:55	03 23:14:06
104	수목	수-음해(亥) 초겨울 [수]	20:23:08	21:12:16	03 23:14:06	04 0:05:17
105	수토	수-음해(亥) 초겨울 [수]	21:12:16	21:47:00	04 0:05:17	04 0:41:28
106	수화	수-음해(亥) 초겨울 [수]	21:47:00	22:36:08	04 0:41:28	04 1:32:38
107	수금	목+양자(子) 한겨울 [수]	22:36:08	23:25:16	04 1:32:38	04 2:23:49
108	수기	목+양자(子) 한겨울 [수]	23:25:16	0:00:00	04 2:23:49	04 3:00:00
109	수수	목+양자(子) 한겨울 [수]	0:00:00	0:49:08	04 3:00:00	04 3:50:40
110	목목	목-음축(丑) 늦겨울 [토]	0:49:08	1:38:16	04 3:50:40	04 4:41:20
111	목토	목-음축(丑) 늦겨울 [토]	1:38:16	2:13:00	04 4:41:20	04 5:17:09
112	목화	목-음축(丑) 늦겨울 [토]	2:13:00	3:02:08	04 5:17:09	04 6:07:50

\multicolumn{7}{c}{음력작은달(29일)}

번호	36기운	12기운	음력1일 (日)시간	음력1일 (日)시간	날짜(음력) 시간(양력)	날짜(음력) 시간(양력)
113	목금	토+양인(寅) 초봄 [목]	3:02:08	3:51:16	04 6:07:50	04 6:58:30
114	목기	토+양인(寅) 초봄 [목]	3:51:16	4:26:00	04 6:58:30	04 7:34:19
115	목수	토+양인(寅) 초봄 [목]	4:26:00	5:15:08	04 7:34:19	04 8:24:59
116	토목	토-음묘(卯) 한봄 [목]	5:15:08	5:49:52	04 8:24:59	04 9:00:48
117	토토	토-음묘(卯) 한봄 [목]	5:49:52	6:14:24	04 9:00:48	04 9:26:06
118	토화	토-음묘(卯) 한봄 [목]	6:14:24	6:49:08	04 9:26:06	04 10:01:55
119	토금	화+양진(辰) 늦봄 [토]	6:49:08	7:23:52	04 10:01:55	04 10:37:44
120	토기	화+양진(辰) 늦봄 [토]	7:23:52	7:48:24	04 10:37:44	04 11:03:02
121	토수	화+양진(辰) 늦봄 [토]	7:48:24	8:23:08	04 11:03:02	04 11:38:51
122	화목	화-음사(巳) 초여름 [화]	8:23:08	9:12:16	04 11:38:51	04 12:29:32
123	화토	화-음사(巳) 초여름 [화]	9:12:16	9:47:00	04 12:29:32	04 13:05:21
124	화화	화-음사(巳) 초여름 [화]	9:47:00	10:36:08	04 13:05:21	04 13:56:01
125	화금	금+양오(午) 한여름 [화]	10:36:08	11:25:16	04 13:56:01	04 14:46:41
126	화기	금+양오(午) 한여름 [화]	11:25:16	12:00:00	04 14:46:41	04 15:22:30

음력작은달(29일)						
번호	36기운	12기운	음력1일 (日)시간	음력1일 (日)시간	날짜(음력) 시간(양력)	날짜(음력) 시간(양력)
127	화수	금+양오(午) 한여름 [화]	12:00:00	12:49:08	04 15:22:30	04 16:13:10
128	금목	금-음미(未) 늦여름 [토]	12:49:08	13:38:16	04 16:13:10	04 17:03:50
129	금토	금-음미(未) 늦여름 [토]	13:38:16	14:13:00	04 17:03:50	04 17:39:39
130	금화	금-음미(未) 늦여름 [토]	14:13:00	15:02:08	04 17:39:39	04 18:30:20
131	금금	기+양신(申) 초가을 [금]	15:02:08	15:51:16	04 18:30:20	04 19:21:00
132	금기	기+양신(申) 초가을 [금]	15:51:16	16:26:00	04 19:21:00	04 19:56:49
133	금수	기+양신(申) 초가을 [금]	16:26:00	17:15:08	04 19:56:49	04 20:47:29
134	기목	기-음유(酉) 한가을 [금]	17:15:08	17:49:52	04 20:47:29	04 21:23:18
135	기토	기-음유(酉) 한가을 [금]	17:49:52	18:14:24	04 21:23:18	04 21:48:36
136	기화	기-음유(酉) 한가을 [금]	18:14:24	18:49:08	04 21:48:36	04 22:24:25
137	기금	수+양술(戌) 늦가을 [토]	18:49:08	19:23:52	04 22:24:25	04 23:00:14
138	기기	수+양술(戌) 늦가을 [토]	19:23:52	19:48:24	04 23:00:14	04 23:25:32
139	기수	수+양술(戌) 늦가을 [토]	19:48:24	20:23:08	04 23:25:32	05 0:01:21
140	수목	수-음해(亥) 초겨울 [수]	20:23:08	21:12:16	05 0:01:21	05 0:52:02

			음력작은달(29일)			
번호	36기운	12기운	음력1일 (日)시간	음력1일 (日)시간	날짜(음력) 시간(양력)	날짜(음력) 시간(양력)
141	수토	수-음해(亥) 초겨울 [수]	21:12:16	21:47:00	05 0:52:02	05 1:27:51
142	수화	수-음해(亥) 초겨울 [수]	21:47:00	22:36:08	05 1:27:51	05 2:18:31
143	수금	목+양자(子) 한겨울 [수]	22:36:08	23:25:16	05 2:18:31	05 3:09:11
144	수기	목+양자(子) 한겨울 [수]	23:25:16	0:00:00	05 3:09:11	05 3:45:00
145	수수	목+양자(子) 한겨울 [수]	0:00:00	0:49:08	05 3:45:00	05 4:36:11
146	목목	목-음축(丑) 늦겨울 [토]	0:49:08	1:38:16	05 4:36:11	05 5:27:22
147	목토	목-음축(丑) 늦겨울 [토]	1:38:16	2:13:00	05 5:27:22	05 6:03:33
148	목화	목-음축(丑) 늦겨울 [토]	2:13:00	3:02:08	05 6:03:33	05 6:54:43
149	목금	토+양인(寅) 초봄 [목]	3:02:08	3:51:16	05 6:54:43	05 7:45:54
150	목기	토+양인(寅) 초봄 [목]	3:51:16	4:26:00	05 7:45:54	05 8:22:05
151	목수	토+양인(寅) 초봄 [목]	4:26:00	5:15:08	05 8:22:05	05 9:13:16
152	토목	토-음묘(卯) 한봄 [목]	5:15:08	5:49:52	05 9:13:16	05 9:49:27
153	토토	토-음묘(卯) 한봄 [목]	5:49:52	6:14:24	05 9:49:27	05 10:15:00
154	토화	토-음묘(卯) 한봄 [목]	6:14:24	6:49:08	05 10:15:00	05 10:51:11

			음력작은달(29일)			
번호	36기운	12기운	음력1일 (日)시간	음력1일 (日)시간	날짜(음력) 시간(양력)	날짜(음력) 시간(양력)
155	토금	화+양진(辰) 늦봄 [토]	6:49:08	7:23:52	05 10:51:11	05 11:27:22
156	토기	화+양진(辰) 늦봄 [토]	7:23:52	7:48:24	05 11:27:22	05 11:52:55
157	토수	화+양진(辰) 늦봄 [토]	7:48:24	8:23:08	05 11:52:55	05 12:29:06
158	화목	화-음사(巳) 초여름 [화]	8:23:08	9:12:16	05 12:29:06	05 13:20:17
159	화토	화-음사(巳) 초여름 [화]	9:12:16	9:47:00	05 13:20:17	05 13:56:28
160	화화	화-음사(巳) 초여름 [화]	9:47:00	10:36:08	05 13:56:28	05 14:47:38
161	화금	금+양오(午) 한여름 [화]	10:36:08	11:25:16	05 14:47:38	05 15:38:49
162	화기	금+양오(午) 한여름 [화]	11:25:16	12:00:00	05 15:38:49	05 16:15:00
163	화수	금+양오(午) 한여름 [화]	12:00:00	12:49:08	05 16:15:00	05 17:06:11
164	금목	금-음미(未) 늦여름 [토]	12:49:08	13:38:16	05 17:06:11	05 17:57:22
165	금토	금-음미(未) 늦여름 [토]	13:38:16	14:13:00	05 17:57:22	05 18:33:33
166	금화	금-음미(未) 늦여름 [토]	14:13:00	15:02:08	05 18:33:33	05 19:24:43
167	금금	기+양신(申) 초가을 [금]	15:02:08	15:51:16	05 19:24:43	05 20:15:54
168	금기	기+양신(申) 초가을 [금]	15:51:16	16:26:00	05 20:15:54	05 20:52:05

번호	36기운	12기운	음력작은달(29일)			
			음력1일 (日)시간	음력1일 (日)시간	날짜(음력) 시간(양력)	날짜(음력) 시간(양력)
169	금수	기+양신(申) 초가을 [금]	16:26:00	17:15:08	05 20:52:05	05 21:43:16
170	기목	기-음유(酉) 한가을 [금]	17:15:08	17:49:52	05 21:43:16	05 22:19:27
171	기토	기-음유(酉) 한가을 [금]	17:49:52	18:14:24	05 22:19:27	05 22:45:00
172	기화	기-음유(酉) 한가을 [금]	18:14:24	18:49:08	05 22:45:00	05 23:21:11
173	기금	수+양술(戌) 늦가을 [토]	18:49:08	19:23:52	05 23:21:11	05 23:57:22
174	기기	수+양술(戌) 늦가을 [토]	19:23:52	19:48:24	05 23:57:22	06 0:22:55
175	기수	수+양술(戌) 늦가을 [토]	19:48:24	20:23:08	06 0:22:55	06 0:59:06
176	수목	수-음해(亥) 초겨울 [수]	20:23:08	21:12:16	06 0:59:06	06 1:50:17
177	수토	수-음해(亥) 초겨울 [수]	21:12:16	21:47:00	06 1:50:17	06 2:26:28
178	수화	수-음해(亥) 초겨울 [수]	21:47:00	22:36:08	06 2:26:28	06 3:17:38
179	수금	목+양자(子) 한겨울 [수]	22:36:08	23:25:16	06 3:17:38	06 4:08:49
180	수기	목+양자(子) 한겨울 [수]	23:25:16	0:00:00	06 4:08:49	06 4:45:00
181	수수	목+양자(子) 한겨울 [수]	0:00:00	0:49:08	06 4:45:00	06 5:35:38
182	목목	목-음축(丑) 늦겨울 [토]	0:49:08	1:38:16	06 5:35:38	06 6:26:16

			음력작은달(29일)			
번호	36기운	12기운	음력1일 (日)시간	음력1일 (日)시간	날짜(음력) 시간(양력)	날짜(음력) 시간(양력)
183	목토	목-음축(丑) 늦겨울 [토]	1:38:16	2:13:00	06 6:26:16	06 7:02:04
184	목화	목-음축(丑) 늦겨울 [토]	2:13:00	3:02:08	06 7:02:04	06 7:52:42
185	목금	토+양인(寅) 초봄 [목]	3:02:08	3:51:16	06 7:52:42	06 8:43:20
186	목기	토+양인(寅) 초봄 [목]	3:51:16	4:26:00	06 8:43:20	06 9:19:08
187	목수	토+양인(寅) 초봄 [목]	4:26:00	5:15:08	06 9:19:08	06 10:09:46
188	토목	토-음묘(卯) 한봄 [목]	5:15:08	5:49:52	06 10:09:46	06 10:45:33
189	토토	토-음묘(卯) 한봄 [목]	5:49:52	6:14:24	06 10:45:33	06 11:10:50
190	토화	토-음묘(卯) 한봄 [목]	6:14:24	6:49:08	06 11:10:50	06 11:46:38
191	토금	화+양진(辰) 늦봄 [토]	6:49:08	7:23:52	06 11:46:38	06 12:22:26
192	토기	화+양진(辰) 늦봄 [토]	7:23:52	7:48:24	06 12:22:26	06 12:47:43
193	토수	화+양진(辰) 늦봄 [토]	7:48:24	8:23:08	06 12:47:43	06 13:23:30
194	화목	화-음사(巳) 초여름 [화]	8:23:08	9:12:16	06 13:23:30	06 14:14:08
195	화토	화-음사(巳) 초여름 [화]	9:12:16	9:47:00	06 14:14:08	06 14:49:56
196	화화	화-음사(巳) 초여름 [화]	9:47:00	10:36:08	06 14:49:56	06 15:40:34

			음력작은달(29일)			
번호	36기운	12기운	음력1일 (日)시간	음력1일 (日)시간	날짜(음력) 시간(양력)	날짜(음력) 시간(양력)
197	화금	금+양오(午) 한여름 [화]	10:36:08	11:25:16	06 15:40:34	06 16:31:12
198	화기	금+양오(午) 한여름 [화]	11:25:16	12:00:00	06 16:31:12	06 17:07:00
199	화수	금+양오(午) 한여름 [화]	12:00:00	12:49:08	06 17:07:00	06 17:57:38
200	금목	금-음미(未) 늦여름 [토]	12:49:08	13:38:16	06 17:57:38	06 18:48:16
201	금토	금-음미(未) 늦여름 [토]	13:38:16	14:13:00	06 18:48:16	06 19:24:04
202	금화	금-음미(未) 늦여름 [토]	14:13:00	15:02:08	06 19:24:04	06 20:14:42
203	금금	기+양신(申) 초가을 [금]	15:02:08	15:51:16	06 20:14:42	06 21:05:20
204	금기	기+양신(申) 초가을 [금]	15:51:16	16:26:00	06 21:05:20	06 21:41:08
205	금수	기+양신(申) 초가을 [금]	16:26:00	17:15:08	06 21:41:08	06 22:31:46
206	기목	기-음유(酉) 한가을 [금]	17:15:08	17:49:52	06 22:31:46	06 23:07:33
207	기토	기-음유(酉) 한가을 [금]	17:49:52	18:14:24	06 23:07:33	06 23:32:50
208	기화	기-음유(酉) 한가을 [금]	18:14:24	18:49:08	06 23:32:50	07 0:08:38
209	기금	수+양술(戌) 늦가을 [토]	18:49:08	19:23:52	07 0:08:38	07 0:44:26
210	기기	수+양술(戌) 늦가을 [토]	19:23:52	19:48:24	07 0:44:26	07 1:09:43

음력작은달(29일)						
번호	36기운	12기운	음력1일 (日)시간	음력1일 (日)시간	날짜(음력) 시간(양력)	날짜(음력) 시간(양력)
211	기수	수+양술(戌) 늦가을 [토]	19:48:24	20:23:08	07 1:09:43	07 1:45:30
212	수목	수-음해(亥) 초겨울 [수]	20:23:08	21:12:16	07 1:45:30	07 2:36:08
213	수토	수-음해(亥) 초겨울 [수]	21:12:16	21:47:00	07 2:36:08	07 3:11:56
214	수화	수-음해(亥) 초겨울 [수]	21:47:00	22:36:08	07 3:11:56	07 4:02:34
215	수금	목+양자(子) 한겨울 [수]	22:36:08	23:25:16	07 4:02:34	07 4:53:12
216	수기	목+양자(子) 한겨울 [수]	23:25:16	0:00:00	07 4:53:12	07 5:29:00
217	수수	목+양자(子) 한겨울 [수]	0:00:00	0:49:08	07 5:29:00	07 6:19:38
218	목목	목-음축(丑) 늦겨울 [토]	0:49:08	1:38:16	07 6:19:38	07 7:10:16
219	목토	목-음축(丑) 늦겨울 [토]	1:38:16	2:13:00	07 7:10:16	07 7:46:04
220	목화	목-음축(丑) 늦겨울 [토]	2:13:00	3:02:08	07 7:46:04	07 8:36:42
221	목금	토+양인(寅) 초봄 [목]	3:02:08	3:51:16	07 8:36:42	07 9:27:20
222	목기	토+양인(寅) 초봄 [목]	3:51:16	4:26:00	07 9:27:20	07 10:03:08
223	목수	토+양인(寅) 초봄 [목]	4:26:00	5:15:08	07 10:03:08	07 10:53:46
224	토목	토-음묘(卯) 한봄 [목]	5:15:08	5:49:52	07 10:53:46	07 11:29:33

번호	36기운	12기운	음력1일 (日)시간	음력1일 (日)시간	날짜(음력) 시간(양력)	날짜(음력) 시간(양력)
225	토토	토-음묘(卯) 한봄 [목]	5:49:52	6:14:24	07 11:29:33	07 11:54:50
226	토화	토-음묘(卯) 한봄 [목]	6:14:24	6:49:08	07 11:54:50	07 12:30:38
227	토금	화+양진(辰) 늦봄 [토]	6:49:08	7:23:52	07 12:30:38	07 13:06:26
228	토기	화+양진(辰) 늦봄 [토]	7:23:52	7:48:24	07 13:06:26	07 13:31:43
229	토수	화+양진(辰) 늦봄 [토]	7:48:24	8:23:08	07 13:31:43	07 14:07:30
230	화목	화-음사(巳) 초여름 [화]	8:23:08	9:12:16	07 14:07:30	07 14:58:08
231	화토	화-음사(巳) 초여름 [화]	9:12:16	9:47:00	07 14:58:08	07 15:33:56
232	화화	화-음사(巳) 초여름 [화]	9:47:00	10:36:08	07 15:33:56	07 16:24:34
233	화금	금+양오(午) 한여름 [화]	10:36:08	11:25:16	07 16:24:34	07 17:15:12
234	화기	금+양오(午) 한여름 [화]	11:25:16	12:00:00	07 17:15:12	07 17:51:00
235	화수	금+양오(午) 한여름 [화]	12:00:00	12:49:08	07 17:51:00	07 18:41:38
236	금목	금-음미(未) 늦여름 [토]	12:49:08	13:38:16	07 18:41:38	07 19:32:16
237	금토	금-음미(未) 늦여름 [토]	13:38:16	14:13:00	07 19:32:16	07 20:08:04
238	금화	금-음미(未) 늦여름 [토]	14:13:00	15:02:08	07 20:08:04	07 20:58:42

음력작은달(29일)

음력작은달(29일)						
번호	36기운	12기운	음력1일 (日)시간	음력1일 (日)시간	날짜(음력) 시간(양력)	날짜(음력) 시간(양력)
239	금금	기+양신(申) 초가을 [금]	15:02:08	15:51:16	07 20:58:42	07 21:49:20
240	금기	기+양신(申) 초가을 [금]	15:51:16	16:26:00	07 21:49:20	07 22:25:08
241	금수	기+양신(申) 초가을 [금]	16:26:00	17:15:08	07 22:25:08	07 23:15:46
242	기목	기-음유(酉) 한가을 [금]	17:15:08	17:49:52	07 23:15:46	07 23:51:33
243	기토	기-음유(酉) 한가을 [금]	17:49:52	18:14:24	07 23:51:33	08 0:16:50
244	기화	기-음유(酉) 한가을 [금]	18:14:24	18:49:08	08 0:16:50	08 0:52:38
245	기금	수+양술(戌) 늦가을 [토]	18:49:08	19:23:52	08 0:52:38	08 1:28:26
246	기기	수+양술(戌) 늦가을 [토]	19:23:52	19:48:24	08 1:28:26	08 1:53:43
247	기수	수+양술(戌) 늦가을 [토]	19:48:24	20:23:08	08 1:53:43	08 2:29:30
248	수목	수-음해(亥) 초겨울 [수]	20:23:08	21:12:16	08 2:29:30	08 3:20:08
249	수토	수-음해(亥) 초겨울 [수]	21:12:16	21:47:00	08 3:20:08	08 3:55:56
250	수화	수-음해(亥) 초겨울 [수]	21:47:00	22:36:08	08 3:55:56	08 4:46:34
251	수금	목+양자(子) 한겨울 [수]	22:36:08	23:25:16	08 4:46:34	08 5:37:12
252	수기	목+양자(子) 한겨울 [수]	23:25:16	0:00:00	08 5:37:12	08 6:13:00

음력작은달(29일)						
번호	36기운	12기운	음력1일 (日)시간	음력1일 (日)시간	날짜(음력) 시간(양력)	날짜(음력) 시간(양력)
253	수수	목+양자(子) 한겨울 [수]	0:00:00	0:49:08	08 6:13:00	08 7:03:36
254	목목	목-음축(丑) 늦겨울 [토]	0:49:08	1:38:16	08 7:03:36	08 7:54:12
255	목토	목-음축(丑) 늦겨울 [토]	1:38:16	2:13:00	08 7:54:12	08 8:29:58
256	목화	목-음축(丑) 늦겨울 [토]	2:13:00	3:02:08	08 8:29:58	08 9:20:34
257	목금	토+양인(寅) 초봄 [목]	3:02:08	3:51:16	08 9:20:34	08 10:11:10
258	목기	토+양인(寅) 초봄 [목]	3:51:16	4:26:00	08 10:11:10	08 10:46:57
259	목수	토+양인(寅) 초봄 [목]	4:26:00	5:15:08	08 10:46:57	08 11:37:33
260	토목	토-음묘(卯) 한봄 [목]	5:15:08	5:49:52	08 11:37:33	08 12:13:19
261	토토	토-음묘(卯) 한봄 [목]	5:49:52	6:14:24	08 12:13:19	08 12:38:35
262	토화	토-음묘(卯) 한봄 [목]	6:14:24	6:49:08	08 12:38:35	08 13:14:21
263	토금	화+양진(辰) 늦봄 [토]	6:49:08	7:23:52	08 13:14:21	08 13:50:07
264	토기	화+양진(辰) 늦봄 [토]	7:23:52	7:48:24	08 13:50:07	08 14:15:23
265	토수	화+양진(辰) 늦봄 [토]	7:48:24	8:23:08	08 14:15:23	08 14:51:09
266	화목	화-음사(巳) 초여름 [화]	8:23:08	9:12:16	08 14:51:09	08 15:41:45

			음력작은달(29일)			
번호	36기운	12기운	음력1일 (日)시간	음력1일 (日)시간	날짜(음력) 시간(양력)	날짜(음력) 시간(양력)
267	화토	화-음사(巳) 초여름 [화]	9:12:16	9:47:00	08 15:41:45	08 16:17:32
268	화화	화-음사(巳) 초여름 [화]	9:47:00	10:36:08	08 16:17:32	08 17:08:08
269	화금	금+양오(午) 한여름 [화]	10:36:08	11:25:16	08 17:08:08	08 17:58:44
270	화기	금+양오(午) 한여름 [화]	11:25:16	12:00:00	08 17:58:44	08 18:34:30
271	화수	금+양오(午) 한여름 [화]	12:00:00	12:49:08	08 18:34:30	08 19:25:06
272	금목	금-음미(未) 늦여름 [토]	12:49:08	13:38:16	08 19:25:06	08 20:15:42
273	금토	금-음미(未) 늦여름 [토]	13:38:16	14:13:00	08 20:15:42	08 20:51:28
274	금화	금-음미(未) 늦여름 [토]	14:13:00	15:02:08	08 20:51:28	08 21:42:04
275	금금	기+양신(申) 초가을 [금]	15:02:08	15:51:16	08 21:42:04	08 22:32:40
276	금기	기+양신(申) 초가을 [금]	15:51:16	16:26:00	08 22:32:40	08 23:08:27
277	금수	기+양신(申) 초가을 [금]	16:26:00	17:15:08	08 23:08:27	08 23:59:03
278	기목	기-음유(酉) 한가을 [금]	17:15:08	17:49:52	08 23:59:03	09 0:34:49
279	기토	기-음유(酉) 한가을 [금]	17:49:52	18:14:24	09 0:34:49	09 1:00:05
280	기화	기-음유(酉) 한가을 [금]	18:14:24	18:49:08	09 1:00:05	09 1:35:51

번호	36기운	12기운	음력1일 (日)시간	음력1일 (日)시간	날짜(음력) 시간(양력)	날짜(음력) 시간(양력)

음력작은달(29일)

번호	36기운	12기운	음력1일 (日)시간	음력1일 (日)시간	날짜(음력) 시간(양력)	날짜(음력) 시간(양력)
281	기금	수+양술(戌) 늦가을 [토]	18:49:08	19:23:52	09 1:35:51	09 2:11:37
282	기기	수+양술(戌) 늦가을 [토]	19:23:52	19:48:24	09 2:11:37	09 2:36:53
283	기수	수+양술(戌) 늦가을 [토]	19:48:24	20:23:08	09 2:36:53	09 3:12:39
284	수목	수-음해(亥) 초겨울 [수]	20:23:08	21:12:16	09 3:12:39	09 4:03:15
285	수토	수-음해(亥) 초겨울 [수]	21:12:16	21:47:00	09 4:03:15	09 4:39:02
286	수화	수-음해(亥) 초겨울 [수]	21:47:00	22:36:08	09 4:39:02	09 5:29:38
287	수금	목+양자(子) 한겨울 [수]	22:36:08	23:25:16	09 5:29:38	09 6:20:14
288	수기	목+양자(子) 한겨울 [수]	23:25:16	0:00:00	09 6:20:14	09 6:56:00
289	수수	목+양자(子) 한겨울 [수]	0:00:00	0:49:08	09 6:56:00	09 7:46:18
290	목목	목-음축(丑) 늦겨울 [토]	0:49:08	1:38:16	09 7:46:18	09 8:36:35
291	목토	목-음축(丑) 늦겨울 [토]	1:38:16	2:13:00	09 8:36:35	09 9:12:08
292	목화	목-음축(丑) 늦겨울 [토]	2:13:00	3:02:08	09 9:12:08	09 10:02:26
293	목금	토+양인(寅) 초봄 [목]	3:02:08	3:51:16	09 10:02:26	09 10:52:44
294	목기	토+양인(寅) 초봄 [목]	3:51:16	4:26:00	09 10:52:44	09 11:28:17

			음력작은달(29일)			
번호	36기운	12기운	음력1일 (日)시간	음력1일 (日)시간	날짜(음력) 시간(양력)	날짜(음력) 시간(양력)
295	목수	토+양인(寅) 초봄 [목]	4:26:00	5:15:08	09 11:28:17	09 12:18:34
296	토목	토-음묘(卯) 한봄 [목]	5:15:08	5:49:52	09 12:18:34	09 12:54:08
297	토토	토-음묘(卯) 한봄 [목]	5:49:52	6:14:24	09 12:54:08	09 13:19:14
298	토화	토-음묘(卯) 한봄 [목]	6:14:24	6:49:08	09 13:19:14	09 13:54:48
299	토금	화+양진(辰) 늦봄 [토]	6:49:08	7:23:52	09 13:54:48	09 14:30:21
300	토기	화+양진(辰) 늦봄 [토]	7:23:52	7:48:24	09 14:30:21	09 14:55:28
301	토수	화+양진(辰) 늦봄 [토]	7:48:24	8:23:08	09 14:55:28	09 15:31:01
302	화목	화-음사(巳) 초여름 [화]	8:23:08	9:12:16	09 15:31:01	09 16:21:18
303	화토	화-음사(巳) 초여름 [화]	9:12:16	9:47:00	09 16:21:18	09 16:56:52
304	화화	화-음사(巳) 초여름 [화]	9:47:00	10:36:08	09 16:56:52	09 17:47:09
305	화금	금+양오(午) 한여름 [화]	10:36:08	11:25:16	09 17:47:09	09 18:37:27
306	화기	금+양오(午) 한여름 [화]	11:25:16	12:00:00	09 18:37:27	09 19:13:00
307	화수	금+양오(午) 한여름 [화]	12:00:00	12:49:08	09 19:13:00	09 20:03:18
308	금목	금-음미(未) 늦여름 [토]	12:49:08	13:38:16	09 20:03:18	09 20:53:35

			음력작은달(29일)			
번호	36기운	12기운	음력1일 (日)시간	음력1일 (日)시간	날짜(음력) 시간(양력)	날짜(음력) 시간(양력)
309	금토	금-음미(未) 늦여름 [토]	13:38:16	14:13:00	09 20:53:35	09 21:29:08
310	금화	금-음미(未) 늦여름 [토]	14:13:00	15:02:08	09 21:29:08	09 22:19:26
311	금금	기+양신(申) 초가을 [금]	15:02:08	15:51:16	09 22:19:26	09 23:09:44
312	금기	기+양신(申) 초가을 [금]	15:51:16	16:26:00	09 23:09:44	09 23:45:17
313	금수	기+양신(申) 초가을 [금]	16:26:00	17:15:08	09 23:45:17	10 0:35:34
314	기목	기-음유(酉) 한가을 [금]	17:15:08	17:49:52	10 0:35:34	10 1:11:08
315	기토	기-음유(酉) 한가을 [금]	17:49:52	18:14:24	10 1:11:08	10 1:36:14
316	기화	기-음유(酉) 한가을 [금]	18:14:24	18:49:08	10 1:36:14	10 2:11:48
317	기금	수+양술(戌) 늦가을 [토]	18:49:08	19:23:52	10 2:11:48	10 2:47:21
318	기기	수+양술(戌) 늦가을 [토]	19:23:52	19:48:24	10 2:47:21	10 3:12:28
319	기수	수+양술(戌) 늦가을 [토]	19:48:24	20:23:08	10 3:12:28	10 3:48:01
320	수목	수-음해(亥) 초겨울 [수]	20:23:08	21:12:16	10 3:48:01	10 4:38:18
321	수토	수-음해(亥) 초겨울 [수]	21:12:16	21:47:00	10 4:38:18	10 5:13:52
322	수화	수-음해(亥) 초겨울 [수]	21:47:00	22:36:08	10 5:13:52	10 6:04:09

음력작은달(29일)						
번호	36기운	12기운	음력1일 (日)시간	음력1일 (日)시간	날짜(음력) 시간(양력)	날짜(음력) 시간(양력)
323	수금	목+양자(子) 한겨울 [수]	22:36:08	23:25:16	10 6:04:09	10 6:54:27
324	수기	목+양자(子) 한겨울 [수]	23:25:16	0:00:00	10 6:54:27	10 7:30:00
325	수수	목+양자(子) 한겨울 [수]	0:00:00	0:49:08	10 7:30:00	10 8:20:38
326	목목	목-음축(丑) 늦겨울 [토]	0:49:08	1:38:16	10 8:20:38	10 9:11:16
327	목토	목-음축(丑) 늦겨울 [토]	1:38:16	2:13:00	10 9:11:16	10 9:47:04
328	목화	목-음축(丑) 늦겨울 [토]	2:13:00	3:02:08	10 9:47:04	10 10:37:42
329	목금	토+양인(寅) 초봄 [목]	3:02:08	3:51:16	10 10:37:42	10 11:28:20
330	목기	토+양인(寅) 초봄 [목]	3:51:16	4:26:00	10 11:28:20	10 12:04:08
331	목수	토+양인(寅) 초봄 [목]	4:26:00	5:15:08	10 12:04:08	10 12:54:46
332	토목	토-음묘(卯) 한봄 [목]	5:15:08	5:49:52	10 12:54:46	10 13:30:33
333	토토	토-음묘(卯) 한봄 [목]	5:49:52	6:14:24	10 13:30:33	10 13:55:50
334	토화	토-음묘(卯) 한봄 [목]	6:14:24	6:49:08	10 13:55:50	10 14:31:38
335	토금	화+양진(辰) 늦봄 [토]	6:49:08	7:23:52	10 14:31:38	10 15:07:26
336	토기	화+양진(辰) 늦봄 [토]	7:23:52	7:48:24	10 15:07:26	10 15:32:43

번호	36기운	12기운	음력1일 (日)시간	음력1일 (日)시간	날짜(음력) 시간(양력)	날짜(음력) 시간(양력)
					음력작은달(29일)	

음력작은달(29일)

번호	36기운	12기운	음력1일 (日)시간	음력1일 (日)시간	날짜(음력) 시간(양력)	날짜(음력) 시간(양력)
337	토수	화+양진(辰) 늦봄 [토]	7:48:24	8:23:08	10 15:32:43	10 16:08:30
338	화목	화-음사(巳) 초여름 [화]	8:23:08	9:12:16	10 16:08:30	10 16:59:08
339	화토	화-음사(巳) 초여름 [화]	9:12:16	9:47:00	10 16:59:08	10 17:34:56
340	화화	화-음사(巳) 초여름 [화]	9:47:00	10:36:08	10 17:34:56	10 18:25:34
341	화금	금+양오(午) 한여름 [화]	10:36:08	11:25:16	10 18:25:34	10 19:16:12
342	화기	금+양오(午) 한여름 [화]	11:25:16	12:00:00	10 19:16:12	10 19:52:00
343	화수	금+양오(午) 한여름 [화]	12:00:00	12:49:08	10 19:52:00	10 20:42:38
344	금목	금-음미(未) 늦여름 [토]	12:49:08	13:38:16	10 20:42:38	10 21:33:16
345	금토	금-음미(未) 늦여름 [토]	13:38:16	14:13:00	10 21:33:16	10 22:09:04
346	금화	금-음미(未) 늦여름 [토]	14:13:00	15:02:08	10 22:09:04	10 22:59:42
347	금금	기+양신(申) 초가을 [금]	15:02:08	15:51:16	10 22:59:42	10 23:50:20
348	금기	기+양신(申) 초가을 [금]	15:51:16	16:26:00	10 23:50:20	11 0:26:08
349	금수	기+양신(申) 초가을 [금]	16:26:00	17:15:08	11 0:26:08	11 1:16:46
350	기목	기-음유(酉) 한가을 [금]	17:15:08	17:49:52	11 1:16:46	11 1:52:33

음력작은달(29일)						
번호	36기운	12기운	음력1일 (日)시간	음력1일 (日)시간	날짜(음력) 시간(양력)	날짜(음력) 시간(양력)
351	기토	기-음유(酉) 한가을 [금]	17:49:52	18:14:24	11 1:52:33	11 2:17:50
352	기화	기-음유(酉) 한가을 [금]	18:14:24	18:49:08	11 2:17:50	11 2:53:38
353	기금	수+양술(戌) 늦가을 [토]	18:49:08	19:23:52	11 2:53:38	11 3:29:26
354	기기	수+양술(戌) 늦가을 [토]	19:23:52	19:48:24	11 3:29:26	11 3:54:43
355	기수	수+양술(戌) 늦가을 [토]	19:48:24	20:23:08	11 3:54:43	11 4:30:30
356	수목	수-음해(亥) 초겨울 [수]	20:23:08	21:12:16	11 4:30:30	11 5:21:08
357	수토	수-음해(亥) 초겨울 [수]	21:12:16	21:47:00	11 5:21:08	11 5:56:56
358	수화	수-음해(亥) 초겨울 [수]	21:47:00	22:36:08	11 5:56:56	11 6:47:34
359	수금	목+양자(子) 한겨울 [수]	22:36:08	23:25:16	11 6:47:34	11 7:38:12
360	수기	목+양자(子) 한겨울 [수]	23:25:16	0:00:00	11 7:38:12	11 8:14:00
361	수수	목+양자(子) 한겨울 [수]	0:00:00	0:49:08	11 8:14:00	11 9:05:11
362	목목	목-음축(丑) 늦겨울 [토]	0:49:08	1:38:16	11 9:05:11	11 9:56:22
363	목토	목-음축(丑) 늦겨울 [토]	1:38:16	2:13:00	11 9:56:22	11 10:32:33
364	목화	목-음축(丑) 늦겨울 [토]	2:13:00	3:02:08	11 10:32:33	11 11:23:43

번호	36기운	12기운	음력작은달(29일)			
			음력1일 (日)시간	음력1일 (日)시간	날짜(음력) 시간(양력)	날짜(음력) 시간(양력)
365	목금	토+양인(寅) 초봄 [목]	3:02:08	3:51:16	11 11:23:43	11 12:14:54
366	목기	토+양인(寅) 초봄 [목]	3:51:16	4:26:00	11 12:14:54	11 12:51:05
367	목수	토+양인(寅) 초봄 [목]	4:26:00	5:15:08	11 12:51:05	11 13:42:16
368	토목	토-음묘(卯) 한봄 [목]	5:15:08	5:49:52	11 13:42:16	11 14:18:27
369	토토	토-음묘(卯) 한봄 [목]	5:49:52	6:14:24	11 14:18:27	11 14:44:00
370	토화	토-음묘(卯) 한봄 [목]	6:14:24	6:49:08	11 14:44:00	11 15:20:11
371	토금	화+양진(辰) 늦봄 [토]	6:49:08	7:23:52	11 15:20:11	11 15:56:22
372	토기	화+양진(辰) 늦봄 [토]	7:23:52	7:48:24	11 15:56:22	11 16:21:55
373	토수	화+양진(辰) 늦봄 [토]	7:48:24	8:23:08	11 16:21:55	11 16:58:06
374	화목	화-음사(巳) 초여름 [화]	8:23:08	9:12:16	11 16:58:06	11 17:49:17
375	화토	화-음사(巳) 초여름 [화]	9:12:16	9:47:00	11 17:49:17	11 18:25:28
376	화화	화-음사(巳) 초여름 [화]	9:47:00	10:36:08	11 18:25:28	11 19:16:38
377	화금	금+양오(午) 한여름 [화]	10:36:08	11:25:16	11 19:16:38	11 20:07:49
378	화기	금+양오(午) 한여름 [화]	11:25:16	12:00:00	11 20:07:49	11 20:44:00

음력작은달(29일)							
번호	36기운	12기운	음력1일 (日)시간	음력1일 (日)시간	날짜(음력) 시간(양력)		날짜(음력) 시간(양력)	
379	화수	금+양오(午) 한여름 [화]	12:00:00	12:49:08	11	20:44:00	11	21:35:11
380	금목	금-음미(未) 늦여름 [토]	12:49:08	13:38:16	11	21:35:11	11	22:26:22
381	금토	금-음미(未) 늦여름 [토]	13:38:16	14:13:00	11	22:26:22	11	23:02:33
382	금화	금-음미(未) 늦여름 [토]	14:13:00	15:02:08	11	23:02:33	11	23:53:43
383	금금	기+양신(申) 초가을 [금]	15:02:08	15:51:16	11	23:53:43	12	0:44:54
384	금기	기+양신(申) 초가을 [금]	15:51:16	16:26:00	12	0:44:54	12	1:21:05
385	금수	기+양신(申) 초가을 [금]	16:26:00	17:15:08	12	1:21:05	12	2:12:16
386	기목	기-음유(酉) 한가을 [금]	17:15:08	17:49:52	12	2:12:16	12	2:48:27
387	기토	기-음유(酉) 한가을 [금]	17:49:52	18:14:24	12	2:48:27	12	3:14:00
388	기화	기-음유(酉) 한가을 [금]	18:14:24	18:49:08	12	3:14:00	12	3:50:11
389	기금	수+양술(戌) 늦가을 [토]	18:49:08	19:23:52	12	3:50:11	12	4:26:22
390	기기	수+양술(戌) 늦가을 [토]	19:23:52	19:48:24	12	4:26:22	12	4:51:55
391	기수	수+양술(戌) 늦가을 [토]	19:48:24	20:23:08	12	4:51:55	12	5:28:06
392	수목	수-음해(亥) 초겨울 [수]	20:23:08	21:12:16	12	5:28:06	12	6:19:17

			음력작은달(29일)			
번호	36기운	12기운	음력1일 (日)시간	음력1일 (日)시간	날짜(음력) 시간(양력)	날짜(음력) 시간(양력)
393	수토	수-음해(亥) 초겨울 [수]	21:12:16	21:47:00	12 6:19:17	12 6:55:28
394	수화	수-음해(亥) 초겨울 [수]	21:47:00	22:36:08	12 6:55:28	12 7:46:38
395	수금	목+양자(子) 한겨울 [수]	22:36:08	23:25:16	12 7:46:38	12 8:37:49
396	수기	목+양자(子) 한겨울 [수]	23:25:16	0:00:00	12 8:37:49	12 9:14:00
397	수수	목+양자(子) 한겨울 [수]	0:00:00	0:49:08	12 9:14:00	12 10:05:11
398	목목	목-음축(丑) 늦겨울 [토]	0:49:08	1:38:16	12 10:05:11	12 10:56:22
399	목토	목-음축(丑) 늦겨울 [토]	1:38:16	2:13:00	12 10:56:22	12 11:32:33
400	목화	목-음축(丑) 늦겨울 [토]	2:13:00	3:02:08	12 11:32:33	12 12:23:43
401	목금	토+양인(寅) 초봄 [목]	3:02:08	3:51:16	12 12:23:43	12 13:14:54
402	목기	토+양인(寅) 초봄 [목]	3:51:16	4:26:00	12 13:14:54	12 13:51:05
403	목수	토+양인(寅) 초봄 [목]	4:26:00	5:15:08	12 13:51:05	12 14:42:16
404	토목	토-음묘(卯) 한봄 [목]	5:15:08	5:49:52	12 14:42:16	12 15:18:27
405	토토	토-음묘(卯) 한봄 [목]	5:49:52	6:14:24	12 15:18:27	12 15:44:00
406	토화	토-음묘(卯) 한봄 [목]	6:14:24	6:49:08	12 15:44:00	12 16:20:11

			음력작은달(29일)			
번호	36기운	12기운	음력1일 (日)시간	음력1일 (日)시간	날짜(음력) 시간(양력)	날짜(음력) 시간(양력)
407	토금	화+양진(辰) 늦봄 [토]	6:49:08	7:23:52	12　16:20:11	12　16:56:22
408	토기	화+양진(辰) 늦봄 [토]	7:23:52	7:48:24	12　16:56:22	12　17:21:55
409	토수	화+양진(辰) 늦봄 [토]	7:48:24	8:23:08	12　17:21:55	12　17:58:06
410	화목	화-음사(巳) 초여름 [화]	8:23:08	9:12:16	12　17:58:06	12　18:49:17
411	화토	화-음사(巳) 초여름 [화]	9:12:16	9:47:00	12　18:49:17	12　19:25:28
412	화화	화-음사(巳) 초여름 [화]	9:47:00	10:36:08	12　19:25:28	12　20:16:38
413	화금	금+양오(午) 한여름 [화]	10:36:08	11:25:16	12　20:16:38	12　21:07:49
414	화기	금+양오(午) 한여름 [화]	11:25:16	12:00:00	12　21:07:49	12　21:44:00
415	화수	금+양오(午) 한여름 [화]	12:00:00	12:49:08	12　21:44:00	12　22:35:11
416	금목	금-음미(未) 늦여름 [토]	12:49:08	13:38:16	12　22:35:11	12　23:26:22
417	금토	금-음미(未) 늦여름 [토]	13:38:16	14:13:00	12　23:26:22	13　0:02:33
418	금화	금-음미(未) 늦여름 [토]	14:13:00	15:02:08	13　0:02:33	13　0:53:43
419	금금	기+양신(申) 초가을 [금]	15:02:08	15:51:16	13　0:53:43	13　1:44:54
420	금기	기+양신(申) 초가을 [금]	15:51:16	16:26:00	13　1:44:54	13　2:21:05

			음력작은달(29일)			
번호	36기운	12기운	음력1일 (日)시간	음력1일 (日)시간	날짜(음력) 시간(양력)	날짜(음력) 시간(양력)
421	금수	기+양신(申) 초가을 [금]	16:26:00	17:15:08	13 2:21:05	13 3:12:16
422	기목	기-음유(酉) 한가을 [금]	17:15:08	17:49:52	13 3:12:16	13 3:48:27
423	기토	기-음유(酉) 한가을 [금]	17:49:52	18:14:24	13 3:48:27	13 4:14:00
424	기화	기-음유(酉) 한가을 [금]	18:14:24	18:49:08	13 4:14:00	13 4:50:11
425	기금	수+양술(戌) 늦가을 [토]	18:49:08	19:23:52	13 4:50:11	13 5:26:22
426	기기	수+양술(戌) 늦가을 [토]	19:23:52	19:48:24	13 5:26:22	13 5:51:55
427	기수	수+양술(戌) 늦가을 [토]	19:48:24	20:23:08	13 5:51:55	13 6:28:06
428	수목	수-음해(亥) 초겨울 [수]	20:23:08	21:12:16	13 6:28:06	13 7:19:17
429	수토	수-음해(亥) 초겨울 [수]	21:12:16	21:47:00	13 7:19:17	13 7:55:28
430	수화	수-음해(亥) 초겨울 [수]	21:47:00	22:36:08	13 7:55:28	13 8:46:38
431	수금	목+양자(子) 한겨울 [수]	22:36:08	23:25:16	13 8:46:38	13 9:37:49
432	수기	목+양자(子) 한겨울 [수]	23:25:16	0:00:00	13 9:37:49	13 10:14:00
433	수수	목+양자(子) 한겨울 [수]	0:00:00	0:49:08	13 10:14:00	13 11:05:11
434	목목	목-음축(丑) 늦겨울 [토]	0:49:08	1:38:16	13 11:05:11	13 11:56:22

음력작은달(29일)

번호	36기운	12기운	음력1일 (日)시간	음력1일 (日)시간	날짜(음력) 시간(양력)	날짜(음력) 시간(양력)
435	목토	목-음축(丑) 늦겨울 [토]	1:38:16	2:13:00	13 11:56:22	13 12:32:33
436	목화	목-음축(丑) 늦겨울 [토]	2:13:00	3:02:08	13 12:32:33	13 13:23:43
437	목금	토+양인(寅) 초봄 [목]	3:02:08	3:51:16	13 13:23:43	13 14:14:54
438	목기	토+양인(寅) 초봄 [목]	3:51:16	4:26:00	13 14:14:54	13 14:51:05
439	목수	토+양인(寅) 초봄 [목]	4:26:00	5:15:08	13 14:51:05	13 15:42:16
440	토목	토-음묘(卯) 한봄 [목]	5:15:08	5:49:52	13 15:42:16	13 16:18:27
441	토토	토-음묘(卯) 한봄 [목]	5:49:52	6:14:24	13 16:18:27	13 16:44:00
442	토화	토-음묘(卯) 한봄 [목]	6:14:24	6:49:08	13 16:44:00	13 17:20:11
443	토금	화+양진(辰) 늦봄 [토]	6:49:08	7:23:52	13 17:20:11	13 17:56:22
444	토기	화+양진(辰) 늦봄 [토]	7:23:52	7:48:24	13 17:56:22	13 18:21:55
445	토수	화+양진(辰) 늦봄 [토]	7:48:24	8:23:08	13 18:21:55	13 18:58:06
446	화목	화-음사(巳) 초여름 [화]	8:23:08	9:12:16	13 18:58:06	13 19:49:17
447	화토	화-음사(巳) 초여름 [화]	9:12:16	9:47:00	13 19:49:17	13 20:25:28
448	화화	화-음사(巳) 초여름 [화]	9:47:00	10:36:08	13 20:25:28	13 21:16:38

번호	36기운	12기운	음력1일 (日)시간	음력1일 (日)시간	날짜(음력) 시간(양력)	날짜(음력) 시간(양력)
			음력작은달(29일)			
449	화금	금+양오(午) 한여름 [화]	10:36:08	11:25:16	13 21:16:38	13 22:07:49
450	화기	금+양오(午) 한여름 [화]	11:25:16	12:00:00	13 22:07:49	13 22:44:00
451	화수	금+양오(午) 한여름 [화]	12:00:00	12:49:08	13 22:44:00	13 23:35:11
452	금목	금-음미(未) 늦여름 [토]	12:49:08	13:38:16	13 23:35:11	14 0:26:22
453	금토	금-음미(未) 늦여름 [토]	13:38:16	14:13:00	14 0:26:22	14 1:02:33
454	금화	금-음미(未) 늦여름 [토]	14:13:00	15:02:08	14 1:02:33	14 1:53:43
455	금금	기+양신(申) 초가을 [금]	15:02:08	15:51:16	14 1:53:43	14 2:44:54
456	금기	기+양신(申) 초가을 [금]	15:51:16	16:26:00	14 2:44:54	14 3:21:05
457	금수	기+양신(申) 초가을 [금]	16:26:00	17:15:08	14 3:21:05	14 4:12:16
458	기목	기-음유(酉) 한가을 [금]	17:15:08	17:49:52	14 4:12:16	14 4:48:27
459	기토	기-음유(酉) 한가을 [금]	17:49:52	18:14:24	14 4:48:27	14 5:14:00
460	기화	기-음유(酉) 한가을 [금]	18:14:24	18:49:08	14 5:14:00	14 5:50:11
461	기금	수+양술(戌) 늦가을 [토]	18:49:08	19:23:52	14 5:50:11	14 6:26:22
462	기기	수+양술(戌) 늦가을 [토]	19:23:52	19:48:24	14 6:26:22	14 6:51:55

음력작은달(29일)						
번호	36기운	12기운	음력1일 (日)시간	음력1일 (日)시간	날짜(음력) 시간(양력)	날짜(음력) 시간(양력)
463	기수	수+양술(戌) 늦가을 [토]	19:48:24	20:23:08	14 6:51:55	14 7:28:06
464	수목	수-음해(亥) 초겨울 [수]	20:23:08	21:12:16	14 7:28:06	14 8:19:17
465	수토	수-음해(亥) 초겨울 [수]	21:12:16	21:47:00	14 8:19:17	14 8:55:28
466	수화	수-음해(亥) 초겨울 [수]	21:47:00	22:36:08	14 8:55:28	14 9:46:38
467	수금	목+양자(子) 한겨울 [수]	22:36:08	23:25:16	14 9:46:38	14 10:37:49
468	수기	목+양자(子) 한겨울 [수]	23:25:16	0:00:00	14 10:37:49	14 11:14:00
469	수수	목+양자(子) 한겨울 [수]	0:00:00	0:49:08	14 11:14:00	14 12:04:42
470	목목	목-음축(丑) 늦겨울 [토]	0:49:08	1:38:16	14 12:04:42	14 12:55:24
471	목토	목-음축(丑) 늦겨울 [토]	1:38:16	2:13:00	14 12:55:24	14 13:31:15
472	목화	목-음축(丑) 늦겨울 [토]	2:13:00	3:02:08	14 13:31:15	14 14:21:57
473	목금	토+양인(寅) 초봄 [목]	3:02:08	3:51:16	14 14:21:57	14 15:12:39
474	목기	토+양인(寅) 초봄 [목]	3:51:16	4:26:00	14 15:12:39	14 15:48:30
475	목수	토+양인(寅) 초봄 [목]	4:26:00	5:15:08	14 15:48:30	14 16:39:12
476	토목	토-음묘(卯) 한봄 [목]	5:15:08	5:49:52	14 16:39:12	14 17:15:03

번호	36기운	12기운	음력작은달(29일)			
			음력1일 (日)시간	음력1일 (日)시간	날짜(음력) 시간(양력)	날짜(음력) 시간(양력)
477	토토	토-음묘(卯) 한봄 [목]	5:49:52	6:14:24	14 17:15:03	14 17:40:22
478	토화	토-음묘(卯) 한봄 [목]	6:14:24	6:49:08	14 17:40:22	14 18:16:12
479	토금	화+양진(辰) 늦봄 [토]	6:49:08	7:23:52	14 18:16:12	14 18:52:03
480	토기	화+양진(辰) 늦봄 [토]	7:23:52	7:48:24	14 18:52:03	14 19:17:22
481	토수	화+양진(辰) 늦봄 [토]	7:48:24	8:23:08	14 19:17:22	14 19:53:12
482	화목	화-음사(巳) 초여름 [화]	8:23:08	9:12:16	14 19:53:12	14 20:43:55
483	화토	화-음사(巳) 초여름 [화]	9:12:16	9:47:00	14 20:43:55	14 21:19:45
484	화화	화-음사(巳) 초여름 [화]	9:47:00	10:36:08	14 21:19:45	14 22:10:27
485	화금	금+양오(午) 한여름 [화]	10:36:08	11:25:16	14 22:10:27	14 23:01:09
486	화기	금+양오(午) 한여름 [화]	11:25:16	12:00:00	14 23:01:09	14 23:37:00
487	화수	금+양오(午) 한여름 [화]	12:00:00	12:49:08	14 23:37:00	15 0:27:42
488	금목	금-음미(未) 늦여름 [토]	12:49:08	13:38:16	15 0:27:42	15 1:18:24
489	금토	금-음미(未) 늦여름 [토]	13:38:16	14:13:00	15 1:18:24	15 1:54:15
490	금화	금-음미(未) 늦여름 [토]	14:13:00	15:02:08	15 1:54:15	15 2:44:57

음력작은달(29일)						
번호	36기운	12기운	음력1일 (日)시간	음력1일 (日)시간	날짜(음력) 시간(양력)	날짜(음력) 시간(양력)
491	금금	기+양신(申) 초가을 [금]	15:02:08	15:51:16	15 2:44:57	15 3:35:39
492	금기	기+양신(申) 초가을 [금]	15:51:16	16:26:00	15 3:35:39	15 4:11:30
493	금수	기+양신(申) 초가을 [금]	16:26:00	17:15:08	15 4:11:30	15 5:02:12
494	기목	기-음유(酉) 한가을 [금]	17:15:08	17:49:52	15 5:02:12	15 5:38:03
495	기토	기-음유(酉) 한가을 [금]	17:49:52	18:14:24	15 5:38:03	15 6:03:22
496	기화	기-음유(酉) 한가을 [금]	18:14:24	18:49:08	15 6:03:22	15 6:39:12
497	기금	수+양술(戌) 늦가을 [토]	18:49:08	19:23:52	15 6:39:12	15 7:15:03
498	기기	수+양술(戌) 늦가을 [토]	19:23:52	19:48:24	15 7:15:03	15 7:40:22
499	기수	수+양술(戌) 늦가을 [토]	19:48:24	20:23:08	15 7:40:22	15 8:16:12
500	수목	수-음해(亥) 초겨울 [수]	20:23:08	21:12:16	15 8:16:12	15 9:06:55
501	수토	수-음해(亥) 초겨울 [수]	21:12:16	21:47:00	15 9:06:55	15 9:42:45
502	수화	수-음해(亥) 초겨울 [수]	21:47:00	22:36:08	15 9:42:45	15 10:33:27
503	수금	목+양자(子) 한겨울 [수]	22:36:08	23:25:16	15 10:33:27	15 11:24:09
504	수기	목+양자(子) 한겨울 [수]	23:25:16	0:00:00	15 11:24:09	15 12:00:00

			음력작은달(29일)			
번호	36기운	12기운	음력1일 (日)시간	음력1일 (日)시간	날짜(음력) 시간(양력)	날짜(음력) 시간(양력)
505	수수	목+양자(子) 한겨울 [수]	0:00:00	0:49:08	15 12:00:00	15 12:51:11
506	목목	목-음축(丑) 늦겨울 [토]	0:49:08	1:38:16	15 12:51:11	15 13:42:22
507	목토	목-음축(丑) 늦겨울 [토]	1:38:16	2:13:00	15 13:42:22	15 14:18:33
508	목화	목-음축(丑) 늦겨울 [토]	2:13:00	3:02:08	15 14:18:33	15 15:09:43
509	목금	토+양인(寅) 초봄 [목]	3:02:08	3:51:16	15 15:09:43	15 16:00:54
510	목기	토+양인(寅) 초봄 [목]	3:51:16	4:26:00	15 16:00:54	15 16:37:05
511	목수	토+양인(寅) 초봄 [목]	4:26:00	5:15:08	15 16:37:05	15 17:28:16
512	토목	토-음묘(卯) 한봄 [목]	5:15:08	5:49:52	15 17:28:16	15 18:04:27
513	토토	토-음묘(卯) 한봄 [목]	5:49:52	6:14:24	15 18:04:27	15 18:30:00
514	토화	토-음묘(卯) 한봄 [목]	6:14:24	6:49:08	15 18:30:00	15 19:06:11
515	토금	화+양진(辰) 늦봄 [토]	6:49:08	7:23:52	15 19:06:11	15 19:42:22
516	토기	화+양진(辰) 늦봄 [토]	7:23:52	7:48:24	15 19:42:22	15 20:07:55
517	토수	화+양진(辰) 늦봄 [토]	7:48:24	8:23:08	15 20:07:55	15 20:44:06
518	화목	화-음사(巳) 초여름 [화]	8:23:08	9:12:16	15 20:44:06	15 21:35:17

음력작은달(29일)						
번호	36기운	12기운	음력1일 (日)시간	음력1일 (日)시간	날짜(음력) 시간(양력)	날짜(음력) 시간(양력)
519	화토	화-음사(巳) 초여름 [화]	9:12:16	9:47:00	15 21:35:17	15 22:11:28
520	화화	화-음사(巳) 초여름 [화]	9:47:00	10:36:08	15 22:11:28	15 23:02:38
521	화금	금+양오(午) 한여름 [화]	10:36:08	11:25:16	15 23:02:38	15 23:53:49
522	화기	금+양오(午) 한여름 [화]	11:25:16	12:00:00	15 23:53:49	16 0:30:00
523	화수	금+양오(午) 한여름 [화]	12:00:00	12:49:08	16 0:30:00	16 1:21:11
524	금목	금-음미(未) 늦여름 [토]	12:49:08	13:38:16	16 1:21:11	16 2:12:22
525	금토	금-음미(未) 늦여름 [토]	13:38:16	14:13:00	16 2:12:22	16 2:48:33
526	금화	금-음미(未) 늦여름 [토]	14:13:00	15:02:08	16 2:48:33	16 3:39:43
527	금금	기+양신(申) 초가을 [금]	15:02:08	15:51:16	16 3:39:43	16 4:30:54
528	금기	기+양신(申) 초가을 [금]	15:51:16	16:26:00	16 4:30:54	16 5:07:05
529	금수	기+양신(申) 초가을 [금]	16:26:00	17:15:08	16 5:07:05	16 5:58:16
530	기목	기-음유(酉) 한가을 [금]	17:15:08	17:49:52	16 5:58:16	16 6:34:27
531	기토	기-음유(酉) 한가을 [금]	17:49:52	18:14:24	16 6:34:27	16 7:00:00
532	기화	기-음유(酉) 한가을 [금]	18:14:24	18:49:08	16 7:00:00	16 7:36:11

			음력작은달(29일)			
번호	36기운	12기운	음력1일 (日)시간	음력1일 (日)시간	날짜(음력) 시간(양력)	날짜(음력) 시간(양력)
533	기금	수+양술(戌) 늦가을 [토]	18:49:08	19:23:52	16 7:36:11	16 8:12:22
534	기기	수+양술(戌) 늦가을 [토]	19:23:52	19:48:24	16 8:12:22	16 8:37:55
535	기수	수+양술(戌) 늦가을 [토]	19:48:24	20:23:08	16 8:37:55	16 9:14:06
536	수목	수-음해(亥) 초겨울 [수]	20:23:08	21:12:16	16 9:14:06	16 10:05:17
537	수토	수-음해(亥) 초겨울 [수]	21:12:16	21:47:00	16 10:05:17	16 10:41:28
538	수화	수-음해(亥) 초겨울 [수]	21:47:00	22:36:08	16 10:41:28	16 11:32:38
539	수금	목+양자(子) 한겨울 [수]	22:36:08	23:25:16	16 11:32:38	16 12:23:49
540	수기	목+양자(子) 한겨울 [수]	23:25:16	0:00:00	16 12:23:49	16 13:00:00
541	수수	목+양자(子) 한겨울 [수]	0:00:00	0:49:08	16 13:00:00	16 13:51:11
542	목목	목-음축(丑) 늦겨울 [토]	0:49:08	1:38:16	16 13:51:11	16 14:42:22
543	목토	목-음축(丑) 늦겨울 [토]	1:38:16	2:13:00	16 14:42:22	16 15:18:33
544	목화	목-음축(丑) 늦겨울 [토]	2:13:00	3:02:08	16 15:18:33	16 16:09:43
545	목금	토+양인(寅) 초봄 [목]	3:02:08	3:51:16	16 16:09:43	16 17:00:54
546	목기	토+양인(寅) 초봄 [목]	3:51:16	4:26:00	16 17:00:54	16 17:37:05

음력작은달(29일)						
번호	36기운	12기운	음력1일 (日)시간	음력1일 (日)시간	날짜(음력) 시간(양력)	날짜(음력) 시간(양력)
547	목수	토+양인(寅) 초봄 [목]	4:26:00	5:15:08	16 17:37:05	16 18:28:16
548	토목	토-음묘(卯) 한봄 [목]	5:15:08	5:49:52	16 18:28:16	16 19:04:27
549	토토	토-음묘(卯) 한봄 [목]	5:49:52	6:14:24	16 19:04:27	16 19:30:00
550	토화	토-음묘(卯) 한봄 [목]	6:14:24	6:49:08	16 19:30:00	16 20:06:11
551	토금	화+양진(辰) 늦봄 [토]	6:49:08	7:23:52	16 20:06:11	16 20:42:22
552	토기	화+양진(辰) 늦봄 [토]	7:23:52	7:48:24	16 20:42:22	16 21:07:55
553	토수	화+양진(辰) 늦봄 [토]	7:48:24	8:23:08	16 21:07:55	16 21:44:06
554	화목	화-음사(巳) 초여름 [화]	8:23:08	9:12:16	16 21:44:06	16 22:35:17
555	화토	화-음사(巳) 초여름 [화]	9:12:16	9:47:00	16 22:35:17	16 23:11:28
556	화화	화-음사(巳) 초여름 [화]	9:47:00	10:36:08	16 23:11:28	17 0:02:38
557	화금	금+양오(午) 한여름 [화]	10:36:08	11:25:16	17 0:02:38	17 0:53:49
558	화기	금+양오(午) 한여름 [화]	11:25:16	12:00:00	17 0:53:49	17 1:30:00
559	화수	금+양오(午) 한여름 [화]	12:00:00	12:49:08	17 1:30:00	17 2:21:11
560	금목	금-음미(未) 늦여름 [토]	12:49:08	13:38:16	17 2:21:11	17 3:12:22

			음력작은달(29일)			
번호	36기운	12기운	음력1일 (日)시간	음력1일 (日)시간	날짜(음력) 시간(양력)	날짜(음력) 시간(양력)
561	금토	금-음미(未) 늦여름 [토]	13:38:16	14:13:00	17 3:12:22	17 3:48:33
562	금화	금-음미(未) 늦여름 [토]	14:13:00	15:02:08	17 3:48:33	17 4:39:43
563	금금	기+양신(申) 초가을 [금]	15:02:08	15:51:16	17 4:39:43	17 5:30:54
564	금기	기+양신(申) 초가을 [금]	15:51:16	16:26:00	17 5:30:54	17 6:07:05
565	금수	기+양신(申) 초가을 [금]	16:26:00	17:15:08	17 6:07:05	17 6:58:16
566	기목	기-음유(酉) 한가을 [금]	17:15:08	17:49:52	17 6:58:16	17 7:34:27
567	기토	기-음유(酉) 한가을 [금]	17:49:52	18:14:24	17 7:34:27	17 8:00:00
568	기화	기-음유(酉) 한가을 [금]	18:14:24	18:49:08	17 8:00:00	17 8:36:11
569	기금	수+양술(戌) 늦가을 [토]	18:49:08	19:23:52	17 8:36:11	17 9:12:22
570	기기	수+양술(戌) 늦가을 [토]	19:23:52	19:48:24	17 9:12:22	17 9:37:55
571	기수	수+양술(戌) 늦가을 [토]	19:48:24	20:23:08	17 9:37:55	17 10:14:06
572	수목	수-음해(亥) 초겨울 [수]	20:23:08	21:12:16	17 10:14:06	17 11:05:17
573	수토	수-음해(亥) 초겨울 [수]	21:12:16	21:47:00	17 11:05:17	17 11:41:28
574	수화	수-음해(亥) 초겨울 [수]	21:47:00	22:36:08	17 11:41:28	17 12:32:38

\multicolumn{8}{c}{음력작은달(29일)}

번호	36기운	12기운	음력1일 (日)시간	음력1일 (日)시간	날짜(음력) 시간(양력)	날짜(음력) 시간(양력)
575	수금	목+양자(子) 한겨울 [수]	22:36:08	23:25:16	17 12:32:38	17 13:23:49
576	수기	목+양자(子) 한겨울 [수]	23:25:16	0:00:00	17 13:23:49	17 14:00:00
577	수수	목+양자(子) 한겨울 [수]	0:00:00	0:49:08	17 14:00:00	17 14:51:11
578	목목	목-음축(丑) 늦겨울 [토]	0:49:08	1:38:16	17 14:51:11	17 15:42:22
579	목토	목-음축(丑) 늦겨울 [토]	1:38:16	2:13:00	17 15:42:22	17 16:18:33
580	목화	목-음축(丑) 늦겨울 [토]	2:13:00	3:02:08	17 16:18:33	17 17:09:43
581	목금	토+양인(寅) 초봄 [목]	3:02:08	3:51:16	17 17:09:43	17 18:00:54
582	목기	토+양인(寅) 초봄 [목]	3:51:16	4:26:00	17 18:00:54	17 18:37:05
583	목수	토+양인(寅) 초봄 [목]	4:26:00	5:15:08	17 18:37:05	17 19:28:16
584	토목	토-음묘(卯) 한봄 [목]	5:15:08	5:49:52	17 19:28:16	17 20:04:27
585	토토	토-음묘(卯) 한봄 [목]	5:49:52	6:14:24	17 20:04:27	17 20:30:00
586	토화	토-음묘(卯) 한봄 [목]	6:14:24	6:49:08	17 20:30:00	17 21:06:11
587	토금	화+양진(辰) 늦봄 [토]	6:49:08	7:23:52	17 21:06:11	17 21:42:22
588	토기	화+양진(辰) 늦봄 [토]	7:23:52	7:48:24	17 21:42:22	17 22:07:55

			음력작은달(29일)			
번호	36기운	12기운	음력1일 (日)시간	음력1일 (日)시간	날짜(음력) 시간(양력)	날짜(음력) 시간(양력)
589	토수	화+양진(辰) 늦봄 [토]	7:48:24	8:23:08	17 22:07:55	17 22:44:06
590	화목	화-음사(巳) 초여름 [화]	8:23:08	9:12:16	17 22:44:06	17 23:35:17
591	화토	화-음사(巳) 초여름 [화]	9:12:16	9:47:00	17 23:35:17	18 0:11:28
592	화화	화-음사(巳) 초여름 [화]	9:47:00	10:36:08	18 0:11:28	18 1:02:38
593	화금	금+양오(午) 한여름 [화]	10:36:08	11:25:16	18 1:02:38	18 1:53:49
594	화기	금+양오(午) 한여름 [화]	11:25:16	12:00:00	18 1:53:49	18 2:30:00
595	화수	금+양오(午) 한여름 [화]	12:00:00	12:49:08	18 2:30:00	18 3:21:11
596	금목	금-음미(未) 늦여름 [토]	12:49:08	13:38:16	18 3:21:11	18 4:12:22
597	금토	금-음미(未) 늦여름 [토]	13:38:16	14:13:00	18 4:12:22	18 4:48:33
598	금화	금-음미(未) 늦여름 [토]	14:13:00	15:02:08	18 4:48:33	18 5:39:43
599	금금	기+양신(申) 초가을 [금]	15:02:08	15:51:16	18 5:39:43	18 6:30:54
600	금기	기+양신(申) 초가을 [금]	15:51:16	16:26:00	18 6:30:54	18 7:07:05
601	금수	기+양신(申) 초가을 [금]	16:26:00	17:15:08	18 7:07:05	18 7:58:16
602	기목	기-음유(酉) 한가을 [금]	17:15:08	17:49:52	18 7:58:16	18 8:34:27

			음력작은달(29일)			
번호	36기운	12기운	음력1일 (日)시간	음력1일 (日)시간	날짜(음력) 시간(양력)	날짜(음력) 시간(양력)
603	기토	기-음유(酉) 한가을 [금]	17:49:52	18:14:24	18 8:34:27	18 9:00:00
604	기화	기-음유(酉) 한가을 [금]	18:14:24	18:49:08	18 9:00:00	18 9:36:11
605	기금	수+양술(戌) 늦가을 [토]	18:49:08	19:23:52	18 9:36:11	18 10:12:22
606	기기	수+양술(戌) 늦가을 [토]	19:23:52	19:48:24	18 10:12:22	18 10:37:55
607	기수	수+양술(戌) 늦가을 [토]	19:48:24	20:23:08	18 10:37:55	18 11:14:06
608	수목	수-음해(亥) 초겨울 [수]	20:23:08	21:12:16	18 11:14:06	18 12:05:17
609	수토	수-음해(亥) 초겨울 [수]	21:12:16	21:47:00	18 12:05:17	18 12:41:28
610	수화	수-음해(亥) 초겨울 [수]	21:47:00	22:36:08	18 12:41:28	18 13:32:38
611	수금	목+양자(子) 한겨울 [수]	22:36:08	23:25:16	18 13:32:38	18 14:23:49
612	수기	목+양자(子) 한겨울 [수]	23:25:16	0:00:00	18 14:23:49	18 15:00:00
613	수수	목+양자(子) 한겨울 [수]	0:00:00	0:49:08	18 15:00:00	18 15:50:40
614	목목	목-음축(丑) 늦겨울 [토]	0:49:08	1:38:16	18 15:50:40	18 16:41:20
615	목토	목-음축(丑) 늦겨울 [토]	1:38:16	2:13:00	18 16:41:20	18 17:17:09
616	목화	목-음축(丑) 늦겨울 [토]	2:13:00	3:02:08	18 17:17:09	18 18:07:50

			음력작은달(29일)			

번호	36기운	12기운	음력1일 (日)시간	음력1일 (日)시간	날짜(음력) 시간(양력)	날짜(음력) 시간(양력)
617	목금	토+양인(寅) 초봄 [목]	3:02:08	3:51:16	18 18:07:50	18 18:58:30
618	목기	토+양인(寅) 초봄 [목]	3:51:16	4:26:00	18 18:58:30	18 19:34:19
619	목수	토+양인(寅) 초봄 [목]	4:26:00	5:15:08	18 19:34:19	18 20:24:59
620	토목	토-음묘(卯) 한봄 [목]	5:15:08	5:49:52	18 20:24:59	18 21:00:48
621	토토	토-음묘(卯) 한봄 [목]	5:49:52	6:14:24	18 21:00:48	18 21:26:06
622	토화	토-음묘(卯) 한봄 [목]	6:14:24	6:49:08	18 21:26:06	18 22:01:55
623	토금	화+양진(辰) 늦봄 [토]	6:49:08	7:23:52	18 22:01:55	18 22:37:44
624	토기	화+양진(辰) 늦봄 [토]	7:23:52	7:48:24	18 22:37:44	18 23:03:02
625	토수	화+양진(辰) 늦봄 [토]	7:48:24	8:23:08	18 23:03:02	18 23:38:51
626	화목	화-음사(巳) 초여름 [화]	8:23:08	9:12:16	18 23:38:51	19 0:29:32
627	화토	화-음사(巳) 초여름 [화]	9:12:16	9:47:00	19 0:29:32	19 1:05:21
628	화화	화-음사(巳) 초여름 [화]	9:47:00	10:36:08	19 1:05:21	19 1:56:01
629	화금	금+양오(午) 한여름 [화]	10:36:08	11:25:16	19 1:56:01	19 2:46:41
630	화기	금+양오(午) 한여름 [화]	11:25:16	12:00:00	19 2:46:41	19 3:22:30

			음력작은달(29일)			
번호	36기운	12기운	음력1일 (日)시간	음력1일 (日)시간	날짜(음력) 시간(양력)	날짜(음력) 시간(양력)
631	화수	금+양오(午) 한여름 [화]	12:00:00	12:49:08	19 3:22:30	19 4:13:10
632	금목	금-음미(未) 늦여름 [토]	12:49:08	13:38:16	19 4:13:10	19 5:03:50
633	금토	금-음미(未) 늦여름 [토]	13:38:16	14:13:00	19 5:03:50	19 5:39:39
634	금화	금-음미(未) 늦여름 [토]	14:13:00	15:02:08	19 5:39:39	19 6:30:20
635	금금	기+양신(申) 초가을 [금]	15:02:08	15:51:16	19 6:30:20	19 7:21:00
636	금기	기+양신(申) 초가을 [금]	15:51:16	16:26:00	19 7:21:00	19 7:56:49
637	금수	기+양신(申) 초가을 [금]	16:26:00	17:15:08	19 7:56:49	19 8:47:29
638	기목	기-음유(酉) 한가을 [금]	17:15:08	17:49:52	19 8:47:29	19 9:23:18
639	기토	기-음유(酉) 한가을 [금]	17:49:52	18:14:24	19 9:23:18	19 9:48:36
640	기화	기-음유(酉) 한가을 [금]	18:14:24	18:49:08	19 9:48:36	19 10:24:25
641	기금	수+양술(戌) 늦가을 [토]	18:49:08	19:23:52	19 10:24:25	19 11:00:14
642	기기	수+양술(戌) 늦가을 [토]	19:23:52	19:48:24	19 11:00:14	19 11:25:32
643	기수	수+양술(戌) 늦가을 [토]	19:48:24	20:23:08	19 11:25:32	19 12:01:21
644	수목	수-음해(亥) 초겨울 [수]	20:23:08	21:12:16	19 12:01:21	19 12:52:02

번호	36기운	12기운	음력1일 (日)시간	음력1일 (日)시간	날짜(음력) 시간(양력)	날짜(음력) 시간(양력)
					음력작은달(29일)	
645	수토	수-음해(亥) 초겨울 [수]	21:12:16	21:47:00	19 12:52:02	19 13:27:51
646	수화	수-음해(亥) 초겨울 [수]	21:47:00	22:36:08	19 13:27:51	19 14:18:31
647	수금	목+양자(子) 한겨울 [수]	22:36:08	23:25:16	19 14:18:31	19 15:09:11
648	수기	목+양자(子) 한겨울 [수]	23:25:16	0:00:00	19 15:09:11	19 15:45:00
649	수수	목+양자(子) 한겨울 [수]	0:00:00	0:49:08	19 15:45:00	19 16:36:11
650	목목	목-음축(丑) 늦겨울 [토]	0:49:08	1:38:16	19 16:36:11	19 17:27:22
651	목토	목-음축(丑) 늦겨울 [토]	1:38:16	2:13:00	19 17:27:22	19 18:03:33
652	목화	목-음축(丑) 늦겨울 [토]	2:13:00	3:02:08	19 18:03:33	19 18:54:43
653	목금	토+양인(寅) 초봄 [목]	3:02:08	3:51:16	19 18:54:43	19 19:45:54
654	목기	토+양인(寅) 초봄 [목]	3:51:16	4:26:00	19 19:45:54	19 20:22:05
655	목수	토+양인(寅) 초봄 [목]	4:26:00	5:15:08	19 20:22:05	19 21:13:16
656	토목	토-음묘(卯) 한봄 [목]	5:15:08	5:49:52	19 21:13:16	19 21:49:27
657	토토	토-음묘(卯) 한봄 [목]	5:49:52	6:14:24	19 21:49:27	19 22:15:00
658	토화	토-음묘(卯) 한봄 [목]	6:14:24	6:49:08	19 22:15:00	19 22:51:11

음력작은달(29일)						
번호	36기운	12기운	음력1일 (日)시간	음력1일 (日)시간	날짜(음력) 시간(양력)	날짜(음력) 시간(양력)
659	토금	화+양진(辰) 늦봄 [토]	6:49:08	7:23:52	19 22:51:11	19 23:27:22
660	토기	화+양진(辰) 늦봄 [토]	7:23:52	7:48:24	19 23:27:22	19 23:52:55
661	토수	화+양진(辰) 늦봄 [토]	7:48:24	8:23:08	19 23:52:55	20 0:29:06
662	화목	화-음사(巳) 초여름 [화]	8:23:08	9:12:16	20 0:29:06	20 1:20:17
663	화토	화-음사(巳) 초여름 [화]	9:12:16	9:47:00	20 1:20:17	20 1:56:28
664	화화	화-음사(巳) 초여름 [화]	9:47:00	10:36:08	20 1:56:28	20 2:47:38
665	화금	금+양오(午) 한여름 [화]	10:36:08	11:25:16	20 2:47:38	20 3:38:49
666	화기	금+양오(午) 한여름 [화]	11:25:16	12:00:00	20 3:38:49	20 4:15:00
667	화수	금+양오(午) 한여름 [화]	12:00:00	12:49:08	20 4:15:00	20 5:06:11
668	금목	금-음미(未) 늦여름 [토]	12:49:08	13:38:16	20 5:06:11	20 5:57:22
669	금토	금-음미(未) 늦여름 [토]	13:38:16	14:13:00	20 5:57:22	20 6:33:33
670	금화	금-음미(未) 늦여름 [토]	14:13:00	15:02:08	20 6:33:33	20 7:24:43
671	금금	기+양신(申) 초가을 [금]	15:02:08	15:51:16	20 7:24:43	20 8:15:54
672	금기	기+양신(申) 초가을 [금]	15:51:16	16:26:00	20 8:15:54	20 8:52:05

			음력작은달(29일)			
번호	36기운	12기운	음력1일 (日)시간	음력1일 (日)시간	날짜(음력) 시간(양력)	날짜(음력) 시간(양력)
673	금수	기+양신(申) 초가을 [금]	16:26:00	17:15:08	20 8:52:05	20 9:43:16
674	기목	기-음유(酉) 한가을 [금]	17:15:08	17:49:52	20 9:43:16	20 10:19:27
675	기토	기-음유(酉) 한가을 [금]	17:49:52	18:14:24	20 10:19:27	20 10:45:00
676	기화	기-음유(酉) 한가을 [금]	18:14:24	18:49:08	20 10:45:00	20 11:21:11
677	기금	수+양술(戌) 늦가을 [토]	18:49:08	19:23:52	20 11:21:11	20 11:57:22
678	기기	수+양술(戌) 늦가을 [토]	19:23:52	19:48:24	20 11:57:22	20 12:22:55
679	기수	수+양술(戌) 늦가을 [토]	19:48:24	20:23:08	20 12:22:55	20 12:59:06
680	수목	수-음해(亥) 초겨울 [수]	20:23:08	21:12:16	20 12:59:06	20 13:50:17
681	수토	수-음해(亥) 초겨울 [수]	21:12:16	21:47:00	20 13:50:17	20 14:26:28
682	수화	수-음해(亥) 초겨울 [수]	21:47:00	22:36:08	20 14:26:28	20 15:17:38
683	수금	목+양자(子) 한겨울 [수]	22:36:08	23:25:16	20 15:17:38	20 16:08:49
684	수기	목+양자(子) 한겨울 [수]	23:25:16	0:00:00	20 16:08:49	20 16:45:00
685	수수	목+양자(子) 한겨울 [수]	0:00:00	0:49:08	20 16:45:00	20 17:35:38
686	목목	목-음축(丑) 늦겨울 [토]	0:49:08	1:38:16	20 17:35:38	20 18:26:16

음력작은달(29일)						
번호	36기운	12기운	음력1일 (日)시간	음력1일 (日)시간	날짜(음력) 시간(양력)	날짜(음력) 시간(양력)
687	목토	목-음축(丑) 늦겨울 [토]	1:38:16	2:13:00	20 18:26:16	20 19:02:04
688	목화	목-음축(丑) 늦겨울 [토]	2:13:00	3:02:08	20 19:02:04	20 19:52:42
689	목금	토+양인(寅) 초봄 [목]	3:02:08	3:51:16	20 19:52:42	20 20:43:20
690	목기	토+양인(寅) 초봄 [목]	3:51:16	4:26:00	20 20:43:20	20 21:19:08
691	목수	토+양인(寅) 초봄 [목]	4:26:00	5:15:08	20 21:19:08	20 22:09:46
692	토목	토-음묘(卯) 한봄 [목]	5:15:08	5:49:52	20 22:09:46	20 22:45:33
693	토토	토-음묘(卯) 한봄 [목]	5:49:52	6:14:24	20 22:45:33	20 23:10:50
694	토화	토-음묘(卯) 한봄 [목]	6:14:24	6:49:08	20 23:10:50	20 23:46:38
695	토금	화+양진(辰) 늦봄 [토]	6:49:08	7:23:52	20 23:46:38	21 0:22:26
696	토기	화+양진(辰) 늦봄 [토]	7:23:52	7:48:24	21 0:22:26	21 0:47:43
697	토수	화+양진(辰) 늦봄 [토]	7:48:24	8:23:08	21 0:47:43	21 1:23:30
698	화목	화-음사(巳) 초여름 [화]	8:23:08	9:12:16	21 1:23:30	21 2:14:08
699	화토	화-음사(巳) 초여름 [화]	9:12:16	9:47:00	21 2:14:08	21 2:49:56
700	화화	화-음사(巳) 초여름 [화]	9:47:00	10:36:08	21 2:49:56	21 3:40:34

			음력작은달(29일)			
번호	36기운	12기운	음력1일 (日)시간	음력1일 (日)시간	날짜(음력) 시간(양력)	날짜(음력) 시간(양력)
701	화금	금+양오(午) 한여름 [화]	10:36:08	11:25:16	21 3:40:34	21 4:31:12
702	화기	금+양오(午) 한여름 [화]	11:25:16	12:00:00	21 4:31:12	21 5:07:00
703	화수	금+양오(午) 한여름 [화]	12:00:00	12:49:08	21 5:07:00	21 5:57:38
704	금목	금-음미(未) 늦여름 [토]	12:49:08	13:38:16	21 5:57:38	21 6:48:16
705	금토	금-음미(未) 늦여름 [토]	13:38:16	14:13:00	21 6:48:16	21 7:24:04
706	금화	금-음미(未) 늦여름 [토]	14:13:00	15:02:08	21 7:24:04	21 8:14:42
707	금금	기+양신(申) 초가을 [금]	15:02:08	15:51:16	21 8:14:42	21 9:05:20
708	금기	기+양신(申) 초가을 [금]	15:51:16	16:26:00	21 9:05:20	21 9:41:08
709	금수	기+양신(申) 초가을 [금]	16:26:00	17:15:08	21 9:41:08	21 10:31:46
710	기목	기-음유(酉) 한가을 [금]	17:15:08	17:49:52	21 10:31:46	21 11:07:33
711	기토	기-음유(酉) 한가을 [금]	17:49:52	18:14:24	21 11:07:33	21 11:32:50
712	기화	기-음유(酉) 한가을 [금]	18:14:24	18:49:08	21 11:32:50	21 12:08:38
713	기금	수+양술(戌) 늦가을 [토]	18:49:08	19:23:52	21 12:08:38	21 12:44:26
714	기기	수+양술(戌) 늦가을 [토]	19:23:52	19:48:24	21 12:44:26	21 13:09:43

음력작은달(29일)						
번호	36기운	12기운	음력1일 (日)시간	음력1일 (日)시간	날짜(음력) 시간(양력)	날짜(음력) 시간(양력)
715	기수	수+양술(戌) 늦가을 [토]	19:48:24	20:23:08	21 13:09:43	21 13:45:30
716	수목	수-음해(亥) 초겨울 [수]	20:23:08	21:12:16	21 13:45:30	21 14:36:08
717	수토	수-음해(亥) 초겨울 [수]	21:12:16	21:47:00	21 14:36:08	21 15:11:56
718	수화	수-음해(亥) 초겨울 [수]	21:47:00	22:36:08	21 15:11:56	21 16:02:34
719	수금	목+양자(子) 한겨울 [수]	22:36:08	23:25:16	21 16:02:34	21 16:53:12
720	수기	목+양자(子) 한겨울 [수]	23:25:16	0:00:00	21 16:53:12	21 17:29:00
721	수수	목+양자(子) 한겨울 [수]	0:00:00	0:49:08	21 17:29:00	21 18:19:38
722	목목	목-음축(丑) 늦겨울 [토]	0:49:08	1:38:16	21 18:19:38	21 19:10:16
723	목토	목-음축(丑) 늦겨울 [토]	1:38:16	2:13:00	21 19:10:16	21 19:46:04
724	목화	목-음축(丑) 늦겨울 [토]	2:13:00	3:02:08	21 19:46:04	21 20:36:42
725	목금	토+양인(寅) 초봄 [목]	3:02:08	3:51:16	21 20:36:42	21 21:27:20
726	목기	토+양인(寅) 초봄 [목]	3:51:16	4:26:00	21 21:27:20	21 22:03:08
727	목수	토+양인(寅) 초봄 [목]	4:26:00	5:15:08	21 22:03:08	21 22:53:46
728	토목	토-음묘(卯) 한봄 [목]	5:15:08	5:49:52	21 22:53:46	21 23:29:33

			음력작은달(29일)			
번호	36기운	12기운	음력1일 (日)시간	음력1일 (日)시간	날짜(음력) 시간(양력)	날짜(음력) 시간(양력)
729	토토	토-음묘(卯) 한봄 [목]	5:49:52	6:14:24	21 23:29:33	21 23:54:50
730	토화	토-음묘(卯) 한봄 [목]	6:14:24	6:49:08	21 23:54:50	22 0:30:38
731	토금	화+양진(辰) 늦봄 [토]	6:49:08	7:23:52	22 0:30:38	22 1:06:26
732	토기	화+양진(辰) 늦봄 [토]	7:23:52	7:48:24	22 1:06:26	22 1:31:43
733	토수	화+양진(辰) 늦봄 [토]	7:48:24	8:23:08	22 1:31:43	22 2:07:30
734	화목	화-음사(巳) 초여름 [화]	8:23:08	9:12:16	22 2:07:30	22 2:58:08
735	화토	화-음사(巳) 초여름 [화]	9:12:16	9:47:00	22 2:58:08	22 3:33:56
736	화화	화-음사(巳) 초여름 [화]	9:47:00	10:36:08	22 3:33:56	22 4:24:34
737	화금	금+양오(午) 한여름 [화]	10:36:08	11:25:16	22 4:24:34	22 5:15:12
738	화기	금+양오(午) 한여름 [화]	11:25:16	12:00:00	22 5:15:12	22 5:51:00
739	화수	금+양오(午) 한여름 [화]	12:00:00	12:49:08	22 5:51:00	22 6:41:38
740	금목	금-음미(未) 늦여름 [토]	12:49:08	13:38:16	22 6:41:38	22 7:32:16
741	금토	금-음미(未) 늦여름 [토]	13:38:16	14:13:00	22 7:32:16	22 8:08:04
742	금화	금-음미(未) 늦여름 [토]	14:13:00	15:02:08	22 8:08:04	22 8:58:42

음력작은달(29일)						
번호	36기운	12기운	음력1일 (日)시간	음력1일 (日)시간	날짜(음력) 시간(양력)	날짜(음력) 시간(양력)
743	금금	기+양신(申) 초가을 [금]	15:02:08	15:51:16	22 8:58:42	22 9:49:20
744	금기	기+양신(申) 초가을 [금]	15:51:16	16:26:00	22 9:49:20	22 10:25:08
745	금수	기+양신(申) 초가을 [금]	16:26:00	17:15:08	22 10:25:08	22 11:15:46
746	기목	기-음유(酉) 한가을 [금]	17:15:08	17:49:52	22 11:15:46	22 11:51:33
747	기토	기-음유(酉) 한가을 [금]	17:49:52	18:14:24	22 11:51:33	22 12:16:50
748	기화	기-음유(酉) 한가을 [금]	18:14:24	18:49:08	22 12:16:50	22 12:52:38
749	기금	수+양술(戌) 늦가을 [토]	18:49:08	19:23:52	22 12:52:38	22 13:28:26
750	기기	수+양술(戌) 늦가을 [토]	19:23:52	19:48:24	22 13:28:26	22 13:53:43
751	기수	수+양술(戌) 늦가을 [토]	19:48:24	20:23:08	22 13:53:43	22 14:29:30
752	수목	수-음해(亥) 초겨울 [수]	20:23:08	21:12:16	22 14:29:30	22 15:20:08
753	수토	수-음해(亥) 초겨울 [수]	21:12:16	21:47:00	22 15:20:08	22 15:55:56
754	수화	수-음해(亥) 초겨울 [수]	21:47:00	22:36:08	22 15:55:56	22 16:46:34
755	수금	목+양자(子) 한겨울 [수]	22:36:08	23:25:16	22 16:46:34	22 17:37:12
756	수기	목+양자(子) 한겨울 [수]	23:25:16	0:00:00	22 17:37:12	22 18:13:00

			음력작은달(29일)			
번호	36기운	12기운	음력1일 (日)시간	음력1일 (日)시간	날짜(음력) 시간(양력)	날짜(음력) 시간(양력)
757	수수	목+양자(子) 한겨울 [수]	0:00:00	0:49:08	22 18:13:00	22 19:03:36
758	목목	목-음축(丑) 늦겨울 [토]	0:49:08	1:38:16	22 19:03:36	22 19:54:12
759	목토	목-음축(丑) 늦겨울 [토]	1:38:16	2:13:00	22 19:54:12	22 20:29:58
760	목화	목-음축(丑) 늦겨울 [토]	2:13:00	3:02:08	22 20:29:58	22 21:20:34
761	목금	토+양인(寅) 초봄 [목]	3:02:08	3:51:16	22 21:20:34	22 22:11:10
762	목기	토+양인(寅) 초봄 [목]	3:51:16	4:26:00	22 22:11:10	22 22:46:57
763	목수	토+양인(寅) 초봄 [목]	4:26:00	5:15:08	22 22:46:57	22 23:37:33
764	토목	토-음묘(卯) 한봄 [목]	5:15:08	5:49:52	22 23:37:33	23 0:13:19
765	토토	토-음묘(卯) 한봄 [목]	5:49:52	6:14:24	23 0:13:19	23 0:38:35
766	토화	토-음묘(卯) 한봄 [목]	6:14:24	6:49:08	23 0:38:35	23 1:14:21
767	토금	화+양진(辰) 늦봄 [토]	6:49:08	7:23:52	23 1:14:21	23 1:50:07
768	토기	화+양진(辰) 늦봄 [토]	7:23:52	7:48:24	23 1:50:07	23 2:15:23
769	토수	화+양진(辰) 늦봄 [토]	7:48:24	8:23:08	23 2:15:23	23 2:51:09
770	화목	화-음사(巳) 초여름 [화]	8:23:08	9:12:16	23 2:51:09	23 3:41:45

음력작은달(29일)						
번호	36기운	12기운	음력1일 (日)시간	음력1일 (日)시간	날짜(음력) 시간(양력)	날짜(음력) 시간(양력)
771	화토	화-음사(巳) 초여름 [화]	9:12:16	9:47:00	23 3:41:45	23 4:17:32
772	화화	화-음사(巳) 초여름 [화]	9:47:00	10:36:08	23 4:17:32	23 5:08:08
773	화금	금+양오(午) 한여름 [화]	10:36:08	11:25:16	23 5:08:08	23 5:58:44
774	화기	금+양오(午) 한여름 [화]	11:25:16	12:00:00	23 5:58:44	23 6:34:30
775	화수	금+양오(午) 한여름 [화]	12:00:00	12:49:08	23 6:34:30	23 7:25:06
776	금목	금-음미(未) 늦여름 [토]	12:49:08	13:38:16	23 7:25:06	23 8:15:42
777	금토	금-음미(未) 늦여름 [토]	13:38:16	14:13:00	23 8:15:42	23 8:51:28
778	금화	금-음미(未) 늦여름 [토]	14:13:00	15:02:08	23 8:51:28	23 9:42:04
779	금금	기+양신(申) 초가을 [금]	15:02:08	15:51:16	23 9:42:04	23 10:32:40
780	금기	기+양신(申) 초가을 [금]	15:51:16	16:26:00	23 10:32:40	23 11:08:27
781	금수	기+양신(申) 초가을 [금]	16:26:00	17:15:08	23 11:08:27	23 11:59:03
782	기목	기-음유(酉) 한가을 [금]	17:15:08	17:49:52	23 11:59:03	23 12:34:49
783	기토	기-음유(酉) 한가을 [금]	17:49:52	18:14:24	23 12:34:49	23 13:00:05
784	기화	기-음유(酉) 한가을 [금]	18:14:24	18:49:08	23 13:00:05	23 13:35:51

			음력작은달(29일)			
번호	36기운	12기운	음력1일 (日)시간	음력1일 (日)시간	날짜(음력) 시간(양력)	날짜(음력) 시간(양력)
785	기금	수+양술(戌) 늦가을 [토]	18:49:08	19:23:52	23 13:35:51	23 14:11:37
786	기기	수+양술(戌) 늦가을 [토]	19:23:52	19:48:24	23 14:11:37	23 14:36:53
787	기수	수+양술(戌) 늦가을 [토]	19:48:24	20:23:08	23 14:36:53	23 15:12:39
788	수목	수-음해(亥) 초겨울 [수]	20:23:08	21:12:16	23 15:12:39	23 16:03:15
789	수토	수-음해(亥) 초겨울 [수]	21:12:16	21:47:00	23 16:03:15	23 16:39:02
790	수화	수-음해(亥) 초겨울 [수]	21:47:00	22:36:08	23 16:39:02	23 17:29:38
791	수금	목+양자(子) 한겨울 [수]	22:36:08	23:25:16	23 17:29:38	23 18:20:14
792	수기	목+양자(子) 한겨울 [수]	23:25:16	0:00:00	23 18:20:14	23 18:56:00
793	수수	목+양자(子) 한겨울 [수]	0:00:00	0:49:08	23 18:56:00	23 19:46:18
794	목목	목-음축(丑) 늦겨울 [토]	0:49:08	1:38:16	23 19:46:18	23 20:36:35
795	목토	목-음축(丑) 늦겨울 [토]	1:38:16	2:13:00	23 20:36:35	23 21:12:08
796	목화	목-음축(丑) 늦겨울 [토]	2:13:00	3:02:08	23 21:12:08	23 22:02:26
797	목금	토+양인(寅) 초봄 [목]	3:02:08	3:51:16	23 22:02:26	23 22:52:44
798	목기	토+양인(寅) 초봄 [목]	3:51:16	4:26:00	23 22:52:44	23 23:28:17

음력작은달(29일)						
번호	36기운	12기운	음력1일 (日)시간	음력1일 (日)시간	날짜(음력) 시간(양력)	날짜(음력) 시간(양력)
799	목수	토+양인(寅) 초봄 [목]	4:26:00	5:15:08	23 23:28:17	24 0:18:34
800	토목	토-음묘(卯) 한봄 [목]	5:15:08	5:49:52	24 0:18:34	24 0:54:08
801	토토	토-음묘(卯) 한봄 [목]	5:49:52	6:14:24	24 0:54:08	24 1:19:14
802	토화	토-음묘(卯) 한봄 [목]	6:14:24	6:49:08	24 1:19:14	24 1:54:48
803	토금	화+양진(辰) 늦봄 [토]	6:49:08	7:23:52	24 1:54:48	24 2:30:21
804	토기	화+양진(辰) 늦봄 [토]	7:23:52	7:48:24	24 2:30:21	24 2:55:28
805	토수	화+양진(辰) 늦봄 [토]	7:48:24	8:23:08	24 2:55:28	24 3:31:01
806	화목	화-음사(巳) 초여름 [화]	8:23:08	9:12:16	24 3:31:01	24 4:21:18
807	화토	화-음사(巳) 초여름 [화]	9:12:16	9:47:00	24 4:21:18	24 4:56:52
808	화화	화-음사(巳) 초여름 [화]	9:47:00	10:36:08	24 4:56:52	24 5:47:09
809	화금	금+양오(午) 한여름 [화]	10:36:08	11:25:16	24 5:47:09	24 6:37:27
810	화기	금+양오(午) 한여름 [화]	11:25:16	12:00:00	24 6:37:27	24 7:13:00
811	화수	금+양오(午) 한여름 [화]	12:00:00	12:49:08	24 7:13:00	24 8:03:18
812	금목	금-음미(未) 늦여름 [토]	12:49:08	13:38:16	24 8:03:18	24 8:53:35

번호	36기운	12기운	음력1일 (日)시간	음력1일 (日)시간	날짜(음력) 시간(양력)	날짜(음력) 시간(양력)
			음력작은달(29일)			
813	금토	금-음미(未) 늦여름 [토]	13:38:16	14:13:00	24 8:53:35	24 9:29:08
814	금화	금-음미(未) 늦여름 [토]	14:13:00	15:02:08	24 9:29:08	24 10:19:26
815	금금	기+양신(申) 초가을 [금]	15:02:08	15:51:16	24 10:19:26	24 11:09:44
816	금기	기+양신(申) 초가을 [금]	15:51:16	16:26:00	24 11:09:44	24 11:45:17
817	금수	기+양신(申) 초가을 [금]	16:26:00	17:15:08	24 11:45:17	24 12:35:34
818	기목	기-음유(酉) 한가을 [금]	17:15:08	17:49:52	24 12:35:34	24 13:11:08
819	기토	기-음유(酉) 한가을 [금]	17:49:52	18:14:24	24 13:11:08	24 13:36:14
820	기화	기-음유(酉) 한가을 [금]	18:14:24	18:49:08	24 13:36:14	24 14:11:48
821	기금	수+양술(戌) 늦가을 [토]	18:49:08	19:23:52	24 14:11:48	24 14:47:21
822	기기	수+양술(戌) 늦가을 [토]	19:23:52	19:48:24	24 14:47:21	24 15:12:28
823	기수	수+양술(戌) 늦가을 [토]	19:48:24	20:23:08	24 15:12:28	24 15:48:01
824	수목	수-음해(亥) 초겨울 [수]	20:23:08	21:12:16	24 15:48:01	24 16:38:18
825	수토	수-음해(亥) 초겨울 [수]	21:12:16	21:47:00	24 16:38:18	24 17:13:52
826	수화	수-음해(亥) 초겨울 [수]	21:47:00	22:36:08	24 17:13:52	24 18:04:09

음력작은달(29일)						
번호	36기운	12기운	음력1일 (日)시간	음력1일 (日)시간	날짜(음력) 시간(양력)	날짜(음력) 시간(양력)
827	수금	목+양자(子) 한겨울 [수]	22:36:08	23:25:16	24 18:04:09	24 18:54:27
828	수기	목+양자(子) 한겨울 [수]	23:25:16	0:00:00	24 18:54:27	24 19:30:00
829	수수	목+양자(子) 한겨울 [수]	0:00:00	0:49:08	24 19:30:00	24 20:20:38
830	목목	목-음축(丑) 늦겨울 [토]	0:49:08	1:38:16	24 20:20:38	24 21:11:16
831	목토	목-음축(丑) 늦겨울 [토]	1:38:16	2:13:00	24 21:11:16	24 21:47:04
832	목화	목-음축(丑) 늦겨울 [토]	2:13:00	3:02:08	24 21:47:04	24 22:37:42
833	목금	토+양인(寅) 초봄 [목]	3:02:08	3:51:16	24 22:37:42	24 23:28:20
834	목기	토+양인(寅) 초봄 [목]	3:51:16	4:26:00	24 23:28:20	25 0:04:08
835	목수	토+양인(寅) 초봄 [목]	4:26:00	5:15:08	25 0:04:08	25 0:54:46
836	토목	토-음묘(卯) 한봄 [목]	5:15:08	5:49:52	25 0:54:46	25 1:30:33
837	토토	토-음묘(卯) 한봄 [목]	5:49:52	6:14:24	25 1:30:33	25 1:55:50
838	토화	토-음묘(卯) 한봄 [목]	6:14:24	6:49:08	25 1:55:50	25 2:31:38
839	토금	화+양진(辰) 늦봄 [토]	6:49:08	7:23:52	25 2:31:38	25 3:07:26
840	토기	화+양진(辰) 늦봄 [토]	7:23:52	7:48:24	25 3:07:26	25 3:32:43

			음력작은달(29일)			
번호	36기운	12기운	음력1일 (日)시간	음력1일 (日)시간	날짜(음력) 시간(양력)	날짜(음력) 시간(양력)
841	토수	화+양진(辰) 늦봄 [토]	7:48:24	8:23:08	25 3:32:43	25 4:08:30
842	화목	화-음사(巳) 초여름 [화]	8:23:08	9:12:16	25 4:08:30	25 4:59:08
843	화토	화-음사(巳) 초여름 [화]	9:12:16	9:47:00	25 4:59:08	25 5:34:56
844	화화	화-음사(巳) 초여름 [화]	9:47:00	10:36:08	25 5:34:56	25 6:25:34
845	화금	금+양오(午) 한여름 [화]	10:36:08	11:25:16	25 6:25:34	25 7:16:12
846	화기	금+양오(午) 한여름 [화]	11:25:16	12:00:00	25 7:16:12	25 7:52:00
847	화수	금+양오(午) 한여름 [화]	12:00:00	12:49:08	25 7:52:00	25 8:42:38
848	금목	금-음미(未) 늦여름 [토]	12:49:08	13:38:16	25 8:42:38	25 9:33:16
849	금토	금-음미(未) 늦여름 [토]	13:38:16	14:13:00	25 9:33:16	25 10:09:04
850	금화	금-음미(未) 늦여름 [토]	14:13:00	15:02:08	25 10:09:04	25 10:59:42
851	금금	기+양신(申) 초가을 [금]	15:02:08	15:51:16	25 10:59:42	25 11:50:20
852	금기	기+양신(申) 초가을 [금]	15:51:16	16:26:00	25 11:50:20	25 12:26:08
853	금수	기+양신(申) 초가을 [금]	16:26:00	17:15:08	25 12:26:08	25 13:16:46
854	기목	기-음유(酉) 한가을 [금]	17:15:08	17:49:52	25 13:16:46	25 13:52:33

음력작은달(29일)							
번호	36기운	12기운	음력1일 (日)시간	음력1일 (日)시간	날짜(음력) 시간(양력)		날짜(음력) 시간(양력)	
855	기토	기-음유(酉) 한가을 [금]	17:49:52	18:14:24	25	13:52:33	25	14:17:50
856	기화	기-음유(酉) 한가을 [금]	18:14:24	18:49:08	25	14:17:50	25	14:53:38
857	기금	수+양술(戌) 늦가을 [토]	18:49:08	19:23:52	25	14:53:38	25	15:29:26
858	기기	수+양술(戌) 늦가을 [토]	19:23:52	19:48:24	25	15:29:26	25	15:54:43
859	기수	수+양술(戌) 늦가을 [토]	19:48:24	20:23:08	25	15:54:43	25	16:30:30
860	수목	수-음해(亥) 초겨울 [수]	20:23:08	21:12:16	25	16:30:30	25	17:21:08
861	수토	수-음해(亥) 초겨울 [수]	21:12:16	21:47:00	25	17:21:08	25	17:56:56
862	수화	수-음해(亥) 초겨울 [수]	21:47:00	22:36:08	25	17:56:56	25	18:47:34
863	수금	목+양자(子) 한겨울 [수]	22:36:08	23:25:16	25	18:47:34	25	19:38:12
864	수기	목+양자(子) 한겨울 [수]	23:25:16	0:00:00	25	19:38:12	25	20:14:00
865	수수	목+양자(子) 한겨울 [수]	0:00:00	0:49:08	25	20:14:00	25	21:05:11
866	목목	목-음축(丑) 늦겨울 [토]	0:49:08	1:38:16	25	21:05:11	25	21:56:22
867	목토	목-음축(丑) 늦겨울 [토]	1:38:16	2:13:00	25	21:56:22	25	22:32:33
868	목화	목-음축(丑) 늦겨울 [토]	2:13:00	3:02:08	25	22:32:33	25	23:23:43

			음력작은달(29일)			
번호	36기운	12기운	음력1일 (日)시간	음력1일 (日)시간	날짜(음력) 시간(양력)	날짜(음력) 시간(양력)
869	목금	토+양인(寅) 초봄 [목]	3:02:08	3:51:16	25 23:23:43	26 0:14:54
870	목기	토+양인(寅) 초봄 [목]	3:51:16	4:26:00	26 0:14:54	26 0:51:05
871	목수	토+양인(寅) 초봄 [목]	4:26:00	5:15:08	26 0:51:05	26 1:42:16
872	토목	토-음묘(卯) 한봄 [목]	5:15:08	5:49:52	26 1:42:16	26 2:18:27
873	토토	토-음묘(卯) 한봄 [목]	5:49:52	6:14:24	26 2:18:27	26 2:44:00
874	토화	토-음묘(卯) 한봄 [목]	6:14:24	6:49:08	26 2:44:00	26 3:20:11
875	토금	화+양진(辰) 늦봄 [토]	6:49:08	7:23:52	26 3:20:11	26 3:56:22
876	토기	화+양진(辰) 늦봄 [토]	7:23:52	7:48:24	26 3:56:22	26 4:21:55
877	토수	화+양진(辰) 늦봄 [토]	7:48:24	8:23:08	26 4:21:55	26 4:58:06
878	화목	화-음사(巳) 초여름 [화]	8:23:08	9:12:16	26 4:58:06	26 5:49:17
879	화토	화-음사(巳) 초여름 [화]	9:12:16	9:47:00	26 5:49:17	26 6:25:28
880	화화	화-음사(巳) 초여름 [화]	9:47:00	10:36:08	26 6:25:28	26 7:16:38
881	화금	금+양오(午) 한여름 [화]	10:36:08	11:25:16	26 7:16:38	26 8:07:49
882	화기	금+양오(午) 한여름 [화]	11:25:16	12:00:00	26 8:07:49	26 8:44:00

음력작은달(29일)						
번호	36기운	12기운	음력1일 (日)시간	음력1일 (日)시간	날짜(음력) 시간(양력)	날짜(음력) 시간(양력)
883	화수	금+양오(午) 한여름 [화]	12:00:00	12:49:08	26 8:44:00	26 9:35:11
884	금목	금-음미(未) 늦여름 [토]	12:49:08	13:38:16	26 9:35:11	26 10:26:22
885	금토	금-음미(未) 늦여름 [토]	13:38:16	14:13:00	26 10:26:22	26 11:02:33
886	금화	금-음미(未) 늦여름 [토]	14:13:00	15:02:08	26 11:02:33	26 11:53:43
887	금금	기+양신(申) 초가을 [금]	15:02:08	15:51:16	26 11:53:43	26 12:44:54
888	금기	기+양신(申) 초가을 [금]	15:51:16	16:26:00	26 12:44:54	26 13:21:05
889	금수	기+양신(申) 초가을 [금]	16:26:00	17:15:08	26 13:21:05	26 14:12:16
890	기목	기-음유(酉) 한가을 [금]	17:15:08	17:49:52	26 14:12:16	26 14:48:27
891	기토	기-음유(酉) 한가을 [금]	17:49:52	18:14:24	26 14:48:27	26 15:14:00
892	기화	기-음유(酉) 한가을 [금]	18:14:24	18:49:08	26 15:14:00	26 15:50:11
893	기금	수+양술(戌) 늦가을 [토]	18:49:08	19:23:52	26 15:50:11	26 16:26:22
894	기기	수+양술(戌) 늦가을 [토]	19:23:52	19:48:24	26 16:26:22	26 16:51:55
895	기수	수+양술(戌) 늦가을 [토]	19:48:24	20:23:08	26 16:51:55	26 17:28:06
896	수목	수-음해(亥) 초겨울 [수]	20:23:08	21:12:16	26 17:28:06	26 18:19:17

번호	36기운	12기운	음력작은달(29일)			
			음력1일 (日)시간	음력1일 (日)시간	날짜(음력) 시간(양력)	날짜(음력) 시간(양력)
897	수토	수-음해(亥) 초겨울 [수]	21:12:16	21:47:00	26 18:19:17	26 18:55:28
898	수화	수-음해(亥) 초겨울 [수]	21:47:00	22:36:08	26 18:55:28	26 19:46:38
899	수금	목+양자(子) 한겨울 [수]	22:36:08	23:25:16	26 19:46:38	26 20:37:49
900	수기	목+양자(子) 한겨울 [수]	23:25:16	0:00:00	26 20:37:49	26 21:14:00
901	수수	목+양자(子) 한겨울 [수]	0:00:00	0:49:08	26 21:14:00	26 22:05:11
902	목목	목-음축(丑) 늦겨울 [토]	0:49:08	1:38:16	26 22:05:11	26 22:56:22
903	목토	목-음축(丑) 늦겨울 [토]	1:38:16	2:13:00	26 22:56:22	26 23:32:33
904	목화	목-음축(丑) 늦겨울 [토]	2:13:00	3:02:08	26 23:32:33	27 0:23:43
905	목금	토+양인(寅) 초봄 [목]	3:02:08	3:51:16	27 0:23:43	27 1:14:54
906	목기	토+양인(寅) 초봄 [목]	3:51:16	4:26:00	27 1:14:54	27 1:51:05
907	목수	토+양인(寅) 초봄 [목]	4:26:00	5:15:08	27 1:51:05	27 2:42:16
908	토목	토-음묘(卯) 한봄 [목]	5:15:08	5:49:52	27 2:42:16	27 3:18:27
909	토토	토-음묘(卯) 한봄 [목]	5:49:52	6:14:24	27 3:18:27	27 3:44:00
910	토화	토-음묘(卯) 한봄 [목]	6:14:24	6:49:08	27 3:44:00	27 4:20:11

음력작은달(29일)						
번호	36기운	12기운	음력1일 (日)시간	음력1일 (日)시간	날짜(음력) 시간(양력)	날짜(음력) 시간(양력)
911	토금	화+양진(辰) 늦봄 [토]	6:49:08	7:23:52	27 4:20:11	27 4:56:22
912	토기	화+양진(辰) 늦봄 [토]	7:23:52	7:48:24	27 4:56:22	27 5:21:55
913	토수	화+양진(辰) 늦봄 [토]	7:48:24	8:23:08	27 5:21:55	27 5:58:06
914	화목	화-음사(巳) 초여름 [화]	8:23:08	9:12:16	27 5:58:06	27 6:49:17
915	화토	화-음사(巳) 초여름 [화]	9:12:16	9:47:00	27 6:49:17	27 7:25:28
916	화화	화-음사(巳) 초여름 [화]	9:47:00	10:36:08	27 7:25:28	27 8:16:38
917	화금	금+양오(午) 한여름 [화]	10:36:08	11:25:16	27 8:16:38	27 9:07:49
918	화기	금+양오(午) 한여름 [화]	11:25:16	12:00:00	27 9:07:49	27 9:44:00
919	화수	금+양오(午) 한여름 [화]	12:00:00	12:49:08	27 9:44:00	27 10:35:11
920	금목	금-음미(未) 늦여름 [토]	12:49:08	13:38:16	27 10:35:11	27 11:26:22
921	금토	금-음미(未) 늦여름 [토]	13:38:16	14:13:00	27 11:26:22	27 12:02:33
922	금화	금-음미(未) 늦여름 [토]	14:13:00	15:02:08	27 12:02:33	27 12:53:43
923	금금	기+양신(申) 초가을 [금]	15:02:08	15:51:16	27 12:53:43	27 13:44:54
924	금기	기+양신(申) 초가을 [금]	15:51:16	16:26:00	27 13:44:54	27 14:21:05

번호	36기운	12기운	음력1일 (日)시간	음력1일 (日)시간	날짜(음력) 시간(양력)	날짜(음력) 시간(양력)
925	금수	기+양신(申) 초가을 [금]	16:26:00	17:15:08	27 14:21:05	27 15:12:16
926	기목	기-음유(酉) 한가을 [금]	17:15:08	17:49:52	27 15:12:16	27 15:48:27
927	기토	기-음유(酉) 한가을 [금]	17:49:52	18:14:24	27 15:48:27	27 16:14:00
928	기화	기-음유(酉) 한가을 [금]	18:14:24	18:49:08	27 16:14:00	27 16:50:11
929	기금	수+양술(戌) 늦가을 [토]	18:49:08	19:23:52	27 16:50:11	27 17:26:22
930	기기	수+양술(戌) 늦가을 [토]	19:23:52	19:48:24	27 17:26:22	27 17:51:55
931	기수	수+양술(戌) 늦가을 [토]	19:48:24	20:23:08	27 17:51:55	27 18:28:06
932	수목	수-음해(亥) 초겨울 [수]	20:23:08	21:12:16	27 18:28:06	27 19:19:17
933	수토	수-음해(亥) 초겨울 [수]	21:12:16	21:47:00	27 19:19:17	27 19:55:28
934	수화	수-음해(亥) 초겨울 [수]	21:47:00	22:36:08	27 19:55:28	27 20:46:38
935	수금	목+양자(子) 한겨울 [수]	22:36:08	23:25:16	27 20:46:38	27 21:37:49
936	수기	목+양자(子) 한겨울 [수]	23:25:16	0:00:00	27 21:37:49	27 22:14:00
937	수수	목+양자(子) 한겨울 [수]	0:00:00	0:49:08	27 22:14:00	27 23:05:11
938	목목	목-음축(丑) 늦겨울 [토]	0:49:08	1:38:16	27 23:05:11	27 23:56:22

음력작은달(29일)

음력작은달(29일)						
번호	36기운	12기운	음력1일 (日)시간	음력1일 (日)시간	날짜(음력) 시간(양력)	날짜(음력) 시간(양력)
939	목토	목-음축(丑) 늦겨울 [토]	1:38:16	2:13:00	27 23:56:22	28 0:32:33
940	목화	목-음축(丑) 늦겨울 [토]	2:13:00	3:02:08	28 0:32:33	28 1:23:43
941	목금	토+양인(寅) 초봄 [목]	3:02:08	3:51:16	28 1:23:43	28 2:14:54
942	목기	토+양인(寅) 초봄 [목]	3:51:16	4:26:00	28 2:14:54	28 2:51:05
943	목수	토+양인(寅) 초봄 [목]	4:26:00	5:15:08	28 2:51:05	28 3:42:16
944	토목	토-음묘(卯) 한봄 [목]	5:15:08	5:49:52	28 3:42:16	28 4:18:27
945	토토	토-음묘(卯) 한봄 [목]	5:49:52	6:14:24	28 4:18:27	28 4:44:00
946	토화	토-음묘(卯) 한봄 [목]	6:14:24	6:49:08	28 4:44:00	28 5:20:11
947	토금	화+양진(辰) 늦봄 [토]	6:49:08	7:23:52	28 5:20:11	28 5:56:22
948	토기	화+양진(辰) 늦봄 [토]	7:23:52	7:48:24	28 5:56:22	28 6:21:55
949	토수	화+양진(辰) 늦봄 [토]	7:48:24	8:23:08	28 6:21:55	28 6:58:06
950	화목	화-음사(巳) 초여름 [화]	8:23:08	9:12:16	28 6:58:06	28 7:49:17
951	화토	화-음사(巳) 초여름 [화]	9:12:16	9:47:00	28 7:49:17	28 8:25:28
952	화화	화-음사(巳) 초여름 [화]	9:47:00	10:36:08	28 8:25:28	28 9:16:38

번호	36기운	12기운	음력1일 (日)시간	음력1일 (日)시간	날짜(음력) 시간(양력)	날짜(음력) 시간(양력)
			음력작은달(29일)			
953	화금	금+양오(午) 한여름 [화]	10:36:08	11:25:16	28 9:16:38	28 10:07:49
954	화기	금+양오(午) 한여름 [화]	11:25:16	12:00:00	28 10:07:49	28 10:44:00
955	화수	금+양오(午) 한여름 [화]	12:00:00	12:49:08	28 10:44:00	28 11:35:11
956	금목	금-음미(未) 늦여름 [토]	12:49:08	13:38:16	28 11:35:11	28 12:26:22
957	금토	금-음미(未) 늦여름 [토]	13:38:16	14:13:00	28 12:26:22	28 13:02:33
958	금화	금-음미(未) 늦여름 [토]	14:13:00	15:02:08	28 13:02:33	28 13:53:43
959	금금	기+양신(申) 초가을 [금]	15:02:08	15:51:16	28 13:53:43	28 14:44:54
960	금기	기+양신(申) 초가을 [금]	15:51:16	16:26:00	28 14:44:54	28 15:21:05
961	금수	기+양신(申) 초가을 [금]	16:26:00	17:15:08	28 15:21:05	28 16:12:16
962	기목	기-음유(酉) 한가을 [금]	17:15:08	17:49:52	28 16:12:16	28 16:48:27
963	기토	기-음유(酉) 한가을 [금]	17:49:52	18:14:24	28 16:48:27	28 17:14:00
964	기화	기-음유(酉) 한가을 [금]	18:14:24	18:49:08	28 17:14:00	28 17:50:11
965	기금	수+양술(戌) 늦가을 [토]	18:49:08	19:23:52	28 17:50:11	28 18:26:22
966	기기	수+양술(戌) 늦가을 [토]	19:23:52	19:48:24	28 18:26:22	28 18:51:55

음력작은달(29일)						
번호	36기운	12기운	음력1일 (日)시간	음력1일 (日)시간	날짜(음력) 시간(양력)	날짜(음력) 시간(양력)
967	기수	수+양술(戌) 늦가을 [토]	19:48:24	20:23:08	28 18:51:55	28 19:28:06
968	수목	수-음해(亥) 초겨울 [수]	20:23:08	21:12:16	28 19:28:06	28 20:19:17
969	수토	수-음해(亥) 초겨울 [수]	21:12:16	21:47:00	28 20:19:17	28 20:55:28
970	수화	수-음해(亥) 초겨울 [수]	21:47:00	22:36:08	28 20:55:28	28 21:46:38
971	수금	목+양자(子) 한겨울 [수]	22:36:08	23:25:16	28 21:46:38	28 22:37:49
972	수기	목+양자(子) 한겨울 [수]	23:25:16	0:00:00	28 22:37:49	28 23:14:00
973	수수	목+양자(子) 한겨울 [수]	0:00:00	0:49:08	28 23:14:00	29 0:04:42
974	목목	목-음축(丑) 늦겨울 [토]	0:49:08	1:38:16	29 0:04:42	29 0:55:24
975	목토	목-음축(丑) 늦겨울 [토]	1:38:16	2:13:00	29 0:55:24	29 1:31:15
976	목화	목-음축(丑) 늦겨울 [토]	2:13:00	3:02:08	29 1:31:15	29 2:21:57
977	목금	토+양인(寅) 초봄 [목]	3:02:08	3:51:16	29 2:21:57	29 3:12:39
978	목기	토+양인(寅) 초봄 [목]	3:51:16	4:26:00	29 3:12:39	29 3:48:30
979	목수	토+양인(寅) 초봄 [목]	4:26:00	5:15:08	29 3:48:30	29 4:39:12
980	토목	토-음묘(卯) 한봄 [목]	5:15:08	5:49:52	29 4:39:12	29 5:15:03

번호	36기운	12기운	음력1일 (日)시간	음력1일 (日)시간	날짜(음력) 시간(양력)	날짜(음력) 시간(양력)
			음력작은달(29일)			
981	토토	토-음묘(卯) 한봄 [목]	5:49:52	6:14:24	29 5:15:03	29 5:40:22
982	토화	토-음묘(卯) 한봄 [목]	6:14:24	6:49:08	29 5:40:22	29 6:16:12
983	토금	화+양진(辰) 늦봄 [토]	6:49:08	7:23:52	29 6:16:12	29 6:52:03
984	토기	화+양진(辰) 늦봄 [토]	7:23:52	7:48:24	29 6:52:03	29 7:17:22
985	토수	화+양진(辰) 늦봄 [토]	7:48:24	8:23:08	29 7:17:22	29 7:53:12
986	화목	화-음사(巳) 초여름 [화]	8:23:08	9:12:16	29 7:53:12	29 8:43:55
987	화토	화-음사(巳) 초여름 [화]	9:12:16	9:47:00	29 8:43:55	29 9:19:45
988	화화	화-음사(巳) 초여름 [화]	9:47:00	10:36:08	29 9:19:45	29 10:10:27
989	화금	금+양오(午) 한여름 [화]	10:36:08	11:25:16	29 10:10:27	29 11:01:09
990	화기	금+양오(午) 한여름 [화]	11:25:16	12:00:00	29 11:01:09	29 11:37:00
991	화수	금+양오(午) 한여름 [화]	12:00:00	12:49:08	29 11:37:00	29 12:27:42
992	금목	금-음미(未) 늦여름 [토]	12:49:08	13:38:16	29 12:27:42	29 13:18:24
993	금토	금-음미(未) 늦여름 [토]	13:38:16	14:13:00	29 13:18:24	29 13:54:15
994	금화	금-음미(未) 늦여름 [토]	14:13:00	15:02:08	29 13:54:15	29 14:44:57

음력작은달(29일)						
번호	36기운	12기운	음력1일 (日)시간	음력1일 (日)시간	날짜(음력) 시간(양력)	날짜(음력) 시간(양력)
995	금금	기+양신(申) 초가을 [금]	15:02:08	15:51:16	29 14:44:57	29 15:35:39
996	금기	기+양신(申) 초가을 [금]	15:51:16	16:26:00	29 15:35:39	29 16:11:30
997	금수	기+양신(申) 초가을 [금]	16:26:00	17:15:08	29 16:11:30	29 17:02:12
998	기목	기-음유(酉) 한가을 [금]	17:15:08	17:49:52	29 17:02:12	29 17:38:03
999	기토	기-음유(酉) 한가을 [금]	17:49:52	18:14:24	29 17:38:03	29 18:03:22
1000	기화	기-음유(酉) 한가을 [금]	18:14:24	18:49:08	29 18:03:22	29 18:39:12
1001	기금	수+양술(戌) 늦가을 [토]	18:49:08	19:23:52	29 18:39:12	29 19:15:03
1002	기기	수+양술(戌) 늦가을 [토]	19:23:52	19:48:24	29 19:15:03	29 19:40:22
1003	기수	수+양술(戌) 늦가을 [토]	19:48:24	20:23:08	29 19:40:22	29 20:16:12
1004	수목	수-음해(亥) 초겨울 [수]	20:23:08	21:12:16	29 20:16:12	29 21:06:55
1005	수토	수-음해(亥) 초겨울 [수]	21:12:16	21:47:00	29 21:06:55	29 21:42:45
1006	수화	수-음해(亥) 초겨울 [수]	21:47:00	22:36:08	29 21:42:45	29 22:33:27
1007	수금	목+양자(子) 한겨울 [수]	22:36:08	23:25:16	29 22:33:27	29 23:24:09
1008	수기	목+양자(子) 한겨울 [수]	23:25:16	0:00:00	29 23:24:09	30 0:00:00

도표(3) 양력1일 시점표(時點表)

연번	36기운	12기운	양력1일역	
			시작시점	끝나는시점
1	수수	목+ 양 자(子)	0:00:00	0:01:41
2	목목	목- 음 축(丑)	0:01:41	0:03:21
3	목토	목- 음 축(丑)	0:03:21	0:04:32
4	목화	목- 음 축(丑)	0:04:32	0:06:13
5	목금	토+ 양 인(寅)	0:06:13	0:07:53
6	목기	토+ 양 인(寅)	0:07:53	0:09:05
7	목수	토+ 양 인(寅)	0:09:05	0:10:45
8	토목	토- 음 묘(卯)	0:10:45	0:11:56
9	토토	토- 음 묘(卯)	0:11:56	0:12:46
10	토화	토- 음 묘(卯)	0:12:46	0:13:58
11	토금	화+ 양 진(辰)	0:13:58	0:15:09
12	토기	화+ 양 진(辰)	0:15:09	0:15:59
13	토수	화+ 양 진(辰)	0:15:59	0:17:10
14	화목	화- 음 사(巳)	0:17:10	0:18:51
15	화토	화- 음 사(巳)	0:18:51	0:20:02
16	화화	화- 음 사(巳)	0:20:02	0:21:42
17	화금	금+ 양 오(午)	0:21:42	0:23:23
18	화기	금+ 양 오(午)	0:23:23	0:24:34
19	화수	금+ 양 오(午)	0:24:34	0:26:15
20	금목	금- 음 미(未)	0:26:15	0:27:55
21	금토	금- 음 미(未)	0:27:55	0:29:06
22	금화	금- 음 미(未)	0:29:06	0:30:47
23	금금	기+ 양 신(申)	0:30:47	0:32:27
24	금기	기+ 양 신(申)	0:32:27	0:33:39
25	금수	기+ 양 신(申)	0:33:39	0:35:19
26	기목	기- 음 유(酉)	0:35:19	0:36:30
27	기토	기- 음 유(酉)	0:36:30	0:37:20
28	기화	기- 음 유(酉)	0:37:20	0:38:32
29	기금	수+ 양 술(戌)	0:38:32	0:39:43
30	기기	수+ 양 술(戌)	0:39:43	0:40:33
31	기수	수+ 양 술(戌)	0:40:33	0:41:44
32	수목	수- 음 해(亥)	0:41:44	0:43:25
33	수토	수- 음 해(亥)	0:43:25	0:44:36
34	수화	수- 음 해(亥)	0:44:36	0:46:16
35	수금	목+ 양 자(子)	0:46:16	0:47:57
36	수기	목+ 양 자(子)	0:47:57	0:49:08

연번	36기운	12기운	양력1일역	
			시작시점	끝나는시점
37	수수	목+ 양 자(子)	0:49:08	0:50:49
38	목목	목- 음 축(丑)	0:50:49	0:52:29
39	목토	목- 음 축(丑)	0:52:29	0:53:40
40	목화	목- 음 축(丑)	0:53:40	0:55:21
41	목금	토+ 양 인(寅)	0:55:21	0:57:01
42	목기	토+ 양 인(寅)	0:57:01	0:58:13
43	목수	토+ 양 인(寅)	0:58:13	0:59:53
44	토목	토- 음 묘(卯)	0:59:53	1:01:04
45	토토	토- 음 묘(卯)	1:01:04	1:01:54
46	토화	토- 음 묘(卯)	1:01:54	1:03:06
47	토금	화+ 양 진(辰)	1:03:06	1:04:17
48	토기	화+ 양 진(辰)	1:04:17	1:05:07
49	토수	화+ 양 진(辰)	1:05:07	1:06:18
50	화목	화- 음 사(巳)	1:06:18	1:07:59
51	화토	화- 음 사(巳)	1:07:59	1:09:10
52	화화	화- 음 사(巳)	1:09:10	1:10:50
53	화금	금+ 양 오(午)	1:10:50	1:12:31
54	화기	금+ 양 오(午)	1:12:31	1:13:42
55	화수	금+ 양 오(午)	1:13:42	1:15:23
56	금목	금- 음 미(未)	1:15:23	1:17:03
57	금토	금- 음 미(未)	1:17:03	1:18:14
58	금화	금- 음 미(未)	1:18:14	1:19:55
59	금금	기+ 양 신(申)	1:19:55	1:21:35
60	금기	기+ 양 신(申)	1:21:35	1:22:47
61	금수	기+ 양 신(申)	1:22:47	1:24:27
62	기목	기- 음 유(酉)	1:24:27	1:25:38
63	기토	기- 음 유(酉)	1:25:38	1:26:28
64	기화	기- 음 유(酉)	1:26:28	1:27:40
65	기금	수+ 양 술(戌)	1:27:40	1:28:51
66	기기	수+ 양 술(戌)	1:28:51	1:29:41
67	기수	수+ 양 술(戌)	1:29:41	1:30:52
68	수목	수- 음 해(亥)	1:30:52	1:32:33
69	수토	수- 음 해(亥)	1:32:33	1:33:44
70	수화	수- 음 해(亥)	1:33:44	1:35:24
71	수금	목+ 양 자(子)	1:35:24	1:37:05
72	수기	목+ 양 자(子)	1:37:05	1:38:16

연번	36기운	12기운	양력1일역	
			시작시점	끝나는시점
73	수수	목+ 양 자(子)	1:38:16	1:39:27
74	목목	목- 음 축(丑)	1:39:27	1:40:38
75	목토	목- 음 축(丑)	1:40:38	1:41:28
76	목화	목- 음 축(丑)	1:41:28	1:42:40
77	목금	토+ 양 인(寅)	1:42:40	1:43:51
78	목기	토+ 양 인(寅)	1:43:51	1:44:41
79	목수	토+ 양 인(寅)	1:44:41	1:45:52
80	토목	토- 음 묘(卯)	1:45:52	1:46:42
81	토토	토- 음 묘(卯)	1:46:42	1:47:18
82	토화	토- 음 묘(卯)	1:47:18	1:48:08
83	토금	화+ 양 진(辰)	1:48:08	1:48:58
84	토기	화+ 양 진(辰)	1:48:58	1:49:34
85	토수	화+ 양 진(辰)	1:49:34	1:50:24
86	화목	화- 음 사(巳)	1:50:24	1:51:35
87	화토	화- 음 사(巳)	1:51:35	1:52:26
88	화화	화- 음 사(巳)	1:52:26	1:53:37
89	화금	금+ 양 오(午)	1:53:37	1:54:48
90	화기	금+ 양 오(午)	1:54:48	1:55:38
91	화수	금+ 양 오(午)	1:55:38	1:56:49
92	금목	금- 음 미(未)	1:56:49	1:58:00
93	금토	금- 음 미(未)	1:58:00	1:58:50
94	금화	금- 음 미(未)	1:58:50	2:00:02
95	금금	기+ 양 신(申)	2:00:02	2:01:13
96	금기	기+ 양 신(申)	2:01:13	2:02:03
97	금수	기+ 양 신(申)	2:02:03	2:03:14
98	기목	기- 음 유(酉)	2:03:14	2:04:04
99	기토	기- 음 유(酉)	2:04:04	2:04:40
100	기화	기- 음 유(酉)	2:04:40	2:05:30
101	기금	수+ 양 술(戌)	2:05:30	2:06:20
102	기기	수+ 양 술(戌)	2:06:20	2:06:56
103	기수	수+ 양 술(戌)	2:06:56	2:07:46
104	수목	수- 음 해(亥)	2:07:46	2:08:57
105	수토	수- 음 해(亥)	2:08:57	2:09:48
106	수화	수- 음 해(亥)	2:09:48	2:10:59
107	수금	목+ 양 자(子)	2:10:59	2:12:10
108	수기	목+ 양 자(子)	2:12:10	2:13:00

연번	36기운	12기운	양력1일역	
			시작시점	끝나는시점
109	수수	목+ 양 자(子)	2:13:00	2:14:41
110	목목	목- 음 축(丑)	2:14:41	2:16:21
111	목토	목- 음 축(丑)	2:16:21	2:17:32
112	목화	목- 음 축(丑)	2:17:32	2:19:13
113	목금	토+ 양 인(寅)	2:19:13	2:20:53
114	목기	토+ 양 인(寅)	2:20:53	2:22:05
115	목수	토+ 양 인(寅)	2:22:05	2:23:45
116	토목	토- 음 묘(卯)	2:23:45	2:24:56
117	토토	토- 음 묘(卯)	2:24:56	2:25:46
118	토화	토- 음 묘(卯)	2:25:46	2:26:58
119	토금	화+ 양 진(辰)	2:26:58	2:28:09
120	토기	화+ 양 진(辰)	2:28:09	2:28:59
121	토수	화+ 양 진(辰)	2:28:59	2:30:10
122	화목	화- 음 사(巳)	2:30:10	2:31:51
123	화토	화- 음 사(巳)	2:31:51	2:33:02
124	화화	화- 음 사(巳)	2:33:02	2:34:42
125	화금	금+ 양 오(午)	2:34:42	2:36:23
126	화기	금+ 양 오(午)	2:36:23	2:37:34
127	화수	금+ 양 오(午)	2:37:34	2:39:15
128	금목	금- 음 미(未)	2:39:15	2:40:55
129	금토	금- 음 미(未)	2:40:55	2:42:06
130	금화	금- 음 미(未)	2:42:06	2:43:47
131	금금	기+ 양 신(申)	2:43:47	2:45:27
132	금기	기+ 양 신(申)	2:45:27	2:46:39
133	금수	기+ 양 신(申)	2:46:39	2:48:19
134	기목	기- 음 유(酉)	2:48:19	2:49:30
135	기토	기- 음 유(酉)	2:49:30	2:50:20
136	기화	기- 음 유(酉)	2:50:20	2:51:32
137	기금	수+ 양 술(戌)	2:51:32	2:52:43
138	기기	수+ 양 술(戌)	2:52:43	2:53:33
139	기수	수+ 양 술(戌)	2:53:33	2:54:44
140	수목	수- 음 해(亥)	2:54:44	2:56:25
141	수토	수- 음 해(亥)	2:56:25	2:57:36
142	수화	수- 음 해(亥)	2:57:36	2:59:16
143	수금	목+ 양 자(子)	2:59:16	3:00:57
144	수기	목+ 양 자(子)	3:00:57	3:02:08

연번	36기운	12기운	양력1일역	
			시작시점	끝나는시점
145	수수	목+ 양 자(子)	3:02:08	3:03:49
146	목목	목- 음 축(丑)	3:03:49	3:05:29
147	목토	목- 음 축(丑)	3:05:29	3:06:40
148	목화	목- 음 축(丑)	3:06:40	3:08:21
149	목금	토+ 양 인(寅)	3:08:21	3:10:01
150	목기	토+ 양 인(寅)	3:10:01	3:11:13
151	목수	토+ 양 인(寅)	3:11:13	3:12:53
152	토목	토- 음 묘(卯)	3:12:53	3:14:04
153	토토	토- 음 묘(卯)	3:14:04	3:14:54
154	토화	토- 음 묘(卯)	3:14:54	3:16:06
155	토금	화+ 양 진(辰)	3:16:06	3:17:17
156	토기	화+ 양 진(辰)	3:17:17	3:18:07
157	토수	화+ 양 진(辰)	3:18:07	3:19:18
158	화목	화- 음 사(巳)	3:19:18	3:20:59
159	화토	화- 음 사(巳)	3:20:59	3:22:10
160	화화	화- 음 사(巳)	3:22:10	3:23:50
161	화금	금+ 양 오(午)	3:23:50	3:25:31
162	화기	금+ 양 오(午)	3:25:31	3:26:42
163	화수	금+ 양 오(午)	3:26:42	3:28:23
164	금목	금- 음 미(未)	3:28:23	3:30:03
165	금토	금- 음 미(未)	3:30:03	3:31:14
166	금화	금- 음 미(未)	3:31:14	3:32:55
167	금금	기+ 양 신(申)	3:32:55	3:34:35
168	금기	기+ 양 신(申)	3:34:35	3:35:47
169	금수	기+ 양 신(申)	3:35:47	3:37:27
170	기목	기- 음 유(酉)	3:37:27	3:38:38
171	기토	기- 음 유(酉)	3:38:38	3:39:28
172	기화	기- 음 유(酉)	3:39:28	3:40:40
173	기금	수+ 양 술(戌)	3:40:40	3:41:51
174	기기	수+ 양 술(戌)	3:41:51	3:42:41
175	기수	수+ 양 술(戌)	3:42:41	3:43:52
176	수목	수- 음 해(亥)	3:43:52	3:45:33
177	수토	수- 음 해(亥)	3:45:33	3:46:44
178	수화	수- 음 해(亥)	3:46:44	3:48:24
179	수금	목+ 양 자(子)	3:48:24	3:50:05
180	수기	목+ 양 자(子)	3:50:05	3:51:16

연번	36기운	12기운	양력1일역	
			시작시점	끝나는시점
181	수수	목+ 양 자(子)	3:51:16	3:52:27
182	목목	목- 음 축(丑)	3:52:27	3:53:38
183	목토	목- 음 축(丑)	3:53:38	3:54:28
184	목화	목- 음 축(丑)	3:54:28	3:55:40
185	목금	토+ 양 인(寅)	3:55:40	3:56:51
186	목기	토+ 양 인(寅)	3:56:51	3:57:41
187	목수	토+ 양 인(寅)	3:57:41	3:58:52
188	토목	토- 음 묘(卯)	3:58:52	3:59:42
189	토토	토- 음 묘(卯)	3:59:42	4:00:18
190	토화	토- 음 묘(卯)	4:00:18	4:01:08
191	토금	화+ 양 진(辰)	4:01:08	4:01:58
192	토기	화+ 양 진(辰)	4:01:58	4:02:34
193	토수	화+ 양 진(辰)	4:02:34	4:03:24
194	화목	화- 음 사(巳)	4:03:24	4:04:35
195	화토	화- 음 사(巳)	4:04:35	4:05:26
196	화화	화- 음 사(巳)	4:05:26	4:06:37
197	화금	금+ 양 오(午)	4:06:37	4:07:48
198	화기	금+ 양 오(午)	4:07:48	4:08:38
199	화수	금+ 양 오(午)	4:08:38	4:09:49
200	금목	금- 음 미(未)	4:09:49	4:11:00
201	금토	금- 음 미(未)	4:11:00	4:11:50
202	금화	금- 음 미(未)	4:11:50	4:13:02
203	금금	기+ 양 신(申)	4:13:02	4:14:13
204	금기	기+ 양 신(申)	4:14:13	4:15:03
205	금수	기+ 양 신(申)	4:15:03	4:16:14
206	기목	기- 음 유(酉)	4:16:14	4:17:04
207	기토	기- 음 유(酉)	4:17:04	4:17:40
208	기화	기- 음 유(酉)	4:17:40	4:18:30
209	기금	수+ 양 술(戌)	4:18:30	4:19:20
210	기기	수+ 양 술(戌)	4:19:20	4:19:56
211	기수	수+ 양 술(戌)	4:19:56	4:20:46
212	수목	수- 음 해(亥)	4:20:46	4:21:57
213	수토	수- 음 해(亥)	4:21:57	4:22:48
214	수화	수- 음 해(亥)	4:22:48	4:23:59
215	수금	목+ 양 자(子)	4:23:59	4:25:10
216	수기	목+ 양 자(子)	4:25:10	4:26:00

연번	36기운	12기운	양력1일역	
			시작시점	끝나는시점
217	수수	목+ 양 자(子)	4:26:00	4:27:41
218	목목	목- 음 축(丑)	4:27:41	4:29:21
219	목토	목- 음 축(丑)	4:29:21	4:30:32
220	목화	목- 음 축(丑)	4:30:32	4:32:13
221	목금	토+ 양 인(寅)	4:32:13	4:33:53
222	목기	토+ 양 인(寅)	4:33:53	4:35:05
223	목수	토+ 양 인(寅)	4:35:05	4:36:45
224	토목	토- 음 묘(卯)	4:36:45	4:37:56
225	토토	토- 음 묘(卯)	4:37:56	4:38:46
226	토화	토- 음 묘(卯)	4:38:46	4:39:58
227	토금	화+ 양 진(辰)	4:39:58	4:41:09
228	토기	화+ 양 진(辰)	4:41:09	4:41:59
229	토수	화+ 양 진(辰)	4:41:59	4:43:10
230	화목	화- 음 사(巳)	4:43:10	4:44:51
231	화토	화- 음 사(巳)	4:44:51	4:46:02
232	화화	화- 음 사(巳)	4:46:02	4:47:42
233	화금	금+ 양 오(午)	4:47:42	4:49:23
234	화기	금+ 양 오(午)	4:49:23	4:50:34
235	화수	금+ 양 오(午)	4:50:34	4:52:15
236	금목	금- 음 미(未)	4:52:15	4:53:55
237	금토	금- 음 미(未)	4:53:55	4:55:06
238	금화	금- 음 미(未)	4:55:06	4:56:47
239	금금	기+ 양 신(申)	4:56:47	4:58:27
240	금기	기+ 양 신(申)	4:58:27	4:59:39
241	금수	기+ 양 신(申)	4:59:39	5:01:19
242	기목	기- 음 유(酉)	5:01:19	5:02:30
243	기토	기- 음 유(酉)	5:02:30	5:03:20
244	기화	기- 음 유(酉)	5:03:20	5:04:32
245	기금	수+ 양 술(戌)	5:04:32	5:05:43
246	기기	수+ 양 술(戌)	5:05:43	5:06:33
247	기수	수+ 양 술(戌)	5:06:33	5:07:44
248	수목	수- 음 해(亥)	5:07:44	5:09:25
249	수토	수- 음 해(亥)	5:09:25	5:10:36
250	수화	수- 음 해(亥)	5:10:36	5:12:16
251	수금	목+ 양 자(子)	5:12:16	5:13:57
252	수기	목+ 양 자(子)	5:13:57	5:15:08

연번	36기운	12기운	양력1일역	
			시작시점	끝나는시점
253	수수	목+ 양 자(子)	5:15:08	5:16:19
254	목목	목- 음 축(丑)	5:16:19	5:17:30
255	목토	목- 음 축(丑)	5:17:30	5:18:20
256	목화	목- 음 축(丑)	5:18:20	5:19:32
257	목금	토+ 양 인(寅)	5:19:32	5:20:43
258	목기	토+ 양 인(寅)	5:20:43	5:21:33
259	목수	토+ 양 인(寅)	5:21:33	5:22:44
260	토목	토- 음 묘(卯)	5:22:44	5:23:34
261	토토	토- 음 묘(卯)	5:23:34	5:24:10
262	토화	토- 음 묘(卯)	5:24:10	5:25:00
263	토금	화+ 양 진(辰)	5:25:00	5:25:50
264	토기	화+ 양 진(辰)	5:25:50	5:26:26
265	토수	화+ 양 진(辰)	5:26:26	5:27:16
266	화목	화- 음 사(巳)	5:27:16	5:28:27
267	화토	화- 음 사(巳)	5:28:27	5:29:18
268	화화	화- 음 사(巳)	5:29:18	5:30:29
269	화금	금+ 양 오(午)	5:30:29	5:31:40
270	화기	금+ 양 오(午)	5:31:40	5:32:30
271	화수	금+ 양 오(午)	5:32:30	5:33:41
272	금목	금- 음 미(未)	5:33:41	5:34:52
273	금토	금- 음 미(未)	5:34:52	5:35:42
274	금화	금- 음 미(未)	5:35:42	5:36:54
275	금금	기+ 양 신(申)	5:36:54	5:38:05
276	금기	기+ 양 신(申)	5:38:05	5:38:55
277	금수	기+ 양 신(申)	5:38:55	5:40:06
278	기목	기- 음 유(酉)	5:40:06	5:40:56
279	기토	기- 음 유(酉)	5:40:56	5:41:32
280	기화	기- 음 유(酉)	5:41:32	5:42:22
281	기금	수+ 양 술(戌)	5:42:22	5:43:12
282	기기	수+ 양 술(戌)	5:43:12	5:43:48
283	기수	수+ 양 술(戌)	5:43:48	5:44:38
284	수목	수- 음 해(亥)	5:44:38	5:45:49
285	수토	수- 음 해(亥)	5:45:49	5:46:40
286	수화	수- 음 해(亥)	5:46:40	5:47:51
287	수금	목+ 양 자(子)	5:47:51	5:49:02
288	수기	목+ 양 자(子)	5:49:02	5:49:52

연번	36기운	12기운	양력1일역	
			시작시점	끝나는시점
289	수수	목+ 양 자(子)	5:49:52	5:50:42
290	목목	목- 음 축(丑)	5:50:42	5:51:32
291	목토	목- 음 축(丑)	5:51:32	5:52:08
292	목화	목- 음 축(丑)	5:52:08	5:52:58
293	목금	토+ 양 인(寅)	5:52:58	5:53:48
294	목기	토+ 양 인(寅)	5:53:48	5:54:24
295	목수	토+ 양 인(寅)	5:54:24	5:55:14
296	토목	토- 음 묘(卯)	5:55:14	5:55:50
297	토토	토- 음 묘(卯)	5:55:50	5:56:15
298	토화	토- 음 묘(卯)	5:56:15	5:56:50
299	토금	화+ 양 진(辰)	5:56:50	5:57:26
300	토기	화+ 양 진(辰)	5:57:26	5:57:51
301	토수	화+ 양 진(辰)	5:57:51	5:58:26
302	화목	화- 음 사(巳)	5:58:26	5:59:17
303	화토	화- 음 사(巳)	5:59:17	5:59:52
304	화화	화- 음 사(巳)	5:59:52	6:00:42
305	화금	금+ 양 오(午)	6:00:42	6:01:32
306	화기	금+ 양 오(午)	6:01:32	6:02:08
307	화수	금+ 양 오(午)	6:02:08	6:02:58
308	금목	금- 음 미(未)	6:02:58	6:03:48
309	금토	금- 음 미(未)	6:03:48	6:04:24
310	금화	금- 음 미(未)	6:04:24	6:05:14
311	금금	기+ 양 신(申)	6:05:14	6:06:04
312	금기	기+ 양 신(申)	6:06:04	6:06:40
313	금수	기+ 양 신(申)	6:06:40	6:07:30
314	기목	기- 음 유(酉)	6:07:30	6:08:06
315	기토	기- 음 유(酉)	6:08:06	6:08:31
316	기화	기- 음 유(酉)	6:08:31	6:09:06
317	기금	수+ 양 술(戌)	6:09:06	6:09:42
318	기기	수+ 양 술(戌)	6:09:42	6:10:07
319	기수	수+ 양 술(戌)	6:10:07	6:10:42
320	수목	수- 음 해(亥)	6:10:42	6:11:33
321	수토	수- 음 해(亥)	6:11:33	6:12:08
322	수화	수- 음 해(亥)	6:12:08	6:12:58
323	수금	목+ 양 자(子)	6:12:58	6:13:48
324	수기	목+ 양 자(子)	6:13:48	6:14:24

연번	36기운	12기운	양력1일역	
			시작시점	끝나는시점
325	수수	목+ 양 자(子)	6:14:24	6:15:35
326	목목	목- 음 축(丑)	6:15:35	6:16:46
327	목토	목- 음 축(丑)	6:16:46	6:17:36
328	목화	목- 음 축(丑)	6:17:36	6:18:48
329	목금	토+ 양 인(寅)	6:18:48	6:19:59
330	목기	토+ 양 인(寅)	6:19:59	6:20:49
331	목수	토+ 양 인(寅)	6:20:49	6:22:00
332	토목	토- 음 묘(卯)	6:22:00	6:22:50
333	토토	토- 음 묘(卯)	6:22:50	6:23:26
334	토화	토- 음 묘(卯)	6:23:26	6:24:16
335	토금	화+ 양 진(辰)	6:24:16	6:25:06
336	토기	화+ 양 진(辰)	6:25:06	6:25:42
337	토수	화+ 양 진(辰)	6:25:42	6:26:32
338	화목	화- 음 사(巳)	6:26:32	6:27:43
339	화토	화- 음 사(巳)	6:27:43	6:28:34
340	화화	화- 음 사(巳)	6:28:34	6:29:45
341	화금	금+ 양 오(午)	6:29:45	6:30:56
342	화기	금+ 양 오(午)	6:30:56	6:31:46
343	화수	금+ 양 오(午)	6:31:46	6:32:57
344	금목	금- 음 미(未)	6:32:57	6:34:08
345	금토	금- 음 미(未)	6:34:08	6:34:58
346	금화	금- 음 미(未)	6:34:58	6:36:10
347	금금	기+ 양 신(申)	6:36:10	6:37:21
348	금기	기+ 양 신(申)	6:37:21	6:38:11
349	금수	기+ 양 신(申)	6:38:11	6:39:22
350	기목	기- 음 유(酉)	6:39:22	6:40:12
351	기토	기- 음 유(酉)	6:40:12	6:40:48
352	기화	기- 음 유(酉)	6:40:48	6:41:38
353	기금	수+ 양 술(戌)	6:41:38	6:42:28
354	기기	수+ 양 술(戌)	6:42:28	6:43:04
355	기수	수+ 양 술(戌)	6:43:04	6:43:54
356	수목	수- 음 해(亥)	6:43:54	6:45:05
357	수토	수- 음 해(亥)	6:45:05	6:45:56
358	수화	수- 음 해(亥)	6:45:56	6:47:07
359	수금	목+ 양 자(子)	6:47:07	6:48:18
360	수기	목+ 양 자(子)	6:48:18	6:49:08

연번	36기운	12기운	양력1일역	
			시작시점	끝나는시점
361	수수	목+ 양 자(子)	6:49:08	6:50:19
362	목목	목- 음 축(丑)	6:50:19	6:51:30
363	목토	목- 음 축(丑)	6:51:30	6:52:20
364	목화	목- 음 축(丑)	6:52:20	6:53:32
365	목금	토+ 양 인(寅)	6:53:32	6:54:43
366	목기	토+ 양 인(寅)	6:54:43	6:55:33
367	목수	토+ 양 인(寅)	6:55:33	6:56:44
368	토목	토- 음 묘(卯)	6:56:44	6:57:34
369	토토	토- 음 묘(卯)	6:57:34	6:58:10
370	토화	토- 음 묘(卯)	6:58:10	6:59:00
371	토금	화+ 양 진(辰)	6:59:00	6:59:50
372	토기	화+ 양 진(辰)	6:59:50	7:00:26
373	토수	화+ 양 진(辰)	7:00:26	7:01:16
374	화목	화- 음 사(巳)	7:01:16	7:02:27
375	화토	화- 음 사(巳)	7:02:27	7:03:18
376	화화	화- 음 사(巳)	7:03:18	7:04:29
377	화금	금+ 양 오(午)	7:04:29	7:05:40
378	화기	금+ 양 오(午)	7:05:40	7:06:30
379	화수	금+ 양 오(午)	7:06:30	7:07:41
380	금목	금- 음 미(未)	7:07:41	7:08:52
381	금토	금- 음 미(未)	7:08:52	7:09:42
382	금화	금- 음 미(未)	7:09:42	7:10:54
383	금금	기+ 양 신(申)	7:10:54	7:12:05
384	금기	기+ 양 신(申)	7:12:05	7:12:55
385	금수	기+ 양 신(申)	7:12:55	7:14:06
386	기목	기- 음 유(酉)	7:14:06	7:14:56
387	기토	기- 음 유(酉)	7:14:56	7:15:32
388	기화	기- 음 유(酉)	7:15:32	7:16:22
389	기금	수+ 양 술(戌)	7:16:22	7:17:12
390	기기	수+ 양 술(戌)	7:17:12	7:17:48
391	기수	수+ 양 술(戌)	7:17:48	7:18:38
392	수목	수- 음 해(亥)	7:18:38	7:19:49
393	수토	수- 음 해(亥)	7:19:49	7:20:40
394	수화	수- 음 해(亥)	7:20:40	7:21:51
395	수금	목+ 양 자(子)	7:21:51	7:23:02
396	수기	목+ 양 자(子)	7:23:02	7:23:52

연번	36기운	12기운	양력1일역	
			시작시점	끝나는시점
397	수수	목+ 양 자(子)	7:23:52	7:24:42
398	목목	목- 음 축(丑)	7:24:42	7:25:32
399	목토	목- 음 축(丑)	7:25:32	7:26:08
400	목화	목- 음 축(丑)	7:26:08	7:26:58
401	목금	토+ 양 인(寅)	7:26:58	7:27:48
402	목기	토+ 양 인(寅)	7:27:48	7:28:24
403	목수	토+ 양 인(寅)	7:28:24	7:29:14
404	토목	토- 음 묘(卯)	7:29:14	7:29:50
405	토토	토- 음 묘(卯)	7:29:50	7:30:15
406	토화	토- 음 묘(卯)	7:30:15	7:30:50
407	토금	화+ 양 진(辰)	7:30:50	7:31:26
408	토기	화+ 양 진(辰)	7:31:26	7:31:51
409	토수	화+ 양 진(辰)	7:31:51	7:32:26
410	화목	화- 음 사(巳)	7:32:26	7:33:17
411	화토	화- 음 사(巳)	7:33:17	7:33:52
412	화화	화- 음 사(巳)	7:33:52	7:34:42
413	화금	금+ 양 오(午)	7:34:42	7:35:32
414	화기	금+ 양 오(午)	7:35:32	7:36:08
415	화수	금+ 양 오(午)	7:36:08	7:36:58
416	금목	금- 음 미(未)	7:36:58	7:37:48
417	금토	금- 음 미(未)	7:37:48	7:38:24
418	금화	금- 음 미(未)	7:38:24	7:39:14
419	금금	기+ 양 신(申)	7:39:14	7:40:04
420	금기	기+ 양 신(申)	7:40:04	7:40:40
421	금수	기+ 양 신(申)	7:40:40	7:41:30
422	기목	기- 음 유(酉)	7:41:30	7:42:06
423	기토	기- 음 유(酉)	7:42:06	7:42:31
424	기화	기- 음 유(酉)	7:42:31	7:43:06
425	기금	수+ 양 술(戌)	7:43:06	7:43:42
426	기기	수+ 양 술(戌)	7:43:42	7:44:07
427	기수	수+ 양 술(戌)	7:44:07	7:44:42
428	수목	수- 음 해(亥)	7:44:42	7:45:33
429	수토	수- 음 해(亥)	7:45:33	7:46:08
430	수화	수- 음 해(亥)	7:46:08	7:46:58
431	수금	목+ 양 자(子)	7:46:58	7:47:48
432	수기	목+ 양 자(子)	7:47:48	7:48:24

연번	36기운	12기운	양력1일역	
			시작시점	끝나는시점
433	수수	목+ 양 자(子)	7:48:24	7:49:35
434	목목	목- 음 축(丑)	7:49:35	7:50:46
435	목토	목- 음 축(丑)	7:50:46	7:51:36
436	목화	목- 음 축(丑)	7:51:36	7:52:48
437	목금	토+ 양 인(寅)	7:52:48	7:53:59
438	목기	토+ 양 인(寅)	7:53:59	7:54:49
439	목수	토+ 양 인(寅)	7:54:49	7:56:00
440	토목	토- 음 묘(卯)	7:56:00	7:56:50
441	토토	토- 음 묘(卯)	7:56:50	7:57:26
442	토화	토- 음 묘(卯)	7:57:26	7:58:16
443	토금	화+ 양 진(辰)	7:58:16	7:59:06
444	토기	화+ 양 진(辰)	7:59:06	7:59:42
445	토수	화+ 양 진(辰)	7:59:42	8:00:32
446	화목	화- 음 사(巳)	8:00:32	8:01:43
447	화토	화- 음 사(巳)	8:01:43	8:02:34
448	화화	화- 음 사(巳)	8:02:34	8:03:45
449	화금	금+ 양 오(午)	8:03:45	8:04:56
450	화기	금+ 양 오(午)	8:04:56	8:05:46
451	화수	금+ 양 오(午)	8:05:46	8:06:57
452	금목	금- 음 미(未)	8:06:57	8:08:08
453	금토	금- 음 미(未)	8:08:08	8:08:58
454	금화	금- 음 미(未)	8:08:58	8:10:10
455	금금	기+ 양 신(申)	8:10:10	8:11:21
456	금기	기+ 양 신(申)	8:11:21	8:12:11
457	금수	기+ 양 신(申)	8:12:11	8:13:22
458	기목	기- 음 유(酉)	8:13:22	8:14:12
459	기토	기- 음 유(酉)	8:14:12	8:14:48
460	기화	기- 음 유(酉)	8:14:48	8:15:38
461	기금	수+ 양 술(戌)	8:15:38	8:16:28
462	기기	수+ 양 술(戌)	8:16:28	8:17:04
463	기수	수+ 양 술(戌)	8:17:04	8:17:54
464	수목	수- 음 해(亥)	8:17:54	8:19:05
465	수토	수- 음 해(亥)	8:19:05	8:19:56
466	수화	수- 음 해(亥)	8:19:56	8:21:07
467	수금	목+ 양 자(子)	8:21:07	8:22:18
468	수기	목+ 양 자(子)	8:22:18	8:23:08

연번	36기운	12기운	양력1일역	
			시작시점	끝나는시점
469	수수	목+ 양 자(子)	8:23:08	8:24:49
470	목목	목- 음 축(丑)	8:24:49	8:26:29
471	목토	목- 음 축(丑)	8:26:29	8:27:40
472	목화	목- 음 축(丑)	8:27:40	8:29:21
473	목금	토+ 양 인(寅)	8:29:21	8:31:01
474	목기	토+ 양 인(寅)	8:31:01	8:32:13
475	목수	토+ 양 인(寅)	8:32:13	8:33:53
476	토목	토- 음 묘(卯)	8:33:53	8:35:04
477	토토	토- 음 묘(卯)	8:35:04	8:35:54
478	토화	토- 음 묘(卯)	8:35:54	8:37:06
479	토금	화+ 양 진(辰)	8:37:06	8:38:17
480	토기	화+ 양 진(辰)	8:38:17	8:39:07
481	토수	화+ 양 진(辰)	8:39:07	8:40:18
482	화목	화- 음 사(巳)	8:40:18	8:41:59
483	화토	화- 음 사(巳)	8:41:59	8:43:10
484	화화	화- 음 사(巳)	8:43:10	8:44:50
485	화금	금+ 양 오(午)	8:44:50	8:46:31
486	화기	금+ 양 오(午)	8:46:31	8:47:42
487	화수	금+ 양 오(午)	8:47:42	8:49:23
488	금목	금- 음 미(未)	8:49:23	8:51:03
489	금토	금- 음 미(未)	8:51:03	8:52:14
490	금화	금- 음 미(未)	8:52:14	8:53:55
491	금금	기+ 양 신(申)	8:53:55	8:55:35
492	금기	기+ 양 신(申)	8:55:35	8:56:47
493	금수	기+ 양 신(申)	8:56:47	8:58:27
494	기목	기- 음 유(酉)	8:58:27	8:59:38
495	기토	기- 음 유(酉)	8:59:38	9:00:28
496	기화	기- 음 유(酉)	9:00:28	9:01:40
497	기금	수+ 양 술(戌)	9:01:40	9:02:51
498	기기	수+ 양 술(戌)	9:02:51	9:03:41
499	기수	수+ 양 술(戌)	9:03:41	9:04:52
500	수목	수- 음 해(亥)	9:04:52	9:06:33
501	수토	수- 음 해(亥)	9:06:33	9:07:44
502	수화	수- 음 해(亥)	9:07:44	9:09:24
503	수금	목+ 양 자(子)	9:09:24	9:11:05
504	수기	목+ 양 자(子)	9:11:05	9:12:16

연번	36기운	12기운	양력1일역	
			시작시점	끝나는시점
505	수수	목+ 양 자(子)	9:12:16	9:13:27
506	목목	목- 음 축(丑)	9:13:27	9:14:38
507	목토	목- 음 축(丑)	9:14:38	9:15:28
508	목화	목- 음 축(丑)	9:15:28	9:16:40
509	목금	토+ 양 인(寅)	9:16:40	9:17:51
510	목기	토+ 양 인(寅)	9:17:51	9:18:41
511	목수	토+ 양 인(寅)	9:18:41	9:19:52
512	토목	토- 음 묘(卯)	9:19:52	9:20:42
513	토토	토- 음 묘(卯)	9:20:42	9:21:18
514	토화	토- 음 묘(卯)	9:21:18	9:22:08
515	토금	화+ 양 진(辰)	9:22:08	9:22:58
516	토기	화+ 양 진(辰)	9:22:58	9:23:34
517	토수	화+ 양 진(辰)	9:23:34	9:24:24
518	화목	화- 음 사(巳)	9:24:24	9:25:35
519	화토	화- 음 사(巳)	9:25:35	9:26:26
520	화화	화- 음 사(巳)	9:26:26	9:27:37
521	화금	금+ 양 오(午)	9:27:37	9:28:48
522	화기	금+ 양 오(午)	9:28:48	9:29:38
523	화수	금+ 양 오(午)	9:29:38	9:30:49
524	금목	금- 음 미(未)	9:30:49	9:32:00
525	금토	금- 음 미(未)	9:32:00	9:32:50
526	금화	금- 음 미(未)	9:32:50	9:34:02
527	금금	기+ 양 신(申)	9:34:02	9:35:13
528	금기	기+ 양 신(申)	9:35:13	9:36:03
529	금수	기+ 양 신(申)	9:36:03	9:37:14
530	기목	기- 음 유(酉)	9:37:14	9:38:04
531	기토	기- 음 유(酉)	9:38:04	9:38:40
532	기화	기- 음 유(酉)	9:38:40	9:39:30
533	기금	수+ 양 술(戌)	9:39:30	9:40:20
534	기기	수+ 양 술(戌)	9:40:20	9:40:56
535	기수	수+ 양 술(戌)	9:40:56	9:41:46
536	수목	수- 음 해(亥)	9:41:46	9:42:57
537	수토	수- 음 해(亥)	9:42:57	9:43:48
538	수화	수- 음 해(亥)	9:43:48	9:44:59
539	수금	목+ 양 자(子)	9:44:59	9:46:10
540	수기	목+ 양 자(子)	9:46:10	9:47:00

연번	36기운	12기운	양력1일역	
			시작시점	끝나는시점
541	수수	목+ 양 자(子)	9:47:00	9:48:41
542	목목	목- 음 축(丑)	9:48:41	9:50:21
543	목토	목- 음 축(丑)	9:50:21	9:51:32
544	목화	목- 음 축(丑)	9:51:32	9:53:13
545	목금	토+ 양 인(寅)	9:53:13	9:54:53
546	목기	토+ 양 인(寅)	9:54:53	9:56:05
547	목수	토+ 양 인(寅)	9:56:05	9:57:45
548	토목	토- 음 묘(卯)	9:57:45	9:58:56
549	토토	토- 음 묘(卯)	9:58:56	9:59:46
550	토화	토- 음 묘(卯)	9:59:46	10:00:58
551	토금	화+ 양 진(辰)	10:00:58	10:02:09
552	토기	화+ 양 진(辰)	10:02:09	10:02:59
553	토수	화+ 양 진(辰)	10:02:59	10:04:10
554	화목	화- 음 사(巳)	10:04:10	10:05:51
555	화토	화- 음 사(巳)	10:05:51	10:07:02
556	화화	화- 음 사(巳)	10:07:02	10:08:42
557	화금	금+ 양 오(午)	10:08:42	10:10:23
558	화기	금+ 양 오(午)	10:10:23	10:11:34
559	화수	금+ 양 오(午)	10:11:34	10:13:15
560	금목	금- 음 미(未)	10:13:15	10:14:55
561	금토	금- 음 미(未)	10:14:55	10:16:06
562	금화	금- 음 미(未)	10:16:06	10:17:47
563	금금	기+ 양 신(申)	10:17:47	10:19:27
564	금기	기+ 양 신(申)	10:19:27	10:20:39
565	금수	기+ 양 신(申)	10:20:39	10:22:19
566	기목	기- 음 유(酉)	10:22:19	10:23:30
567	기토	기- 음 유(酉)	10:23:30	10:24:20
568	기화	기- 음 유(酉)	10:24:20	10:25:32
569	기금	수+ 양 술(戌)	10:25:32	10:26:43
570	기기	수+ 양 술(戌)	10:26:43	10:27:33
571	기수	수+ 양 술(戌)	10:27:33	10:28:44
572	수목	수- 음 해(亥)	10:28:44	10:30:25
573	수토	수- 음 해(亥)	10:30:25	10:31:36
574	수화	수- 음 해(亥)	10:31:36	10:33:16
575	수금	목+ 양 자(子)	10:33:16	10:34:57
576	수기	목+ 양 자(子)	10:34:57	10:36:08

연번	36기운	12기운	양력1일역	
			시작시점	끝나는시점
577	수수	목+ 양 자(子)	10:36:08	10:37:49
578	목목	목- 음 축(丑)	10:37:49	10:39:29
579	목토	목- 음 축(丑)	10:39:29	10:40:40
580	목화	목- 음 축(丑)	10:40:40	10:42:21
581	목금	토+ 양 인(寅)	10:42:21	10:44:01
582	목기	토+ 양 인(寅)	10:44:01	10:45:13
583	목수	토+ 양 인(寅)	10:45:13	10:46:53
584	토목	토- 음 묘(卯)	10:46:53	10:48:04
585	토토	토- 음 묘(卯)	10:48:04	10:48:54
586	토화	토- 음 묘(卯)	10:48:54	10:50:06
587	토금	화+ 양 진(辰)	10:50:06	10:51:17
588	토기	화+ 양 진(辰)	10:51:17	10:52:07
589	토수	화+ 양 진(辰)	10:52:07	10:53:18
590	화목	화- 음 사(巳)	10:53:18	10:54:59
591	화토	화- 음 사(巳)	10:54:59	10:56:10
592	화화	화- 음 사(巳)	10:56:10	10:57:50
593	화금	금+ 양 오(午)	10:57:50	10:59:31
594	화기	금+ 양 오(午)	10:59:31	11:00:42
595	화수	금+ 양 오(午)	11:00:42	11:02:23
596	금목	금- 음 미(未)	11:02:23	11:04:03
597	금토	금- 음 미(未)	11:04:03	11:05:14
598	금화	금- 음 미(未)	11:05:14	11:06:55
599	금금	기+ 양 신(申)	11:06:55	11:08:35
600	금기	기+ 양 신(申)	11:08:35	11:09:47
601	금수	기+ 양 신(申)	11:09:47	11:11:27
602	기목	기- 음 유(酉)	11:11:27	11:12:38
603	기토	기- 음 유(酉)	11:12:38	11:13:28
604	기화	기- 음 유(酉)	11:13:28	11:14:40
605	기금	수+ 양 술(戌)	11:14:40	11:15:51
606	기기	수+ 양 술(戌)	11:15:51	11:16:41
607	기수	수+ 양 술(戌)	11:16:41	11:17:52
608	수목	수- 음 해(亥)	11:17:52	11:19:33
609	수토	수- 음 해(亥)	11:19:33	11:20:44
610	수화	수- 음 해(亥)	11:20:44	11:22:24
611	수금	목+ 양 자(子)	11:22:24	11:24:05
612	수기	목+ 양 자(子)	11:24:05	11:25:16

연번	36기운	12기운	양력1일역	
			시작시점	끝나는시점
613	수수	목+ 양 자(子)	11:25:16	11:26:27
614	목목	목- 음 축(丑)	11:26:27	11:27:38
615	목토	목- 음 축(丑)	11:27:38	11:28:28
616	목화	목- 음 축(丑)	11:28:28	11:29:40
617	목금	토+ 양 인(寅)	11:29:40	11:30:51
618	목기	토+ 양 인(寅)	11:30:51	11:31:41
619	목수	토+ 양 인(寅)	11:31:41	11:32:52
620	토목	토- 음 묘(卯)	11:32:52	11:33:42
621	토토	토- 음 묘(卯)	11:33:42	11:34:18
622	토화	토- 음 묘(卯)	11:34:18	11:35:08
623	토금	화+ 양 진(辰)	11:35:08	11:35:58
624	토기	화+ 양 진(辰)	11:35:58	11:36:34
625	토수	화+ 양 진(辰)	11:36:34	11:37:24
626	화목	화- 음 사(巳)	11:37:24	11:38:35
627	화토	화- 음 사(巳)	11:38:35	11:39:26
628	화화	화- 음 사(巳)	11:39:26	11:40:37
629	화금	금+ 양 오(午)	11:40:37	11:41:48
630	화기	금+ 양 오(午)	11:41:48	11:42:38
631	화수	금+ 양 오(午)	11:42:38	11:43:49
632	금목	금- 음 미(未)	11:43:49	11:45:00
633	금토	금- 음 미(未)	11:45:00	11:45:50
634	금화	금- 음 미(未)	11:45:50	11:47:02
635	금금	기+ 양 신(申)	11:47:02	11:48:13
636	금기	기+ 양 신(申)	11:48:13	11:49:03
637	금수	기+ 양 신(申)	11:49:03	11:50:14
638	기목	기- 음 유(酉)	11:50:14	11:51:04
639	기토	기- 음 유(酉)	11:51:04	11:51:40
640	기화	기- 음 유(酉)	11:51:40	11:52:30
641	기금	수+ 양 술(戌)	11:52:30	11:53:20
642	기기	수+ 양 술(戌)	11:53:20	11:53:56
643	기수	수+ 양 술(戌)	11:53:56	11:54:46
644	수목	수- 음 해(亥)	11:54:46	11:55:57
645	수토	수- 음 해(亥)	11:55:57	11:56:48
646	수화	수- 음 해(亥)	11:56:48	11:57:59
647	수금	목+ 양 자(子)	11:57:59	11:59:10
648	수기	목+ 양 자(子)	11:59:10	12:00:00

연번	36기운	12기운	양력1일역	
			시작시점	끝나는시점
649	수수	목+ 양 자(子)	12:00:00	12:01:41
650	목목	목- 음 축(丑)	12:01:41	12:03:21
651	목토	목- 음 축(丑)	12:03:21	12:04:32
652	목화	목- 음 축(丑)	12:04:32	12:06:13
653	목금	토+ 양 인(寅)	12:06:13	12:07:53
654	목기	토+ 양 인(寅)	12:07:53	12:09:05
655	목수	토+ 양 인(寅)	12:09:05	12:10:45
656	토목	토- 음 묘(卯)	12:10:45	12:11:56
657	토토	토- 음 묘(卯)	12:11:56	12:12:46
658	토화	토- 음 묘(卯)	12:12:46	12:13:58
659	토금	화+ 양 진(辰)	12:13:58	12:15:09
660	토기	화+ 양 진(辰)	12:15:09	12:15:59
661	토수	화+ 양 진(辰)	12:15:59	12:17:10
662	화목	화- 음 사(巳)	12:17:10	12:18:51
663	화토	화- 음 사(巳)	12:18:51	12:20:02
664	화화	화- 음 사(巳)	12:20:02	12:21:42
665	화금	금+ 양 오(午)	12:21:42	12:23:23
666	화기	금+ 양 오(午)	12:23:23	12:24:34
667	화수	금+ 양 오(午)	12:24:34	12:26:15
668	금목	금- 음 미(未)	12:26:15	12:27:55
669	금토	금- 음 미(未)	12:27:55	12:29:06
670	금화	금- 음 미(未)	12:29:06	12:30:47
671	금금	기+ 양 신(申)	12:30:47	12:32:27
672	금기	기+ 양 신(申)	12:32:27	12:33:39
673	금수	기+ 양 신(申)	12:33:39	12:35:19
674	기목	기- 음 유(酉)	12:35:19	12:36:30
675	기토	기- 음 유(酉)	12:36:30	12:37:20
676	기화	기- 음 유(酉)	12:37:20	12:38:32
677	기금	수+ 양 술(戌)	12:38:32	12:39:43
678	기기	수+ 양 술(戌)	12:39:43	12:40:33
679	기수	수+ 양 술(戌)	12:40:33	12:41:44
680	수목	수- 음 해(亥)	12:41:44	12:43:25
681	수토	수- 음 해(亥)	12:43:25	12:44:36
682	수화	수- 음 해(亥)	12:44:36	12:46:16
683	수금	목+ 양 자(子)	12:46:16	12:47:57
684	수기	목+ 양 자(子)	12:47:57	12:49:08

연번	36기운	12기운	양력1일역	
			시작시점	끝나는시점
685	수수	목+ 양 자(子)	12:49:08	12:50:49
686	목목	목- 음 축(丑)	12:50:49	12:52:29
687	목토	목- 음 축(丑)	12:52:29	12:53:40
688	목화	목- 음 축(丑)	12:53:40	12:55:21
689	목금	토+ 양 인(寅)	12:55:21	12:57:01
690	목기	토+ 양 인(寅)	12:57:01	12:58:13
691	목수	토+ 양 인(寅)	12:58:13	12:59:53
692	토목	토- 음 묘(卯)	12:59:53	13:01:04
693	토토	토- 음 묘(卯)	13:01:04	13:01:54
694	토화	토- 음 묘(卯)	13:01:54	13:03:06
695	토금	화+ 양 진(辰)	13:03:06	13:04:17
696	토기	화+ 양 진(辰)	13:04:17	13:05:07
697	토수	화+ 양 진(辰)	13:05:07	13:06:18
698	화목	화- 음 사(巳)	13:06:18	13:07:59
699	화토	화- 음 사(巳)	13:07:59	13:09:10
700	화화	화- 음 사(巳)	13:09:10	13:10:50
701	화금	금+ 양 오(午)	13:10:50	13:12:31
702	화기	금+ 양 오(午)	13:12:31	13:13:42
703	화수	금+ 양 오(午)	13:13:42	13:15:23
704	금목	금- 음 미(未)	13:15:23	13:17:03
705	금토	금- 음 미(未)	13:17:03	13:18:14
706	금화	금- 음 미(未)	13:18:14	13:19:55
707	금금	기+ 양 신(申)	13:19:55	13:21:35
708	금기	기+ 양 신(申)	13:21:35	13:22:47
709	금수	기+ 양 신(申)	13:22:47	13:24:27
710	기목	기- 음 유(酉)	13:24:27	13:25:38
711	기토	기- 음 유(酉)	13:25:38	13:26:28
712	기화	기- 음 유(酉)	13:26:28	13:27:40
713	기금	수+ 양 술(戌)	13:27:40	13:28:51
714	기기	수+ 양 술(戌)	13:28:51	13:29:41
715	기수	수+ 양 술(戌)	13:29:41	13:30:52
716	수목	수- 음 해(亥)	13:30:52	13:32:33
717	수토	수- 음 해(亥)	13:32:33	13:33:44
718	수화	수- 음 해(亥)	13:33:44	13:35:24
719	수금	목+ 양 자(子)	13:35:24	13:37:05
720	수기	목+ 양 자(子)	13:37:05	13:38:16

연번	36기운	12기운	양력1일역	
			시작시점	끝나는시점
721	수수	목+ 양 자(子)	13:38:16	13:39:27
722	목목	목- 음 축(丑)	13:39:27	13:40:38
723	목토	목- 음 축(丑)	13:40:38	13:41:28
724	목화	목- 음 축(丑)	13:41:28	13:42:40
725	목금	토+ 양 인(寅)	13:42:40	13:43:51
726	목기	토+ 양 인(寅)	13:43:51	13:44:41
727	목수	토+ 양 인(寅)	13:44:41	13:45:52
728	토목	토- 음 묘(卯)	13:45:52	13:46:42
729	토토	토- 음 묘(卯)	13:46:42	13:47:18
730	토화	토- 음 묘(卯)	13:47:18	13:48:08
731	토금	화+ 양 진(辰)	13:48:08	13:48:58
732	토기	화+ 양 진(辰)	13:48:58	13:49:34
733	토수	화+ 양 진(辰)	13:49:34	13:50:24
734	화목	화- 음 사(巳)	13:50:24	13:51:35
735	화토	화- 음 사(巳)	13:51:35	13:52:26
736	화화	화- 음 사(巳)	13:52:26	13:53:37
737	화금	금+ 양 오(午)	13:53:37	13:54:48
738	화기	금+ 양 오(午)	13:54:48	13:55:38
739	화수	금+ 양 오(午)	13:55:38	13:56:49
740	금목	금- 음 미(未)	13:56:49	13:58:00
741	금토	금- 음 미(未)	13:58:00	13:58:50
742	금화	금- 음 미(未)	13:58:50	14:00:02
743	금금	기+ 양 신(申)	14:00:02	14:01:13
744	금기	기+ 양 신(申)	14:01:13	14:02:03
745	금수	기+ 양 신(申)	14:02:03	14:03:14
746	기목	기- 음 유(酉)	14:03:14	14:04:04
747	기토	기- 음 유(酉)	14:04:04	14:04:40
748	기화	기- 음 유(酉)	14:04:40	14:05:30
749	기금	수+ 양 술(戌)	14:05:30	14:06:20
750	기기	수+ 양 술(戌)	14:06:20	14:06:56
751	기수	수+ 양 술(戌)	14:06:56	14:07:46
752	수목	수- 음 해(亥)	14:07:46	14:08:57
753	수토	수- 음 해(亥)	14:08:57	14:09:48
754	수화	수- 음 해(亥)	14:09:48	14:10:59
755	수금	목+ 양 자(子)	14:10:59	14:12:10
756	수기	목+ 양 자(子)	14:12:10	14:13:00

연번	36기운	12기운	양력1일역	
			시작시점	끝나는시점
757	수수	목+ 양 자(子)	14:13:00	14:14:41
758	목목	목- 음 축(丑)	14:14:41	14:16:21
759	목토	목- 음 축(丑)	14:16:21	14:17:32
760	목화	목- 음 축(丑)	14:17:32	14:19:13
761	목금	토+ 양 인(寅)	14:19:13	14:20:53
762	목기	토+ 양 인(寅)	14:20:53	14:22:05
763	목수	토+ 양 인(寅)	14:22:05	14:23:45
764	토목	토- 음 묘(卯)	14:23:45	14:24:56
765	토토	토- 음 묘(卯)	14:24:56	14:25:46
766	토화	토- 음 묘(卯)	14:25:46	14:26:58
767	토금	화+ 양 진(辰)	14:26:58	14:28:09
768	토기	화+ 양 진(辰)	14:28:09	14:28:59
769	토수	화+ 양 진(辰)	14:28:59	14:30:10
770	화목	화- 음 사(巳)	14:30:10	14:31:51
771	화토	화- 음 사(巳)	14:31:51	14:33:02
772	화화	화- 음 사(巳)	14:33:02	14:34:42
773	화금	금+ 양 오(午)	14:34:42	14:36:23
774	화기	금+ 양 오(午)	14:36:23	14:37:34
775	화수	금+ 양 오(午)	14:37:34	14:39:15
776	금목	금- 음 미(未)	14:39:15	14:40:55
777	금토	금- 음 미(未)	14:40:55	14:42:06
778	금화	금- 음 미(未)	14:42:06	14:43:47
779	금금	기+ 양 신(申)	14:43:47	14:45:27
780	금기	기+ 양 신(申)	14:45:27	14:46:39
781	금수	기+ 양 신(申)	14:46:39	14:48:19
782	기목	기- 음 유(酉)	14:48:19	14:49:30
783	기토	기- 음 유(酉)	14:49:30	14:50:20
784	기화	기- 음 유(酉)	14:50:20	14:51:32
785	기금	수+ 양 술(戌)	14:51:32	14:52:43
786	기기	수+ 양 술(戌)	14:52:43	14:53:33
787	기수	수+ 양 술(戌)	14:53:33	14:54:44
788	수목	수- 음 해(亥)	14:54:44	14:56:25
789	수토	수- 음 해(亥)	14:56:25	14:57:36
790	수화	수- 음 해(亥)	14:57:36	14:59:16
791	수금	목+ 양 자(子)	14:59:16	15:00:57
792	수기	목+ 양 자(子)	15:00:57	15:02:08

연번	36기운	12기운	양력1일역	
			시작시점	끝나는시점
793	수수	목+ 양 자(子)	15:02:08	15:03:49
794	목목	목- 음 축(丑)	15:03:49	15:05:29
795	목토	목- 음 축(丑)	15:05:29	15:06:40
796	목화	목- 음 축(丑)	15:06:40	15:08:21
797	목금	토+ 양 인(寅)	15:08:21	15:10:01
798	목기	토+ 양 인(寅)	15:10:01	15:11:13
799	목수	토+ 양 인(寅)	15:11:13	15:12:53
800	토목	토- 음 묘(卯)	15:12:53	15:14:04
801	토토	토- 음 묘(卯)	15:14:04	15:14:54
802	토화	토- 음 묘(卯)	15:14:54	15:16:06
803	토금	화+ 양 진(辰)	15:16:06	15:17:17
804	토기	화+ 양 진(辰)	15:17:17	15:18:07
805	토수	화+ 양 진(辰)	15:18:07	15:19:18
806	화목	화- 음 사(巳)	15:19:18	15:20:59
807	화토	화- 음 사(巳)	15:20:59	15:22:10
808	화화	화- 음 사(巳)	15:22:10	15:23:50
809	화금	금+ 양 오(午)	15:23:50	15:25:31
810	화기	금+ 양 오(午)	15:25:31	15:26:42
811	화수	금+ 양 오(午)	15:26:42	15:28:23
812	금목	금- 음 미(未)	15:28:23	15:30:03
813	금토	금- 음 미(未)	15:30:03	15:31:14
814	금화	금- 음 미(未)	15:31:14	15:32:55
815	금금	기+ 양 신(申)	15:32:55	15:34:35
816	금기	기+ 양 신(申)	15:34:35	15:35:47
817	금수	기+ 양 신(申)	15:35:47	15:37:27
818	기목	기- 음 유(酉)	15:37:27	15:38:38
819	기토	기- 음 유(酉)	15:38:38	15:39:28
820	기화	기- 음 유(酉)	15:39:28	15:40:40
821	기금	수+ 양 술(戌)	15:40:40	15:41:51
822	기기	수+ 양 술(戌)	15:41:51	15:42:41
823	기수	수+ 양 술(戌)	15:42:41	15:43:52
824	수목	수- 음 해(亥)	15:43:52	15:45:33
825	수토	수- 음 해(亥)	15:45:33	15:46:44
826	수화	수- 음 해(亥)	15:46:44	15:48:24
827	수금	목+ 양 자(子)	15:48:24	15:50:05
828	수기	목+ 양 자(子)	15:50:05	15:51:16

연번	36기운	12기운	양력1일역	
			시작시점	끝나는시점
829	수수	목+ 양 자(子)	15:51:16	15:52:27
830	목목	목- 음 축(丑)	15:52:27	15:53:38
831	목토	목- 음 축(丑)	15:53:38	15:54:28
832	목화	목- 음 축(丑)	15:54:28	15:55:40
833	목금	토+ 양 인(寅)	15:55:40	15:56:51
834	목기	토+ 양 인(寅)	15:56:51	15:57:41
835	목수	토+ 양 인(寅)	15:57:41	15:58:52
836	토목	토- 음 묘(卯)	15:58:52	15:59:42
837	토토	토- 음 묘(卯)	15:59:42	16:00:18
838	토화	토- 음 묘(卯)	16:00:18	16:01:08
839	토금	화+ 양 진(辰)	16:01:08	16:01:58
840	토기	화+ 양 진(辰)	16:01:58	16:02:34
841	토수	화+ 양 진(辰)	16:02:34	16:03:24
842	화목	화- 음 사(巳)	16:03:24	16:04:35
843	화토	화- 음 사(巳)	16:04:35	16:05:26
844	화화	화- 음 사(巳)	16:05:26	16:06:37
845	화금	금+ 양 오(午)	16:06:37	16:07:48
846	화기	금+ 양 오(午)	16:07:48	16:08:38
847	화수	금+ 양 오(午)	16:08:38	16:09:49
848	금목	금- 음 미(未)	16:09:49	16:11:00
849	금토	금- 음 미(未)	16:11:00	16:11:50
850	금화	금- 음 미(未)	16:11:50	16:13:02
851	금금	기+ 양 신(申)	16:13:02	16:14:13
852	금기	기+ 양 신(申)	16:14:13	16:15:03
853	금수	기+ 양 신(申)	16:15:03	16:16:14
854	기목	기- 음 유(酉)	16:16:14	16:17:04
855	기토	기- 음 유(酉)	16:17:04	16:17:40
856	기화	기- 음 유(酉)	16:17:40	16:18:30
857	기금	수+ 양 술(戌)	16:18:30	16:19:20
858	기기	수+ 양 술(戌)	16:19:20	16:19:56
859	기수	수+ 양 술(戌)	16:19:56	16:20:46
860	수목	수- 음 해(亥)	16:20:46	16:21:57
861	수토	수- 음 해(亥)	16:21:57	16:22:48
862	수화	수- 음 해(亥)	16:22:48	16:23:59
863	수금	목+ 양 자(子)	16:23:59	16:25:10
864	수기	목+ 양 자(子)	16:25:10	16:26:00

연번	36기운	12기운	양력1일역	
			시작시점	끝나는시점
865	수수	목+ 양 자(子)	16:26:00	16:27:41
866	목목	목- 음 축(丑)	16:27:41	16:29:21
867	목토	목- 음 축(丑)	16:29:21	16:30:32
868	목화	목- 음 축(丑)	16:30:32	16:32:13
869	목금	토+ 양 인(寅)	16:32:13	16:33:53
870	목기	토+ 양 인(寅)	16:33:53	16:35:05
871	목수	토+ 양 인(寅)	16:35:05	16:36:45
872	토목	토- 음 묘(卯)	16:36:45	16:37:56
873	토토	토- 음 묘(卯)	16:37:56	16:38:46
874	토화	토- 음 묘(卯)	16:38:46	16:39:58
875	토금	화+ 양 진(辰)	16:39:58	16:41:09
876	토기	화+ 양 진(辰)	16:41:09	16:41:59
877	토수	화+ 양 진(辰)	16:41:59	16:43:10
878	화목	화- 음 사(巳)	16:43:10	16:44:51
879	화토	화- 음 사(巳)	16:44:51	16:46:02
880	화화	화- 음 사(巳)	16:46:02	16:47:42
881	화금	금+ 양 오(午)	16:47:42	16:49:23
882	화기	금+ 양 오(午)	16:49:23	16:50:34
883	화수	금+ 양 오(午)	16:50:34	16:52:15
884	금목	금- 음 미(未)	16:52:15	16:53:55
885	금토	금- 음 미(未)	16:53:55	16:55:06
886	금화	금- 음 미(未)	16:55:06	16:56:47
887	금금	기+ 양 신(申)	16:56:47	16:58:27
888	금기	기+ 양 신(申)	16:58:27	16:59:39
889	금수	기+ 양 신(申)	16:59:39	17:01:19
890	기목	기- 음 유(酉)	17:01:19	17:02:30
891	기토	기- 음 유(酉)	17:02:30	17:03:20
892	기화	기- 음 유(酉)	17:03:20	17:04:32
893	기금	수+ 양 술(戌)	17:04:32	17:05:43
894	기기	수+ 양 술(戌)	17:05:43	17:06:33
895	기수	수+ 양 술(戌)	17:06:33	17:07:44
896	수목	수- 음 해(亥)	17:07:44	17:09:25
897	수토	수- 음 해(亥)	17:09:25	17:10:36
898	수화	수- 음 해(亥)	17:10:36	17:12:16
899	수금	목+ 양 자(子)	17:12:16	17:13:57
900	수기	목+ 양 자(子)	17:13:57	17:15:08

연번	36기운	12기운	양력1일역	
			시작시점	끝나는시점
901	수수	목+ 양 자(子)	17:15:08	17:16:19
902	목목	목- 음 축(丑)	17:16:19	17:17:30
903	목토	목- 음 축(丑)	17:17:30	17:18:20
904	목화	목- 음 축(丑)	17:18:20	17:19:32
905	목금	토+ 양 인(寅)	17:19:32	17:20:43
906	목기	토+ 양 인(寅)	17:20:43	17:21:33
907	목수	토+ 양 인(寅)	17:21:33	17:22:44
908	토목	토- 음 묘(卯)	17:22:44	17:23:34
909	토토	토- 음 묘(卯)	17:23:34	17:24:10
910	토화	토- 음 묘(卯)	17:24:10	17:25:00
911	토금	화+ 양 진(辰)	17:25:00	17:25:50
912	토기	화+ 양 진(辰)	17:25:50	17:26:26
913	토수	화+ 양 진(辰)	17:26:26	17:27:16
914	화목	화- 음 사(巳)	17:27:16	17:28:27
915	화토	화- 음 사(巳)	17:28:27	17:29:18
916	화화	화- 음 사(巳)	17:29:18	17:30:29
917	화금	금+ 양 오(午)	17:30:29	17:31:40
918	화기	금+ 양 오(午)	17:31:40	17:32:30
919	화수	금+ 양 오(午)	17:32:30	17:33:41
920	금목	금- 음 미(未)	17:33:41	17:34:52
921	금토	금- 음 미(未)	17:34:52	17:35:42
922	금화	금- 음 미(未)	17:35:42	17:36:54
923	금금	기+ 양 신(申)	17:36:54	17:38:05
924	금기	기+ 양 신(申)	17:38:05	17:38:55
925	금수	기+ 양 신(申)	17:38:55	17:40:06
926	기목	기- 음 유(酉)	17:40:06	17:40:56
927	기토	기- 음 유(酉)	17:40:56	17:41:32
928	기화	기- 음 유(酉)	17:41:32	17:42:22
929	기금	수+ 양 술(戌)	17:42:22	17:43:12
930	기기	수+ 양 술(戌)	17:43:12	17:43:48
931	기수	수+ 양 술(戌)	17:43:48	17:44:38
932	수목	수- 음 해(亥)	17:44:38	17:45:49
933	수토	수- 음 해(亥)	17:45:49	17:46:40
934	수화	수- 음 해(亥)	17:46:40	17:47:51
935	수금	목+ 양 자(子)	17:47:51	17:49:02
936	수기	목+ 양 자(子)	17:49:02	17:49:52

연번	36기운	12기운	양력1일역	
			시작시점	끝나는시점
937	수수	목+ 양 자(子)	17:49:52	17:50:42
938	목목	목- 음 축(丑)	17:50:42	17:51:32
939	목토	목- 음 축(丑)	17:51:32	17:52:08
940	목화	목- 음 축(丑)	17:52:08	17:52:58
941	목금	토+ 양 인(寅)	17:52:58	17:53:48
942	목기	토+ 양 인(寅)	17:53:48	17:54:24
943	목수	토+ 양 인(寅)	17:54:24	17:55:14
944	토목	토- 음 묘(卯)	17:55:14	17:55:50
945	토토	토- 음 묘(卯)	17:55:50	17:56:15
946	토화	토- 음 묘(卯)	17:56:15	17:56:50
947	토금	화+ 양 진(辰)	17:56:50	17:57:26
948	토기	화+ 양 진(辰)	17:57:26	17:57:51
949	토수	화+ 양 진(辰)	17:57:51	17:58:26
950	화목	화- 음 사(巳)	17:58:26	17:59:17
951	화토	화- 음 사(巳)	17:59:17	17:59:52
952	화화	화- 음 사(巳)	17:59:52	18:00:42
953	화금	금+ 양 오(午)	18:00:42	18:01:32
954	화기	금+ 양 오(午)	18:01:32	18:02:08
955	화수	금+ 양 오(午)	18:02:08	18:02:58
956	금목	금- 음 미(未)	18:02:58	18:03:48
957	금토	금- 음 미(未)	18:03:48	18:04:24
958	금화	금- 음 미(未)	18:04:24	18:05:14
959	금금	기+ 양 신(申)	18:05:14	18:06:04
960	금기	기+ 양 신(申)	18:06:04	18:06:40
961	금수	기+ 양 신(申)	18:06:40	18:07:30
962	기목	기- 음 유(酉)	18:07:30	18:08:06
963	기토	기- 음 유(酉)	18:08:06	18:08:31
964	기화	기- 음 유(酉)	18:08:31	18:09:06
965	기금	수+ 양 술(戌)	18:09:06	18:09:42
966	기기	수+ 양 술(戌)	18:09:42	18:10:07
967	기수	수+ 양 술(戌)	18:10:07	18:10:42
968	수목	수- 음 해(亥)	18:10:42	18:11:33
969	수토	수- 음 해(亥)	18:11:33	18:12:08
970	수화	수- 음 해(亥)	18:12:08	18:12:58
971	수금	목+ 양 자(子)	18:12:58	18:13:48
972	수기	목+ 양 자(子)	18:13:48	18:14:24

연번	36기운	12기운	양력1일역	
			시작시점	끝나는시점
973	수수	목+ 양 자(子)	18:14:24	18:15:35
974	목목	목- 음 축(丑)	18:15:35	18:16:46
975	목토	목- 음 축(丑)	18:16:46	18:17:36
976	목화	목- 음 축(丑)	18:17:36	18:18:48
977	목금	토+ 양 인(寅)	18:18:48	18:19:59
978	목기	토+ 양 인(寅)	18:19:59	18:20:49
979	목수	토+ 양 인(寅)	18:20:49	18:22:00
980	토목	토- 음 묘(卯)	18:22:00	18:22:50
981	토토	토- 음 묘(卯)	18:22:50	18:23:26
982	토화	토- 음 묘(卯)	18:23:26	18:24:16
983	토금	화+ 양 진(辰)	18:24:16	18:25:06
984	토기	화+ 양 진(辰)	18:25:06	18:25:42
985	토수	화+ 양 진(辰)	18:25:42	18:26:32
986	화목	화- 음 사(巳)	18:26:32	18:27:43
987	화토	화- 음 사(巳)	18:27:43	18:28:34
988	화화	화- 음 사(巳)	18:28:34	18:29:45
989	화금	금+ 양 오(午)	18:29:45	18:30:56
990	화기	금+ 양 오(午)	18:30:56	18:31:46
991	화수	금+ 양 오(午)	18:31:46	18:32:57
992	금목	금- 음 미(未)	18:32:57	18:34:08
993	금토	금- 음 미(未)	18:34:08	18:34:58
994	금화	금- 음 미(未)	18:34:58	18:36:10
995	금금	기+ 양 신(申)	18:36:10	18:37:21
996	금기	기+ 양 신(申)	18:37:21	18:38:11
997	금수	기+ 양 신(申)	18:38:11	18:39:22
998	기목	기- 음 유(酉)	18:39:22	18:40:12
999	기토	기- 음 유(酉)	18:40:12	18:40:48
1000	기화	기- 음 유(酉)	18:40:48	18:41:38
1001	기금	수+ 양 술(戌)	18:41:38	18:42:28
1002	기기	수+ 양 술(戌)	18:42:28	18:43:04
1003	기수	수+ 양 술(戌)	18:43:04	18:43:54
1004	수목	수- 음 해(亥)	18:43:54	18:45:05
1005	수토	수- 음 해(亥)	18:45:05	18:45:56
1006	수화	수- 음 해(亥)	18:45:56	18:47:07
1007	수금	목+ 양 자(子)	18:47:07	18:48:18
1008	수기	목+ 양 자(子)	18:48:18	18:49:08

연번	36기운	12기운	양력1일역	
			시작시점	끝나는시점
1009	수수	목+ 양 자(子)	18:49:08	18:50:19
1010	목목	목- 음 축(丑)	18:50:19	18:51:30
1011	목토	목- 음 축(丑)	18:51:30	18:52:20
1012	목화	목- 음 축(丑)	18:52:20	18:53:32
1013	목금	토+ 양 인(寅)	18:53:32	18:54:43
1014	목기	토+ 양 인(寅)	18:54:43	18:55:33
1015	목수	토+ 양 인(寅)	18:55:33	18:56:44
1016	토목	토- 음 묘(卯)	18:56:44	18:57:34
1017	토토	토- 음 묘(卯)	18:57:34	18:58:10
1018	토화	토- 음 묘(卯)	18:58:10	18:59:00
1019	토금	화+ 양 진(辰)	18:59:00	18:59:50
1020	토기	화+ 양 진(辰)	18:59:50	19:00:26
1021	토수	화+ 양 진(辰)	19:00:26	19:01:16
1022	화목	화- 음 사(巳)	19:01:16	19:02:27
1023	화토	화- 음 사(巳)	19:02:27	19:03:18
1024	화화	화- 음 사(巳)	19:03:18	19:04:29
1025	화금	금+ 양 오(午)	19:04:29	19:05:40
1026	화기	금+ 양 오(午)	19:05:40	19:06:30
1027	화수	금+ 양 오(午)	19:06:30	19:07:41
1028	금목	금- 음 미(未)	19:07:41	19:08:52
1029	금토	금- 음 미(未)	19:08:52	19:09:42
1030	금화	금- 음 미(未)	19:09:42	19:10:54
1031	금금	기+ 양 신(申)	19:10:54	19:12:05
1032	금기	기+ 양 신(申)	19:12:05	19:12:55
1033	금수	기+ 양 신(申)	19:12:55	19:14:06
1034	기목	기- 음 유(酉)	19:14:06	19:14:56
1035	기토	기- 음 유(酉)	19:14:56	19:15:32
1036	기화	기- 음 유(酉)	19:15:32	19:16:22
1037	기금	수+ 양 술(戌)	19:16:22	19:17:12
1038	기기	수+ 양 술(戌)	19:17:12	19:17:48
1039	기수	수+ 양 술(戌)	19:17:48	19:18:38
1040	수목	수- 음 해(亥)	19:18:38	19:19:49
1041	수토	수- 음 해(亥)	19:19:49	19:20:40
1042	수화	수- 음 해(亥)	19:20:40	19:21:51
1043	수금	목+ 양 자(子)	19:21:51	19:23:02
1044	수기	목+ 양 자(子)	19:23:02	19:23:52

연번	36기운	12기운	양력1일역	
			시작시점	끝나는시점
1045	수수	목+ 양 자(子)	19:23:52	19:24:42
1046	목목	목- 음 축(丑)	19:24:42	19:25:32
1047	목토	목- 음 축(丑)	19:25:32	19:26:08
1048	목화	목- 음 축(丑)	19:26:08	19:26:58
1049	목금	토+ 양 인(寅)	19:26:58	19:27:48
1050	목기	토+ 양 인(寅)	19:27:48	19:28:24
1051	목수	토+ 양 인(寅)	19:28:24	19:29:14
1052	토목	토- 음 묘(卯)	19:29:14	19:29:50
1053	토토	토- 음 묘(卯)	19:29:50	19:30:15
1054	토화	토- 음 묘(卯)	19:30:15	19:30:50
1055	토금	화+ 양 진(辰)	19:30:50	19:31:26
1056	토기	화+ 양 진(辰)	19:31:26	19:31:51
1057	토수	화+ 양 진(辰)	19:31:51	19:32:26
1058	화목	화- 음 사(巳)	19:32:26	19:33:17
1059	화토	화- 음 사(巳)	19:33:17	19:33:52
1060	화화	화- 음 사(巳)	19:33:52	19:34:42
1061	화금	금+ 양 오(午)	19:34:42	19:35:32
1062	화기	금+ 양 오(午)	19:35:32	19:36:08
1063	화수	금+ 양 오(午)	19:36:08	19:36:58
1064	금목	금- 음 미(未)	19:36:58	19:37:48
1065	금토	금- 음 미(未)	19:37:48	19:38:24
1066	금화	금- 음 미(未)	19:38:24	19:39:14
1067	금금	기+ 양 신(申)	19:39:14	19:40:04
1068	금기	기+ 양 신(申)	19:40:04	19:40:40
1069	금수	기+ 양 신(申)	19:40:40	19:41:30
1070	기목	기- 음 유(酉)	19:41:30	19:42:06
1071	기토	기- 음 유(酉)	19:42:06	19:42:31
1072	기화	기- 음 유(酉)	19:42:31	19:43:06
1073	기금	수+ 양 술(戌)	19:43:06	19:43:42
1074	기기	수+ 양 술(戌)	19:43:42	19:44:07
1075	기수	수+ 양 술(戌)	19:44:07	19:44:42
1076	수목	수- 음 해(亥)	19:44:42	19:45:33
1077	수토	수- 음 해(亥)	19:45:33	19:46:08
1078	수화	수- 음 해(亥)	19:46:08	19:46:58
1079	수금	목+ 양 자(子)	19:46:58	19:47:48
1080	수기	목+ 양 자(子)	19:47:48	19:48:24

연번	36기운	12기운	양력1일역	
			시작시점	끝나는시점
1081	수수	목+ 양 자(子)	19:48:24	19:49:35
1082	목목	목- 음 축(丑)	19:49:35	19:50:46
1083	목토	목- 음 축(丑)	19:50:46	19:51:36
1084	목화	목- 음 축(丑)	19:51:36	19:52:48
1085	목금	토+ 양 인(寅)	19:52:48	19:53:59
1086	목기	토+ 양 인(寅)	19:53:59	19:54:49
1087	목수	토+ 양 인(寅)	19:54:49	19:56:00
1088	토목	토- 음 묘(卯)	19:56:00	19:56:50
1089	토토	토- 음 묘(卯)	19:56:50	19:57:26
1090	토화	토- 음 묘(卯)	19:57:26	19:58:16
1091	토금	화+ 양 진(辰)	19:58:16	19:59:06
1092	토기	화+ 양 진(辰)	19:59:06	19:59:42
1093	토수	화+ 양 진(辰)	19:59:42	20:00:32
1094	화목	화- 음 사(巳)	20:00:32	20:01:43
1095	화토	화- 음 사(巳)	20:01:43	20:02:34
1096	화화	화- 음 사(巳)	20:02:34	20:03:45
1097	화금	금+ 양 오(午)	20:03:45	20:04:56
1098	화기	금+ 양 오(午)	20:04:56	20:05:46
1099	화수	금+ 양 오(午)	20:05:46	20:06:57
1100	금목	금- 음 미(未)	20:06:57	20:08:08
1101	금토	금- 음 미(未)	20:08:08	20:08:58
1102	금화	금- 음 미(未)	20:08:58	20:10:10
1103	금금	기+ 양 신(申)	20:10:10	20:11:21
1104	금기	기+ 양 신(申)	20:11:21	20:12:11
1105	금수	기+ 양 신(申)	20:12:11	20:13:22
1106	기목	기- 음 유(酉)	20:13:22	20:14:12
1107	기토	기- 음 유(酉)	20:14:12	20:14:48
1108	기화	기- 음 유(酉)	20:14:48	20:15:38
1109	기금	수+ 양 술(戌)	20:15:38	20:16:28
1110	기기	수+ 양 술(戌)	20:16:28	20:17:04
1111	기수	수+ 양 술(戌)	20:17:04	20:17:54
1112	수목	수- 음 해(亥)	20:17:54	20:19:05
1113	수토	수- 음 해(亥)	20:19:05	20:19:56
1114	수화	수- 음 해(亥)	20:19:56	20:21:07
1115	수금	목+ 양 자(子)	20:21:07	20:22:18
1116	수기	목+ 양 자(子)	20:22:18	20:23:08

연번	36기운	12기운	양력1일역	
			시작시점	끝나는시점
1117	수수	목+ 양 자(子)	20:23:08	20:24:49
1118	목목	목- 음 축(丑)	20:24:49	20:26:29
1119	목토	목- 음 축(丑)	20:26:29	20:27:40
1120	목화	목- 음 축(丑)	20:27:40	20:29:21
1121	목금	토+ 양 인(寅)	20:29:21	20:31:01
1122	목기	토+ 양 인(寅)	20:31:01	20:32:13
1123	목수	토+ 양 인(寅)	20:32:13	20:33:53
1124	토목	토- 음 묘(卯)	20:33:53	20:35:04
1125	토토	토- 음 묘(卯)	20:35:04	20:35:54
1126	토화	토- 음 묘(卯)	20:35:54	20:37:06
1127	토금	화+ 양 진(辰)	20:37:06	20:38:17
1128	토기	화+ 양 진(辰)	20:38:17	20:39:07
1129	토수	화+ 양 진(辰)	20:39:07	20:40:18
1130	화목	화- 음 사(巳)	20:40:18	20:41:59
1131	화토	화- 음 사(巳)	20:41:59	20:43:10
1132	화화	화- 음 사(巳)	20:43:10	20:44:50
1133	화금	금+ 양 오(午)	20:44:50	20:46:31
1134	화기	금+ 양 오(午)	20:46:31	20:47:42
1135	화수	금+ 양 오(午)	20:47:42	20:49:23
1136	금목	금- 음 미(未)	20:49:23	20:51:03
1137	금토	금- 음 미(未)	20:51:03	20:52:14
1138	금화	금- 음 미(未)	20:52:14	20:53:55
1139	금금	기+ 양 신(申)	20:53:55	20:55:35
1140	금기	기+ 양 신(申)	20:55:35	20:56:47
1141	금수	기+ 양 신(申)	20:56:47	20:58:27
1142	기목	기- 음 유(酉)	20:58:27	20:59:38
1143	기토	기- 음 유(酉)	20:59:38	21:00:28
1144	기화	기- 음 유(酉)	21:00:28	21:01:40
1145	기금	수+ 양 술(戌)	21:01:40	21:02:51
1146	기기	수+ 양 술(戌)	21:02:51	21:03:41
1147	기수	수+ 양 술(戌)	21:03:41	21:04:52
1148	수목	수- 음 해(亥)	21:04:52	21:06:33
1149	수토	수- 음 해(亥)	21:06:33	21:07:44
1150	수화	수- 음 해(亥)	21:07:44	21:09:24
1151	수금	목+ 양 자(子)	21:09:24	21:11:05
1152	수기	목+ 양 자(子)	21:11:05	21:12:16

연번	36기운	12기운	양력1일역	
			시작시점	끝나는시점
1153	수수	목+ 양 자(子)	21:12:16	21:13:27
1154	목목	목- 음 축(丑)	21:13:27	21:14:38
1155	목토	목- 음 축(丑)	21:14:38	21:15:28
1156	목화	목- 음 축(丑)	21:15:28	21:16:40
1157	목금	토+ 양 인(寅)	21:16:40	21:17:51
1158	목기	토+ 양 인(寅)	21:17:51	21:18:41
1159	목수	토+ 양 인(寅)	21:18:41	21:19:52
1160	토목	토- 음 묘(卯)	21:19:52	21:20:42
1161	토토	토- 음 묘(卯)	21:20:42	21:21:18
1162	토화	토- 음 묘(卯)	21:21:18	21:22:08
1163	토금	화+ 양 진(辰)	21:22:08	21:22:58
1164	토기	화+ 양 진(辰)	21:22:58	21:23:34
1165	토수	화+ 양 진(辰)	21:23:34	21:24:24
1166	화목	화- 음 사(巳)	21:24:24	21:25:35
1167	화토	화- 음 사(巳)	21:25:35	21:26:26
1168	화화	화- 음 사(巳)	21:26:26	21:27:37
1169	화금	금+ 양 오(午)	21:27:37	21:28:48
1170	화기	금+ 양 오(午)	21:28:48	21:29:38
1171	화수	금+ 양 오(午)	21:29:38	21:30:49
1172	금목	금- 음 미(未)	21:30:49	21:32:00
1173	금토	금- 음 미(未)	21:32:00	21:32:50
1174	금화	금- 음 미(未)	21:32:50	21:34:02
1175	금금	기+ 양 신(申)	21:34:02	21:35:13
1176	금기	기+ 양 신(申)	21:35:13	21:36:03
1177	금수	기+ 양 신(申)	21:36:03	21:37:14
1178	기목	기- 음 유(酉)	21:37:14	21:38:04
1179	기토	기- 음 유(酉)	21:38:04	21:38:40
1180	기화	기- 음 유(酉)	21:38:40	21:39:30
1181	기금	수+ 양 술(戌)	21:39:30	21:40:20
1182	기기	수+ 양 술(戌)	21:40:20	21:40:56
1183	기수	수+ 양 술(戌)	21:40:56	21:41:46
1184	수목	수- 음 해(亥)	21:41:46	21:42:57
1185	수토	수- 음 해(亥)	21:42:57	21:43:48
1186	수화	수- 음 해(亥)	21:43:48	21:44:59
1187	수금	목+ 양 자(子)	21:44:59	21:46:10
1188	수기	목+ 양 자(子)	21:46:10	21:47:00

연번	36기운	12기운	양력1일역	
			시작시점	끝나는시점
1189	수수	목+ 양 자(子)	21:47:00	21:48:41
1190	목목	목- 음 축(丑)	21:48:41	21:50:21
1191	목토	목- 음 축(丑)	21:50:21	21:51:32
1192	목화	목- 음 축(丑)	21:51:32	21:53:13
1193	목금	토+ 양 인(寅)	21:53:13	21:54:53
1194	목기	토+ 양 인(寅)	21:54:53	21:56:05
1195	목수	토+ 양 인(寅)	21:56:05	21:57:45
1196	토목	토- 음 묘(卯)	21:57:45	21:58:56
1197	토토	토- 음 묘(卯)	21:58:56	21:59:46
1198	토화	토- 음 묘(卯)	21:59:46	22:00:58
1199	토금	화+ 양 진(辰)	22:00:58	22:02:09
1200	토기	화+ 양 진(辰)	22:02:09	22:02:59
1201	토수	화+ 양 진(辰)	22:02:59	22:04:10
1202	화목	화- 음 사(巳)	22:04:10	22:05:51
1203	화토	화- 음 사(巳)	22:05:51	22:07:02
1204	화화	화- 음 사(巳)	22:07:02	22:08:42
1205	화금	금+ 양 오(午)	22:08:42	22:10:23
1206	화기	금+ 양 오(午)	22:10:23	22:11:34
1207	화수	금+ 양 오(午)	22:11:34	22:13:15
1208	금목	금- 음 미(未)	22:13:15	22:14:55
1209	금토	금- 음 미(未)	22:14:55	22:16:06
1210	금화	금- 음 미(未)	22:16:06	22:17:47
1211	금금	기+ 양 신(申)	22:17:47	22:19:27
1212	금기	기+ 양 신(申)	22:19:27	22:20:39
1213	금수	기+ 양 신(申)	22:20:39	22:22:19
1214	기목	기- 음 유(酉)	22:22:19	22:23:30
1215	기토	기- 음 유(酉)	22:23:30	22:24:20
1216	기화	기- 음 유(酉)	22:24:20	22:25:32
1217	기금	수+ 양 술(戌)	22:25:32	22:26:43
1218	기기	수+ 양 술(戌)	22:26:43	22:27:33
1219	기수	수+ 양 술(戌)	22:27:33	22:28:44
1220	수목	수- 음 해(亥)	22:28:44	22:30:25
1221	수토	수- 음 해(亥)	22:30:25	22:31:36
1222	수화	수- 음 해(亥)	22:31:36	22:33:16
1223	수금	목+ 양 자(子)	22:33:16	22:34:57
1224	수기	목+ 양 자(子)	22:34:57	22:36:08

연번	36기운	12기운	양력1일역	
			시작시점	끝나는시점
1225	수수	목+ 양 자(子)	22:36:08	22:37:49
1226	목목	목- 음 축(丑)	22:37:49	22:39:29
1227	목토	목- 음 축(丑)	22:39:29	22:40:40
1228	목화	목- 음 축(丑)	22:40:40	22:42:21
1229	목금	토+ 양 인(寅)	22:42:21	22:44:01
1230	목기	토+ 양 인(寅)	22:44:01	22:45:13
1231	목수	토+ 양 인(寅)	22:45:13	22:46:53
1232	토목	토- 음 묘(卯)	22:46:53	22:48:04
1233	토토	토- 음 묘(卯)	22:48:04	22:48:54
1234	토화	토- 음 묘(卯)	22:48:54	22:50:06
1235	토금	화+ 양 진(辰)	22:50:06	22:51:17
1236	토기	화+ 양 진(辰)	22:51:17	22:52:07
1237	토수	화+ 양 진(辰)	22:52:07	22:53:18
1238	화목	화- 음 사(巳)	22:53:18	22:54:59
1239	화토	화- 음 사(巳)	22:54:59	22:56:10
1240	화화	화- 음 사(巳)	22:56:10	22:57:50
1241	화금	금+ 양 오(午)	22:57:50	22:59:31
1242	화기	금+ 양 오(午)	22:59:31	23:00:42
1243	화수	금+ 양 오(午)	23:00:42	23:02:23
1244	금목	금- 음 미(未)	23:02:23	23:04:03
1245	금토	금- 음 미(未)	23:04:03	23:05:14
1246	금화	금- 음 미(未)	23:05:14	23:06:55
1247	금금	기+ 양 신(申)	23:06:55	23:08:35
1248	금기	기+ 양 신(申)	23:08:35	23:09:47
1249	금수	기+ 양 신(申)	23:09:47	23:11:27
1250	기목	기- 음 유(酉)	23:11:27	23:12:38
1251	기토	기- 음 유(酉)	23:12:38	23:13:28
1252	기화	기- 음 유(酉)	23:13:28	23:14:40
1253	기금	수+ 양 술(戌)	23:14:40	23:15:51
1254	기기	수+ 양 술(戌)	23:15:51	23:16:41
1255	기수	수+ 양 술(戌)	23:16:41	23:17:52
1256	수목	수- 음 해(亥)	23:17:52	23:19:33
1257	수토	수- 음 해(亥)	23:19:33	23:20:44
1258	수화	수- 음 해(亥)	23:20:44	23:22:24
1259	수금	목+ 양 자(子)	23:22:24	23:24:05
1260	수기	목+ 양 자(子)	23:24:05	23:25:16

연번	36기운	12기운	양력1일역	
			시작시점	끝나는시점
1261	수수	목+ 양 자(子)	23:25:16	23:26:27
1262	목목	목- 음 축(丑)	23:26:27	23:27:38
1263	목토	목- 음 축(丑)	23:27:38	23:28:28
1264	목화	목- 음 축(丑)	23:28:28	23:29:40
1265	목금	토+ 양 인(寅)	23:29:40	23:30:51
1266	목기	토+ 양 인(寅)	23:30:51	23:31:41
1267	목수	토+ 양 인(寅)	23:31:41	23:32:52
1268	토목	토- 음 묘(卯)	23:32:52	23:33:42
1269	토토	토- 음 묘(卯)	23:33:42	23:34:18
1270	토화	토- 음 묘(卯)	23:34:18	23:35:08
1271	토금	화+ 양 진(辰)	23:35:08	23:35:58
1272	토기	화+ 양 진(辰)	23:35:58	23:36:34
1273	토수	화+ 양 진(辰)	23:36:34	23:37:24
1274	화목	화- 음 사(巳)	23:37:24	23:38:35
1275	화토	화- 음 사(巳)	23:38:35	23:39:26
1276	화화	화- 음 사(巳)	23:39:26	23:40:37
1277	화금	금+ 양 오(午)	23:40:37	23:41:48
1278	화기	금+ 양 오(午)	23:41:48	23:42:38
1279	화수	금+ 양 오(午)	23:42:38	23:43:49
1280	금목	금- 음 미(未)	23:43:49	23:45:00
1281	금토	금- 음 미(未)	23:45:00	23:45:50
1282	금화	금- 음 미(未)	23:45:50	23:47:02
1283	금금	기+ 양 신(申)	23:47:02	23:48:13
1284	금기	기+ 양 신(申)	23:48:13	23:49:03
1285	금수	기+ 양 신(申)	23:49:03	23:50:14
1286	기목	기- 음 유(酉)	23:50:14	23:51:04
1287	기토	기- 음 유(酉)	23:51:04	23:51:40
1288	기화	기- 음 유(酉)	23:51:40	23:52:30
1289	기금	수+ 양 술(戌)	23:52:30	23:53:20
1290	기기	수+ 양 술(戌)	23:53:20	23:53:56
1291	기수	수+ 양 술(戌)	23:53:56	23:54:46
1292	수목	수- 음 해(亥)	23:54:46	23:55:57
1293	수토	수- 음 해(亥)	23:55:57	23:56:48
1294	수화	수- 음 해(亥)	23:56:48	23:57:59
1295	수금	목+ 양 자(子)	23:57:59	23:59:10
1296	수기	목+ 양 자(子)	23:59:10	0:00:00

도표(4) 음력1일역 수(數)

음력1일역 수(數)					
번호	36기운	12기운	매화역수 수리	시작시점 (음력시)	끝나는시 점(음력시)
1	수수	목+ 양 자(子) 한겨울 [수]	1	0:00:00	0:49:08
2	목목	목- 음 축(丑) 늦겨울 [토]	5	0:49:08	1:38:16
3	목토	목- 음 축(丑) 늦겨울 [토]	5	1:38:16	2:13:00
4	목화	목- 음 축(丑) 늦겨울 [토]	5	2:13:00	3:02:08
5	목금	토+ 양 인(寅) 초봄 [목]	3	3:02:08	3:51:16
6	목기	토+ 양 인(寅) 초봄 [목]	3	3:51:16	4:26:00
7	목수	토+ 양 인(寅) 초봄 [목]	3	4:26:00	5:15:08
8	토목	토- 음 묘(卯) 한봄 [목]	8	5:15:08	5:49:52
9	토토	토- 음 묘(卯) 한봄 [목]	8	5:49:52	6:14:24
10	토화	토- 음 묘(卯) 한봄 [목]	8	6:14:24	6:49:08

			음력1일역 수(數)		

번호	36기운	12기운	매화역수 수리	시작시점 (음력시)	끝나는시 점(음력시)
11	토금	화+ 양 진(辰) 늦봄 [토]	5	6:49:08	7:23:52
12	토기	화+ 양 진(辰) 늦봄 [토]	5	7:23:52	7:48:24
13	토수	화+ 양 진(辰) 늦봄 [토]	5	7:48:24	8:23:08
14	화목	화- 음 사(巳) 초여름 [화]	2	8:23:08	9:12:16
15	화토	화- 음 사(巳) 초여름 [화]	2	9:12:16	9:47:00
16	화화	화- 음 사(巳) 초여름 [화]	2	9:47:00	10:36:08
17	화금	금+ 양 오(午) 한여름 [화]	7	10:36:08	11:25:16
18	화기	금+ 양 오(午) 한여름 [화]	7	11:25:16	12:00:00
19	화수	금+ 양 오(午) 한여름 [화]	7	12:00:00	12:49:08
20	금목	금- 음 미(未) 늦여름 [토]	5	12:49:08	13:38:16

번호	36기운	12기운	매화역수 수리	시작시점 (음력시)	끝나는시 점(음력시)
		음력1일역 수(數)			
21	금토	금- 음 미(未) 늦여름 [토]	5	13:38:16	14:13:00
22	금화	금- 음 미(未) 늦여름 [토]	5	14:13:00	15:02:08
23	금금	기+ 양 신(申) 초가을 [금]	9	15:02:08	15:51:16
24	금기	기+ 양 신(申) 초가을 [금]	9	15:51:16	16:26:00
25	금수	기+ 양 신(申) 초가을 [금]	9	16:26:00	17:15:08
26	기목	기- 음 유(酉) 한가을 [금]	4	17:15:08	17:49:52
27	기토	기- 음 유(酉) 한가을 [금]	4	17:49:52	18:14:24
28	기화	기- 음 유(酉) 한가을 [금]	4	18:14:24	18:49:08
29	기금	수+ 양 술(戌) 늦가을 [토]	5	18:49:08	19:23:52
30	기기	수+ 양 술(戌) 늦가을 [토]	5	19:23:52	19:48:24

음력1일역 수(數)					
번호	36기운	12기운	매화역수 수리	시작시점 (음력시)	끝나는시 점(음력시)
31	기수	수+ 양 술(戌) 늦가을 [토]	5	19:48:24	20:23:08
32	수목	수- 음 해(亥) 초겨울 [수]	6	20:23:08	21:12:16
33	수토	수- 음 해(亥) 초겨울 [수]	6	21:12:16	21:47:00
34	수화	수- 음 해(亥) 초겨울 [수]	6	21:47:00	22:36:08
35	수금	목+ 양 자(子) 한겨울 [수]	1	22:36:08	23:25:16
36	수기	목+ 양 자(子) 한겨울 [수]	1	23:25:16	0:00:00

도표(5) 12운성과 12신살 그리고 주요 신살

본인	수- 음 해(亥) 초겨울 [수]	목+ 양 자(子) 한겨울 [수]	목- 음 축(丑) 늦겨울 [토]	토+ 양 인(寅) 초봄 [목]	토- 음 묘(卯) 한봄 [목]	화+ 양 진(辰) 늦봄 [토]
수- 음 해(亥) 초겨울 [수]	건록 자형	제왕 방합(수)	쇠 방합(수)	병 육합(목) 파	사 삼합(목)	묘 원진
목+ 양 자(子) 한겨울 [수]	제왕 방합(수)	건록	관대 육합(토) 방합(수)	목욕	장생 상형	양 삼합(수)
목- 음 축(丑) 늦겨울 [토]	쇠 방합(수)	제왕 육합(토) 방합(수)	건록	관대	목욕	장생 파
토+ 양 인(寅) 초봄 [목]	장생 육합(목) 파	목욕	관대	건록	제왕 방합(목)	쇠 방합(목)
토- 음 묘(卯) 한봄 [목]	사 삼합(목)	병 상형	쇠	제왕 방합(목)	건록	관대 육해 방합(목)
화+ 양 진(辰) 늦봄 [토]	태 원진	양 삼합(수)	장생 파	목욕 방합(목)	관대 육해 방합(목)	건록 자형
화- 음 사(巳) 초여름 [화]	절 충	태	양 삼합(금)	장생 육해 삼형	목욕	관대
금+ 양 오(午) 한여름 [화]	태	절 충	묘 육해 원진	사 삼합(화)	병 파	쇠
금- 음 미(未) 늦여름 [토]	양 삼합(목)	태 육해 원진	절 충 삼형	묘	사 삼합(목)	병
기+ 양 신(申) 초가을 [금]	병 육해	사 삼합(수)	묘	절 충 삼형	태 원진	양 삼합(수)
기- 음 유(酉) 한가을 [금]	목욕	장생 파	양 삼합(금)	태 원진	절 충	묘 육합(금)
수+ 양 술(戌) 늦가을 [토]	제왕	쇠	병 삼형	사 삼합(화)	묘 육합(화)	절 충

본인	화- 음 사 (巳) 초여름 [화]	금+ 양 오 (午) 한여름 [화]	금- 음 미 (未) 늦여름 [토]	기+ 양 신 (申) 초가을 [금]	기- 음 유 (酉) 한가을 [금]	수+ 양 술 (戌) 늦가을 [토]
수 음 해(亥) 초겨울 [수]	절 충	태	양 삼합(목)	장생 육해	목욕	관대
목+ 양 자(子) 한겨울 [수]	태	절 충	묘 육해 원진	사 삼합(수)	병 파	쇠
목- 음 축(丑) 늦겨울 [토]	양 삼합(금)	태 육해 원진	절 충 삼형(육형)	묘	사 삼합(금)	병 삼형(육형)
토+ 양 인(寅) 초봄 [목]	병 육해 삼형(육형)	사 삼합(화)	묘	절 충 삼형(육형)	태 원진	양 삼합(화)
토- 음 묘(卯) 한봄 [목]	목욕	장생 파	양 삼합(목)	태 원진	절 충	묘 육합(화)
화+ 양 진(辰) 늦봄 [토]	제왕	쇠	병	사 삼합(수)	묘 육합(금)	절 충
화- 음 사(巳) 초여름 [화]	건록	제왕 방합(화)	쇠 방합(화)	병 육합(수) 파,삼형	사 삼합(금)	묘 원진
금+ 양 오(午) 한여름 [화]	제왕 방합(화)	건록 자형	관대 육합( ) 방합(화)	목욕	장생	양 삼합(화)
금- 음 미(未) 늦여름 [토]	쇠 방합(화)	제왕 육합( ) 방합(화)	건록	관대	목욕	장생 파 삼형
기+ 양 신(申) 초가을 [금]	장생 육합(수) 파,삼형	목욕	관대	건록	제왕 방합(금)	쇠 방합(금)
기- 음 유(酉) 한가을 [금]	사 삼합(금)	병	쇠	제왕 방합(금)	건록 자형	관대 육해 방합(금)
수+ 양 술(戌) 늦가을 [토]	태 원진	양 삼합(화)	장생 파 삼형	목욕 방합(금)	관대 육해 방합(금)	건록

본인	수- 음 해(亥) 초겨울 [수]	목+ 양 자(子) 한겨울 [수]	목- 음 축(丑) 늦겨울 [토]	토+ 양 인(寅) 초봄 [목]	토- 음 묘(卯) 한봄 [목]	화+ 양 진(辰) 늦봄 [토]
수- 음 해(亥) 초겨울 [수]	지살	년살 (도화살)	월살	망신살	장성살	반안살
목+ 양 자(子) 한겨울 [수]	망신살	장성살	반안살	역마살	육해살	화개살
목- 음 축(丑) 늦겨울 [토]	역마살	육해살	화개살	겁살	재살	천살
토+ 양 인(寅) 초봄 [목]	겁살	재살	천살	지살	년살 (도화살)	월살
토- 음 묘(卯) 한봄 [목]	지살	년살 (도화살)	월살	망신살	장성살	반안살
화+ 양 진(辰) 늦봄 [토]	망신살	장성살	반안살	역마살	육해살	화개살
화- 음 사(巳) 초여름 [화]	역마살	육해살	화개살	겁살	재살	천살
금+ 양 오(午) 한여름 [화]	겁살	재살	천살	지살	년살 (도화살)	월살
금- 음 미(未) 늦여름 [토]	지살	년살 (도화살)	월살	망신살	장성살	반안살
기+ 양 신(申) 초가을 [금]	망신살	장성살	반안살	역마살	육해살	화개살
기- 음 유(酉) 한가을 [금]	역마살	육해살	화개살	겁살	재살	천살
수+ 양 술(戌) 늦가을 [토]	겁살	재살	천살	지살	년살 (도화살)	월살

본인	화- 음 사(巳) 초여름 [화]	금+ 양 오(午) 한여름 [화]	금- 음 미(未) 늦여름 [토]	기+ 양 신(申) 초가을 [금]	기- 음 유(酉) 한가을 [금]	수+ 양 술(戌) 늦가을 [토]
수- 음 해(亥) 초겨울 [수]	역마살	육해살	화개살	겁살	재살	천살
목+ 양 자(子) 한겨울 [수]	겁살	재살	천살	지살	년살 (도화살)	월살
목- 음 축(丑) 늦겨울 [토]	지살	년살 (도화살)	월살	망신살	장성살	반안살
토+ 양 인(寅) 초봄 [목]	망신살	장성살	반안살	역마살	육해살	화개살
토- 음 묘(卯) 한봄 [목]	역마살	육해살	화개살	겁살	재살	천살
화+ 양 진(辰) 늦봄 [토]	겁살	재살	천살	지살	년살 (도화살)	월살
화- 음 사(巳) 초여름 [화]	지살	년살 (도화살)	월살	망신살	장성살	반안살
금+ 양 오(午) 한여름 [화]	망신살	장성살	반안살	역마살	육해살	화개살
금- 음 미(未) 늦여름 [토]	역마살	육해살	화개살	겁살	재살	천살
기+ 양 신(申) 초가을 [금]	겁살	재살	천살	지살	년살 (도화살)	월살
기- 음 유(酉) 한가을 [금]	지살	년살 (도화살)	월살	망신살	장성살	반안살
수+ 양 술(戌) 늦가을 [토]	망신살	장성살	반안살	역마살	육해살	화개살

도표(6) 육친

본인	수+ 양 해 (亥) 초겨울 [수]	목- 음 자 (子) 한겨울 [수]	목- 음 축 (丑) 늦겨울 [토]	토+ 양 인 (寅) 초봄 [목]	토- 음 묘 (卯) 한봄 [목]	화+ 양 진 (辰) 늦봄 [토]
수+ 양 해(亥) 초겨울 [수]	비견	겁재	정관	식신	상관	편관
목- 음 자(子) 한겨울 [수]	겁재	비견	편관	상관	식신	정관
목- 음 축(丑) 늦겨울 [토]	정재	편재	비견	정관	편관	겁재
토+ 양 인(寅) 초봄 [목]	편인	정인	정재	비견	겁재	편재
토- 음 묘(卯) 한봄 [목]	정인	편인	편재	겁재	비견	정재
화+ 양 진(辰) 늦봄 [토]	편재	정재	겁재	편관	정관	비견
화+ 양 사(巳) 초여름 [화]	편관	정관	상관	편인	정인	식신
금- 음 오(午) 한여름 [화]	정관	편관	식신	정인	편인	상관
금- 음 미(未) 늦여름 [토]	정재	편재	비견	정관	편관	겁재
기+ 양 신(申) 초가을 [금]	식신	상관	정인	편재	정재	편인
기- 음 유(酉) 한가을 [금]	상관	식신	편인	정재	편재	정인
수+ 양 술(戌) 늦가을 [토]	편재	정재	겁재	편관	정관	비견

본인	화+ 양 사 (巳) 초여름 [화]	금- 음 오 (午) 한여름 [화]	금- 음 미 (未) 늦여름 [토]	기+ 양 신 (申) 초가을 [금]	기- 음 유 (酉) 한가을 [금]	수+ 양 술 (戌) 늦가을 [토]
수+ 양 해(亥) 초겨울 [수]	편재	정재	정관	편인	정인	편관
목- 음 자(子) 한겨울 [수]	정재	편재	편관	정인	편인	정관
목- 음 축(丑) 늦겨울 [토]	정인	편인	비견	상관	식신	겁재
토+ 양 인(寅) 초봄 [목]	식신	상관	정재	편관	정관	편재
토- 음 묘(卯) 한봄 [목]	상관	식신	편재	정관	편관	정재
화+ 양 진(辰) 늦봄 [토]	편인	정인	겁재	식신	상관	비견
화+ 양 사(巳) 초여름 [화]	비견	겁재	상관	편재	정재	식신
금- 음 오(午) 한여름 [화]	겁재	비견	식신	정재	편재	상관
금- 음 미(未) 늦여름 [토]	정인	편인	비견	상관	식신	겁재
기+ 양 신(申) 초가을 [금]	편관	정관	정인	비견	겁재	편인
기- 음 유(酉) 한가을 [금]	정관	편관	편인	겁재	비견	정인
수+ 양 술(戌) 늦가을 [토]	편인	정인	겁재	식신	상관	비견

저자 소개

심준모
1966. 7.18.

영남고등학교

경북대학교

공인중개사

생명의 기원과 역학의 원리

발　행 | 2024년 5월 14일
저　자 | 심준모
펴낸이 | 한건희
펴낸곳 | 주식회사 부크크
출판사등록 | 2014.07.15.(제2014-16호)
주　소 | 서울특별시 금천구 가산디지털1로 119 SK트윈타워 A동 305호
전　화 | 1670-8316
이메일 | info@bookk.co.kr

ISBN | 979-11-410-8500-1

www.bookk.co.kr